Tracy & Laura Hickman

L'EMPIRE
MYSTIQUE

Livre 3 des Cantiques du Bronze

Éditeur : François Doucet
Traduction : Guillaume Labbé
Révision linguistique : Féminin Pluriel
Correction d'épreuves : Suzanne Turcotte, Isabelle Veillette, Marie-Lise Poirier, Nancy Coulombe
Design de la couverture : Don Puckey / Shasti O'Leary Soudant
Illustration de la couverture : Matt Stawicki
Montage de la couverture : Matthieu Fortin
Mise en page : Sébastien Michaud
ISBN 978-2-89565-519-0
Première impression : 2008
Dépôt légal : 2008
Bibliothèque et Archives nationales du Québec
Bibliothèque Nationale du Canada

Éditions AdA Inc.
1385, boul. Lionel-Boulet
Varennes, Québec, Canada, J3X 1P7
Téléphone : 450-929-0296
Télécopieur : 450-929-0220
www.ada-inc.com
info@ada-inc.com

Diffusion
Canada :   Éditions AdA Inc.
France :   D.G. Diffusion
                  Z.I. des Bogues
                  31750 Escalquens
                  Cedex France
                  Téléphone : 05.61.00.09.99
Suisse :   Transat - 23.42.77.40
Belgique :   D.G. Diffusion - 05.61.00.09.99

Imprimé au Canada

Participation de la SODEC.
Nous reconnaissons l'aide financière du gouvernement du Canada par l'entremise du Programme d'aide au déve-
loppement de l'industrie de l'édition (PADIÉ) pour nos activités d'édition.
Gouvernement du Québec - Programme de crédit d'impôt pour l'édition de livres - Gestion SODEC.

**Catalogage avant publication de Bibliothèque et Archives nationales du Québec et Bibliothèque et Archives
Canada**
Hickman, Tracy

  L'Empire mystique

  (Cantiques du bronze ; livre 3)
  Traduction de: Mystic empire.
  ISBN 978-2-89565-519-0

  I. Hickman, Laura. II. Labbé, Guillaume. III. Titre. IV. Collection: Hickman, Tracy. Cantiques du bronze ;
  livre 3.

PS3558.I229M97314 2008   813'.54   C2007-940937-7

Ce livre est dédié avec amour à nos enfants, Angel, Curtis, Lani, Tasha et Jarod, qui donnent vie à la joie et la magie bien au-delà des couvertures de nos livres.

REMERCIEMENTS

Les livres ne naissent pas comme par magie, à partir de rien ; chacun porte la marque de plusieurs artisans et professionnels qui ont tous contribué aux diverses étapes, de la gestation jusqu'à l'accouchement.

Nous désirons exprimer nos plus profonds remerciements à Maureen Egen, à Jamie Raab et à Beth de Guzman, qui ont soutenu les levers de soleil sur nos mondes ; à Bob Castillo et à Penina Sacks, qui ont su polir ce qui devait l'être ; et à Devi Pillai, pour son aide indispensable.

Nous sommes aussi reconnaissants envers Jim Spivey, qui a reçu les mots que nous lui avions fait parvenir et qui en a fait un livre bien réel ; à Huy Duong, à Donald Puckey et spécialement à Matt Stawicki pour les superbes illustrations de la couverture.

Les livres ne peuvent prendre vie avant d'avoir été lus. Nous souhaitons remercier toutes ces personnes qui ont travaillé si dur pour que nos livres puissent se retrouver entre vos mains : Bryan Cronk, pour le marketing en ligne, Rebecca Oliver et Peggy Boelke, pour les droits sur les produits dérivés, Christine Barba et sa fantastique équipe de vente, Karen Torres et son service du marketing, Martha Otis, pour son équipe entière de publicité et de promotion, et Chris Dao, pour son travail au chapitre de la publicité.

Nous exprimons notre gratitude à notre agent, Matt Bialer, et à son assistante, Anna Bierhaus, qui ont su comprendre la vision de ces livres. Vous nous avez pris sous votre aile et avez cru en nous ; nous ne l'oublierons jamais.

Enfin, nos plus sincères remerciements à l'unique Jaime Levine – dont les longues heures de travail, le vif talent, le crayon rouge et les tonnes d'encouragements nous ont aidés à travers ces trois livres. Tu as fait en sorte que *le feu puisse être visible à travers la fumée.*

TABLE DES MATIÈRES

FOLIO 7 : Les étrangers

FOLIO 8 : Les désaccords

FOLIO 9 : Le jeton

Il était une, deux, trois fois...
Un monde qui renfermait trois mondes
Un endroit qui comptait trois endroits
Une histoire qui racontait
Trois histoires en même temps.

Il était une, deux, trois fois...
Trois mondes dont les dieux prévoyaient
Le moment où ils ne feraient plus qu'un...
Où les enfants de leur création
Seraient témoins de l'Engagement entre les mondes.

Il était une, deux, trois fois...
Trois mondes qui se battaient pour leur survie.
Leurs enfants étaient armés
De la ruse de leur esprit
Leur féroce volonté pour endurance
Et une toute nouvelle magie comme pouvoir.

Il était une, deux, trois fois...
L'Engagement entre les mondes
Les dieux eux-mêmes ne savaient pas
... quel monde régnerait...
... quel monde se soumettrait...
... ni quel monde mourrait.

Chanson des Mondes
Cantiques du Bronze, Tome 1, Folio 1, Feuillet 6

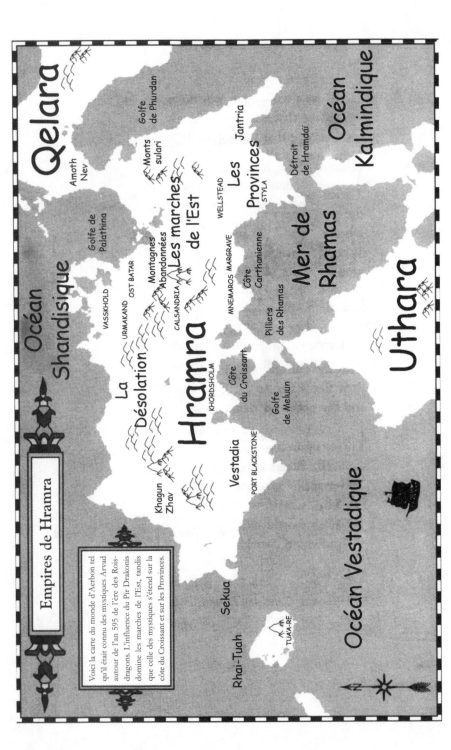

Empires de Hramra

Voici la carte du monde d'Aerbon tel qu'il était connu des mystiques Arvad autour de l'an 595 de l'ère des Rois-dragons. L'influence du Pir Drakonis domine les marches de l'Est, tandis que celle des mystiques s'étend sur la côte du Croissant et sur les Provinces.

Océan Shandisique

Qelara

Golfe de Phurdan

Amoth Nev

Monts sulari

Golfe de Palathina

VASSKHOLD

URMAKAND

OST BATAR

Montagnes Abandonnées

La Désolation

CALSANDRIA

Les marches de l'Est

Jantria

Les Provinces

STYLA

WELLSTEAD

Détroit de Hramdaï

Océan Kalmindique

MNEMAROS MARGRAVE

Côte Carthanienne

Mer de Rhamas

KHORDSHOLM

Hramra

Côte du Croissant

Pilliers des Rhamas

Khagun Zhav

Vestadia

PORT BLACKSTONE

Golfe de Meluun

Uthara

Sekua

Rhai-Tuah

TUAA-RE

Océan Vestadique

N

L'EMPIRE MYSTIQUE

MYSTIQUE

Livre 3 des Cantiques du Bronze

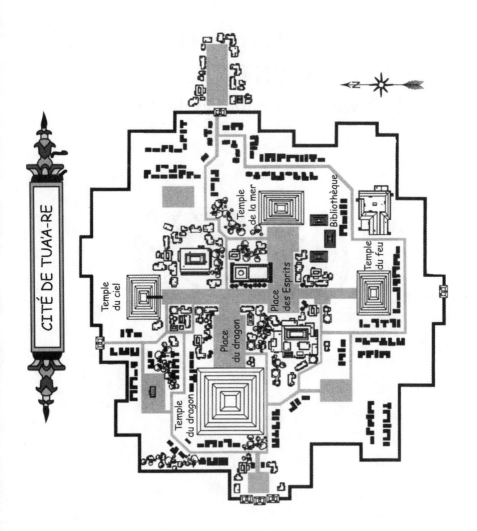

CITÉ DE TUAA-RE

Temple du ciel

Temple du dragon

Place du dragon

Place des Esprits

Temple de la mer

Bibliothèque

Temple du feu

N

FOLIO 7

LES ÉTRANGERS

LES BARDES

La 591ᵉ année du règne des Rois-dragons devait marquer le centenaire des Champs de l'Élection – la rébellion de Galen Arvad que toutes les guildes des mystiques reconnaissaient comme étant le moment qui avait insufflé l'étincelle de vie à leurs ambitions embryonnaires. Le centième anniversaire devait donc susciter une très importante célébration dans tout le grand bassin de Calsandria de même qu'à Nharuthenia, au nord. Partout, les mystiques se préparaient à célébrer le centenaire de l'Élection, même en ces établissements situés dans les lointaines marches de l'Est et dans les Provinces – des endroits dont les noms semblaient plus solides que les timides cabanes qui s'accrochaient à ces terres sauvages –, avec tout ce qu'ils pouvaient imaginer pour célébrer l'événement.

La plupart de ceux qui prêtaient allégeance aux guildes des mystiques, depuis le plus petit hameau jusqu'à Calsandria et sa splendeur retrouvée, pouvaient se vanter d'être en mesure de faire remonter au moins une de leurs lignées jusqu'aux clans mystiques fondateurs, et revendiquaient ainsi leur droit spécial de participer aux festivités. Les histoires de leurs ancêtres qui avaient fait ce difficile voyage vers le cœur de l'Empire rhamassien oublié et déchu et qui s'étaient approprié son ancienne capitale étaient, à l'origine, une source de fierté, mais étaient depuis devenues une nécessité politique, en ce sens que le pouvoir et le statut social étaient devenus une affaire d'héritage.

Protégés par leurs citadelles dans les montagnes, les mystiques avaient étendu leur influence au-delà des sommets imposants qui les bordaient de tous côtés. Toutes les communautés mystiques avaient le sentiment que la promesse d'un Empire magique était collectivement à leur portée, et cela avait été particulièrement attesté par le mariage largement attendu de deux des plus puissantes maisons des guildes dans la même année – la maison de Conlan et la maison de Rennes-Arvad.

Mais, tandis que les yeux de tous les mystiques étaient rivés sur leurs propres triomphes et gloires qui étaient survenus lors du premier siècle de leur histoire, un changement passa inaperçu ; la Magie profonde changeait, elle aussi, comme un bocal d'eau hermétiquement fermé qu'on aurait laissé sur des braises qu'on croyait refroidies depuis longtemps.

Silencieuse et oubliée, elle était sur le point d'exploser.

Cantiques du Bronze
Tome VI, Folio 1, Feuillet 25

Les lames de la grande porte fermée vibrèrent sous l'effet du poing qui cognait dessus.

« Un instant ! Un instant ! » cria le tonnelier. Il se tenait debout, le dos voûté, faisant glisser côte à côte les douelles d'un grand tonneau à l'intérieur du cercle de métal temporairement installé dans la partie supérieure, tandis que les portions inférieures des douelles creusaient le sol de terre de l'atelier. La mise en rose exigeait toute sa concentration ; ce n'était certainement pas le moment d'être dérangé. « Méra ! Pourrais-tu répondre à la porte ? »

« C'est que je suis occupée avec le dîner ! »

Le poing s'abattit plusieurs fois sur la porte en une succession de coups rapides.

« Oh, un instant ! » cria de nouveau le tonnelier en direction de la porte.

Les coups cessèrent. « Méra… laisse la fille s'en occuper et donne-nous plutôt un coup de main, tu veux ? »

« Je ne quitterais pas ce ragoût des yeux, Hengus, même si c'était le parleur lui-même qui me le demandait », répondit la voix de la femme par l'embrasure de la porte qui communiquait avec l'atelier. « La dernière fois, la fille a fait brûler le ragoût et tu nous as passé un savon ! »

« Zut, femme ! C'est la porte ! »

« Alors, va l'ouvrir toi-même ! J'essaie de nous donner un foyer, dans cet endroit abandonné ! »

Hengus trembla, contrarié, et ses mains glissèrent. Le baril soigneusement mis en rose s'effondra, le cercle de métal tomba sur le sol puis alla rouler avec grand bruit dans un coin de l'atelier et, au même moment, les douelles s'écartèrent vers l'extérieur pour s'écraser avec fracas contre le sol. Le tonnelier aurait aimé jurer davantage, mais il savait que cela n'aurait fait qu'aggraver le courroux de sa femme. Cela l'énerva encore plus, alors il tourna son large visage souillé vers le toit de l'atelier, et hurla quelque chose d'incohérent vers le ciel.

La porte tressaillit de plus belle, et les coups provenant de l'extérieur se firent encore plus insistants.

«J'arrive! Mais j'arrive!» grommela Hengus. C'était un grand homme – le plus grand de tout le village – et il était plus fort encore qu'une paire de fermiers locaux, peu importe la composition. Il avait un corps naturellement imposant, mais le fait de plier ainsi des douelles du matin au soir avait accentué la largeur de ses épaules, déjà remarquable. De la sueur luisait dans ses cheveux noirs et frisés qu'il préférait courts, mais il était devenu plus difficile récemment de trouver quelqu'un qui pouvait les lui couper convenablement. Il préférait également être rasé de près, mais comme pouvait en témoigner l'épaisse barbe de plusieurs jours sur son visage, cela aussi devenait un luxe de plus en plus rare dans sa vie.

Il se redressa, se retourna et s'avança vers la porte, puis hésita un moment. Il tendit la main vers le bas et saisit son marteau de tonnelier, en soupesa le poids et porta la main vers le loquet de la porte, maintenant son marteau au-dessus de sa tête avec sa main droite.

«Qui est là?»

«Faites-nous entrer, s'il vous plaît», dit une voix aiguë.

«Il se fait tard… nous travaillons à des heures décentes, ici. Revenez quand il fera jour.»

«S'il vous plaît!» La voix était assourdie par les lames de la porte, mais le ton était pressant. «Nous avons besoin d'aide!»

Hengus prit un air décidé. Ils ont tous besoin d'aide, pensa-t-il. Mais il avança la main et retira le lourd verrou en bois qui maintenait la porte fermée.

Deux hommes dégringolèrent dans son atelier par la porte, chacun semblant soutenir l'autre en tombant tous deux sur le sol encrassé de l'atelier. Ils étaient jeunes et n'avaient pas encore atteint la vingtaine, d'après ce qu'Hengus pouvait déduire de leur apparence. Ils étaient recouverts de la poussière de la route et leur odeur laissait deviner qu'ils n'avaient pas pu se laver convenablement depuis au moins un mois. Ils portaient toutefois des sandales finement travaillées, même si elles étaient un peu usées, et portaient un sac à dos sous leurs houppelandes taillées dans un tissu vert robuste mais terne. Mais c'est leurs tuniques qui retinrent immédiatement l'attention du tonnelier ; bien qu'elles aient été couvertes de poussière, il pourrait voir qu'elles étaient blanches et que le tissu lui-même brillait en certains endroits.

Hengus agita son marteau de façon menaçante. « Que voulez-vous ? »

Un des deux jeunes hommes roula sur le côté, sa poitrine se soulevant et s'abaissant rapidement tandis qu'il tentait de reprendre son souffle. Il avait les traits tirés et de petits yeux. La barbe du jeune homme avait autrefois été soigneusement taillée, mais elle avait été négligée depuis un certain temps maintenant. C'était sa voix aiguë qu'Hengus avait entendue à travers la porte. « Où... où sommes-nous ? »

« Vous venez cogner ainsi sur ma porte dans la noirceur de la nuit et vous ne savez même pas où vous êtes ! » La voix d'Hengus gronda de façon menaçante tandis qu'il parlait.

Le jeune homme aux traits tirés mit les mains en l'air, pour se rendre ou pour se défendre, Hengus n'aurait pu le dire. « Je vous en prie... Nous devons seulement nous reposer un peu... et découvrir le nom de cet endroit. »

« Vous êtes à Wellstead », répondit prudemment le tonnelier, en agrippant son marteau encore plus fermement, les muscles tendus, dans l'éventualité où il devrait s'en servir. « Et je suis Hengus – et c'est tout ce que vous me demanderez jusqu'à ce que j'obtienne des réponses de vous ! »

Le deuxième jeune homme, maintenant à quatre pattes, parla de façon hésitante, d'une voix plus riche de baryton.

« Wellstead, hein ? Nous sommes encore dans les marches de l'Est, Gaius. À environ cent milles au sud de Traggathia, je pense. »

« Je ne pense pas en avoir entendu parler, Treijan », dit Gaius en prenant une longue inspiration.

« C'est un endroit bien plus loin que "pas entendu parler" peut être », répondit Treijan. « "Pas entendu parler" serait relativement près, en comparaison. »

« Je vous ai assez entendu, tous les deux », grogna Hengus. Il tendit sa main libre vers le bas, agrippa l'arrière de la tunique de Gaius et le souleva jusqu'à ce qu'il soit de nouveau debout sans toutefois le laisser toucher le sol. « Hors d'ici – tous les deux –, retournez d'où vous venez, peu importe où c'est ! »

« Hengus Denthal, relâche-le immédiatement ! » Sa femme se tenait dans l'embrasure de la porte de la cuisine. Elle était plus petite que lui d'au moins un pied et se déplaçait comme un oiseau. Elle avait toutes les apparences d'une personne frêle, mais Hengus savait d'expérience qu'il en était tout autrement.

« Méra ! Les étrangers et les problèmes sont une seule et même chose », geignit Hengus. « Nous avons assez de problèmes sans devoir assumer aussi les leurs. »

« Et à qui est la faute ? » répondit Méra. Ses cheveux foncés émergeaient en formant toutes sortes d'angles bizarres autour de son visage mince, qui tremblait comme elle parlait. « Viens avec moi à la frontière, que tu as dit ; offrons-nous un nouveau départ, que tu as dit ; laissons nos problèmes derrière nous, que tu as dit. Alors, nous avons écouté cet aboth du Pir nous dire à quel point il serait merveilleux de servir Satinka dans les Marches, et nous avons embarqué à bord de ces navires coloniaux puants en traînant le peu que nous avions jusqu'ici – et pour quoi ? »

« Nous sommes les seuls tonneliers dans ce village ! » cria Hengus.

« Nous sommes *les seuls* dans ce village, point ! » répondit Méra sur le même ton. Ses yeux foncés étaient en feu, mais ils s'adoucirent soudainement lorsqu'elle se tourna vers Gaius, qui était toujours retenu par la prise solide d'Hengus. Elle sourit légèrement, consciente qu'il lui manquait deux dents. « Je vous prie de pardonner la réaction de mon mari – il ne sait pas faire mieux. Il n'a pas beaucoup voyagé dans le monde, contrairement à moi, à une époque. »

« Ne vous en faites pas, madame », dit Gaius tandis qu'Hengus le ramenait lentement vers le sol. « Nous ne voulons pas vous causer de problèmes. »

« Oh, comme c'est aimable », roucoula Méra, en replaçant timidement ses mèches rebelles. « Vous n'avez pas à vous inquiéter avec les problèmes ; nous en avons un surplus en réserve… Nous pourrions même en vivre confortablement, s'il y avait un marché pour cela. »

« Nous pourrions vous aider, à ce sujet », dit le second jeune homme en se relevant. Il était un peu plus grand que le premier, et ses cheveux foncés coupés ras semblaient se hérisser sur sa tête. La barbe de l'homme montrait des signes d'entretien soigneux, ses contours longeant gracieusement sa forte mâchoire depuis l'avant de ses oreilles avant de tourner subitement vers le haut et de rejoindre sa moustache. Une petite touffe de poils était nichée dans le sillon de son menton, petite île sous des lèvres qui semblaient sourire naturellement. Ses joues étaient rose pomme, compensant ses yeux brillants et chaleureux. Il tendit la main vers la femme à la voix traînante et visiblement ravie. « Appelez-moi Treijan. Et voici mon compagnon Gaius. Nous sommes… »

« Des bardes », dit Méra en riant bêtement, comme si elle était une fille ayant la moitié de leur âge. « Je reconnais les tuniques. »

Hengus fronça fortement les sourcils. « Des bardes ? Alors, vous êtes des mystiques hérétiques venus nous harceler dans notre misère. »

« Non, maître – Hengus, c'est bien cela ? » dit Treijan de sa voix la plus charmante. « Nous venons pour chanter les chansons des anciens ; raconter les histoires des héros oubliés et rechercher ceux qui souhaitent avoir une vie meilleure. »

« Peut-être », dit Gaius à son compagnon en retirant sa tunique de l'étreinte maintenant plus relâchée du tonnelier, « que nous devrions partir. Nous ne savons pas combien de temps s'écoulera avant que… »

« Mais ce brave homme est un tonnelier », répondit tout de suite Treijan, faisant un geste de la main vers Hengus avec un sourire chaleureux. « Les tonneliers sont hautement estimés dans les conseils de Calsandria ; en fait, si je m'en souviens bien, ils ont désespérément besoin de tonneliers, là-bas. Il serait irrespectueux de ne pas le remercier de son hospitalité et de celle de sa famille. »

« Il serait irrespectueux d'attendre que nos problèmes nous rattrapent tous, Maj… »

Treijan lança un regard sévère à son compagnon de voyage et leva rapidement un doigt en guise d'avertissement.

« …estueux et puissant compagnon barde chanteur », compléta Gaius sans conviction. « Nous devons partir immédiatement. »

« La dernière porte était bien dissimulée », dit Treijan d'une voix aussi douce que de l'huile sur de l'eau immobile. « Je crois que nous pourrions avoir la courtoisie de répondre aux questions de ces bonnes gens au sujet de ce qui se passe dans le monde au-delà de Wellstead. Et qui est-ce, là ? »

Hengus se tourna une fois de plus vers la porte de la cuisine. Le visage sale de sa fille regardait fixement, les yeux ronds, caché derrière la jupe de sa mère.

« J'ai quelque chose à te montrer », dit Treijan à la petite fille, en s'accroupissant pour prendre quelque chose dans son sac.

« Nous ne voulons voir aucun de vos trucs, mystique », dit rapidement Hengus, en réalisant soudainement que le marteau dans sa main levée commençait à devenir plutôt lourd. « Si un prêtre du Pir devait te trouver ici, il brûlerait aussitôt mon atelier, aussi vrai que je te vois respirer. »

« Il n'y a pas de trucs, maître Hengus », dit Treijan en hochant la tête et en souriant encore à la petite fille. « Et croyez-moi, votre prêtre local préférerait sans doute ne rien savoir de ma présence. »

Le jeune homme sortit une petite tapisserie pliée qui mesurait à peine la largeur de ses deux bras. D'où il se tenait, Hengus ne pouvait pas voir l'image que les fils tissés représentaient, mais il vit les yeux de sa femme et de sa fille s'agrandir d'émerveillement.

« Je vous en prie, maître Hengus, faites le tour et venez voir. »

Hengus abaissa son marteau et fit prudemment le tour jusqu'à ce qu'il puisse voir la tapisserie. La lumière du feu qu'il avait allumé plus tôt pour assécher les douelles mouillées illuminait les fils scintillants, mais il fut réellement étonné de voir que les fils semblaient être constamment en mouvement, se tissant et se retissant à grande vitesse.

« Que Satinka nous protège ! » marmonna Hengus, avec une crainte mêlée d'admiration.

Treijan sourit en entendant ce commentaire, mais continua de regarder la petite fille aux grands yeux. « Est-ce que tu aimerais que je te raconte une histoire ? »

La fille cacha son visage dans la jupe de sa mère.

« Allez », l'encouragea Méra avec insistance. « Écoute le gentil barde. »

La fillette sortit un œil des replis du tissu et parvint à hocher la tête une seule fois.

« Eh bien, il existait il y a fort longtemps un magnifique royaume où toutes les tours étaient d'un blanc étincelant ; où les jours n'étaient jamais trop chauds et les nuits, jamais trop froides. Il y avait toujours des fruits dans les arbres et des légumes dans les jardins. Les torusks étaient apprivoisés et bien dressés, et tout le monde était heureux. »

Les fils de la tapisserie prirent soudainement vie, formant une image à couper le souffle d'étroites et superbement poignantes tours sur fond de brillant ciel bleu. Des montagnes apparurent au loin et les lacs scintillèrent au-delà des tours.

Depuis les plis de la jupe, la fillette regardait avec émerveillement.

« C'était Calsandria – la plus grande cité du monde – et le joyau de tout l'Empire rhamassien », poursuivit doucement Treijan. « C'était un endroit où tous les hommes pouvaient faire une différence et où toutes les femmes pouvaient trouver la paix. C'était un endroit où tous les enfants jouaient avec les plus merveilleux des jouets auxquels ils pouvaient rêver. Quel âge as-tu, au juste, euh… »

« Edis », répondit rapidement la mère.

« Quel âge as-tu, Edis ? »

La fillette demeura silencieuse, mais plaça ses deux mains devant elle, les doigts et les pouces bien écartés.

« Dix ans ? Bon sang, tu grandis, n'est-ce pas ? » dit Treijan en souriant. « Eh bien, je suis vraiment désolé de t'apprendre que ce magnifique endroit a été perdu et a disparu il y a plus de dix ans, même plus que des dizaines de dix ans. »

L'image sur la tapisserie pâlit avant de disparaître, et les fils se fondirent dans le tissu en prenant la même couleur terre de Sienne.

« La cité a disparu, en effet », grogna Hengus d'un air moqueur. « Les Rois-dragons ont brûlé ses Empereurs fous, voilà ce qui les a fait disparaître de la surface d'Aerbon. »

« Comme s'ils nous avaient ainsi facilité la vie », coupa Méra. « Ferme ta bouche et écoute un peu ! »

« Mais cette histoire a une fin heureuse », continua Treijan à l'intention de l'enfant. « Il y a bien longtemps, mais pas aussi longtemps que l'histoire de Calsandria, il y avait un homme nommé Galen… »

Les fils de la tapisserie réapparurent soudainement, se tissant de manière à représenter un bel homme dont les traits étaient fermes et qui maintenait son menton légèrement levé avec confiance, ce qui lui donnait un air de force et de défi.

« Galen faisait aussi partie du Pir – tout comme toi –, mais il découvrit qu'il avait un don spécial des anciens dieux ; des dieux qui étaient encore plus anciens que les Rois-dragons – un don pour la magie des anciens rois de Rhamas. » La tapisserie se tissa et se retissa de plus belle au gré des mots que Treijan prononçait. « Il découvrit que plusieurs autres personnes possédaient aussi ce don, alors il les rassembla toutes à partir de toutes les terres où habitaient les humains. Il envoya son fils, Caelith, vers les terrifiants sommets des montagnes Abandonnées, et là, mené par les anciens dieux, il découvrit les ruines de Calsandria, la cité depuis longtemps perdue. »

Hengus hocha la tête. « Je t'ai dit que les Rois-dragons… »

« Silence ! » ordonna Méra avec un ton ne laissant pas place à l'interprétation.

« Si tu vivais sept fois plus longtemps que l'âge que tu as actuellement, dit Treijan en souriant à la fillette, cela ne représenterait pas encore en nombre d'années le temps passé par les mystiques dans les montagnes à rebâtir la splendeur de Calsandria. Les tours brillent de nouveau, et son nom lance un appel à tous ceux qui souhaitent participer à sa gloire. »

Gaius se tenait près de la porte, à l'écoute. « C'est redevenu tranquille, Treijan. Nous devons partir. »

«Une cité de mystiques?» dit Hengus en faisant la moue. «Une nation d'hérétiques.»

«Non, pas du tout», dit Treijan en repliant la tapisserie en vitesse et en la glissant de nouveau dans son sac. «Tous sont les bienvenus – les mystiques et les roturiers ont tous une place dans la gloire de Calsandria. D'ailleurs, je suis d'avis qu'un mari et un père prévenant comme vous l'êtes ne tiendrait pas seulement compte de sa propre situation, mais aussi de celle de sa femme et de son enfant.»

Les yeux d'Hengus se plissèrent. «Est-ce que tu es en train de me menacer?»

«Pas du tout», dit le barde avec désinvolture, tout en se relevant. «Il y a de la place pour tout le monde, à Calsandria – particulièrement pour un tonnelier talentueux comme vous –, et vous pourriez profiter d'une belle vie.»

«Ils arrivent, Treijan», dit Gaius. «Nous devons partir maintenant.»

«Qui plus est», dit Treijan avec un sourire en passant doucement sa main dans les cheveux de la fillette. «On ne sait jamais quand l'un des nôtres pourrait soudainement devenir un des élus. Ici, c'est une tragédie. À Calsandria, c'est une bénédiction pour toute la…»

«*Par Hrea!*» cria tout à coup Gaius, en s'éloignant de la porte. Il plaça rapidement ses mains devant son visage, les doigts écartés.

Les yeux de Treijan s'agrandirent alors qu'il passa rapidement ses bras autour de la femme et de l'enfant, en les emmenant tout près de son ami. Hengus s'avança aussitôt vers ce barde insolent en tendant sa main musclée dans sa direction.

L'atelier explosa tout autour d'eux. Les planches, les installations, les clous, le bois de construction, les cercles de fer, les ardoises, les douelles, les coins et les rabots – tout ce qui était lié à son métier se mit soudainement à tournoyer comme emporté par un terrible coup de vent. Hengus tomba à la renverse, entraîné par une avalanche de débris. Terrifié, le grand homme roula douloureusement sur le sol, tout en tentant désespérément de rejoindre sa femme et son enfant. Sa grande main gauche parvint d'une certaine façon à s'agripper à une des grosses roches faisant office de fondation dans leur maison et il se hissa derrière elle, les yeux fermés, attendant la visite de la mort. Mais son cœur continua de battre et ses os demeurèrent intacts. Un son se fit entendre derrière lui, mais Hengus n'osa tout de même pas lever les yeux dans sa direction.

Une voix se fit entendre dans l'obscurité soudaine. «Agenouillez-vous devant le pouvoir de Satinka!»

Hengus pensa pendant un moment que la reine-dragon elle-même pouvait se trouver là et détruire de son souffle toute sa tonnellerie.

«Joli truc, Meklos», répliqua Gaius, légèrement essoufflé par l'effort.

Hengus se releva. Sa maison – ou ce qui avait été sa maison – s'était envolée, ainsi que son atelier, et les débris avaient été projetés dans les arbres qui se trouvaient derrière ses fondations. À sa place, il n'y avait plus que l'arc de magie de Gaius qui protégeait son ami et la famille d'Hengus. Sur le chemin se tenait un personnage solitaire avec un grand bâton, et un flot d'éclairs jaillissait en crépitant contre le bouclier du barde. Hengus reconnut immédiatement sa bure.

«Aboth Jefard!» cria Hengus. Il pouvait sentir le sang couler sur le côté de son visage, mais tenta de l'ignorer et se leva en titubant. «Satinka soit louée, vous êtes venu!»

L'aboth ne remarqua pas le tonnelier, continuant de fixer les bardes tandis que les éclairs continuaient de jaillir contre le bouclier. «Bien le bonjour, mes vieux amis. J'ai dû faire un long et épuisant voyage pour vous retrouver ici.»

Treijan leva les yeux et demeura sur place, entourant la femme et l'enfant pour les protéger. Un sourire malicieux s'afficha sur son visage. «Eh bien, bonjour à toi aussi, Meklos! Où est ton dragon?»

Gaius grimaça.

«Tu peux m'insulter autant que tu veux, Treijan», dit l'aboth avec mépris. «Je n'écoute jamais ce que disent les hommes morts.»

«Peut-être pourrions-nous t'épargner cette peine», répliqua Gaius. «Nous avons le droit d'être ici ; en vertu du deuxième accord de la porte de l'Est…»

«La porte de l'Est est bien loin d'ici», répondit l'aboth Jefard en s'approchant d'eux, les arcs de lumière bleue augmentant en intensité. «Vous savez, j'entends constamment des histoires à propos de bardes qui disparaissent. La route peut être tellement traîtresse – en particulier dans ces nouvelles colonies de l'Est.»

Le regard d'Hengus passa de l'aboth aux bardes, puis à sa famille, et revint sur les bardes.

«Je pense que tu conviendras», dit Gaius en parlant à travers ses dents serrées, «que c'est un peu différent. Cela va au-delà de deux simples bardes qui disparaissent.»

«Oh, je suis bien d'accord», répondit l'aboth Jefard. «Le conseil d'Ost Batar pleurera et regrettera publiquement votre disparition, tout comme l'ensemble de Calsandria. Mais je soupçonne qu'en privé, je serai grandement récompensé.»

«Je vois», dit Gaius en hochant la tête, avant d'émettre un grognement. «Treijan, un peu d'aide ne serait pas de refus.»

Son compagnon se leva immédiatement et leva les mains. Le bouclier devint encore plus lumineux tandis qu'il absorbait les éclairs projetés vers lui. Hengus pouvait voir sa famille serrée entre les deux bardes, les yeux agrandis de terreur.

« Votre Grandeur », dit Hengus en titubant vers l'aboth et en se maintenant à bonne distance de l'étrange feu électrique bleuté qui bombardait les mystiques. « Je vous en prie ! Ma famille… »

« Ah, bonjour, Hengus », répondit l'aboth distraitement, sans jamais quitter ses proies des yeux. « Je suis désolé pour ton atelier, mais tout cela sera terminé très bientôt. Quatre de mes compagnons arriveront sous peu, et nous pourrons alors régler cette affaire convenablement. »

« Mais, aboth, qu'en est-il de ma femme et de mon enfant… »

« Il soulève un bon point », dit Treijan. « Si ce bouclier cesse de fonctionner, tu nous tueras tous. Laisse la vie sauve à la femme et à l'enfant, Meklos. »

« Vraiment ? » dit l'aboth d'un ton amusé, les sourcils levés. « Et vous ? »

« Hé », dit Gaius en haussant les épaules. « Tu pourras toujours te lancer à notre poursuite demain. »

« Et nous te promettons de ne pas *te* tuer avant », ajouta Treijan.

L'aboth sourit, puis secoua la tête. « C'est tentant, mais je ne pense pas. Je vous ai poursuivis de Port Stellan à Traggathia, en passant par vos portes de Songstone, rien que pour ce moment. »

« Je suis désolé d'entendre ça. » Le sourire de Treijan diminua presque imperceptiblement. « Dommage que nous devions fermer ces portes, elles étaient bien utiles. Néanmoins, nous ne pouvons tolérer les braconniers. »

« Ah, Treijan ; amusant jusqu'au bout ! » L'aboth se tourna vers le tonnelier. « Hengus, va chercher ton prêtre local. Il ne vaut pas grand-chose, mais il fera l'affaire jusqu'à l'arrivée de mes compagnons. »

« Mais, ma famille ! »

«Cesse de douter de moi!» dit hargneusement l'aboth, avant de prendre une vive inspiration. «Il ne leur arrivera rien. Tu as ma parole.»

Hengus se retourna et s'éloigna à contrecœur. Il regarda sa main droite : le marteau s'y trouvait encore, fermement maintenu. Il avait la parole de l'aboth, se dit-il.

«Tu ne pouvais donc pas attendre le reste du groupe, n'est-ce pas, Meklos?» dit Treijan depuis l'intérieur du bouclier.

«Tu ne m'échapperas pas, cette fois», dit l'aboth Jefard avec un petit sourire satisfait. «Ta mort assurera ma progression au sein du conseil d'Ost Batar.»

«Les chances sont minces», se moqua Treijan. «Je veux dire, quelles sont les chances de quelqu'un qui perd un dragon entier...»

«La ferme, Trei!» grogna Gaius, avant de s'adresser à l'aboth, la voix lourde en raison de ses efforts. «Et Méra, et la petite Edis... pourquoi les tuer aussi?»

«Quelques personnes doivent être sacrifiées pour la grandeur de la cause», dit l'aboth en souriant. «Même les colons d'un trou perdu, comme...»

Les éclairs cessèrent subitement. Le visage de l'aboth se crispa de douleur et de surprise, puis il tomba en avant. Sa bure se froissa autour de l'aboth tandis qu'il s'effondrait sans connaissance.

Derrière lui se trouvait Hengus, son marteau à présent taché encore dans sa main.

Gaius et Treijan baissèrent les mains. Le bouclier bleuté disparut et Hengus s'approcha d'eux. Les deux bardes passèrent près du tonnelier en courant vers la forme immobile de l'aboth.

«Est-ce qu'il est mort ?» demanda Treijan à Gaius.

«Non», répondit rapidement son ami en s'agenouillant dans la poussière près de l'aboth et en examinant celui-ci d'un oil critique. «Pourquoi ? Est-ce que tu veux qu'il le soit ?»

« J'ai… j'ai essayé de ne pas le frapper trop fort », bégaya Hengus derrière les bardes, ses yeux fixant le sol d'un regard vague. « Je veux dire, c'était ma *famille*… »

Le tonnelier laissa tomber son marteau ensanglanté sur le sol.

Méra se leva et lança ses bras autour de la large taille de son mari, pleurant et tremblant de tout son corps. « Hengus ! Tout s'est évaporé – nos vies se sont toutes évaporées ! Les poteries de ma mère, tes outils… Qu'allons-nous faire ? »

Hengus tenait sa femme dans ses bras musclés. Edis s'accrochait à ses parents. Le tonnelier tourna son regard vers les bardes, tout en répondant à la question de sa femme. « Méra, je crois que nous devrions tenter notre chance dans cette Calsandria. »

Treijan s'avança et tendit la main vers le tonnelier. Gardant un bras autour de sa femme chancelante, Hengus tendit l'autre bras, et sa main recouvrit presque entièrement celle du jeune barde.

« Nous n'avons plus beaucoup de temps », dit Gaius d'un ton pressant. « Est-ce que vous avez des choses à emporter ? »

Le grand tonnelier examina les restes éparpillés de sa maison pendant un moment, puis se pencha en soulevant facilement du sol sa mince femme et sa petite fille. »

« Tout ce qu'il me reste est ici, » dit-il. « Quel est le chemin à suivre ? »

« Chose curieuse », dit Treijan avec un sourire, « le premier pas dépend principalement de toi. »

LA CITÉ DES RÊVES

engus les entraîna profondément dans les bois au sud du village. Il réalisa que c'était là un des rares endroits qu'il considérait comme le sien : un boqueteau si dense qu'il était difficile de progresser entre les grands troncs bien droits sans se tourner sur le côté. Ce n'était pas seulement le lieu où il venait chercher le meilleur bois pour ses tonneaux – c'était également son labyrinthe privé, un endroit où il pouvait se cacher de tous les problèmes du monde parmi les grands arbres sans craindre de s'y faire découvrir.

Les bois cédèrent brusquement la place à une petite clairière entourant un rocher escarpé qui pointait vers le haut en son centre. Maintes fois, il était venu passer des après-midi délicieux à dormir contre la pente de cet affleurement, pensa Hengus, à absorber les rayons de soleil qui pénétraient le rideau d'arbres tout autour.

C'était son sanctuaire.

Ce fut le premier endroit qui lui vint à l'esprit lorsque les bardes lui demandèrent de les guider vers le lieu le plus secret qu'il connaissait.

« Ami Hengus, dit Treijan en approuvant calmement du regard la petite clairière, même les maîtres hréatiques n'auraient pu choisir un meilleur endroit. »

« La fondation est bonne », acquiesça Gaius.

Treijan abaissa la main et ouvrit la bourse de cuir qui était attachée à sa ceinture. Il en retira une petite pierre polie transpercée d'un cristal.

Hengus n'avait encore jamais rien vu de tel. « Qu'est-ce que c'est ? »

Treijan se tourna vers le tonnelier et lui fit un clin d'œil. « Ceci, ami Hengus, est une Pierre de chant. »

« Est-ce qu'elle chante ? » demanda la jeune fille avec hésitation, observant la scène depuis les jupes de sa mère. Elle venait de prononcer ses premiers mots depuis qu'ils avaient quitté le village.

« Cela lui arrive, oui, répondit Treijan directement à Edis, mais seulement si on chante d'abord pour elle – et il y a quelque chose de spécial dans sa musique. Tu vois, cette pierre dans ma main est seulement la moitié de la pierre ; sa vraie jumelle est bien loin d'ici – à des centaines et des centaines de milles – près d'un endroit qui s'appelle Styla. Cette pierre – la camarade de celle qui se trouve dans mes mains – se trouve dans une grande porte magique qui est cachée à l'arrière d'un magnifique canyon. Elle se trouve dans cette porte en attendant d'entendre la chanson de cette pierre dans ma main – et *cette* pierre attend seulement que je chante pour elle avant de chanter pour sa camarade. »

« Qu'est-ce qui se passe lorsque tu chantes pour elle ? » demanda Hengus avec de la méfiance dans la voix.

« Découvrons-le ensemble », répondit Treijan.

Le jeune barde s'avança rapidement vers l'affleurement rocheux au centre de la clairière et déposa doucement la pierre dans une entaille à sa surface. Il se recula ensuite de quelques pas et se mit à chanter une chanson vers la pierre. Sa voix était sonore et les tons bien clairs, mais Hengus n'arriva pas à comprendre un seul des mots de la chanson.

La pierre se mit à chanter pour lui en retour.

Gaius, son compagnon, recula aussi de quelques pas, un regard distant apparaissant sur son visage.

Les rochers de l'affleurement se mirent à bouger.

23 Octinus 591 RD. Moi, Gaius Petros, suis dans un rêve étrange...

Je suis au beau milieu d'une grande cité – remplie de nuances d'orangé, de noir et de rouge. Des tours rondes cramoisies d'une grâce incroyable s'élèvent au-dessus de moi ; leurs côtés sont rugueux comme l'écorce d'un arbre et leurs sommets se déploient en éventail comme des branches soutenant une canopée de dentelle. Mélangées parmi celles-ci se trouvent d'autres tours à l'architecture plus sobre, certaines de forme carrée et faites de pierres encastrées, d'autres de métal rouillé recourbé, négligées et érodées, aux larges côtés brisés par endroits, mais elles aussi cherchent à atteindre le ciel sombre, là-haut. Les fondations de ces tours se rejoignent en une masse grotesque faite de bric et de broc, et traversée par des rues tordues. La largeur de ces rues est à peine suffisante pour que je puisse passer sans toucher les murs d'un côté ou de l'autre. Je ne veux pas toucher ces murs, car je sais qu'ils sont plus froids que ce que je pourrais endurer.

Au-dessus de ma tête, de grandes boules de feu traversent le ciel, illuminant de pourpre cet impossible amalgame d'architectures. Je n'entends pas le feu et je ne sens pas de fumée, mais je sais que, quelque part, au-delà de ces tours, se déroule une guerre terrible où la mort est au rendez-vous. Je me dirige vers elle à contrecœur ; le rêve me fait m'en approcher contre ma volonté.

Je marche jusqu'au bout de la route et je jette un coup d'œil à la place du marché. Tout autour de la place, d'autres chemins étroits se faufilent entre le mélange de tours comme des lézardes dans la pierre. Je m'arrête, réfléchissant à cet endroit, cherchant un sens à tout cela.

Si les mystiques ont appris une chose, c'est que le rêve est un sens. Chaque nuance dans les pierres, chaque apparence du bois ou de l'artisanat, chaque créature que nous rencontrons dans des circonstances ordinaires ou étranges – chacun est un signe d'une compréhension et d'un pouvoir plus profonds. Tout ce qu'on retrouve dans le rêve fait partie du contexte – rien ici n'est réel. Les démons et les esprits que nous rencontrons ici sont simplement des manifestations plus complexes d'une vérité sous-jacente et d'une force magique. Il nous incombe donc de marcher parmi des fantômes dans le rêve et de prendre le temps de réfléchir à ces énergies et à ces métaphores sous-jacentes qui ont un impact sur notre réalité dans le monde de l'éveil.

Quelle est donc la signification de cet assemblage bizarre de rues et de tours, de murs et d'avenues ? Elle diffère d'un mystique à l'autre, car je crois que chaque mystique a ses propres perceptions ; mais, pour moi, cette cité a été construite – si on peut se servir de ce terme pour parler d'un endroit qui n'existe pas – par les mystiques, pour symboliser l'ordre ; une structure pour comprendre le symbolisme plus profond du rêve. Ici, les mystiques rôdent dans le chaos des rues, des chambres, des salles et des bâtiments qui sont toujours changeants et jamais les mêmes, se rencontrant furtivement et, au besoin, se défendant des assauts de nos ennemis. La Cité des rêves est le symbole même du rêve de tous les mystiques du monde de l'éveil – la réalisation de notre destinée et de notre sécurité dans un Empire mystique.

Cependant, c'est maintenant devenu pour moi un labyrinthe de frustration, car j'ai fouillé en vain dans cette confusion de rues ; Treijan est quelque part au milieu de ces bâtiments, mais on ne peut le trouver. Nous avons établi des plans dans le monde de l'éveil afin d'être capables de nous retrouver mutuellement dans la Cité des rêves, mais, bien que j'aie pu voir de nombreux masques terrifiants et magnifiques, le sien n'y était pas.

J'observe les bâtiments qui m'entourent, espérant qu'un quelconque sens émerge de tout ce chaos, lorsque j'aperçois une créature qui entre dans la place venant de l'allée d'en face, ce qui me tire de ma rêverie. C'est une marionnette vivante – il a le visage d'un homme, mais possède les ailes d'un gros papillon de nuit, et il danse dans la cour, animé depuis le ciel de plomb par des cordelettes dorées attachées à ses genoux, à ses bras, à sa tête et à son dos. Il a l'apparence de ces bons esprits qui nous sont souvent si utiles, mais ils ne sont habituellement jamais suspendus ni entravés de façon si cruelle. Ses membres flottent d'une manière étrange lorsque les cordelettes sont tirées par à-coups, et il marche anormalement sur les pavés de la place, sa tête pendant vers le sol et ses yeux détournés.

L'homme-marionnette lève les yeux en approchant du centre de la place. Mes yeux suivent les siens et je suis horrifié : les cordelettes dorées mènent aux doigts d'une énorme main qui est formée d'ombres et de fumée et qui flotte au-dessus de la cité. Au-delà de cette main se trouve un géant composé d'une substance similaire, dont les contours sont définis par un arc de lumière. Le géant nous regarde fixement ; une immense noirceur dans un ciel flamboyant. Le pouvoir de ce personnage colossal est indéniable ; son rire dément retentit dans les rues de la cité, secouant les fondations de ses bâtiments et menaçant de les détruire. Ce géant est dénué de raison et de remords – un enfant fou – et le rêve entier est son jouet.

L'esprit ailé lève ses mains devant lui – un mouvement qui relâche de la tension dans les cordelettes dorées – puis il referme ses mains pour former des poings, avant de les appuyer contre sa poitrine.

Je le reconnais immédiatement, car il s'agit là de la première étape de toutes les formes de salutations dans le rêve : le début d'un langage de magie qui va au-delà des mots en passant directement par la communication symbolique. Ces gestes des mains, ces positions de bras et ces contorsions corporelles ont énormément évolué au cours des dernières années, permettant aux mystiques de communiquer leurs désirs de façon plus efficace dans le rêve, et rendant le pouvoir du rêve dans le monde réel plus concentré et contrôlable. Ce n'est pas un véritable langage comme ceux que nous utilisons dans le monde de l'éveil, et l'interprétation de ces gestes relève davantage de la conjoncture que d'un concept prédéterminé ; reste qu'une compréhension générale est préférable à rien du tout.

Tandis que je regarde les mains de l'esprit ailé bouger, je vois les gigantesques mains au-dessus commencer à lui répondre à l'aide de mouvements similaires. Les mouvements des énormes doigts se mettent subitement à tirer violemment sur les cordelettes, secouant l'esprit ailé dans la cour, et projetant son corps avec une violence imprudente contre les murs, les portes et les fenêtres. Le bois se fend, le verre vole en éclats, et la main du puissant géant est enlacée dans une danse avec le corps de l'esprit ailé, ne pouvant ou ne voulant s'arrêter. L'éclat de rire dément du géant d'ombre retentit de nouveau dans les rues comme l'éclair, se répercutant sur les murs de la cité. Ils poursuivent tous deux leurs mouvements, et l'environnement de l'esprit ailé commence à changer. De la neige se met à tomber autour de l'esprit, se matérialisant à partir de l'air ambiant. Je vois l'esprit ailé sourire, en dépit du fait que ses yeux soient plissés de douleur et qu'un filet de sang s'écoule de son front.

Puis un petit démon de métal – une femelle, d'après sa silhouette – entre sur la place par le côté opposé en tirant derrière elle plusieurs longues chaînes, qui émettent un cliquetis contre les pavés quand elle se déplace. Je suis vraiment étonné, car la démone est entourée d'un anneau de feu tournoyant. Elle tente d'attirer l'attention de l'esprit ailé suspendu à deux doigts du sol, mais l'esprit danse à présent de façon frénétique au bout de ses cordelettes, et il ne la voit pas. En proie à la colère, la démone donne soudainement une impulsion à ses chaînes, qui s'avancent tels des tentacules en s'entourant autour de l'esprit – tentant de briser les cordelettes dorées et de prendre l'esprit dans ses propres liens métalliques. La démone de métal tire ensuite l'esprit ailé vers elle et vers l'anneau de feu qui l'entoure.

La monstrueuse et folle créature d'ombre pousse un hurlement au-dessus des sommets des tours de la cité en voyant son jouet lui être arraché des mains. Elle tire à son tour sur les cordelettes avec colère, soulevant l'esprit ailé et la démone de métal du sol avant de les balancer tous deux dans les airs en les faisant ensuite s'écraser contre les murs de la cité. Elle tente ainsi de faire en sorte que la démone relâche sa prise sur le jouet, mais, partout où l'anneau de feu frappe, les bâtiments explosent, avant de s'effondrer brusquement sur eux-mêmes, passant bien près de s'étaler dans les rues. Toute la cité s'abat autour de moi – un empire soumis à la destruction – et je vois tout ce que les mystiques ont construit au cours des cinq dernières décennies s'écrouler près de moi.

Je cherche désespérément un compagnon dans le rêve par lequel je pourrais me relier à la Magie profonde et arriver d'une façon ou d'une autre à stopper cette horrible bête dans sa destruction gratuite, mais il n'y a personne, à l'évidence.

C'est alors que je remarque les cordelettes dorées autour de mes mains et de mes pieds. Je tente de crier, mais aucun son ne sort de ma gorge. Je suis tiré d'un coup sec de ma cachette par l'énorme main au-dessus de ma tête.

Suspendu mollement au-dessus du sol, je sais que je suis impuissant ; je dois maintenant servir ce monstre fou et me plier à sa volonté, faute de quoi l'empire sera perdu.

Registre des rêves de Gaius Petros, Volume 3, page 17

Il était une autre fois, dans une terre lointaine mytho-logique... Moi, Arryk, Sharajin de la féerie Sharajentei, suis témoin d'une étrange vision...

Non que je n'aie jamais eu de vision auparavant – le Sharaj est un endroit qui est davantage mon chez-moi que le monde de l'éveil. Ici, je suis libre d'être qui je souhaite, d'aller où bon me semble sans être contrarié par les entraves de la vie qui me sont cruellement imposées.

D'épais flocons de neige flottent entre les murs élancés, taisant le murmure du monde sous le fond d'air frais qu'ils transportent. Il y a de la paix dans leur emprise, une couverture neigeuse qui semble presque tiède pour moi tandis qu'ils recouvrent le reste du monde sous leur pureté froide et morte. Je vole sans me presser dans les rues du Sharaj, cherchant mon puissant ami à travers le voile de blancheur, mais je n'arrive pas à le trouver. Je volette dans les allées étroites de la Citadelle, détournant les yeux lorsqu'on s'approche de moi – en particulier les porteurs de masque, qui n'ont pas de don. Je les déteste. Ils veulent tous obtenir quelque chose de moi. Peut-être est-ce là une des raisons pour lesquelles je suis si à l'aise dans cette neige qui assombrit tout ; cela ajoute de la confusion aux tours de la féerie mélangées aux tours de pierre brisée et de métal sale, de sorte que tout l'endroit semble avoir été rempli par les rebuts des Sharaj qui l'ont construit. J'aime plutôt cela – si confus et si désordonné – tout ce que les fées ne sont pas, et tout ce que je préférerais être.

L'allée prend fin brusquement en une vaste cour assombrie par une multitude de flocons de neige en suspension. Diverses autres rues aboutissent également dans la place ouverte, leur obscurité adoucie par le voile blanc qui tombe doucement. Je vois mon ami de *l'autre côté de la cour – une ombre formée de fumée noire, son visage dissimulé derrière les plis de sa cape noire à capuchon, mais je connais cet esprit sans ailes et je lui fais confiance comme à personne d'autre à l'intérieur ou à l'extérieur du* Sharaj. *Il y a une aura autour de lui, d'un bleu troublant, une aura puissante et fascinante ; une force que nous partageons et qui nous rend invincibles. Je peux voir les vrilles de sa puissance, les lignes bleues de notre pouvoir partagé, s'étirer vers moi à mesure qu'il s'approche. Je souris et je hoche la tête dans sa direction en guise de saluta-tion alors que les filaments se relient entre nous, unis-sant nos mains, nos jambes et nos esprits comme dans un seul corps.*

Nous traversons la cour en même temps, et nous sommes maintenant l'un devant l'autre. Mon ami au capuchon hoche la tête vers moi, tenant ses poings fermés devant lui et les appuyant contre sa poitrine. Je fais la même chose que lui, selon le rituel du Sharaj. *Ses gestes commencent quelques instants plus tard, et je réponds avec mes gestes. C'est la façon de faire du* Sharaj ; *le moyen par lequel nous, les chercheurs du Pouvoir, établissons des rapports dans cet endroit étrange rempli d'images et de sons qui n'ont rien de réel – et, pourtant, cet homme fantôme est devenu davantage un ami pour moi que toutes les autres âmes froides du monde de la réalité. Ensemble, nos pouvoirs sont plus grands que tout ce que j'ai eu l'occasion de rencontrer – et aucun guerrier de la féerie ne peut me résister dans le monde réel lorsque mon ami esprit est à mes côtés dans le monde des rêves.*

Une énorme tour métallique bouge derrière mon ami, émettant un grincement qui me fait mal aux oreilles. Elle se soulève, tirant par le fait même d'autres tours avec elle, formant de hideux bras et de laides jambes autour d'un torse sans tête. De grandes et plates feuilles d'étain font entendre un bruit de ferraille à travers la neige, s'assemblant comme les ailes d'une grande harpie. Le géant se déplace à présent vers mon ami, ses longues griffes d'acier aux extrémités de ses doigts plongeant vers le bas. Instinctivement, je lève mes mains pour puiser dans la force de mon ami pour détruire cette terreur qui le menace...

Mais je suis impuissant à bouger mes mains. Elles pendent mollement sur le côté de mon corps. Je tente d'appeler mon ami, même si je sais que mes mots le feront grandement souffrir, mais la neige étouffe tellement ma voix que mes mots meurent dans l'air frais. Je me presse vers l'avant, tentant de m'avancer vers lui, mais mes pieds sont à présent de plomb sous la neige, et je ne peux avancer que douloureusement, quelques pouces à la fois.

Des flocons de neige sont subitement emportés par un des courants d'air, ce qui obscurcit ma vision. Lorsqu'elle se rétablit, je vois un centaure traverser la cour à la charge, et de la magie danse d'une façon impossible sur le bout de ses doigts. Il fonce vers le géant animé fait de tours, et la lumière dans ses mains se dirige vers le haut à travers la neige, repoussant la créature de mon ami, qui semble tout ignorer du danger gigantesque qui se trouve derrière lui. À l'agonie, le monstre métallique chancelle et glisse sur la neige.

Le géant tombe au sol, sa masse titube vers le centaure et mon ami. Je m'extirpe de ma léthargie et je fonce vers lui, dans l'espoir de le sauver. Être privé de lui serait comme être seul...

Contes des fées
Cantiques du Bronze, Tome XIV, Folio 1, Feuillets 6-15

Je suis Lunid, bricoleuse émérite de l'Académie – la meilleure bricoleuse émérite, qui plus est – et j'ai fait un rêve parfaitement raisonnable. Il n'y a donc aucune raison de le critiquer. Vous avez probablement déjà eu des rêves encore plus étranges dont vous ne voulez même pas parler, ce qui fait que vous n'avez aucune excuse pour vous plaindre de mon rêve. Si vous n'avez jamais eu de rêves étranges, alors je ne sais honnête-ment pas pourquoi je prends la peine de vous parler, car vous ne comprendrez rien à ce que je dis – alors, laissez-moi tranquille !

Je devrais être désolée de ce que je viens de dire, mais en qualité d'académicienne, il m'est interdit d'avoir tort à propos de tout ce que je dis. Cependant, les membres de l'Académie ont la permission de se corriger eux-mêmes, alors laissez-moi vous offrir une sincère correction ; je suis un peu sensible quand il est question de ces rêves. Peut-être pourrez-vous comprendre – ou peut-être pas –, mais si je n'avais pas trouvé ce rêve, je ne l'aurais jamais trouvé lui, et si je ne l'avais jamais trouvé lui, alors peut-être que je ne me serais jamais sentie vivante. Qui aurait pu imaginer qu'une femelle de mon rang – une des bricoleuses émérites les plus honorées de notre époque – aurait pu se trouver dans cette position ? Mes jours sont tellement consacrés à l'importance de mon travail, aux livres que j'examine et aux merveilleux nouveaux mécanismes que je crée avec eux que je n'aurais pas pensé – jamais même espéré – que j'aurais pu trouver quelque chose de si fascinant, de si poignant et dévorant ou de si doulou-reusement beau au-delà des quatre murs de ma cellule de recherche.

Quoi ? Le rêve ? Oh, oui, bien sûr...

J'étais dans l'endroit magique de la technomancie – le royaume des dieux ; un monde qui est séparé de ce monde ridicule dans lequel vous vivez. Vous ne comprenez probablement pas cela – puisque vous n'avez aucune formation – mais je me tenais dans la cité à cet endroit, un lieu qui est grandiose et merveilleux au-delà de toute description. Des tours d'acier rouillé et d'autres de pierres et de briques s'élevaient dans le ciel chargé de pluie tandis que les éclairs dansaient entre leurs sommets. Le tonnerre grondait en secouant les rues étroites et les allées qui couraient comme des lignes de verre brisé entre les bâtiments. Il y avait partout des roues et des pignons géants détrempés par les averses, certains en mouvement et d'autres soutenant avec style les murs des bâtiments, qui...

Oui, je sais, j'ai déjà dit que tout cela dépassait toute description. J'essayais seulement d'illustrer à quel point cela dépassait justement toute description. Il ne faut jamais corriger une académicienne ; seuls les membres de l'Académie peuvent se permettre de corriger. C'est dans les règlements ; jetez-y donc un coup d'œil.

Le déluge continuait de s'abattre comme je progressais dans les rues étroites. Les murs qui s'élevaient de part et d'autre de moi étaient formés de gigantesques couvertures de livres. Il faut que vous compreniez que tout ce qui se trouve dans le royaume des dieux signifie autre chose que ce qu'il représente à première vue, ce qui est un concept que je ne peux commencer à vous expliquer maintenant ; peut-être plus tard. Pour l'instant, comprenez seulement que les couvertures de livres représentent des couvertures de livres, et ce sera suffisant pour tout de suite.

Les rues étroites s'ouvraient sur un grand parc comme celui qui est au centre de l'Académie. Le sol était détrempé, et l'herbe semblait spongieuse sous mes orteils.

J'ai levé les yeux et regardé à travers le voile de la pluie battante, constatant alors que je n'étais pas seule. Deux des dieux se rendaient dans le parc, se faisant des signes l'un à l'autre dans le langage des dieux.

Vous voulez parler aux dieux ? Eh bien, il faut pour cela vous servir de vos mains, et de vos pieds, et de vos oreilles pour faire savoir aux dieux dans le rêve ce que vous voulez, et habituellement ils vous le donneront, mais ils demandent parfois quelque chose en retour. N'essayez pas d'y parvenir par vous-mêmes ; seuls les technomanciens et les membres de l'Académie sont assez futés pour comprendre comment parler le langage des mains et des pieds. Tout cela est relié au pouvoir des livres, et vous ne me ferez pas parler de cela.

Quoi ? Oh, la Cité des dieux, oui...

Un des dieux devant moi était un dieu de fumée et de noirceur qui ressemblait beaucoup à un de ces grands et horribles êtres que nous retrouvons fréquemment dans la Cité des dieux. Il marchait sous la pluie, le visage caché dans une houppelande de la couleur de la fumée, et il se déplaçait sur l'herbe de l'autre côté du parc. Il avait apparemment perdu sa présence d'esprit et il ne semblait pas être assez chanceux pour la retrouver. Il ne me vit pas de prime abord, se tenant à la lisière du parc, mais il tira ses armes de toute façon – de longues et étroites lames acérées et brillantes.

Et là, sous la pluie et d'une rue de travers, il arriva – le dieu le plus beau et le plus parfait que j'aie jamais vu. Il y avait quelque chose à propos de sa forme – les ailes délicates, les cheveux foncés, les oreilles pointues

– qui me plaisait, mais ce sont plutôt ses yeux – ses yeux noirs remplis de douleur – qui s'emparèrent de mon cœur et figèrent mon âme d'un seul regard.

Je savais que je devais avoir cette créature. Ce n'était pas assez de le voir ou de me souvenir de son visage et de sa forme. Je devais le posséder, le garder et être près de lui. C'est à ce moment que je vis une image des anneaux de bronze et des roues dentées pour faire bouger les anneaux de même que les livres encastrés, que je pourrais utiliser pour canaliser le pouvoir du rêve, traverser le parc, capturer cette adorable créature divine et la faire mienne.

Le personnage portant la houppelande foncée s'approcha de ma magnifique créature, qui décocha un sourire à l'homme. Le personnage sombre plongea ensuite brusquement ses épées avec une précision incroyable à travers les poignets du bel homme ailé. Le personnage sombre éclata d'un rire hystérique, faisant bouger les bras de mon amour ailé aux yeux foncés remplis d'angoisse avec la pointe de ses épées.

L'éclair frappa une fois de plus, et le rêve se dissipa dans la pluie, mais ces yeux foncés remplis de douleur n'ont eu de cesse d'occuper mon esprit depuis mon réveil. Le retrouver est ce qui me ronge depuis ce temps. Je l'aurai. Je le sauverai – et il me sauvera.

Lunid reconstituée*
Cantiques du Bronze, Tome XIII, Folio 4, Feuillets 10-22

---

* Tous les extraits de cet ouvrage sont tirés de « Lunid reconstituée : un monologue interprété », par Lunid XVI, dans l'officiel *Spectacle de l'histoire révisée de l'Academicia goblica-MDL*, tel qu'il a été transcrit ultérieurement dans les *Cantiques du Bronze*.

CALSANDRIA

a lueur d'un éclair se refléta dans les yeux de Treijan, et ses oreilles commencèrent à lui faire mal en raison du changement dans l'air autour de lui. Il avait traversé ces portes un grand nombre de fois, mais le passage final était toujours le plus difficile, le plus accueillant et, pour lui, du moins, le plus déprimant. Pour Treijan, la maison était l'endroit le plus dangereux où il pouvait se retrouver.

Ce n'était pas que son opinion n'était jamais partagée par ceux qui voyageaient avec lui. Gaius était bien sûr toujours à ses côtés, et Treijan savait qu'il préférait l'anonymat sécurisant qui accompagnait le fait d'être n'importe où ailleurs dans le monde, mais, pour les pèlerins qui les accompagnaient à chaque retour, c'était une autre histoire. Eux aussi étaient fréquemment aveuglés lorsqu'ils émergeaient des profondeurs, et ils étaient légèrement assourdis par le vacarme autour d'eux. Ces effets se dissipaient toujours rapidement lorsque les yeux et les oreilles s'habituaient. Et puis, d'une façon aussi prévisible qu'un lever de soleil, l'étonnement les laissait, à tour de rôle, bouche bée.

Chose surprenante, toutefois, Treijan se retrouva sous une averse. D'épais nuages s'étaient rassemblés au-dessus de sa tête et il pleuvait à torrents.

Treijan se retourna de façon réfléchie, alors même que ses yeux en proie à de nombreux clignements s'ajustaient à la lumière sombre. Là, bien imposante devant lui, se trouvait la porte numéro quinze, aussi connue sous le nom de porte de Margrave. De l'eau tombait en cascade par-dessus l'arche verticale de pierre grossièrement taillée, un peu plus haute que sa largeur de vingt pieds, qui se dressait sur un large piédestal de marbre. L'espace intérieur scintillait de noirceur comme un joyau liquide. Au sommet de la porte brillait la Pierre de chant, la clef de l'énergie mystique qui reliait cette porte à sa jumelle, à plus de huit cents milles de là. C'était une distance incroyablement grande, et il venait tout juste de la couvrir d'un seul pas. La porte était séparée d'un haut mur d'enceinte fait de pierres lisses et ajustées qui s'incurvait autour d'une grande cour. Du coin de l'œil, Treijan pouvait voir plusieurs autres portes de conception similaire qui s'alignaient à l'intérieur du mur – le point de convergence de tous les voyages des bardes.

Hengus Denthal et sa petite famille passèrent à travers la noirceur scintillante de la porte, suivis presque aussitôt par Gaius. Treijan puisa rapidement dans sa magie intérieure, vit l'image de la créature ailée dans son esprit, et l'aperçut à l'abri sous un arbre. L'image prit forme dans ses mains et, quelques instants plus tard, un dôme se forma au-dessus d'Hengus et de sa famille, les protégeant ainsi de l'averse. En dépit de la température, le tonnelier et sa famille répondirent eux aussi aux attentes de Treijan ; à tour de rôle, ils clignèrent des yeux, puis s'arrêtèrent, stupéfaits au point de demeurer immobiles sur la plateforme entourant la porte. Des larmes montèrent aux yeux d'Hengus tandis qu'il approchait de lui sa femme et sa fille. Treijan sourit d'un air las et se tourna pour suivre leurs regards.

Devant eux, s'élevant dans le ciel chargé de pluie, se trouvaient cinq tours délicatement et incroyablement ornées qui entouraient le donjon central couvert d'un dôme de la Citadelle. Les tours avaient des hauteurs différentes, comme les doigts d'une main qui soutiendraient délicatement le donjon. La lumière en zigzag d'un éclair explosa du dôme dans un arc-en-ciel de couleurs. Des gravures délicates décoraient la structure entière, et chacune des tours était surmontée de longs cônes en guise de toits.

« Je – je n'ai jamais rien vu de tel ! » bégaya Hengus.

La voix aiguë de Gaius prit un ton radieux lorsqu'il contourna la famille sidérée. « C'est la citadelle de Calsandria – et sa construction nécessita la majeure partie des soixante-dix années passées depuis que les mystiques sont revenus ici pour la restaurer à son ancienne splendeur. C'est le centre de l'Empire mystique – duquel vous faites maintenant partie. Ah, voilà quelqu'un qui vient vous voir. »

Une jeune femme à la peau lisse et nette et aux grands yeux foncés s'approcha, discrètement suivie par deux hommes. Ils portaient tous les trois des vêtements d'un blanc éclatant, et ils se tenaient tous sous leurs dômes protecteurs respectifs, dont on ne pouvait deviner la présence que d'après la façon dont ils stoppaient la pluie. La femme marcha directement vers Treijan et s'inclina pour le saluer. « Mon nom est maîtresse Keili. Maîtres Treijan et Gaius, laissez-moi vous souhaiter la bienvenue chez vous, à Calsandria. »

Le tonnelier et sa fille étaient bouche bée d'étonnement, les yeux bien grands. Sa femme commença à tirer ses vêtements en loques.

Treijan la salua rapidement. « Maîtresse Keili, j'aimerais vous présenter maître Hengus Denthal, sa femme Méra et leur fille Edis. Il est tonnelier et souhaite se joindre à cette splendeur qu'est Calsandria. »

Le visage ravi, maîtresse Keili se tourna avec un regard chaleureux vers les nouveaux venus, et sa voix claire et enjouée interrompit le murmure de la pluie sur les pavés. «Hengus, Méra et Edis, vous devez être fatigués de votre voyage, et il y a encore tant de choses à faire. Voici maître Jochan et maître Lindly – nous sommes ici pour prendre soin de vous. Elle tendit le bras d'un air engageant. «Maîtresse Méra, peut-être souhaiteriez-vous changer de vêtements?»

«Oh», bégaya Méra, ses yeux fixant le sol. «J'ai bien peur de ne rien avoir. Je veux dire…»

Le sourire de Keili sembla rendre l'air plus lumineux en dépit de l'obscurité. Elle prit le bras de Méra. «Ne vous en faites pas! Je suis certaine de pouvoir trouver quelque chose qui saura vous plaire.»

Méra sourit d'un air gêné tandis qu'elle et les deux autres membres sa famille se voyaient ainsi guidés vers la Citadelle. «Oh, je vous remercie, très chère.»

Gaius se glissa sous le bouclier antipluie à côté de son compagnon, et tous deux regardèrent la famille que l'on conduisait, encore sous le choc, vers une des nombreuses portes permettant d'entrer dans la Citadelle. Treijan jeta un coup d'œil circulaire à l'immense enceinte de la cour. D'autres groupes, petits et grands, émergeaient d'autres portes similaires à celle qu'ils venaient d'emprunter. Chacun de ces groupes était ensuite chaleureusement accueilli par des mystiques parés de vêtements blancs sous des boucliers antipluie, et tous étaient ensuite conduits vers l'imposant bâtiment central.

«Est-ce que tu crois qu'ils ont la moindre idée de ce dans quoi ils s'embarquent?» demanda Gaius.

Treijan haussa les sourcils. «Est-ce qu'un d'eux le sait? Hengus est tonnelier, et c'est un talent précieux. On le placera dans un bon atelier, et il sera sans aucun doute en mesure d'offrir une meilleure qualité de vie à sa famille qu'il n'aurait pu l'espérer en demeurant dans les marches de l'Est.»

« Mais, ce ne sont que des roturiers », remarqua Gaius.

Treijan grogna. « N'es-tu donc pas au courant ? L'empire des mystiques est ouvert à tous, de façon égale. »

« Sauf qu'il y en a qui sont plus égaux que d'autres », dit Gaius en faisant la moue.

Treijan se tourna vers son ami et le regarda d'un œil méfiant. « Ne me dis pas que tu veux encore une fois relancer le débat sur la succession de la lignée ? »

« C'est facile de rejeter cet argument, observa Gaius en fronçant les sourcils, lorsque le *statu quo* favorise ceux qui le rejettent. »

Treijan secoua la tête. « Les Privilèges de la lignée ont été établis en l'an 547, Gaius ; c'est-à-dire à une époque où toi et moi ne pouvions encore rien dire à ce sujet. Ils ont fait en sorte de maintenir les clans intacts depuis ce temps, et c'est une politique très sensée. Tout le monde sait que la force, dans la Magie profonde, se transmet en fonction de l'ascendance. Le fait que les lignées les plus fortes contrôlent le Conseil des Trente-Six est seulement logique. Autrement, les lignées les plus fortes mettraient les lignées les plus faibles au défi pour la suprématie, et où cela nous conduirait-il ? »

« Exactement là où nous sommes actuellement, *Votre Altesse* », dit Gaius avec un sourire méprisant.

Treijan grimaça. « Est-ce que tu es obligé de prononcer mon titre de cette façon ? Je suis le prince de la maison de Rennes-Arvad, après tout. »

« En effet », répondit Gaius d'un air détaché. « Un fait que ton cousin inférieur de la maison Petros ne pourrait certainement pas oublier. »

« Je ne comprends pas pourquoi tu prends un air si revêche », répliqua Treijan. « Ta grand-mère était Chystal Arvad ; mon grand-père était son frère, Arémis. Nous sommes tous les deux descendants de Caelith Arvad. De bonnes lignées pour nous deux, non ? »

«Reste que c'est ta maison qui dirige l'empire, et non la mienne», répondit Gaius en le regardant de travers. «Alors, certains d'entre nous sont moins égaux que d'autres.»

Treijan haussa les épaules. «C'est comme cela depuis que les vieux clans ont commencé à se rassembler.» Le prince se retourna et se mit en marche vers la porte de la tour à travers le mur d'enceinte extérieur de la Citadelle. «Est-ce que tu viens?»

«Tu te rends bien compte que certains sont d'avis qu'il est temps que cela change», dit Gaius en marchant à vive allure pour rejoindre son compagnon et son bouclier.

«Mais, Gaius, dit Treijan avec un petit sourire satisfait, est-ce que je viens d'entendre une menace émise par la maison de Petros?»

«Considère plutôt cela comme un avertissement amical.»

«Eh bien, d'après mon expérience, aucun avertissement n'est jamais amical», dit joyeusement Treijan au moment où les deux compagnons approchèrent de la herse. Cette dernière se leva avec un silence remarquable. «En effet, il y a certaines choses pour lesquelles il serait préférable de taire un avertissement. Prends notre ami Hengus, par exemple, et sa famille.»

«En quoi sont-ils concernés?» demanda Gaius.

Treijan passa par l'ouverture et continua sa progression vers l'autre extrémité du vaste passage avec Gaius sur ses talons. Il maintenait son bouclier invisible au-dessus de sa tête, puisqu'il allait en avoir de nouveau besoin sous peu. «Eh bien, si nous les avions avertis, lui et sa famille, qu'ils traversaient un charnier, dans cette cour là-bas – si on leur avait expliqué que le mur d'enceinte était constamment encerclé par des gardiens ektéia-tiques qui étaient prêts à les tuer à la moindre provocation – ils ne seraient peut-être pas passés si facilement par la dernière porte. Si nous les avions informés que maîtresse Keili avait obtenu son poste d'hôtesse d'accueil en grande partie grâce à son talent pour figer instantanément le cœur de chaque ennemi qu'elle touche, peut-être qu'ils n'auraient pas accepté de la suivre avec autant d'empressement.»

«La Citadelle est là autant pour leur protection que pour la nôtre», riposta Gaius.

«Bien sûr qu'elle l'est», acquiesça Treijan, s'arrêtant de nouveau devant une seconde herse abaissée à l'autre extrémité du passage. La herse retomba silencieusement en place derrière eux. «Mais les avertir de ces différents faits ne les auraient pas mis plus à l'aise.»

«Nous pourrions expliquer pourquoi…»

«Oui, je suppose que nous le pourrions», dit Treijan en interrompant son compagnon. Il appréciait la conversation; l'exploration de la position dans son esprit. «Nous pourrions expliquer que les portes n'existent que depuis sept ans et que nous avons un remarquable ensemble de portes ainsi reliées depuis Vestadia jusqu'aux Cinq Domaines, ce qui semblait être une bonne idée jusqu'à ce que nous découvrions que le Pir Drakonis et les révisionnistes jorganiens pouvaient eux aussi se servir de nos portes. Nous avons donc dû démolir les portes d'origine – enfin, toutes celles que nous pouvions retrouver – et en construire de nouvelles, bien plus secrètes. Et ensuite nous pourrions expliquer que ces portes, même si elles sont très bien dissimulées, peuvent encore à l'occasion être découvertes, comme cela s'est passé avec notre ami l'aboth Jefard et ses prêtres révisionnistes trop zélés. Que la raison pour laquelle il devait placer sa famille en danger mortel était parce que nous craignons qu'un jour le Pir ou les révisionnistes trouveront une de nos dernières portes ou découvrirons une Pierre de chant perdue et construirons une dernière porte qui conduira leurs armées dans cette même charmante cour de la Citadelle en plein cœur de notre empire. Nous pourrions leur expliquer *tout cela*, mais, d'une façon ou d'une autre, je ne suis pas convaincu qu'ils auraient trouvé cela bien réconfortant.»

La deuxième herse commença à se lever. Treijan pouvait apercevoir l'intersection détrempée de grandes rues courbes. Il reconnut immédiatement le lieu où le jardin de Dhalia croisait la longue route de Rhamas. La rue grouillait de personnes qui se hâtaient sous la pluie, venant de la rue de la Guilde, au nord, ou s'y rendant. À travers le rideau de pluie, il pouvait voir la tombe de Galen, au coin de la rue, en face – le temple reconstruit qui renfermait les ossements de ses ancêtres. Plus loin encore, il pouvait entrevoir les contours flous de la rivière Ehru et les anciennes villas sur la rive opposée.

« Alors, tu dis qu'il est préférable de ne pas faire d'annonce à propos de ce qui est sur le point de t'arriver ? » demanda Gaius d'un air détaché.

« S'il n'y a rien que tu puisses faire et rien qu'ils puissent faire, alors pourquoi alarmer les gens avec cela ? » Treijan sourit. « Ce qui me fait penser à ceci : le message que nous avons reçu à Margrave disait que ma mère avait organisé un bal ce soir et que mon père avait demandé à ce que je sois présent. J'avais dix ans, la dernière fois que mère a organisé un bal, alors as-tu une idée de la vraie raison pour laquelle on nous a demandé de rentrer ? »

Gaius se tourna vers son ami et le regarda pendant un instant.

« Eh bien, toi, le sais-tu ? »

Un sourire rusé traversa les lèvres tendues de Gaius. « Je crois que vous avez probablement raison, Votre Altesse. Il est préférable d'affronter certaines choses sans avertissement préalable. »

« Honnêtement, Gaius, je me demande parfois de quel côté tu es », dit Treijan avec une certaine irritation dans la voix. « Dis donc, regarde de l'autre côté de la rivière. Quelqu'un a rebâti une des villas pendant que nous étions partis. Est-ce que tu sais qui ? »

Gaius rejeta la tête et éclata d'un rire sonore, au grand mécontentement de Treijan.

LES GUETTEURS

Je m'appelle Théona Conlan.

Je ne sais pas pourquoi j'écris ces mots. Il n'y a pas vraiment de temps libre dans ma journée pour de telles absurdités, mais personne de ma famille ne me laissera tranquille tant que je n'aurai pas consigné mes rêves par écrit.

Il est vain de le faire ; le rêve est différent chaque fois, mais cela demeure le même rêve. Parfois, c'est notre ancienne maison à Aquilas, et, parfois, c'est notre nouvelle maison. Parfois, je pense que c'est dans les salles du Pilier du ciel ou dans les cours du donjon Arvad, même si cela ne ressemble en rien à l'un ou l'autre de ces deux endroits. Parfois, c'est dans la Cité des rêves ou dans des endroits dont j'ai entendu parler, mais où je ne suis jamais allée, et, souvent, ce n'est dans aucun endroit.

Je fais de mon mieux pour être précise. Père me dit que les détails sont essentiels, si j'espère un jour avoir accès à la Magie profonde. Il a tort ; ce n'est qu'un rêve, rien de plus. Parfois, je pense que je vois le rêve dont tous les mystiques parlent, sauf que les images ne cessent de changer dans ma tête et qu'elles ne ressemblent en rien à celles que me décrit Valana. Je sais que ma sœur a de bonnes intentions – qu'elle tente seulement d'aider sa petite sœur à "devenir plus" (peu importe ce que cela veut dire) –, mais j'ai essayé pendant des années, et il n'y a pas de magie dans mes rêves. Elle a toujours eu le Don. Elle ne peut pas comprendre qu'il y a des rêves qui ne sont que des rêves et qui n'ont rien à voir avec la Magie profonde. Elle ne comprend tout simplement pas. Aucun d'eux ne comprend. Mais bon, j'écris pour eux.

Dans mon rêve, je me vois en train de marcher le long du péristyle qui entoure l'atrium central de notre nouvelle maison. Je marche lentement devant les piliers alignés sur le péristyle, percevant les fresques brisées encastrées dans le mur sur ma droite sans vraiment pouvoir les décrire en détail. C'est un monde d'ombres noires et de lueurs rouges. Le ciel luit d'un éclat cramoisi foncé, encadré par les avant-toits sombres de notre maison, un étage au-dessus de moi. Entre les piliers, dans le jardin sur ma gauche, je vois les jeunes arbres en feu : chaque feuille est une flamme attisée, l'écorce s'enroule et noircit sous l'effet de la chaleur. Le grand bassin au centre du jardin est asséché et fendillé.

Les domestiques passent en vitesse près de moi comme des ombres, tous en proie à la panique et tenant fermement quelque chose dans les mains. Je tente de les appeler – puisque père m'a expliqué que je devais le faire – mais ils ne remarquent pas ma présence ni ne semblent entendre mes mots. D'instinct, je me retourne

*et je fais face au chemin que j'ai suivi pour venir
jusqu'ici.*

*C'est Valana. Elle flotte vers l'atrium sous l'arche
de la grande salle. Le bas de son élégante robe rouge
ne touche pas le sol. Elle glisse entre les arbres en feu
puis au-dessus du bassin asséché vers un homme qui se
tient dans le vestibule, l'autre extrémité de l'atrium.*

*Cet étranger porte les vêtements d'un voyageur,
souillés par de longs voyages, et son visage est voilé
par des ombres. Valana s'avance dans ses bras ouverts
et ils se mettent à danser, mais, à chaque pas, sa robe
est salie par la crasse du voyageur. Des taches de suie
s'étendent sur le tissu. Valana remarque ce qui arrive à
sa robe, et de grosses larmes coulent de ses yeux, sillon-
nant ses joues à présent sales elles aussi, mais elle ne
peut cesser de danser.*

*Il n'y a pas de sons dans mon rêve, mais je ressens
à l'intérieur de moi le bruit d'un poing qui cogne avec
force contre la porte. L'homme au visage voilé relâche
Valana et recule de quelques pas dans le vestibule de
notre maison. Je peux voir les portes d'entrée trembler
sous l'impact d'une terrible force à l'extérieur. C'est
une bête hurlante, vorace et abrutie, à l'appétit sans
limites. Elle fait de grands trous en fendant les imposants madriers de la porte. Le voyageur se déplace
pour arrêter la bête invisible à ses yeux, mais cette bête
devine, on ne sait comment, qu'il s'en approche. Le
néant obscur tend les pattes à l'intérieur et soulève
l'homme du sol par le cou. Le voyageur est secoué
violemment devant moi ; ses bras rebondissent comme
ceux d'une marionnette manipulée par un enfant dans
les pattes de la créature invisible. Soudainement,
l'obscurité se retire à l'extérieur des portes. Le corps*

du voyageur chute sur le carrelage de notre entrée, et une tache foncée grandit sous lui.

Valana ne bouge pas. Il n'y a aucune trace d'émotion sur son visage. Je suis terrifiée, mais je me trouve subitement à avancer contre mon gré vers la porte. Je ne peux rien faire pour l'empêcher. Je passe devant Valana sans qu'elle me remarque. Le voyageur est sur le sol devant moi, le visage détourné. Je tends la main pour le retourner, pour voir enfin son visage, mais la bête passe de nouveau les pattes à travers la porte ; l'obscurité se hâte vers moi et m'engouffre...

Journal de Théona Conlan, Volume 1, pages 32-36

Le coup de tonnerre et le mot prononcé furent simultanés, l'un couvrant presque l'autre.

« Théona ! »

Surprise, Théona Conlan releva brusquement la tête de la table et tenta de se concentrer. La pièce était plus sombre que ce à quoi elle s'attendait, et elle se demanda si elle avait accidentellement dormi jusque dans la soirée. Puis elle entendit le doux crachotement de la pluie sur les tuiles du toit, ponctué par les cascades qui tombaient en éclaboussant l'atrium, au-delà de la porte ouverte. L'air avait une odeur de renfermé et d'humidité sans qu'il y ait pourtant la moindre trace de moisissure naissante. La lumière de l'après-midi était assombrie par la tempête.

« Voilà ! » cria-t-elle, tentant de faire disparaître la fatigue de son visage tout en se levant. Sa chaise – un meuble élégant et solennel qui détonnait complètement à côté de la table grossière de cette cuisine – glissa avec fracas sur le plancher de mosaïque nouvellement restauré. Les feux dans les foyers jumeaux s'étaient effondrés sur eux-mêmes, et leurs braises fournissaient ce qui leur restait de chaleur. Elle devrait faire quelque chose avec cela, mais, pour le moment, elle ne pouvait se souvenir si elle devait nourrir toute sa famille ou seulement le personnel, ce soir. Un feu ou deux feux, pensa-t-elle tristement; telles étaient les décisions capitales de sa vie.

« Où es-tu ? » l'appela une voix en résonnant à travers le lourd crépitement de la pluie.

« J'arrive, père ! » répondit Théona en parlant plus fort. Son père était peut-être à la tête d'une des plus importantes lignées de tous les territoires des clans, pensa-t-elle en se dirigeant vers l'ouverture de la porte, mais son titre ne pouvait rien faire pour améliorer son trouble de l'audition. Elle posa ses mains à plat sur son ventre et fit un mouvement vers le bas, tentant ainsi de lisser les plis de sa robe de voyage encore humide. Elle soupira lorsque ses mains vinrent se poser sur ses hanches ; sa taille était trop large. « Mais parfaite pour toi », murmura-t-elle, reprenant ainsi la phrase préférée de sa mère, toujours prononcée juste après une remarque doucereuse.

Théona s'avança dans la colonnade, l'allée couverte qui entourait l'atrium au centre de l'ancienne demeure, et prit une profonde inspiration. La pluie faiblissait, et le ciel plombé prenait une teinte plus claire. La pluie tombait encore à torrents le long des tuiles jointes du toit – elle devait se souvenir de vérifier la présence de fuites – et se répandait ensuite en éclaboussant dans le bassin richement décoré et plein à ras bord au centre de l'atrium. Elle adorait la pluie ; cette dernière tirait un rideau sur le monde pendant un certain temps, rapprochant les horizons de ses aventures et de ses promesses presque à sa portée.

Presque.

Elle se tourna vers les bruits de pas qui s'avançaient péniblement vers elle. La corpulente domestique détourna rapidement le visage, mais il était trop tard ; son regard avait déjà croisé celui de Théona.

« Agretha », dit Théona d'un ton doux mais ferme.

« Oui, m'dame. »

«Les feux dans la cuisine sont éteints. Pourriez-vous faire en sorte que l'un d'eux soit convenablement préparé et alimenté pour la nuit?» La voix de Théona ne laissa pas de place à l'interprétation; ce n'était pas une simple demande.

«Oui, m'dame.»

«Est-ce que tous les domestiques ont rejoint leurs nouveaux quartiers? C'est plus petit ici qu'à la vieille maison d'Aquilas, et je voudrais que tout le monde soit installé aussitôt que possible.»

«Oui, m'dame – tous installés.»

«Oh, et savez-vous si ce torusk perdu a été retrouvé?»

«Non, m'dame. Vous devrez poser la question à Jon Kraggert, m'dame.» Agretha soupira en se tournant pour entrer dans la cuisine.

«Agretha, une dernière chose», dit Théona.

La domestique s'arrêta, et détourna les yeux. «Oui, m'dame?»

«Préparez bien le feu et puis ensuite ce sera tout», dit doucement Théona, avec une expression presque distraite. «Je soupçonne que vos effets sont probablement empilés dans un désordre abominable dans votre chambre. Ce sera mieux pour nous tous si vous prenez le temps de bien vous installer.»

«Enfin, m'dame, en vérité, je n'ai pas tellement de...»

«Agretha, je vous donne congé pour la soirée», dit rapidement Théona, la tête penchée vers la domestique et les sourcils perpétuellement froncés. «Vous pouvez aussi dire au reste du personnel que chacun se verra également accorder du temps au cours des trois prochaines nuits pour s'installer dans sa chambre. Ils peuvent dormir, ou ils peuvent aller passer un peu de temps en ville – pourvu qu'ils partent seulement lorsque je le leur dirai et que cela ne vienne pas aux oreilles de leurs maîtres et maîtresses. Maintenant, allez préparer ce feu, et, si vous voyez Jon Kraggert, dites-lui de venir me voir.»

Agretha parvint à faire un sourire chargé de lassitude. «Merci, m'dame. Que Hrea vous bénisse, m'dame.»

«Merci Agretha», dit Théona en se redressant. «Je prie pour qu'elle le fasse. Est-ce que mon père m'appelait?»

«Oui, m'dame.» Agretha fit un signe de la tête vers l'arrière de l'atrium. «Il est dans la grande salle.»

Théona hocha la tête, puis tourna sur sa gauche, passant rapidement autour du péristyle vers l'arrière de l'atrium. Là, située au centre d'une vaste arche, se trouvait la statue d'un homme rhamassien assis sur un trône massif. La sculpture avait été récupérée quelque part dans le grand champ de décombres qui recouvrait encore plus des neuf dixièmes de la cité d'origine. Son père avait insisté pour la placer à cet endroit afin que tous les visiteurs puissent admirer la perfection de sa forme et, surtout, la richesse et le pouvoir implicites liés au fait de posséder une si magnifique œuvre d'art rhamassienne.

Théona était cependant attirée par cette pièce pour d'autres raisons. L'homme était assis sur son trône penché vers l'avant, figé pour toujours dans cette position où se devinait l'enthousiasme, à l'aise avec le pouvoir, vu la façon dont il tenait ses mains, et de la détermination dans ses yeux froids et vides. Elle leva son regard vers le visage. Les taches sur la pierre donnaient l'impression que la statue pleurait.

«Jeune et beau», dit-elle à la statue en prenant une pause près de lui, sa main reposant contre le marbre frais et rongé. «Étais-tu un des Empereurs fous? Sais-tu ce qui est arrivé à ton royaume et à ton pouvoir? Comment te sens-tu, maintenant que tu es réduit à l'état de bibelot dans la maison des Conlan?»

La statue l'ignora.

«Eh bien, puisque je ne suis pas douée pour parler aux objets, sache que ton secret est bien gardé avec moi», dit Théona en tapotant la statue.

«Théona! Te voilà donc – je t'ai cherchée partout!»

Théona se tourna vers la voix. « Vous n'avez apparemment pas cherché dans tous les recoins, père, sans quoi, vous m'auriez trouvée. »

« Quoi ? »

« Oui, père », dit Théona en détachant ses syllabes et en parlant un peu plus fort. « Vous m'avez trouvée. »

« Ce n'est pas trop tôt. » Rylmar Conlan avait peut-être été un bel homme. Il avait de larges épaules et des yeux brillants presque dissimulés derrière les traces un peu trop visibles de son opulence. Son poids avait toujours augmenté en fonction de ses succès, et, à le voir, Théona pouvait conclure que les affaires n'avaient jamais été aussi bonnes. Ses cheveux se raréfiaient sur son crâne, et son front avait migré si loin vers l'arrière de sa tête qu'il était à présent presque perpendiculaire à ses oreilles. Néanmoins, les gens qui faisaient des affaires avec Rylmar seraient rapidement désavantagés s'ils en venaient à penser que cette douce apparence physique se reflétait dans ses affaires... ou dans les ambitions qu'il entretenait pour sa famille. En effet, la raison de leur déménagement depuis leur plus vaste et plus confortable maison d'Aquilas vers cette plus petite demeure en ruine était entièrement une question d'architecture sociale ; la bonne maison dans le bon secteur au cœur du pouvoir de l'empire. L'aîné des Conlan tendit le bras vers sa plus jeune fille ; elle le saisit avec grâce, et il la conduisit ainsi devant la statue en passant sous l'arche.

La grande salle avait été soigneusement restaurée dans ses anciennes dimensions, mais les fresques d'origine avaient conservé leur état terne et brisé. La première fois qu'elle était arrivée ici, Rylmar lui avait expliqué que c'était la façon de faire à Calsandria, de laisser l'art mural et les mosaïques récemment retrouvées dans leur état de vieillissement naturel lorsque c'était possible de le faire. C'était un signe de respect pour les anciens Rhamassiens – peu importe qui ils étaient.

La grande salle avait maintenant de nouveaux murs supérieurs et un toit restauré à près de vingt pieds de hauteur. Chacun des murs présentait des fresques originales, bien que Théona se rendît compte que certaines provenaient à l'évidence d'autres villas. Les images des fresques d'origine progressaient d'un cadre à l'autre, l'ensemble racontant une histoire complète, et l'ajout flagrant d'autres fresques détruisait cet effet.

Au beau milieu de ces murs couverts de visages estompés, il y avait une nouvelle et longue table de banquet. À la droite de Théona, un vaste escalier de marbre grimpait jusqu'au deuxième étage – parfait pour faire une grande entrée dans la salle. De l'autre côté de la table, la salle s'ouvrait sur une grande terrasse courbée surplombant le jardin extérieur qui descendait jusqu'à la rivière. Théona ne pouvait voir au-delà de la rivière en raison de la brume grise formée par la pluie.

«Où étais-tu donc?» demanda gentiment Rylmar.

«En toute honnêteté, père, je me suis endormie dans la cuisine.» Théona eut un rire léger.

«J'imagine que nous sommes tous un peu fatigués. Les déménagements sont si perturbants. Une sieste est du temps bien employé.»

«J'aurais préféré ne pas dormir – j'ai fait un rêve terrible, et...»

«Tu as fais un rêve?» Rylmar s'arrêta, excité, et il retourna sa fille vers lui. «Est-ce que c'était un Rêve profond?»

«Non, père, ce n'en était pas un. J'ai...»

«Tu sais que les différentes disciplines expérimentent le rêve de façon différente. C'était peut-être la Muse hréatique ou la Divination mnéméatique. Est-ce que les disciplines ektéiatiques ou skuréatiques te sont familières?»

«Oui, père – et ce n'était pas un de ces rêves-là»

«J'ai entendu parler de certaines disciplines rhamassiques – très rares – qui ont des rêves, et elles ont donné naissance aux catalystes...»

« Père, non, je connais toutes les disciplines, et ce n'est rien qui puisse s'y apparenter. »

« Enfin, est-ce que tu as tenté de contacter quelqu'un dans ton rêve – de leur parler ? »

« Oui, père ! »

« Et ? »

« C'était seulement un *rêve* », dit Théona d'une voix monocorde, les yeux rivés sur ceux de son père.

Rylmar hocha la tête, et détourna son visage. « Eh bien, on ne sait jamais… »

Elle entendit la déception dans sa voix, la vit dans ses yeux, et cela lui brisa le cœur une fois de plus.

« Tu sais, tu n'as que vingt-deux… »

« J'ai vingt-quatre ans, père. »

« Vraiment ? Enfin, vingt-quatre ans, ce n'est pas très vieux. » Rylmar hocha la tête, reprit sa main dans la sienne, mais ne la regarda pas dans les yeux. La pluie avait presque cessé, et il commença à la guider vers la terrasse. « J'ai entendu dire récemment qu'un jeune homme – qui était aussi membre d'une famille de la première lignée – a fêté ses vingt-cinq ans avant que les Rêves profonds ne se manifestent à lui, et maintenant on dit qu'il pourrait être un des plus puissants du lot. »

Théona souhaitait désespérément changer de sujet de conversation. « Nous avons perdu un des chariots qui venait ici, père, mais je suis sûre qu'on le retrouvera. Je crois qu'il a tourné au mauvais endroit dans les ruines. S'il n'arrive pas d'ici au matin, alors… »

« Ce n'est pas important », dit Rylmar tandis qu'ils s'avançaient à présent sur les pierres humides exposées à une légère bruine. « Qu'est-ce que tu en penses ? »

La pluie s'était dissipée, et une brise fraîche les suivit jusque vers la rivière Ehru, en contrebas. La maison des Conlan était située en hauteur par rapport à la rive. Le devant de la maison donnait sur la rue des Temples, mais l'arrière offrait une vue, de l'autre côté de la rivière, sur…

«Calsandria», murmura Théona.

Le voile de brouillard se retira. Les tours de Calsandria, qui avaient été minutieusement restaurées au cours des soixante dernières années, s'élevaient sur la rive opposée de la rivière dans une splendeur sublime, même sous la grisaille du ciel. Les flèches délicates du donjon Arvad – le centre de la maison d'Arvad depuis que Caelith l'avait revendiqué il y a plus de quatre-vingts ans, brillaient en dépit de la faible lumière qui suivait la tempête.

Rylmar sourit et leva la main, faisant un geste dans les airs comme s'il saluait quelqu'un sur l'autre rive.

Soudainement, les nuages s'écartèrent et une colonne de lumière traversa l'obscurité, illuminant vivement le magnifique bâtiment affectueusement connu sous le nom de Citadelle au-delà des flèches du donjon Arvad. De délicates flèches richement ornées s'élevaient vers le ciel, chacune ayant une hauteur différente, autour d'un dôme central de cristal. Le rayon de lumière frappa les panneaux de cristal, explosant en un arc-en-ciel de couleurs.

Théona sourit tristement. «Merci, père. Vous avez dû déployer beaucoup d'efforts pour faire changer le temps comme cela.»

«Oh, pas tellement.» Rylmar haussa les épaules, puis s'éclaircit la gorge. «Ah, Théona, ta mère et moi avons une obligation sociale ce soir – tout comme ta sœur. C'est très important.»

Seulement un feu ce soir, pensa Théona.

«C'est à la tour Brenna avec les maîtres théléiques. Je sais que c'est beaucoup te demander, particulièrement après que tu t'es chargée de l'arrivée de la caravane ici, mais…»

«Ne vous en faites pas, père, je comprends parfaitement la situation», répondit Théona. «Vous allez impressionner les puissants et les riches ; je demeurerai à la maison pour déballer mes affaires.»

Rylmar regarda durement sa fille, en prenant une inspiration réfléchie. «Nous avons tous un rôle à jouer ici, Théona. Valana a le sien, et tu as le tien.»

«Certains d'entre nous ont la chance d'être sur la scène, tandis que d'autres sont confinés au rôle de spectateur», dit Théona en tapotant le bras de son père tout en regardant les magnifiques tours des mystiques. «Ça va, père, je comprends – et cela fait longtemps que je comprends.»

«Théona, tu ne dois pas parler ainsi», dit Rylmar avec sévérité. «Tu es une Conlan! Tu…»

«*Théona!*» La voix provenait du haut d'un large escalier de marbre. Elle était très caractéristique.

«Tu ferais mieux d'aller l'aider, dit Rylmar d'un ton vexé, ou elle ne sera jamais prête à temps.»

«Bien sûr, père», dit Théona en se retournant et en répondant à la voix en haut de l'escalier. «J'arrive, Valana!»

LES SŒURS

alana Conlan se tenait au sommet de l'escalier courbe en marbre, et chaque partie de son corps laissait transparaître son impatience. Elle était formidable de beauté. Ses lèvres charnues et humides étaient aussi dangereuses lorsqu'elle faisait la moue qu'elles pouvaient être enjôleuses dans son demi-sourire.

Théona soupira intérieurement en grimpant les marches quatre à quatre, tenant sa jupe à deux mains de façon à ce qu'elle n'entrave pas sa progression. « Oui ? Qu'est-ce qu'il y a, ma sœur ? »

« Oh, Théona, est-ce que tu dois vraiment faire cela ? »

« Faire quoi ? »

« Grimper les escaliers de cette façon – ce n'est pas convenable ! »

« Enfin, je ne suis pas ici pour impressionner quiconque pourrait me regarder », répondit Théona en s'approchant de Valana. « Qu'est-ce que je peux faire pour toi ? »

« Ma robe bleue », dit-elle, tremblant de contrariété. « Elle ne se trouve nulle part ! »

Théona sourit tristement en haut des marches, la tête légèrement inclinée en examinant sa sœur. Valana avait deux ans de plus qu'elle, mais cela ne se voyait pas. « J'ai passé la journée sur la route avec la caravane, et le départ avait été fixé bien avant l'aube, Val. Les domestiques s'affairent à défaire les bagages depuis plus de six heures, et nous avons encore trois chariots à vider. »

« Eh bien, je m'excuse, Théona, mais c'est important », répondit Valana. « Tu devras simplement attendre pour te reposer. »

« Je suis certaine que ta robe est dans une malle quelque part. Tout ce que nous avons à faire est de la trouver. »

« Très bien. Où devons-nous la chercher ? »

« Tu as apporté cinq malles la semaine dernière lorsque tu es venue avant moi. » Théona marcha rapidement devant sa sœur et passa sur le balcon qui donnait sur l'atrium. Elle pouvait sentir les fleurs et l'herbe du jardin, et était heureuse du sentiment de vie qu'il offrait au centre de leur nouvelle maison dans la cité. Théona fit quelques pas déterminés vers l'entrée de la villa. « Est-ce que tu es certaine que ta robe ne se trouvait pas parmi celles-là ? »

« Je ne pense pas que je t'embêterais avec cela si elle s'y trouvait », répondit Valana d'un ton impertinent, suivant de près sa sœur cadette. « Elle est sûrement avec les malles qui sont arrivées avec toi. Si elle n'est pas là, j'en mourrai ! »

« Tu ne mourras pas », répondit Théona d'une voix monocorde, en ne prenant même pas la peine de se retourner pour lui parler. « Nous trouverons ta robe. Où as-tu demandé aux domestiques de placer tes malles ? »

« Eh bien, en fait, il n'y avait pas assez d'espace dans mes chambres… »

« Pas assez de place ? » dit Théona en s'arrêtant. Le balcon contournait l'atrium sur sa droite, et il y avait une petite salle sur sa gauche menant à l'escalier avant. Directement devant elle se trouvait la porte délicatement sculptée menant à la suite de Valana. «Tu as trois chambres, Val. Ta chambre à coucher mesure à elle seule plus de quarante pieds de longueur!»

«Je ne voulais pas qu'elles soient toutes mélangées», répondit Valana de son ton le plus raisonnable. «Je venais tout juste d'organiser les chambres comme je le voulais, et je ne pouvais pas supporter l'idée de tout remettre en désordre.»

Théona se tourna vers sa sœur et prit une lente inspiration pour se calmer. Son expérience lui avait appris qu'argumenter avec sa sœur n'était jamais payant, et que se laisser gagner par la colère ne faisait qu'empirer les choses. «Alors, où les as-tu mises?»

«En fait, les domestiques...»

«Alors, où as-tu demandé *aux domestiques* de les mettre?»

«Dans la salle de réception de la prochaine suite. De toute façon, nous n'allons pas nous en servir tout de suite.»

Théona hocha la tête et se tourna pour continuer sa progression. Les chambres de Théona étaient en bas, au rez-de-chaussée; ses parents et sa sœur avaient pris les chambres à l'étage. Théona se dit que cet arrangement n'était que raisonnable; elle avait la responsabilité de diriger la demeure, et elle devait être près de l'endroit où les domestiques travaillaient afin de faire son travail avec le maximum d'efficacité. Néanmoins, elle savait au fond de son cœur que ce n'était pas la seule raison. Elles passèrent devant les deux portes qui menaient à la suite de chambres de Valana et entrèrent dans la troisième, plus petite que les autres.

La chambre était sombre dans la lumière faiblissante du soir. Les fauteuils, divans et autres meubles se trouvaient là où les domestiques les avaient laissés dans leur hâte d'effectuer le travail.

«Est-ce que tout cela...»

« Oui, tout cela est à moi, mais je trouvais que cela ne cadrait tout simplement pas dans les nouvelles chambres. Je suis certaine que je leur trouverai une utilité, après le mariage. »

« Je ne vois pas les malles. Tu es sûre que… »

« La chambre d'à côté. »

Théona s'éclaircit la gorge, légèrement agacée, et entra dans la chambre suivante.

« Val, il ne t'a pas encore demandée en mariage », dit Théona en ouvrant une malle et en jetant un coup d'œil aux rangées de vêtements qui y étaient suspendus. « Et tu ne l'as même pas encore *rencontré*. Comment peux-tu seulement parler d'un mariage ? »

« Ce n'est qu'une formalité », dit Valana d'un air détaché. « Notre père a fait la demande en mariage au père du prince Treijan, et il a accepté. »

« J'espère qu'ils seront heureux ensemble. » Théona ouvrit une nouvelle malle.

« Qui cela ? »

« Notre père et le père du prince Treijan. »

Valana fronça les sourcils. « Il m'arrive parfois de n'avoir aucune idée de ce dont tu parles. »

« Faut-il absolument que ce soit la robe bleue ? » demanda Théona en tirant une autre malle de la pile devant elle.

« Oh, oui ; j'ai fait faire un masque spécialement pour l'accompagner à cette soirée. Il y a une réception ce soir en notre honneur à la tour Brenna », répondit Valana d'un ton léger. « Tous les maîtres y seront – le meilleur sang de tous les clans. Je soupçonne qu'ils veulent jeter un bon coup d'œil à la femme de Treijan. Mère anticipe ce moment avec impatience, et père dit qu'il y aura beaucoup d'affaires à négocier. »

« Il a raison. » Théona grogna, un loquet refusant de céder facilement. « Une démonstration publique de la nouvelle position de la maison Conlan auprès des maîtres de la guilde améliorerait considérablement nos affaires. » Théona sortit soudainement sa main de la malle, tenant du bout des doigts une longue robe bleue. « Est-ce que c'est celle-là ? »

« Non, pas celle là », dit Valana, ses longues boucles dorées rebondissant tandis qu'elle secouait la tête.

« Valana, tu as six robes bleues ! » L'agacement de Théona fut assourdi à l'intérieur d'une autre malle.

« Tu sais de quelle robe il s'agit – celle en satin bleu pâle avec le filigrane argenté sur la pièce d'estomac de mon corsage », dit Valana, en ouvrant paresseusement un coffre à bijoux et en explorant du bout du doigt, de droite à gauche, son contenu. « Elle va si bien avec mon nouveau masque, et c'est une des robes préférées des garçons Rhami. J'ai seulement cru que… »

« Valana ! »

« Quoi, ma sœur ? » La grande et belle jeune femme afficha son sourire le plus coquet.

Théona se dégagea des malles qui s'accumulaient dans la chambre, et se fraya un chemin à travers celle-ci jusqu'à sa sœur. « Pas eux ! Pas les garçons Rhami ! »

« Je ne vois pas quel est le problème, Thei », dit Valana en retirant un long collier de perles d'un petit coffre. « Les origines de la maison de Rhami remontent à Haggun Harn ! Leur père et leur oncle – Wellan et Orin Rhami – ont épousé les filles de Mikalan Harn, qui les a eues avec Julina Myyrdin… »

« Tu sais ce que je veux dire, Val : ces jumeaux étaient synonymes de problèmes lorsqu'ils se chamaillaient autour de tes pieds comme des chiots, à Aquilas – ce qui était déjà ennuyeux, dans un endroit où une petite indiscrétion pouvait être tolérée, du moins, où père avait la possibilité de s'en charger. Maintenant, c'est différent. C'est Calsandria, Val ; la moitié des gens que tu rencontreras ce soir se demanderont pendant combien de temps ils pourront se servir de toi avant de te mettre de côté, et l'autre moitié se demanderont simplement de quelle façon ils pourraient te faire disparaître dès maintenant. Comment as-tu pu laisser ces Rhami te suivre jusqu'ici ? »

«Je ne leur ai pas demandé de venir.» Valana secoua la tête et haussa les épaules. «Ils sont venus de leur propre initiative. J'ai trouvé cela gentil.»

Théona émit un son qui exprimait son dégoût de la situation, et retourna dans le labyrinthe des malles ouvertes. «Et que pensera ton futur fiancé de ces serviles mystiques de la campagne? Lorsqu'ils se battaient entre eux pour t'avoir, ils défiaient tous les gens qui s'approchaient de toi en duel!»

«Oh, ils sont inoffensifs», dit Val, en tournant la main d'un air dédaigneux. «Ils n'ont jamais fait de mal à personne, et, depuis que je les connais, aucun d'entre eux n'a gagné de duel.»

«Tu ne comprends pas mon point de vue.» Théona grogna de nouveau en tirant une malle cachée dans le centre de la chambre.

«Non, ma sœur, je comprends ton point de vue mieux que quiconque», dit Valana simplement. «Le mariage avec ce prince représente l'union de presque toutes les lignées du Cercle des Six d'origine sous notre seul nom. Pendant des générations, nous, les Conlan, avons progressé depuis le bas de la montagne, améliorant notre sort à chaque mariage. Ce fut toujours commode pour toutes les parties impliquées – des lignées qui étaient suffisamment désespérées pour échanger leur nom contre quelque chose que nous pouvions leur offrir. Nous l'avons offert – et, maintenant, nous sommes ici.»

Théona s'arrêta et tourna son regard vers sa sœur.

«Tu vois, Thei, je comprends parfaitement l'enjeu actuel.» Les yeux de Valana étaient rivés sur ceux de Théona. «Je fais cela pour la famille; je fais cela pour toi. Penses-y, Thei; quelle chance as-tu de concrétiser une union qui vaille la peine, si notre maison ne fait pas partie des trente-six guildes d'élite?»

Théona regarda fixement sa sœur pendant un moment. «Aucune.»

Valana hocha la tête avec un sourire. «Alors, tu vois que *je comprends.*»

«Nous comprenons toutes les deux», dit Théona en ouvrant la malle. «Est-ce que c'est cette robe?»

«Oh oui! Théona, tu es fantastique! Donne-la-moi!»

Valana prit la robe des mains de sa sœur et la tint devant elle avec une main. Elle jeta un coup d'œil autour d'elle et trouva une psyché ovale. Elle leva rapidement son autre main au-dessus de sa tête et murmura quelque chose en fermant les yeux. Soudainement, une sphère de lumière vit le jour au bout de ses doigts, et la lumière illumina Valana dans le miroir avec sa magnifique robe bleue.

Théona se tenait derrière sa sœur, dépassant suffisamment sur le côté pour se voir, elle aussi, dans le miroir.

Le visage parfait de Valana était encadré par une superbe chevelure dorée minutieusement coiffée qui tombait en cascade sur ses épaules parfaites. Ses yeux bruns étaient grands et avaient une allure somnolente. Même la robe de voyage qu'elle portait avait été choisie avec soin pour mettre en valeur les formes de son corps.

«Je – j'aurais aimé que tu puisses venir», dit Valana avec une délicate nuance de regret. «Je sais cependant que tu n'aurais pas apprécié. Ce sera un regroupement de mystiques qui ne cesseront de parler de… enfin, tu sais.»

Théona regarda son propre visage dans le miroir. Ses cheveux foncés étaient faciles à coiffer uniquement lorsqu'elle les tirait vers l'arrière pour former un chignon. Elle avait une bosse sur le nez, et son menton était un peu faible. Elle croyait presque, parfois, qu'on aurait pu la trouver jolie, elle aussi, comme une lune d'été brillant dans une douce nuit calme. Par contre, tant qu'elle se tiendrait dans la lumière vive de sa sœur, jamais personne ne se retournerait sur son passage pour la regarder à nouveau. Valana était le trésor de la famille, la raison principale de leur fortune grandissante et une évocatrice douée de la Guilde des tisserands du vent. Théona était bien pâle, à côté d'un tel soleil. Et, pire que tout, malgré le fait qu'elle faisait partie d'une des lignées les plus puissantes, Théona n'avait pas du tout de pouvoir de Magie profonde. En se regardant ainsi dans la glace, elle sut qu'elle était une enfant inférieure.

«Ne t'inquiète pas, Théona», dit joyeusement Valana, la lumière brillant sur elle. «Le prince Treijan a fait savoir qu'il arriverait par les portes aujourd'hui même. Nous serons mariés d'ici l'automne, et la vie sera meilleure pour nous tous – même pour toi, Théona. Tout est arrangé : nous vivrons tous heureux par la suite.»

RÉJOUISSANCES

héona se tenait sur les pavés humides et lavés de la rue, face à sa nouvelle maison. Elle croisa les bras et regarda le carrosse de la famille s'éloigner en flottant au-dessus de la rue des Temples. Il y eut quelques soucis de dernière minute à propos du fait de trouver des drakes des plaines convenables pour tirer la diligence. La vitesse remarquable de ces créatures n'était pas au centre du problème, car la distance à couvrir ne représentait que quelques pâtés de maisons; c'était plutôt leur apparence qui décidait de leur sélection. Un des quatre drakes des plaines d'origine de la famille s'était mis à boiter lors de leur voyage depuis Aquilas et avait besoin de temps pour guérir. Puisqu'il s'agissait d'un attelage soigneusement assorti, la difficulté résidait dans le fait de trouver un drake des plaines qui n'aurait pas déjà été réquisitionné ce soir-là, mais aussi dans celui d'en trouver un qui soit esthétiquement plaisant. Cela avait contrarié sa mère, et était devenu une véritable crise pour son père. À la fin, toutefois, le problème fut réglé – comme étaient réglés plusieurs de leurs

problèmes – grâce à un toucher de jetons* de Rylmar. Son père acheta tout simplement un nouveau drake des plaines esthétiquement convenable, en dépit de son prix exorbitant.

C'était sans grandes conséquences pour son père ; il avait personnellement un bon nombre de jetons à sa disposition – comme tous les mystiques – et, indubitablement, chacun recelait des montants excédant la plus-value annuelle de certains des seigneurs des clans eux-mêmes. Les jetons étaient la monnaie d'échange particulière des mystiques depuis plus d'un demi-siècle, et ils étaient jugés complètement sûrs ; chacun d'eux était intimement lié à la volonté de son propriétaire, et, contrairement aux pièces métalliques qu'utilisaient encore les roturiers au service des mystiques, les jetons revenaient toujours à leurs propriétaires si ces derniers les égaraient. Même la mort ne pouvait leur faire échec, car, lorsqu'il était convenablement préparé, chaque jeton était ingénieusement imprégné de la lignée familiale, faisant ainsi en sorte que si un homme ou une femme devait trouver la mort accidentellement ou à dessein, sa richesse se transmettrait librement et intégralement au membre désigné de la famille. Les jetons étaient devenus le point de référence de la vie des mystiques, car ils semblaient être présents à toutes les occasions de leur existence. Un enfant mystique avait son propre jeton ainsi imprégné lorsqu'il démontrait son don de mystique ; l'imprégnation de jetons entre un mari et sa femme était devenue l'apogée de la cérémonie de mariage des mystiques ; et bien souvent, le premier signe qu'une femme avait du décès de son mari était l'apparition de son jeton. Lorsqu'un meurtre survenait, la personne qui possédait le jeton de la victime était toujours la première à être soupçonnée.

---

* Dès l'an 542 des RD, les clans mystiques établirent le jeton en qualité de monnaie d'échange reconnue de tous. Ce jeton magique, qui rappelait les pièces de la bénédiction du Pir Drakonis, avait près de deux pouces de diamètre et était fait de métal richement orné. Les jetons étaient personnalisés, mais renfermaient la même charge magique bienveillante. Les transactions étaient conclues en faisant se toucher les jetons tandis que la volonté de celui qui les détenait déterminait le prix de l'échange. Le pouvoir passait ensuite d'un jeton à un autre, concluant ainsi la transaction.

Pour Théona, les jetons étaient cependant devenus un autre symbole du gouffre entre elle et la société dans laquelle elle était née. Elle n'avait personnellement pas de jeton, et cette absence pesait continuellement sur son âme. Elle savait que son père l'aimait, mais elle savait également qu'elle représentait une source d'embarras pour lui – un embarras qu'aucun jeton ne pouvait compenser.

Théona avait ainsi un air songeur en regardant les drakes des plaines et le carrosse s'envoler au-dessus des rues bondées dans la fraîche soirée et sous un ciel dégagé, son père ayant acheté ce qu'il avait pu. Avec le toucher d'une paire de grands jetons, les drakes des plaines étaient de nouveau très beaux, la femme de Rylmar était heureuse, et leur fille chérie pourrait être présentée avec classe aux puissants et aux élégants de la cité, là où chaque sourire charmant dissimulait un poignard dans le dos. Elle les regarda pendant un moment, et les vit passer devant les temples restaurés du côté est de la route – devant celui de Mnemes tout d'abord, puis celui de Hrea et celui d'Ekteia. Les édifices étaient d'une beauté époustouflante, mais les yeux de Théona demeurèrent sur le carrosse jusqu'à ce qu'il disparaisse au bout de la longue courbe de la rue des Temples.

Son père, sa mère, et sa sœur : personne ne se retourna, ne serait-ce qu'une fois.

Théona se tourna vers la maison. Deux nouveaux masques lui renvoyaient son regard. Leurs marques polies et saisissantes – les symboles de la maison Conlan – contrastaient fortement avec les gravures érodées et estompées des portes de l'antique maison sur lesquelles ils avaient récemment été installés. Chacun d'eux proclamait qu'il s'agissait d'une maison de mystiques.

Théona prit une profonde inspiration et poussa les portes principales de la villa. Agretha, leur domestique mystique originaire de Cyrolis, avait allumé les lumières dans la maison avant de disparaître pour la soirée avec la majeure partie du personnel domestique. La lueur bleutée des globes de cristal se reflétait sur les carreaux de mosaïque du vestibule, tandis que d'autres encore illuminaient l'atrium. C'était une magnifique et bien vide ruine, pensa Théona ; *tout comme moi.*

Elle se mordilla la lèvre, tentant de se distraire de ses pensées. Il y avait bien quelques roturiers employés dans la maison, mais Agretha et la plupart des autres domestiques étaient soit des adeptes de la Magie de surface*, soit des mystiques purs et simples, et chacun d'eux était capable de faire des choses. Théona, en tant que roturière sans dons magiques, était incapable de faire cela. Le fait qu'ils l'écoutaient et répondaient à ses demandes était peut-être attribuable à son talent pour organiser les choses et pour résoudre les problèmes, mais elle soupçonnait que cela avait davantage à voir avec le poids du jeton de son père. Elle était dépourvue de cette magie même sur laquelle cet empire se bâtissait – une roturière. Chaque jour, elle voyait quantité de réactions dans le visage des gens qu'elle rencontrait – de la pitié, du mépris, de la sympathie, de la curiosité, de la honte, de l'intolérance, de la tolérance voilée et du rejet – en bref, tous les types de réactions qu'un individu supérieur peut avoir à la vue d'un individu inférieur.

Théona tourna au bout du vestibule et marcha lentement le long du portique du côté droit de l'atrium, le bruit de ses pas se répercutant dans l'espace vide. En dépit des protestations toujours pleines d'espoir de son père et de la patience affligée de sa mère, elle se demandait intérieurement pourquoi c'était cette vie-là que les dieux lui avaient offerte. Ce n'était pas une

---

* La Magie de surface – ou, plus simplement la magie – se réfère à la magie populaire qui tire sa force des pouvoirs de la nature plutôt que de la Magie profonde d'autres mondes. Elle est bien moins puissante et plus éphémère que la Magie profonde, et elle est surtout utilisée pour des taches ménagères communes, soit pour allumer un feu ou guérir des coupures simples. La magie de surface est perçue par les mystiques comme étant une compétence « moindre » et n'est pas considérée comme étant une discipline de la Magie profonde. Conséquemment, même les magiciens, dans les maisons, sont considérés comme des « roturiers ».

vie à laquelle elle s'était résignée, car la résignation n'était pas un de ses traits de personnalité, alors elle vivait chaque journée en portant son propre masque de désespoir, tout en cherchant un moyen par lequel elle pourrait s'échapper du cocon de son destin et prendre son essor.

Théona veillait jalousement sur ses passions derrière sa réserve et son isolement, mais, lorsque le fardeau de son ressentiment devenait plus lourd que ce qu'elle pouvait endurer, elle se retirait alors dans cet endroit où elle pouvait trouver du réconfort.

Elle se tourna donc vers le passage un peu sombre à côté d'elle qui menait de l'atrium vers une pièce qui était la deuxième de par ses dimensions après la grande salle. Les murs d'une hauteur de deux étages de même que le plafond plat étaient, comme ceux de la grande salle, décorés avec des fresques richement ornées et décolorées, mais celles-ci représentaient les anciens dieux de Rhamas, leurs vêtements flottants ayant conservé la pose que les mains des artisans leur avaient donnée, plusieurs siècles auparavant. La pièce était dépourvue de meubles ou de décorations, à l'exception d'une unique statue qui prenait toute la place, à l'extrémité de la pièce.

Elle fixa le visage de marbre de la déesse Hrea.

Théona avait demandé à son père que cette statue embellisse la chapelle familiale, en avançant que, puisqu'elle était déjà la déesse patronne de la maison de Rennes-Arvad, il pourrait être avantageux que cette dernière soit associée avec la maison de Conlan. Théona imaginait que la statue avait dû être sculptée à l'origine pour rendre hommage à la nature protectrice de la déesse, car, contrairement à plusieurs autres statues de dieux retrouvées parmi les ruines, celle-ci était penchée vers l'avant, s'agenouillant dans sa générosité, les mains ouvertes de façon protectrice et invitante à la fois. Ici, cependant, dans l'espace plus petit de la chapelle des Conlan, la statue semblait prendre un tout autre aspect aux yeux de Théona ; on aurait dit un grand et puissant animal pris au piège, et qu'on retenait dans une cage trop petite.

C'est comme moi, pensa Théona, *un grand oiseau avec une aile brisée, qu'on garde dans une cage trop petite.*

Elle jeta un regard rapide vers la porte. Les domestiques n'avaient pas accès à la chapelle familiale, et Théona savait que ses parents et sa sœur n'avaient que faire des dieux, à l'exception des festivals qu'ils suscitaient et des exigences sociales qu'ils représentaient. Ici, elle était seule ; ici, elle pouvait être elle-même.

Théona se laissa tomber sur les genoux, saluant la grande statue, les mains sur la tête au moment où son nez toucha le sol. Les mots de son cœur sortirent de sa bouche spontanément et de manière incontrôlée à travers ses doux sanglots. « Hrea, déesse du Port, entendez mon appel. Montrez-moi qui je suis. De quelle façon ai-je offensé les dieux pour qu'ils fassent de moi… une personne si brisée ? Je ne peux voir le chemin devant moi. Je vous en prie, grande Hrea, montrez-moi qui je suis – *pourquoi* je suis ainsi – et comment je pourrais me faire pardonner des dieux de les avoir ainsi offensés. »

Théona pleura, ses larmes incontrôlées formant de petites mares sur les carreaux de mosaïque. Elle se recroquevilla ensuite dans ses vêtements, se faisant aussi petite qu'elle le pouvait, et s'endormit, toujours en sanglots, entre les mains immobiles de la statue sans yeux.

« Théona… Théona… »

La vieille femme se tenait au-dessus de moi, sa main douce sur mon épaule, me berçant tout en me parlant.

Je me suis réveillée – enfin, c'est l'impression que j'ai eue – dans une noirceur infinie et impénétrable. J'étais désorientée, puisque je pensais m'être endormie dans la chapelle familiale. La seule chose que je pouvais voir était cette vieille bique qui se tenait au-dessus de moi.

Elle était plus vieille que je pourrais le décrire, frêle et voûtée, avec de longs cheveux blancs duveteux, tirés en arrière sévèrement, mais de belle façon. Elle n'avait qu'un seul œil, mais il était radieux et plein de vie. Ses vêtements étaient incroyablement blancs et avaient le style des anciens Rhamassiens : une longue tunique fixée avec un fermoir sur l'épaule.

Je demande à la femme : « Qu'est-ce qu'il y a, grand-mère ? » quoiqu'en vérité elle ne ressemble aucunement à ma propre grand-mère, morte depuis longtemps.

« Viens, mon enfant », dit la femme d'une voix grinçante en tendant la main vers mon bras. Je suis étonnée par sa force tandis qu'elle me fait mettre debout à côté d'elle. « C'est l'heure de ton voyage. »

Je secoue la tête. « Mais, nous venons d'arriver, grand-mère. »

« Chacun doit suivre sa propre voie », répond la femme. « Chacun doit choisir sa propre porte. Regarde ! Qu'est-ce que tu vois ? »

Je regarde dans l'obscurité. « Rien... et cela me fait peur. »

« Tu dois regarder avec des yeux plus concentrés, mon enfant », me répond patiemment la vieille femme. « Regarde encore ! »

Je regarde de nouveau dans le vide obscur qui nous entoure. Je commence à discerner des formes assombries dans l'obscurité, leurs contours fluctuant et disparaissant, malgré le fait que je me concentre de mon mieux. Je détecte les contours des murs de la chapelle ou peut-être ceux de l'atrium, mais ces limites bougent, comme si je les regardais dans le reflet d'un lac dont la surface vient d'être troublée. Il y a des

*vaguelettes à la surface, et ces dernières forment main-
tenant les contours d'une grande arche qui s'avance
rapidement vers moi – ou est-ce que tombe plutôt à
travers elle ? Je ne peux le dire. Au-dessus de cette
arche se trouve une grande pierre luisante, et le numéro
quarante et un est gravé sur sa face.*

Journal de Théona Conlan, Volume 1, pages 32-36

Les choses ne pourraient être plus parfaites, pensa Valana.

Elle se tenait d'un côté du plancher de la salle de bal, entourée
par un certain nombre de courtisans masqués membres de clans
de diverses lignées. Chacun tentait d'engager la conversation
avec elle, et sa mère repoussait ceux de lignées inférieures et
laissant passer ceux dont il serait possible de tirer les meilleurs
avantages. Son père s'était heureusement rendu auprès de pères
d'autres clans pour parler affaires. C'est avec soulagement
qu'elle le vit se séparer d'elle ; elle l'aimait beaucoup, mais il
ignorait tout de la façon dont les choses étaient traitées sur un
tel champ de bataille social. Ceux qui en comprenaient le mieux
les rouages étaient bien sûr ceux qui avaient le plus de succès.

La salle de la Guilde, une rotonde qui avait été reconstruite,
était une magnifique conception architecturale rhamassienne.
Elle créait un grand espace ouvert entouré de colonnades qui
soutenaient des galeries supérieures d'où l'on pouvait observer
la danse. Les musiciens eux-mêmes étaient situés dans la
troisième galerie. Le dôme au-dessus de leurs têtes était encore
inachevé, mais les pères de la guilde avaient réussi à retirer les
échafaudages à temps pour le bal de bienvenue du prince
Treijan, libérant ainsi de l'espace pour permettre une danse.

Les gens ainsi assemblés papillonnaient d'un endroit à un
autre de la salle, leurs masques affichant les symboles de toutes
les disciplines et de toutes les guides de l'empire. Tous les gens
qui étaient quelqu'un profitaient du bal avec délectation. Des

couples se formaient en bordure du plancher, effectuant des pirouettes vers le centre pendant que des évocateurs de la discipline hréatique – les membres de la guide du Transport de Rylmar Conlan – formaient des sphères lumineuses autour d'eux. Ils flottaient tous dans les airs pour prendre leur place dans la danse, perchés dans leurs bulles iridescentes. Le rythme modéré de la musique se fit entendre, et les couples se déplacèrent dans les airs. Les globes des danseurs s'unissaient en un seul globe lorsque les partenaires s'approchaient, puis se séparaient pour se reformer ailleurs selon les mouvements requis par la danse. L'espace au-dessus du sol était rempli des gracieux déplacements de l'élite des mystiques en une prudente syncope.

Tout ce que Valana voyait autour d'elle avait été prévu et organisé avec soin, et elle dut admettre qu'elle aimait cela ainsi. Elle n'aimait pas les surprises ; en fait, elle considérait que même les surprises les plus agréables étaient dérangeantes, à un certain point. Elle avait toujours préféré avoir un aperçu sans équivoque de ce qui allait arriver dans sa vie ; l'inattendu pouvait être mortel.

Ici, entourée par les masques souriants de ceux qui voulaient l'utiliser ou la détruire, elle était calme et pleine d'assurance. Elle pouvait affronter leurs piques, leurs propos hargneux et leurs alliances de convenance. Personne n'avait les pieds aussi fermement ancrés sur le terrain incertain de la politique courtisane que Valana Conlan… tant qu'elle pouvait voir venir les coups.

« Mademoiselle Conlan ! Mademoiselle Conlan ! »

Jesth et Danth, les jumeaux Rhami, se frayaient un chemin vers elle avec vigueur, laissant dans leur sillage un murmure agacé de plus en plus audible au sein de l'élite. Valana était ravie de toute l'attention qui lui était portée depuis le début de la soirée ; la présence des jumeaux serviles était « l'épice dans le mélange », comme sa mère avait coutume de dire. Elle n'avait aucune intention de prendre l'un ou l'autre des garçons au sérieux, mais l'admiration qu'eux lui portaient semblait toujours avoir le plus bel effet sur elle aux yeux des autres personnes.

«Maître Jesth et maître Danth», dit-elle poliment, faisant une révérence aussi minime que possible. «Je suis surprise de votre présence ici.» Elle amplifia le mensonge diplomatique en lançant un regard accusateur dans leur direction.

«Mademoiselle Conlan, dit Jesth d'une voix haletante, nous sommes venus pour vous offrir nos services.»

«Tous les deux», intervint Danth. «Nous ferions volontiers tout ce qui est en notre pouvoir pour accélérer votre accession au bonheur. Vous pouvez nous donner n'importe quelle tâche, si petite soit-elle.»

Valana jeta un coup d'œil vers sa mère, qui prit un air dédaigneux comme si les deux garçons venaient de traverser un champ d'oignons.

«Vous me consternez, tous les deux», répondit Valana en faisant la moue. «Vous savez que je suis ici à la demande de la maison de Rennes-Arvad. Les attentions que vous me portez sont à la fois inconvenantes et scandaleuses.»

«Nous vous supplions, mademoiselle Conlan», implorèrent les jumeaux presque en même temps.

«Mademoiselle Conlan est également fiancée», dit une voix flûtée derrière elle. «Ce qui est là une situation que je vous suggère fortement d'envisager pour vous-mêmes.»

Valana se retourna précautionneusement. Elle n'avait encore jamais rencontré le prince de Rennes-Arvad, et son visage lui avait été décrit avec tant de détails et par tant de personnes différentes qu'elle n'avait plus aucune idée précise de ce à quoi il pouvait ressembler. Une des choses qu'elle attendait de cette soirée était justement d'entrevoir cet homme avec qui elle devait se marier. Elle espérait retrouver quelque chose dans le visage de son futur mari qui saurait élever sa joie autant que le rang et la position de sa famille. Son plan de voir le prince d'une distance prudente avant qu'il ne la voie venait à l'évidence d'être réduit à néant. L'ourlet de sa robe bleue ondula lorsqu'elle se tourna pour faire face au grand homme qui était jusqu'alors derrière elle.

Il avait les traits tirés, et ses yeux désagréablement perçants la regardaient à travers le masque, le long de son grand nez de faucon. Il y avait un léger air de désapprobation dans la façon dont il venait de pencher la tête pour regarder les jumeaux Rhami, bien qu'elle ne pouvait pas dire lequel des deux avait provoqué une telle réaction.

Valana reconnut néanmoins les symboles des bardes sur le masque richement orné et savait ce qu'elle avait à faire. Elle fit une profonde révérence et inclina la tête tout en parlant. « Votre Majesté. »

« Presque, mais pas tout à fait », répondit la voix aiguë. Les gens dans la foule qui s'étaient rapprochés avaient remarqué la scène et ricanaient dans un amusement menaçant.

« Vous êtes trop modeste, prince Treijan », répondit rapidement Valana.

« Je suis en fait bien trop occupé à être Gaius Petros pour être le prince Treijan », dit l'homme mince en haussant les sourcils tout en prenant sa main, lui indiquant ainsi de se lever. « Le prince m'a demandé de vous trouver dans l'assistance et de vous demander si vous vouliez bien vous joindre à lui dans la danse. »

Valana rougit légèrement. « Alors, j'y vais immédiatement. J'aimerais effectivement laisser derrière moi les gens qui me tiennent compagnie en ce moment. »

« Si vous me permettez », dit Gaius, en faisant tourner Valana d'une main experte et en se plaçant dans la première position de danse. La bulle se forma instantanément autour d'eux, les souleva du sol et les fit s'élever au-dessus de la foule.

« Le prince se trouvait à l'étranger, au cours des derniers mois », dit Gaius tandis qu'ils s'élevaient encore dans les airs. Ils dansaient à hauteur du hall inférieur, et les bulles des autres couples s'alignaient sur leurs mouvements alors qu'ils bougeaient, se séparaient, tournoyaient autour d'autres partenaires et revenaient finalement ensemble.

«Son dévouement envers sa vocation de barde est connu de tous les clans de l'empire», répondit courtoisement Valana.

«Ce n'est pas une vocation aussi glorieuse qu'on pourrait l'imaginer», dit Gaius, en prenant la main de Valana tandis qu'ils effectuaient des pas dans les airs. «Les choses à la cour changent souvent, en son absence. Des arrangements sont parfois décidés, dont certains peuvent s'avérer être bien surprenants.»

«En effet», dit Valana, laissant un brin d'ennui transparaître à travers ses mots, bien que la référence au mot "surprenant" la laissa quelque peu décontenancée. «Le changement est inévitable; le fait de le nier ne l'empêchera pas de se produire, et, comme mon père le dit, il y a des bénéfices dans chaque changement.»

Gaius sourit en entendant ce dernier commentaire tandis qu'ils tournoyaient tous les deux et montaient au prochain niveau de la danse. «À ceux qui sont assez malins pour comprendre la signification des bénéfices lorsqu'ils sont à portée de main.»

Valana fronça légèrement les sourcils, incertaine de la direction que prenait la conversation. «Je ne suis pas sûre de comprendre ce que vous voulez dire, monsieur.»

«Alors, parlez-moi de vous», répondit plaisamment Gaius.

Valana sentit enfin qu'elle entrait en territoire connu. «Eh bien, je me nomme Valana, et je suis de la maison de Conlan. Ma mère est Estrada, de la lignée Myyrdin par Galenar. Mon père est Rylmar Conlan par Miril Arvad – la grand-tante de Treijan au troisième degré – et Behthan Conlan, fils de...»

«Madame, dois-je comprendre que vous êtes entièrement composée de Privilèges de lignée?» l'interrompit Gaius.

«Je ne fais que répondre à votre question, monsieur», répondit Valana. Elle prit soudainement conscience que danser si loin du sol pouvait être assez précaire.

«Je vous ai demandé qui vous étiez, madame» – Gaius hocha la tête, ses yeux perçants fixés sur elle – «et non de me détailler votre ascendance. Je peux obtenir toute cette information en examinant les symboles sur votre masque.»

«Peut-être alors pourrions-nous parler de votre propre ascendance», dit Valana tandis qu'ils s'élevaient au troisième niveau de la danse.

«L'importance des lignées est considérablement surfaite», dit Gaius d'un ton dédaigneux.

«Seulement pour ceux dont les lignées ne sont pas favorables», répondit Valana avec hauteur. «C'est pire encore pour ceux qui ont des lignées potables, mais juste insuffisantes. Laissez-moi examiner votre masque, Gaius Petros. Vous et Treijan êtes tous deux des descendants de Caelith Arvad, mais la lignée Petros passe par Chystal Arvad – une fille – tandis que celle de Treijan passe par son frère, Arémis, né deux ans auparavant. Si ce n'était de Treijan de la lignée Rennes-Arvad, c'est vous et votre famille qui danseriez au sommet dans les airs ce soir, plutôt que votre lointain cousin.»

«Il y a certaines choses à propos desquelles vous êtes peut-être trop bien instruite», répondit Gaius, en détournant les yeux.

«Il est possible de lire bien des choses dans un masque, et je sais ce qui importe pour le Conseil des Trente-Six», dit Valana, tournant savamment au rythme de la musique. «Je sais qu'il y a une différence entre ceux qui dirigent et ceux qui obéissent.»

«Et l'obéissance n'est pas dans votre nature?» répondit Gaius.

«Ce serait plutôt le contraire», dit Valana à son tour. «Je sais quel est mon devoir et où réside mon allégeance. Et vous?»

« Trop bien, oui. » Gaius salua et se tourna, faisant un geste de la main vers la droite. « Votre Altesse, je vous présente mademoiselle Conlan. »

Valana retint son souffle. Elle avait été si absorbée dans la conversation qu'elle n'avait pas remarqué s'être élevée dans le tiers le plus haut de la danse. Elle se retourna et fit une profonde révérence avant d'oser lever les yeux vers ceux, plaisamment souriants, qui la regardaient.

Malgré le masque qu'il portait, Valana pouvait voir que Treijan Rennes-Arvad était un homme extraordinairement beau. Sa première pensée fut d'être soulagée. Elle prit la main qu'il lui tendait, et ils dansèrent ensemble au-dessus de tous les mystiques de l'empire – l'étrange conversation qu'elle avait eue avec Gaius rapidement oubliée dans la perfection de la nuit.

LES PORTES

yne Fletcher, de la garde de l'ombre, regardait son sablier d'un œil accusateur, puisque le sable semblait s'écouler avec une lenteur particulière à cette heure avancée de sa garde. Le sablier en lui-même était un objet interdit – le commandant de la garde était d'avis que de tels mécanismes rendaient la tache encore plus longue qu'elle ne l'était en réalité –, mais Kyne se l'était tout de même procuré clandestinement, en partie parce qu'il voulait savoir l'heure, et en partie aussi car c'était une forme de rébellion tranquille.

Ce soir, il se demandait cependant si le commandant avait effectivement raison sur ce point. Il bâilla et se secoua les muscles dans l'obscurité.

C'était sa largeur, pensa-t-il. C'est pourquoi on lui faisait monter la garde ici la nuit. Il était courtaud et trapu, ce qui l'empêchait de se fondre dans les ornements élancés de la tour. Son visage était large et plat comme le reste de son corps, et il avait du mal à se faire pousser une barbe convenable qu'il pourrait ensuite tailler pour représenter au mieux les symboles qui permettaient d'identifier sa discipline particulière et son centre d'intérêt. Il était seulement parvenu à obtenir la peu seyante barbe de plusieurs jours d'un gardien ektéiatique. Il héritait donc constamment des tours de garde de nuit. Cela importait peu qu'il soit un des meilleurs archers de son groupe, car il semblait destiné à s'appuyer sur son arc près de la même statue tous les soirs, tout en tentant de demeurer éveillé.

Un jour, pensa-t-il, il trouverait un moyen de se sortir de là.

Son poste de garde était situé en hauteur, parmi les fleurons et les colonnes richement ornées qui s'alignaient le long du parapet et qui soutenaient la flèche délicatement pointue de la tour Jester. Kyne cligna des yeux et regarda en bas, entre les colonnes, vers le sol pavé de la cour. La tour Jester était aussi, plutôt grossièrement, surnommée tour du Pouce, principalement parce qu'elle était la plus petite des cinq tours qui formaient la structure extérieure de la Citadelle. En tant que telle, elle offrait donc la vue la plus rapprochée sur la cour qui se trouvait entre les fondations et le mur d'enceinte.

« Quelle étrange manière de construire une forteresse », murmura Kyne intérieurement, se remémorant une observation qu'il s'était faite et à laquelle il avait réfléchi lors de plusieurs longues nuits. « Les châteaux sont censés empêcher les envahisseurs de pénétrer à l'intérieur, et non les empêcher de sortir. Malgré cela, il faut faire face au danger du côté où il peut provenir, et, si un ennemi arrive, ce sera par ces mêmes portes, à mon avis. J'imagine que c'est la façon de faire de notre temps. »

Le temps, pensa-t-il en regardant le sablier. Il examina sa forme simple, le cadre de bois fait à la main et le verre soufflé. Malgré tout le pouvoir de la Magie profonde – « ses éclairs et son tonnerre », comme le disait souvent, par moquerie – la grande majorité des objets utiles étaient encore créés grâce à l'habileté des artisans avec leurs outils. Peut-être, pensa-t-il, serait-il possible de faire apparaître une création permettant de déterminer l'heure à partir du rêve mystique : les enchanteurs et les catalystes pourraient imprégner ces qualités dans un objet solide et faire en sorte que le pouvoir de renouvellement devienne perpétuel, de façon que les choses puissent fonctionner sans cesse. Mais, pourquoi se donner tant de mal, quand tout ce dont on avait besoin était d'un peu de verre, de sable et de quelques morceaux de bois ?

Kyne regarda de nouveau dans la cour. Les magnifiques portes mystiques s'alignaient sur le mur intérieur, les Pierres de chant luisant faiblement dans la nuit. Elles étaient fermées lors de son tour de garde, mais il aimait s'imaginer les pauvres fous à qui on les faisait franchir tout au long de la journée. Ils semblaient tous croire qu'ils arrivaient dans un endroit où la magie coulait comme de l'eau après une pluie de printemps et où ils n'avaient qu'à claquer des doigts pour combler tous les désirs enfouis dans leurs cœurs. La vérité était bien plus difficile : la Magie profonde était difficile à maîtriser, parfois imprévisible, et presque toujours instable. La grande majorité des tâches courantes de la vie étaient encore accomplies avec une certitude plus grande, davantage d'économies et moins d'énergie, et les roturiers mettaient toujours la même ardeur à le faire depuis la nuit des temps.

Bien sûr, essayez de dire *cela* aux pèlerins qui arrivaient ici les yeux grands ouverts tous les jours, menés par les bardes à travers ces portes. Kyne soupçonnait qu'il y avait maintenant plus de roturiers que de mystiques à Calsandria, et qu'ils étaient chargés de faire encore plus de travail.

Le gardien de l'ombre haussa inconfortablement les épaules sous sa houppelande tout en laissant son regard errer au-delà du mur d'enceinte sur l'étendue de Calsandria. C'était la légende à propos de la cité qui les conduisait tous ici, et même Kyne ne pouvait démentir son attrait. Il y avait, chose certaine, bien peu d'autres endroits d'où on pouvait voir la totalité de la cité – ce qu'elle était auparavant et ce qu'elle devenait maintenant. Sous le ciel étoilé, il parvenait encore à discerner l'étendue des débris qui délimitaient les frontières de ce qui avait autrefois été le centre du monde ancien. Les mystiques avaient certainement fait de belles avancées – la citadelle sur laquelle il se trouvait actuellement était le plus magnifique exemple de leur dévouement à retrouver l'ancienne gloire de l'Empire rhamassien –, mais, à part le donjon Arvad et plusieurs des bâtiments des plus riches membres des guildes près de la Citadelle, la grande majorité de la cité n'était malgré tout qu'un cimetière de pierres brisées et de ruines. Kyne pouvait voir les contours de l'amphithéâtre, au sud-est, qui venait d'être découvert moins d'une année auparavant. Il y avait plusieurs maisons dans cette direction ainsi que quelques ateliers qui bordaient la rue Rhamas au-delà de la porte des Larmes – un quartier connu sous le nom de quartier des Chansons, où un bon nombre de mystiques dont les pouvoirs étaient centrés sur la musique et les arts du spectacle avaient dégagé une section dans les décombres pour y accueillir leur propre communauté. Kyne savait que le quartier des Tisserands, au sud-ouest, était encore plus vaste, mais il ne pouvait le voir depuis la tour Jester.

Il laissa donc son regard vagabonder par-delà l'amphithéâtre vers les mâts des bateaux amarrés sur le bord de l'eau. Ces bateaux sont le vrai pouvoir de Calsandria, pensa-t-il, car ils étaient au cœur du commerce avec toutes les communautés extérieures qui tentaient de reconquérir les jours de gloire de l'empire disparu. Les bateaux commerçants naviguaient sur la vaste étendue d'eau de plus de cinquante milles du lac Behrun, depuis Tabethia sur la rive nord-ouest jusqu'à Caedonia, Kharanlas et Ekhilas, au sud. Calsandria, autant maintenant à l'époque de Kyne qu'au cours des siècles passés, demeurait la voie du commerce entre les cités sur le bord du lac et celles situées dans les plaines montagneuses.

Elle avait été la plus grande cité de son temps, et elle avait succombé, songea Kyne. Elle se voyait maintenant reconstruite, et personne ne s'arrêtait pour se demander pourquoi elle était ainsi tombée en ruine la première fois. Il décida que quelque chose n'allait pas – comme il le faisait chaque nuit qu'il montait la garde –, et un de ces jours il ferait en sorte que les gens y réfléchissent. Il ne monterait pas la garde toute sa vie durant ; il connaissait sa place sur l'échelle sociale, et il en avait vu d'autres biens moins méritants que lui le dépasser. Un jour, il le savait, il aurait sa chance, il chercherait à se faire bien voir, et, lorsqu'il serait responsable, il réglerait tous les...

« Fletcher ! »

Kyne s'immobilisa tout en jetant un coup d'œil à son petit sablier. C'était la voix du commandant de la garde – Plaisant, un vieux guerrier à la peau tannée dont le nom était à l'opposé de son caractère – qui se répercutait le long du puits central de la tour, du bas jusqu'au sommet. Kyne attendit pendant un moment, au cas où il entendrait Plaisant grimper l'escalier intérieur.

« Fletcher ! » La voix sonore l'appela une fois de plus.

Apparemment pas. Kyne se détendit. « Oui, chef », dit-il dans le puits.

« Tu es relevé », dit la voix sonore depuis les profondeurs. « Descends. »

Kyne regarda de nouveau son sablier. Il y avait encore quinze bonnes minutes de sable à l'intérieur. « Chef, mon remplaçant n'est pas encore arrivé... »

« Ton remplaçant aura des comptes à me rendre à cause de son retard ! » La voix de Plaisant menaçait de faire bouger certaines des pierres qui avaient été replacées avec tant de soin dans la tour. « Écoute, il y a eu une grosse célébration au donjon Arvad ce soir, et la maison de Rennes-Arvad avait quelques tonneaux de trop. J'ai envoyé un détachement les "réquisitionner" pour la garde de l'ombre, et ils sont de retour avec eux. J'ai pensé que tu aimerais peut-être nous aider à faire disparaître les preuves. »

Kyne sourit à belles dents et se hissa sur ses pieds. Il ramassa son carquois, le passa négligemment sur son épaule, et attrapa son arc. «Oui, chef, je crois que je serais à la hauteur pour une telle tâche. Je viens au rapport immédiatement.»

«Enfin, mets-y un peu de nerf», cria Plaisant. «Je n'attendrai pas éternellement!»

Kyne se servit de son poids pour plier son arc contre le sol de pierre, afin de libérer la corde de son encoche. C'était quelque chose d'aussi automatique pour lui que l'action de respirer; cela ne se faisait tout simplement pas de quitter son tour de garde sans que l'équipement soit convenablement rangé. L'arc, ainsi dépourvu de sa corde tendue, fut glissé dans le carquois, et il était fin prêt.

Sa main gauche contre le mur, Kyne descendit les marches de l'escalier en spirale à toute vitesse. Sa main droite tenait son jeton. Une bonne beuverie comprendrait sûrement un ou deux jeux, et son jeton était quelque peu en fonds, ce qui lui donnait l'impression d'être accompagné par la chance. Il se trouvait presque à mi-chemin des escaliers lorsqu'il s'arrêta brusquement.

Le sablier – il l'avait laissé à son poste.

«Zut alors!» murmura-t-il. Si son remplaçant au poste de garde se faisait sonner les cloches par le commandant de la garde, il tirerait sûrement un grand plaisir à dénoncer Kyne pour avoir fait entrer clandestinement le sablier. Kyne jeta un coup d'œil vers le haut de la tour. Descendre était une chose, et monter en était une autre – il ne pouvait faire autrement.

Il remonta donc les escaliers à la course, et fut hors d'haleine après quelques tournants.

«Hé, Fletcher», dit une autre voix venant d'en bas. C'était Boulous, son vieil ami. «Tu viens ou pas? La fête commence!»

«Je suis en route», dit Kyne aussi doucement qu'il le put. La montée était déjà ardue en prenant son temps, mais, en courant, c'était dément. «J'arrive!»

Il surgit de nouveau sur le parapet, prenant une grande goulée d'air nocturne. Son petit sablier était là, juste à côté du pilier, sur le rebord. Il se pencha, et sa main se referma autour du cadre.

Quelque chose dans la cour attira son attention.

Il s'immobilisa. La cour était fermée la nuit. Personne n'était censé s'y trouver.

Deux ombres se déplaçaient l'une vers l'autre sur les pavés.

Kyne tendit la main vers son arc, mais ses mains se prirent dans les plis de sa houppelande. Il jura contre lui-même ; s'il avait été à son poste de garde, il l'aurait déjà dans ses mains, mais sa houppelande s'était enroulée autour de lui dans son ascension rapide, et il avait du mal à l'extraire des plis du vêtement.

Tout à coup, une des personnes en bas s'effondra, tremblant violemment sur le sol. L'autre, plus grande et plus mince, demeura froidement sur les lieux jusqu'à ce que l'agonie du premier homme cesse et qu'il repose sur le sol, les muscles totalement relâchés. Puis le deuxième homme ramassa la forme molle et se hâta vers une des portes.

« Allez ! Allez ! » murmura Kyne intérieurement. Sa main sentit le bois frais de son arc dans ma main. Il tira désespérément dessus, le libérant du carquois. Il appuya sur l'arc et enfila la corde sur son encoche d'un seul mouvement.

La Pierre de chant se mit soudainement à briller sur une des portes en bas.

Kyne encocha une flèche, tira la corde de l'arc et visa.

Les deux personnes étaient parties.

La cour était de nouveau tranquille, mais les pensées de Kyne résonnaient dans sa tête. Emmêler son arc dans ses vêtements – voilà quelque chose qui pourrait lui valoir des embêtements sans fin avec le commandant de la garde, et des taquineries de la part de ses compagnons de la garde. Il devrait signaler tout de suite cet incident, mais il savait que, s'il le faisait, il devrait aussi expliquer pourquoi il n'avait rien fait pour arrêter les intrus. D'un autre côté, son travail était d'empêcher les gens *d'entrer* dans la cour par les portes, et non de les empêcher de *sortir*.

« Fletcher ! »

« J'y suis presque ! » cria Kyne, rangeant rapidement son arc une fois de plus et descendant les marches quatre à quatre aussi vite qu'il osait le faire. Il était probablement préférable pour lui d'oublier toute l'affaire.

Après tout, ce n'est qu'une porte.

« Théona ! » La voix m'appelle dans le noir.

Puis je regarde vers le bas du sommet d'une colline. L'obscurité roule en s'éloignant de moi, bien que le décor qui m'entoure soit encore sombre et sans couleurs. Un vent silencieux passe dans mes cheveux, soufflant depuis le littoral, à plusieurs milles d'ici. Autour de moi, les pousses d'herbe sont grises. Je n'ai jamais vu l'océan auparavant ; cette vaste étendue m'enchante et me procure un mauvais pressentiment en même temps. Il y a des villes le long de la grande courbe du rivage. Tout à coup, un éclat de lumière en provenance d'une des tours m'aveugle. Je recule de quelques pas...

... Mes pieds marchent sur les pavés. Finalement, je ne suis plus sur le sommet de la colline, mais j'arpente un passage voûté sur un marché. Sous mes pieds, un chemin usé serpente parmi les stands. Valana est là qui s'arrête à chacun d'eux, y regarde frénétiquement quelques objets puis les rejette, et se déplace vers le suivant.

Il y a aussi un nain, dont les yeux sont complètement dissimulés dans l'ombre que fait l'énorme bord de son chapeau rouge. Bien que les couleurs du monde soient sourdes et grisâtres, celle du chapeau du nain est d'un cramoisi éclatant. Sous son chapeau, le nain sourit à Valana et lui fait signe de le suivre.

Le vide noir est revenu à l'autre extrémité du marché, et sa noirceur s'approche vivement du nain et de Valana pour les engloutir tous les deux.

Et je crie : « Valana ! Non ! Arrête ! »

Ma sœur prend la main du nain au moment même où l'obscurité – un endroit qui, je pense, entraîne l'inexistence – s'approche encore plus, avalant tout sur son passage.

« Valana ! » Je cours vers elle. Elle ne se trouve qu'à quelques pieds de moi, mais elle ne semble toujours pas en mesure de m'entendre.

L'obscurité est presque sur nous tous.

Je tends la main pour prendre la sienne, et même si elle se tourne et marche vers moi, je peux deviner que ses yeux ne me voient pas.

Valana passe à travers *moi.*

Je frissonne. L'obscurité s'approche encore de nous à une vitesse extrêmement rapide. Je retiens mon souffle tandis que le vide m'engloutit...

... Et je me tiens sur un autre rivage – celui-là composé de doux sable noir. Les vagues du grand bassin clapotent doucement à côté de moi, propulsées par l'eau qui tombe en cascade d'une chute sur la rive opposée. Je jette un coup d'œil vers le ciel rempli d'étoiles, encadré par d'étranges arbres qui s'élèvent autour de moi. Je peux entendre des hurlements de dragons depuis le sous-bois.

Valana marche devant moi, inattentive à ma présence pendant que je prononce son nom dans un sanglot.

Derrière moi, la vieille bique ricane.

Je me tourne vers elle, toute tremblante à la lueur des étoiles. « Est-ce que je... est-ce que je suis morte ? »

La vieille bique sourit largement, et son œil valide s'agrandit tandis qu'elle réfléchit à ma question. « C'est une bonne question, Théona. La réponse dépend de la façon dont tu regardes la situation. Qu'est-ce que tu vois ? »

Je regarde et je vois Valana paralysée, peut-être par la peur. Je peux aussi voir deux hommes plus loin sur la rive, leurs silhouettes définies par des ombres très sombres sous la voûte céleste. L'un d'eux est étendu sur la plage, se tordant de douleur dans l'agonie de la mort. L'autre – grand et mince – se tient au-dessus de lui, un peu à l'écart, et ne fait rien pour l'aider. L'homme sur le sable est parcouru de quelques secousses, puis s'immobilise.

Valana court vers l'homme sur la rive et se penche vers lui pour le retourner afin que son visage soit tourné vers le ciel étoilé. Je ne l'ai jamais vu, mais je comprends soudainement que c'est le prince Treijan et qu'il repose dans le calme de la mort.

Ensuite Valana se relève et laisse tomber la tête de Treijan dans le sable. Je vois la peur et le dégoût dans ses yeux lorsqu'elle passe devant moi. Le prince décédé se met debout, le visage voilé par les ombres, et marche vers moi. Ses traits sont cachés, mais il y a tout de même quelque chose de terrifiant et de répugnant chez lui. J'entends Valana crier tandis qu'elle s'éloigne en courant, mais je suis là, paralysée. Les ténèbres de Treijan arrachent le souffle de mes poumons.

Le monde autour de moi se fracasse comme un panneau de verre. Je culbute avec les éclats, mais leurs bords tranchants ne me touchent pas. Je vois brièvement des images, des visions fugitives d'autres endroits et d'autres époques se refléter sur leurs facettes en rotation. Et puis tandis que je regarde la scène, les éclats de verre se reforment autour de moi, créant une nouvelle et terrifiante porte. Le métal sombre des portes est intimidant ; sa lueur angoissante révèle les reliefs de sa surface pour figurer une procession de morts. L'arche d'onyx noir qui l'entoure est illuminée par des éclairs successifs qui ondulent sur sa surface et révèlent d'imposantes formes sculptées, les squelettes aux mâchoires grandes ouvertes de créatures ailées émergeant de la pierre, et dont les mains osseuses cherchent à griffer l'air.

Je frissonne de dégoût ; c'est la porte menant à l'abysse de Skurea l'Incroyant – le pays des Morts oubliés.

Et les statues poussent des hurlements.

Journal de Théona Conlan, Volume 3, pages 41-45

LES FAMADORIENS

 l était une autre fois, dans une terre mythique et lointaine, un centaure qui se tenait aux portes de Sharajentis. La tête inclinée vers l'arrière et la bouche grande ouverte, il hurlait de colère, tellement que sa crinière foncée, épaisse et ébouriffée, en frémissait sur ses épaules. Les sacs qui étaient fixés sur son dos étaient à plat et vides tous les deux.

Il était presque aveugle de rage et de confusion. Il était arrivé à l'aube deux jours auparavant, et faisait résonner sa plainte de plus en plus fort face à l'enceinte de la cité.

Ils doivent me laisser entrer, pensa-t-il. *J'ai été appelé ! J'ai été choisi ! Ils doivent me laisser entrer !*

Toutefois, les portes de la cité demeuraient closes devant lui en dépit de toutes ses tentatives. Maintes fois, il s'était approché de l'énorme porte d'où émanait cette lueur verte – la porte d'entrée la plus visible de la cité – et, chaque fois, les énormes statues jumelles en pierre noire représentant des squelettes ailés qui montaient la garde de part et d'autre de la porte lui avaient lancé des éclairs de feu blanc. Sa plainte flottait dans les rues silencieuses et désertes de l'autre côté du mur de la cité, et n'obtenait pas de réponse.

Il s'agit de la Cité des morts, pensa son esprit fébrile. *Que dois-je donc faire pour y entrer – mourir ?*

Comme il l'avait fait auparavant, il démarra en trombe et galopa le long du mur d'enceinte en hurlant de colère. Les murs à pic étaient disposés à angle aigu et pénétraient le paysage comme des pointes d'épées rayonnant à partir de la cité centrale. La forêt avait été défrichée à bonne distance des fondations, laissant ainsi un large espace ouvert entre les eaux noires et calmes des douves et la limite supérieure de la forêt. Le centaure traversa ce terrain dégagé au pas de course sous les brillantes étoiles du ciel. Il hurla des insultes vers les remparts, tentant de provoquer une réaction, mais il n'y eut aucun mouvement derrière les mâchicoulis.

Alors, il se retourna une nouvelle fois, trottant ensuite longuement jusqu'à ce qu'il se retrouve sur la vaste route de terre battue menant à la porte principale de la cité. Son souffle jaillissait de ses narines dilatées en petits nuages aux contours nets dans l'air frais de la nuit tranquille. Il se tint immobile quelques instants et contempla les portes de ses yeux noirs.

Il secoua la tête, prit une nouvelle inspiration…

… et s'immobilisa en entendant le son caractéristique d'un volettement derrière lui. Le centaure se retourna pour affronter sa fin.

«J'aurais dû me douter que tu viendrais ici», chuchota une voix depuis l'ombre des arbres. «Et tu n'as pas vraiment été difficile à trouver, avec tout ce bruit épouvantable que tu fais.»

On entendait encore voleter parmi les arbres. Le centaure recula prudemment de deux pas, devinant qu'il se rapprochait des éclairs mordants des gardiens d'onyx, derrière lui, de chaque côté de la tour. Il était inutile de discuter, mais il n'irait pas volontairement non plus.

«*Hrrbrlln* à la maison», répondit la créature de sa voix gutturale. «*Hrrbrlln* venir à la maison.»

«Oui, tu viendras à la maison, c'est sûr.» La voix dans les arbres ricana. Le bruit de volettement avait diminué, mais le centaure pouvait encore l'entendre le long de la lisière de la forêt, de chaque côté de la route. «Ton maître a mis ta tête à prix, à bon prix. Je ne sais pas pourquoi il se donne tant de mal pour un esclave idiot comme toi, et ça ne me regarde pas – mais ce sont les *affaires*.

Le volettement s'amplifia soudainement en une avalanche de sons. Les feuilles tremblèrent quand des personnages sombres quittèrent précipitamment les branches et s'élevèrent dans les airs, leurs longues ailes se détachant du ciel étoilé. Ils tournoyèrent rapidement au-dessus de sa tête, et plusieurs membres du groupe traînaient de lourds filets entre eux, tandis que d'autres brandissaient des javelots aux pointes préalablement enduites de poison. Des Kyree, pensa le centaure, et pire encore : les chasseurs d'esclaves de Nykira. Ses muscles se tendirent, et ses pattes se plièrent sous lui en réponse à une peur instinctive. Il tenait néanmoins ses mains devant lui – comme il l'avait vu dans le rêve – et pria Phlroch, dieu de ses ancêtres, espérant être entendu.

Un des Kyree les plus imposants, un homme plus âgé portant un couvre-œil sur son visage abîmé, se posa devant lui sur la route, tenant son javelot à deux mains devant lui d'un air suffisant. Il pointait l'arme vers le centaure en parlant. «Allez, esclave! Résiste-nous un peu! Tente de t'échapper! Mieux encore, attaque-nous. Cela fait longtemps que je n'ai pas eu de prétexte pour débiter de la viande de famadorien!»

«Pas famadorien», répondit la créature, les mains tremblantes, en dépit de ses efforts pour les maîtriser. «*Kntrr* libre. Pas esclave.»

Le Kyree fit un grand sourire, exposant ses incisives acérées comme des crocs. « Voilà exactement ce que je voulais entendre ! »

Le centaure cligna des yeux. Le monde se divisa dans sa vision tandis qu'une partie de son esprit cherchait à tâtons l'endroit où se trouvait la magie. Il savait que ses talents étaient encore bruts et maladroits, mais il pria Phlroch, dieu du ciel, de l'aider.

Son esprit s'emplit de l'image du feu encerclant le soleil.

La terre battue du chemin se transforma soudainement en flammes, formant un mur de feu bleu autour du centaure. Les langues de feu frappèrent le manche du javelot, qui prit rapidement un éclat blanc dû à la chaleur intense. Le chasseur kyree hurla de douleur et lâcha le javelot brûlant. Ce dernier tomba et était encore blanc sous l'effet de la chaleur.

Au-dessus de lui, les autres chasseurs hurlèrent de rage, leurs ailes battant l'air furieusement tandis qu'ils tournoyaient plus près de leur proie.

Tenant toujours sa main fumante, le chasseur kyree en colère leva les yeux vers le centaure. « Les famadoriens n'ont pas de magie ! Qui t'aide, esclave ? Réponds-moi ! »

« Phlroch répond », répliqua le centaure sur un ton confiant. « Phlroch protège. »

« Les dieux morts d'une race morte ! » cracha le Kyree, qui tourna ensuite son visage vers le haut en direction de ses troupes qui volaient en rond. « Saisissez-le ! Saisissez-le ou tuez-le ! »

Les Kyree en vol replièrent leurs ailes et s'abattirent vers le cercle de feu, leurs javelots prêts à frapper.

Le centaure leva sa main droite vers le haut, geste qui entraîna une grande langue de feu à l'écart du cercle. Elle voyagea dans les airs, poursuivant le premier des attaquants ailés. Elle mit le feu aux plumes des ailes de la créature, la faisant dévier maladroitement de sa trajectoire. La main gauche du centaure se retourna, et une nouvelle colonne de feu décolla du sol en direction des Kyree, dispersant leur formation étudiée et entraînant l'un assaillants à laisser tomber la partie d'un filet qu'il tenait.

Les Kyree se regroupèrent rapidement dans les hauteurs, se criant des instructions de leurs voix aiguës. Ils se séparèrent en trois paires, et plongèrent une fois de plus vers le bas en provenance de différentes directions vers la créature esclave.

Le centaure leva ses mains, se tournant vers la paire la plus proche. Les deux Kyree tirèrent leurs javelots, se préparant à les lancer à bout portant au moment où ils seraient assez proches de leur proie.

Le centaure ne les attendit pas. Il sauta dans leur direction, et ses grandes mains se refermèrent sur la main qui tenait le javelot du Kyree le plus proche. Le mouvement était parfaitement bien calculé ; d'une prise aussi forte que de l'acier forgé, le centaure entraîna son ennemi au sol, faisant rouler son poids massif sur le plus petit et plus léger homme ailé, s'arrêtant tout juste à la limite des flammes. Il retira le javelot de la main molle du chasseur et le brandit.

Une douleur fulgurante transperça l'épaule droite du centaure, et il poussa un cri tout en lâchant la lance. Il fit demi-tour et vit, à travers les flammes, le chasseur borgne sourire de plus belle en sa direction. Sur le sol, aux pieds du centaure, se trouvait un second javelot. Il n'avait pas pénétré plus profondément que l'omoplate, mais le centaure pouvait voir que la pointe avait été trempée dans un poison luisant et qu'elle était rosée de son propre sang.

Le centaure eut brusquement du mal à maintenir une vision claire. Ses jambes se replièrent sous lui et il tomba lourdement sur le sol, luttant pour maintenir son torse droit. Les flammes, autour de lui, mouraient lentement avec le déclin de sa volonté. Il vit le chasseur enjamber le feu faiblissant, et tirer sa longue et lourde épée.

« Tu me prives d'une belle prime, dit le chasseur avec mépris, mais qu'est-ce cela peut bien faire, un esclave de moins ? »

Il y eut soudainement une détonation sourde suivie par un long et puissant grognement. La tête du chasseur kyree se releva rapidement avec méfiance en direction de la porte. Le centaure eut toutes les peines du monde à maintenir ses yeux fixés sur le chasseur.

Les flammes mourantes qui encerclaient le centaure s'élevèrent brusquement dans les airs. Les pierres de la route, à la base des flammes, se mirent à rougir avant de fondre. Le Kyree poussa un cri incrédule, son épée prête au combat, tandis que la lave commençait à s'écouler vers la porte.

Le centaure ne put garder son torse droit plus longtemps et tomba au sol sur le côté. Il pensa voir à travers les ondes de chaleur que les portes de Sharajentis étaient maintenant grandes ouvertes, et qu'entre les piliers flottait une personne dont les ailes émettaient une lumière bleutée si intense qu'il était difficile de les regarder.

La lave se rendit jusqu'aux portes et monta vers les statues des sentinelles, répandant sa lueur orangée sur les squelettes d'onyx, et prenant la forme de muscles de feu et de tendons foudroyants. Les gardiens, maintenant munis d'une chair de flammes, étendirent les membranes lumineuses de leurs ailes et s'arrachèrent des murs en direction des Kyree. Leurs yeux chauffés à blanc étaient fixés sur le chasseur.

« Je suis de la Nykira », hurla le chasseur d'un ton défiant et fier, tentant de se faire entendre malgré le vrombissement produit par la fournaise des gardiens. « Cette créature est à moi ! Tu n'as aucun droit de m'arrêter, sorcière du Sharaj ! »

Les sentinelles prirent une grande et torride inspiration.

Le monde était suspendu dans le silence.

Le souffle explosa contre le sol, se déployant dans toutes les directions. Le centaure paralysé demeurait immobile, incapable de faire autre chose que de regarder et d'attendre, tandis que les flammes couraient autour de lui sans toutefois le toucher. Ses assaillants ne furent pas épargnés comme il l'avait été. Le centaure ne pouvait que regarder, impuissant, et le chasseur kyree garda les yeux ouverts jusqu'à la fin, la chaleur ardente le déshabillant de sa peau en un instant. Tout fut ensuite obscurci par une ombre tumultueuse.

La poussière était encore en suspension dans l'air quand la personne qui diffusait une lumière bleue voleta en direction du centaure et se posa devant son visage. Il aperçut le fée dans son champ de vision qui rétrécissait : un mince jeune homme. Ses longs cheveux raides étaient noirs comme de la suie, attirant la lumière des étoiles au-dessus de lui. Ses franges négligées dissimulaient partiellement le gris pâle de ses yeux intenses et tristes.

« Qui es-tu, famadorien ? » demanda-t-il d'une voix qui rappela au centaure les champs qui dormaient sous la neige hivernale.

« Pas famadorien », répondit-il, d'une langue épaisse et lente. « *Kntrr* libre. Pas esclave. »

« Pourquoi es-tu ici ? » demanda le fée, dont la voix semblait très lointaine.

« *Hrrbrlln* à la maison », répondit le centaure alors qu'il sombrait dans l'inconscience. « *Hrrbrlln* à la maison. »

LE LYCÉE

e volettement furieux résonnait tout le long de la salle obscure. Tout Oraclyn-loi qui avait le malheur de se trouver dans le corridor au même moment devait sauter désespérément dans la première alcôve, la première embrasure de porte ou la première arche qui lui permettrait de s'écarter du passage. Un professeur à la mine plutôt renfrognée – furieux de voir les études de ses élèves être ainsi perturbées – mit le pied dans le couloir, mais la réprimande qu'il voulait adresser s'étouffa dans sa gorge bien avant d'atteindre ses lèvres, et lui aussi battit rapidement en retraite, à l'abri derrière son pupitre.

Son regard froid et fixe et les éclairs qui ondoyaient comme des vagues agitées par la tempête entre ses ailes aux battements rapides ne laissaient aucun doute : la reine des morts voulait que tous ceux qui croisaient sa route sachent qu'il n'était pas question de la retarder ou de la ralentir.

Les mains tenues légèrement à l'écart des plis luisants de sa longue cape noire, elle était penchée vers l'avant et voletait rapidement entre les salles de classe de l'étage supérieur du

Lycée, tandis que les gardes de sa suite tentaient plutôt mal que bien de la suivre dans cet espace étroit.

Le haut col qui encadrait son visage et son cou frémissait – preuve visible d'une rage intérieure à peine contenue. Ses yeux foncés étaient fixés sur l'extrémité de la salle, et un profond froncement de sourcils tirait les traits de son visage hâlé et ridé.

La reine des morts ne prenait pas sa propre mort, imminente, à la légère. Les fées ne savaient pas depuis combien de temps leur espèce existait – leurs légendes prétendaient que l'espèce était immortelle –, mais si aucune fée n'était jamais morte d'extrême vieillesse, la mort frappait toujours d'autres façons, dans la féerie : habituellement prévisibles, avec du recul, et presque toujours de façon violente.

Je ne partirai pas en silence, pensa Dwynwyn, dont le visage basané affichait une mine déterminée. À l'extrémité de la salle, elle émergea rapidement sur un balcon surplombant le jardin central de l'école.

Deux fées voletaient au-dessus de l'herbe tendre. L'un était plus âgé ; ses cheveux grisonnants se raréfiaient et son crâne se dégarnissait, mais il conservait quand même ses boucles frisées serrées. L'autre était beaucoup plus jeune, sa peau foncée était encore lisse. Il détourna les yeux à l'arrivée de Dwynwyn.

Entre eux, reposant sur l'herbe tendre du jardin, se trouvait le corps massif d'un centaure couché sur le côté.

« Péléron ! Arryk ! » dit Dwynwyn sans préambule. « Venez me rejoindre immédiatement. »

Le vieux Péléron s'inclina, un sourire patient sur le visage. Arryk hocha la tête, mais laissa ses yeux dissimulés derrière le rideau de ses cheveux.

Dwynwyn recula du balcon et examina les ouvertures dans la salle. Cela devra convenir, pensa-t-elle en dirigeant sa main ouverte vers la porte, sur sa droite. Les larges battants s'ouvrirent en frappant les murs et rebondirent légèrement sous l'effet de la force exercée pour les ouvrir. La reine Dwynwyn franchit l'ouverture en coup de vent ; deux jeunes fées oraclyn enlacées, surprises, tentèrent prestement de se séparer. Dwynwyn ne leur accorda aucune attention et se rua dans la salle de classe autrement déserte. Les membres de sa garde noire la suivirent dans la salle au pas de course. Deux d'entre eux dégagèrent un espace sur l'estrade et disposèrent en son centre le meilleur fauteuil qu'ils purent trouver pour leur reine. Pendant ce temps, les autres gardes prirent leurs positions habituelles dans cet endroit inhabituel. Les amants fées, qui se retrouvaient soudainement dans une cour royale recréée à la hâte, hésitèrent entre s'enfuir en courant comme s'ils étaient pris de panique et quitter la pièce en faisant la révérence. En une autre occasion, leur maladresse aurait peut-être grandement amusé Dwynwyn, mais la situation présente était trop préoccupante pour qu'elle puisse en apprécier la drôlerie.

Péléron, qui se rangea rapidement sur le côté pour éviter une collision avec le jeune couple oraclyn, éclata de rire à la vue de leurs pitreries. « Je constate que votre présence a beaucoup d'effet sur le moral de notre jeunesse, Votre Majesté. »

« Lyndevar », dit Dwynwyn en s'adressant au garde tout près d'elle. « J'ai besoin d'intimité. »

Le garde hocha la tête et fit un geste vers les autres gardes. Tous quittèrent la pièce, et Lyndevar referma les portes de la salle de classe derrière lui. Le son produit par les portes en se fermant ne s'était pas encore totalement dissipé que Dwynwyn prenait déjà la parole.

« Comment se fait-il que mes ordres aient été si complètement et, apparemment, si *délibérément* ignorés ? » dit Dwynwyn, furibonde, ses longs doigts tapotant nerveusement contre le bras du fauteuil. « Aucun famadorien ne doit être admis dans Sharajentis – voilà qui est clair et net comme consigne – et, malgré cela, pendant que je suis assise ici, il y a un centaure famadorien couché au centre de mon propre Lycée ! »

« Bien le bonjour à vous aussi, Votre Majesté », dit Péléron, avant de soupirer avec une légère résignation.

« Ce n'est guère suffisant, Péléron, et ne t'avise pas d'essayer de changer de sujet », dit Dwynwyn hargneusement, les yeux rivés sur le jeune fée qui se tenait silencieusement devant elle. « C'est toi, le responsable de cela, Arryk. Comment as-tu pu ? Après tout ce que nous avons traversé ensemble. »

Le jeune fée leva les yeux en signe de défiance, repoussant ses cheveux pour libérer ses yeux. Il portait la longue chasuble des Oraclyn par-dessus sa tunique grise et son pantalon noir, et sa frêle constitution donnait l'impression que le costume était trop grand pour lui. « Ce famadorien a le Sharaj. Il a sa place parmi nous. »

Dwynwyn s'appuya le dos contre le dossier de son fauteuil, les deux mains solidement agrippées aux accoudoirs. « Non, il ne l'a pas. Les famadoriens n'ont pas le Sharaj. »

« Comment pouvez-vous dire cela ? », continua Arryk, d'une voix toujours calme, détournant à nouveau le regard. « C'est une Nouvelle Vérité. Le fait de lui tourner le dos ne la rendrait pas moins véridique. Cela fait maintenant une dizaine d'années qu'ils se présentent à nos portes – sept, rien que l'an passé. »

« Et ils ont tous été renvoyés chacun leur tour. »

« Et, malgré cela, ils ne cessent de revenir », répondit Arryk, prononçant ces mots d'un ton boudeur. « La vision dans le Sharaj les conduit jusqu'ici aussi sûrement qu'elle le fait pour mener les Oraclyn fées à nos portes afin que nous leur enseignions les manières du pouvoir et la discipline de la magie. Ils font autant partie du Sharaj que nous. »

« Non », dit Dwynwyn en prenant une longue inspiration. « Ils n'ont pas le Sharaj. »

« Et, pourtant, ils l'ont », dit calmement Péléron. « Toi, entre toutes les fées, devrais savoir qu'il est préférable de ne pas renier une Nouvelle Vérité. »

«Je suis la reine de Sharajentei.» Dwynwyn lança un regard furieux à Péléron. «Ma volonté ici a force de loi!»

«En effet, et malgré cela, je me suis tout de même marié avec toi», dit Péléron en secouant la tête. «Et tout ce que j'ai est mon charme et un talent pour le Sharaj qui est supérieur au tien.»

«C'est un mensonge», dit hargneusement Dwynwyn.

«Tu aimerais qu'on fasse un essai plus tard?» demanda Péléron en prenant un air innocent.

Un sourire se glissa soudainement sur les lèvres de la reine. «Plus tard. Le fait est qu'aucun famadorien n'a le Sharaj.»

«Alors, tu dois lui dire pourquoi», reprit Péléron d'un ton posé. «Lui dire pourquoi cette vérité doit être un mensonge.»

Dwynwyn se leva, ouvrit la bouche pour parler, mais retint ses mots avant qu'ils n'en sortent. Son visage se détendit, et elle détourna les yeux pour dissimuler la honte qui les emplissait. «Les famadoriens n'ont pas le Sharaj parce qu'ils ne *peuvent pas* avoir le Sharaj; en particulier un esclave de Nykira.»

«Un esclave de Nykira? Qu'est-ce que cela a à voir là-dedans?» Arryk était outré. «Cette créature est l'une d'entre nous – je l'ai vu moi-même – et vous voulez la renvoyer. Vous *soutenez* les Kyree et leur esclavagisme!»

«Arryk», l'avertit gentiment Péléron. «Ton attitude est déplacée.»

«Ça va, Péléron», dit Dwynwyn, qui rejeta l'insulte du revers de la main. «Arryk, toi, entre tous les fées, tu devrais savoir que ce n'est pas vrai. La libération est au cœur de Sharajentei. Nous existons pour libérer les morts de leur esclavage unique. C'est toute la raison d'être de la cité où nous sommes. C'est ta mère qui nous a donné cela.»

Arryk secoua sa tête de dégoût. «Et voilà qu'on reparle de ma mère.»

«Oui, Arryk», continua Dwynwyn sans se démonter. «J'aurais aimé que tu puisses mieux la connaître. Aislynn était une grande amie pour moi et une des plus nobles du Sharaj. Elle a traversé la mer de l'Est et a réparé ce qui avait été brisé – libérant les esprits des morts pour qu'ils puissent continuer leur route vers l'Illumination. Bien sûr, cela se passa plusieurs années avant ta naissance. À cette époque, la cité s'est remplie de morts qui s'y rassemblaient pour trouver, en vain, un moyen de se libérer, mais, depuis ce temps, la cité a existé avec cet objectif en tête : permettre aux morts de gagner l'Illumination en accomplissant ce qu'ils n'avaient pas réussi à faire de leur vivant.»

«Le travail de ma mère était de libérer les âmes des morts, j'ai compris cela.» Arryk parlait comme s'il faisait état de quelque chose d'évident. «Alors, en quoi cela justifie-t-il l'esclavagisme des Kyree?»

«Là réside l'ironie de la situation», dit Péléron en se croisant les bras sur la poitrine. «En libérant les morts de leur esclavage, nous avons perdu leur force. Avant le premier voyage de ta mère dans les anciennes terres des Kyree, tous les morts – les nobles comme les gredins – venaient ici. Depuis qu'Aislynn a relâché les bons esprits pour qu'ils connaissent l'Illumination... enfin, disons seulement que la majorité des esprits qui composent notre nation n'est pas des plus désirables».

«Même ceux-là, acquiesça Dwynwyn, demeurent avec nous juste assez longtemps pour régler leurs problèmes avant de disparaître, eux aussi, vers l'Illumination.»

«Mais, n'est-ce pas là justement le sujet?» insista Arryk. «Aider *tous* les esprits à atteindre l'Illumination est une bonne chose – comme ce centaure, dehors.»

«C'est le sujet pour les Illuminés, oui.» Péléron éclata d'un rire sombre. «C'est un peu plus problématique pour ceux d'entre nous qui demeurent de simples mortels. Le nombre de nos fées – principalement des fées membres des familles liées au Sharaj – est en augmentation depuis de nombreuses années, mais nos armées de morts se sont considérablement affaiblies.

Ces armées étaient autrefois la véritable terreur des cinq maisons de la féerie et, d'une certaine façon, le sont encore dans leurs esprits, mais ce n'est plus qu'un fantôme, si tu me permets l'expression. S'il fallait réellement les mettre à l'épreuve, nos frontières tomberaient.»

Dwynwyn hocha la tête. «Et il n'y a pas une maison au sein de la féerie qui ne souhaite pas la fin de Sharajentei.»

«Même celle de grand-mère?» demanda doucement Arryk.

«Particulièrement celle de ta grand-mère.» Dwynwyn eut un mince sourire. «Tu connais déjà toute cette histoire.»

«Tu vois, ce n'est pas tellement de la féerie que nous devons nous méfier, mais plutôt des Kyree, intervint Péléron, ou plus précisément, des Kyree-Nykira. C'est la plus grande nation kyree au nord-est…»

«Une nation bâtie sur la conquête et l'esclavage», dit Arryk tandis que la colère montait en lui.

«C'est exactement le sujet», dit Péléron. «Les Kyree-Djukai et les Kyree-Meekari sont deux petites nations. Les Djukai sont nos alliés et vivent à l'intérieur de nos frontières. Les Meekari sont demeurés neutres, bien que récemment nous ayons entendu dire qu'ils avaient commencé eux aussi à se servir des esclaves capturés lors de leurs conquêtes. Ce sont cependant les Kyree-Nykira qui détiennent la presque totalité des terres vers le nord jusqu'à Satana, sur la côte des Marchands. Leurs armées ont conquis ces terres par la force et ont réduit en esclavage les famadoriens qu'ils ont capturés. Leur société dépend maintenant de leurs esclaves pour faire le travail nécessaire – comme ton ami centaure dans le jardin.»

«Et vous tolérez cela?» Arryk était vraiment étonné. «Les famadoriens qui se présentent à nos portes ne sont pas que des esclaves en cavale, ce sont nos égaux dans le Sharaj, et vous les repoussez?»

«Non.» Dwynwyn secoua tristement la tête. «Nous les repoussons parce que, si nous les acceptons, nous reconnaîtrions alors que les famadoriens *avaient* le Sharaj, et, par-dessus tout, c'est une vérité qui ne doit jamais être reconnue ou même considérée par nous ou par les Kyree.»

«Mais, les Kyree n'ont jamais démontré de talent pour le Sharaj», dit Arryk en insistant sur ce point.

«C'est précisément pourquoi aucun de leurs esclaves famadoriens ne doit en démontrer non plus», reconnut Péléron. «Si les Kyree en venaient à croire que leurs famadoriens avaient la magie qu'eux-mêmes n'ont pas – ou, pire encore, que les talents du Sharaj leur étaient *enseignés* – alors, ils verraient cela comme une menace pour leur existence. Ils détruiraient froidement tout famadorien qui ferait la preuve d'un talent même minime pour le Sharaj.»

«Ainsi que tous ceux qu'ils tiendraient pour responsables de leur avoir enseigné ces talents», compléta Dwynwyn en se retournant. Battant des ailes de manière songeuse, elle se dirigea vers les fenêtres de la salle de classe. «Si les Kyree-Nykira pensent que nous enseignons la discipline du Sharaj à un famadorien, alors leurs armées fondraient sur nous. Nous lutterions seuls contre eux – et nous échouerions.»

Dwynwyn regarda en bas à travers la vitre en direction du centaure. «Est-ce qu'il est mort?»

Arryk la rejoignit à la fenêtre. «Non; le poison que les chasseurs utilisent provoque la perte de conscience et une certaine paralysie, mais pas la mort. C'est toutefois un poison d'une force assez puissante, comme vous pouvez le constater.»

Dwynwyn jeta un coup d'œil au jeune fée à côté d'elle. «Une force qui a cependant été surpassée par la tienne. Je crois comprendre que tu as tué les chasseurs – tous les chasseurs?»

Arryk détourna le regard une fois de plus. «Oui, Votre Majesté.»

«Les douze?»

«Ils étaient au nombre de sept. – Je – je n'avais pas l'intention de les tuer.»

« Vraiment ? J'ai entendu dire qu'ils étaient douze », dit Dwynwyn avec une décontraction étudiée. « Reste que tu me laisses plus de problèmes entre les mains que ton centaure. Je crois comprendre que tu es parvenu d'une façon ou d'une autre à animer les statues des gardiens de la porte, qui se trouvent maintenant près de la forêt dans une posture totalement différente de celle qu'ils avaient sur les murs. Il va aussi falloir que j'explique pourquoi les chasseurs kyree sont morts, si le sujet est abordé par le Nykira dans le futur – que leur mort ait été intentionnelle ou pas. Ton pouvoir dans le Sharaj est encore plus grand que tout ce que j'ai pu voir depuis un bon nombre d'années, Arryk, mais il n'est pas maîtrisé. »

« Je vais essayer de mieux faire », dit simplement Arryk.

« Tu ne devras pas seulement essayer », rétorqua Dwynwyn en regardant de nouveau dans le jardin. « Depuis la mort de tes parents, nous avons tenté de t'élever convenablement. La destinée ne nous a pas donné de fille, et tu as mis du soleil dans nos vies. Cependant, tes actions nous placent maintenant dans une position difficile, Arryk, et je dois te demander de régler le problème, même si cela doit s'avérer désagréable et déplaisant. »

« Je ferai selon vos ordres », répondit Arryk.

« Si tu avais agi comme je l'avais ordonné, nous n'aurions pas eu ce problème », insista Dwynwyn. « Et, pourtant, le problème est là, et nous devons partir de ce point. Tu dois rapporter ce centaure à Nykira… »

« Ils le tueront. »

« Oui » – Dwynwyn hocha la tête tristement – « et espérons que tout cela s'arrêtera avec lui. »

« Mais, Votre Majesté », plaida Arryk. « J'ai vu cette créature utiliser la magie ! Je l'ai vu entrer dans le Sharaj ! C'est une Nouvelle Vérité. Sa place est parmi nous ! »

« Non, Arryk », dit Dwynwyn en secouant la tête. « Pour la dernière fois, les famadoriens n'ont pas le Sharaj, parce que, s'ils *ont* le Sharaj, alors ce sera peut-être la fin pour nous tous. »

DEUX MONDES

e centaure était suspendu mollement à six pieds au-dessus du pont du vaisseau, complètement épuisé.

Depuis qu'il s'était éveillé dans sa prison sphé-rique, il avait tenté de s'échapper par tous les moyens qu'il avait pu imaginer. La magie avait tout simplement été incapable de percer la paroi de la bulle, et s'était en plus retournée contre lui. Des éclairs jaillissaient de ses mains et étaient renvoyés dans sa direction, lui grillant la peau. Il avait lancé un appel à ses dieux afin qu'ils déclenchent un gel intense, et il s'était presque congelé lui-même. Il avait cuit sous l'effet de sa propre chaleur, s'était presque noyé sous sa propre pluie, et s'était presque évanoui à cause du vide qu'il avait produit. En proie à la panique et à la frustration, il donna des coups avec ses jambes puissantes, mais flottant ainsi dans les airs, ses sabots n'avaient aucun point d'appui.

Tout haletant, il pencha la tête en regardant ce pont qui se trouvait à deux doigts de lui. Il remarqua qu'il ne comptait pas de points de jonction, comme si le pont entier avait été façonné à partir d'un unique morceau de bois. Le bastingage faisait aussi partie de ce même morceau de bois et entourait le vaisseau de la proue à la poupe. Des lianes s'élevaient de part et d'autre le long des côtés du pont jusqu'à ce qu'elles se rejoignent et forment un filet compliqué qui accueillait trois globes de verre iridescent. Ces derniers semblaient maintenir le vaisseau entier dans les airs.

Le centaure ferma les yeux et avala sa salive avec difficulté. La cime des arbres défilait sous la quille, et il y avait de temps en temps des trouées dans le toit de la forêt qui lui faisaient réaliser à quel point il se trouvait haut dans les airs.

«Alors, tu en as eu assez?»

Le centaure rouvrit les yeux. Sous lui, sur le pont, le fée au visage pâle et aux cheveux les plus foncés qu'il ait jamais vus le regardait. Il hocha lentement la tête en guise de réponse.

«Bon», dit le fée en repliant ses ailes sur son dos, puis il alla s'asseoir sur le sol, les jambes croisées. «J'ai assez de problèmes comme cela. Tu sais, nous allons nous tenir compagnie pendant un bon moment, dans ce voyage. Il n'y a rien que nous puissions y faire, toi et moi, alors si tu veux bien...»

«*Hrrbrlln*», dit le centaure.

«Pardon?»

«*Hrrbrlln*», répéta le centaure. «Mon nom *Hrrbrlln.*»

«Oh, ton nom?» Le fée lorgna le centaure à travers les longues mèches de ses cheveux. «Hueb... Hrebub...»

«*Hrrbrlln!*»

Le fée secoua la tête. «J'entends un mot qui sonne comme... Hueburlyn. Tu t'appelles Hueburlyn?»

«D'accord... Hueburlyn», répéta le centaure avec résignation. «Fées peuvent dire Hueburlyn. Quoi nom de fée?»

«Mon nom?» Le fée haussa les épaules et détourna les yeux. «Mon nom est tout, Hueb, tout comme la bulle est tout pour toi.»

«Un jour moi libérer de cette bulle», dit Hueburlyn de sa voix profonde. «Toi jamais être libéré de nom.»

Le fée leva les yeux, agréablement surpris. «Tu *comprends* bel et bien notre langage, n'est-ce pas?»

«Nykira Kyree enseigne bien esclaves», répondit Hueburlyn en haussant ses épaules massives. «Esclave pas de valeur si lui pas comprendre ordres. Esclave pas de valeur est esclave mort. Bonne motivation esclave bien apprendre langage.»

Le fée sourit tristement. « Meilleure motivation pour un esclave, je pense, d'apprendre le langage encore mieux qu'il ne veut bien l'admettre.»

Un mince sourit apparut sur les extrémités des grosses lèvres du centaure. «Hueburlyn parle pas très bien mais comprend trop bien.»

«Alors, tu sais sans doute où nous allons», déclara le fée en faisant un grand geste avec son bras. Le soleil avait commencé à se coucher à l'horizon ouest de la cime des arbres. «Nous suivons une trajectoire nord-est depuis Sharajentis. Le voyage durera quelques jours, mais…»

«Toi me ramener à Nykira», dit Hueburlyn d'une voix grave.

Le fée se retourna, mal à l'aise. «Nous n'avons pas le choix.»

«Toujours avoir choix», répondit Hueburlyn en étirant ses jambes dans les airs et en croisant ses bras musclés sur sa poitrine. «Toi avoir choisi de sauver Hueburlyn, moi me souvenir toi ouvrir portes lorsque personne autre choisir de le faire. Moi me souvenir toi me sauver des chasseurs. Toi choisir – et toi maintenant choisir de ramener moi à Nykira? Toi maintenant choisir tuer Hueburlyn?»

«Ce n'est pas aussi simple», ronchonna le fée.

«Excuses compliquées; vérité simple. Quoi ton nom, fée?»

«Arryk», répondit le fée à contrecœur.

Le centaure tenta de se pencher vers l'avant dans la bulle où il était enfermé, et ses larges mains se portèrent vers sa bouche. «Ar-ryk? Hueburlyn avoir déjà entendu ce nom!»

Le fée leva les yeux avec méfiance. «Où? Où as-tu déjà entendu mon nom?»

«Ar-ryk, fils de Ay-sleen. Son nom synonyme amitié pour tout *kntrr*. Ses chansons souvent chantées dans notre danse pour son souvenir demeure vivant. Sa mort très triste et très honorable», dit le centaure sur ton solennel.

«Ouais», répondit Arryk, mais ses yeux étaient fixés quelque part au-delà de l'horizon. «C'était une vraie héroïne.»

«Pourquoi fils avec tel nom pas vouloir le dire?»

Les yeux du fée s'emplirent de ressentiment lorsque son regard recoupa celui du centaure. «Tu ne sais rien de moi.»

«Toi être – compliqué?»

«Oui – oui, je le suis – un fée compliqué portant un nom que tu as entendu dans une chanson à propos de ma fabuleuse mère.»

«Vrai, mais pas être dans chanson Hueburlyn avoir entendu ton nom dernière fois.»

«Où, alors?»

«Phlroch, dieu du Ciel, le dire moi dans endroit des rêves. Ton nom dire moi défier maîtres Nykira.» Le centaure tendit sa grande main vers le fée, et ce geste entraîna une petite rotation de la sphère. «Hueburlyn t'avoir vu là, dans cité rêves, parler avec homme faux visage.»

Arryk se leva rapidement et recula de quelques pas sur le pont. Il secoua la tête avec vigueur, ses cheveux noirs et raides retombant devant ses yeux. «Non, centaure! Tu ne dois *jamais* dire cela! Jamais à une autre créature, tu me comprends bien?»

Hueburlyn s'immobilisa, ses yeux fixés sur le fée qui se tenait sous lui. «Non, Hueburlyn pas comprendre. Toi dire Hueburlyn.»

« C'est, enfin… »

« Compliqué ? » dit le centaure avec une pointe de menace dans la voix.

« Écoute », continua le fée, « j'ai eu tort de te laisser entrer dans notre cité. J'ai – j'ai rendu les choses encore pires. Je suis désolé ; ce n'était pas mon intention, mais c'est comme cela. Tu dois retourner auprès de tes maîtres à Nykira, et je dois t'y conduire et expliquer ce qui s'est passé en des termes qui feront que plus personne ne sera blessé – et, surtout, tu ne dois dire à personne que tu as visité le Sharaj – cet endroit des rêves, comme tu l'appelles. »

Hueburlyn croisa lentement ses bras sur sa vaste poitrine. « Non. »

« Non ? » répéta Arryk avec étonnement. « Que veux-tu dire, non ? »

« Est-ce vrai fée jamais mentir ? » demanda soudainement Hueburlyn.

« Oui, c'est vrai », répondit Arryk. « Cela nous est impossible. »

« Mais, si cette réponse est un mensonge, comment Hueburlyn savoir si être vrai ou pas ? »

Arryk ouvrit la bouche pour répondre, mais fut tout à coup confus. « Tu ne peux pas le savoir. »

Le centaure hocha la tête. « Alors si être vrai fée dire seulement vérité et fée dire Hueburlyn doit jamais raconter *kntrr* dans endroit des rêves, alors fée Arryk pas mentir, mais demander Hueburlyn mentir pour lui. Les dieux de la *kntrr* dire moi ton nom, Ar-ryk. Toute vérité. Dieux de *kntrr* dire moi aller Sharajentis dans endroit des rêves. Dire autre chose être mensonge aux dieux de *kntrr*. Dire autre chose mensonge à soi-même. »

« "Dire autre chose" reviendrait à te faire tuer et à faire tuer beaucoup d'autres créatures avec toi », dit Arryk avec emphase. « La reine Dwynwyn a pris des dispositions pour que nous puissions rencontrer un contingent diplomatique à la frontière de Nykira dans deux jours. Ils pensent que tu n'es qu'un autre esclave en fuite qui avait entendu parler de Sharajentis et qui pensait pouvoir y trouver refuge – et nous n'avons rien dit sur le reste. Ils nous ont fait la promesse de ne pas te tuer ; ils veulent principalement que tu retournes sur les terres d'exploitation de ton maître et oublier l'incident. Tout ce que tu as à faire est de faire tienne une des caractéristiques des fées et tout ira bien. »

« Quelle caractéristique Hueburlyn devoir adopter ? » demanda le centaure en apesanteur.

« Tout ce que tu as à faire est de *garder le silence* ! » Arryk cria ces mots en s'asseyant brusquement sur le pont, croisant à nouveau les jambes et croisant aussi les bras d'un air de défi.

Le chant des oiseaux du soir se répandit depuis la cime des arbres et vint combler le silence soudain qui s'était installé entre eux. De temps à autre, les feuilles frottaient contre la coque, ce qui provoquait un doux bruissement. Le soleil s'apprêtait à disparaître sous la ligne de l'horizon, à l'ouest.

« Ce sort puissant », dit Hueburlyn en contemplant la bulle qui le détenait encore. « Où Ar-ryk le trouver dans endroit des rêves ? »

Arryk poussa un grognement.

« Ressembler premier sort de Dwynwyn », commenta Hueburlyn après une longue pause.

Arryk leva les yeux. « Comment as-tu pu savoir que… »

Le centaure sourit. « Hueburlyn aussi capable de lire ! Avoir lu plusieurs livres histoire kyree. Toi faire prison d'après sort de Dwynwyn ? »

« Partiellement. » Arryk haussa les épaules. « Mais l'idée m'est venue en grande partie d'un rêve que j'ai fait hier soir – un rêve à propos de gens masqués qui dansaient dans le ciel. »

« Ah ! Endroit des rêves des dieux ! » Hueburlyn sourit, ce qui exposa ses dents largement espacées. « Dire *kntrr* à propos rêve des fées. »

Arryk se recroquevilla davantage sur lui-même.

* * *

Dékacien* Skrei allait et venait au milieu de la clairière, incapable de tenir en place. Toute cette histoire dégageait une odeur de carcasse en putréfaction, et il craignait qu'on se moque de lui – particulièrement la féerie.

Les fées ; le seul fait de penser à eux faisait frémir les extrémités de ses plumes. Il y a une éternité, eux aussi n'avaient été qu'une race d'esclaves, à Dunlar, avant qu'ils ne fuient l'Empire kyree pour fonder leurs propres royaumes insignifiants de l'autre côté de la mer. Ils faisaient maintenant les fiers à un point qui dépassait l'entendement, pensant qu'ils pouvaient dicter les règles aux maîtres du ciel ! Les Kyree ont commencé à arracher les ailes des fées dès qu'ils tombèrent sur leurs pauvres et fragiles cabanes dans les arbres, à l'ouest. Ils étaient faibles, subtils, politiciens et diplomates ; tout ce que Skrei méprisait.

Il attendait à présent dans la clairière avec un contingent de douze Kyree pour prendre possession d'un esclave fugitif qui leur était retourné par cette sorcière fourbe de Dwynwyn. C'était sans conteste une tâche pour les chasseurs, non pour un officier au service du commandement Nykira.

Néanmoins, il ne fallait jamais faire confiance aux fées – Skrei le savait – surtout à ces fées sorcières des morts. Il déploya donc les quatre-vingt-huit autres guerriers sous son commandement en leur ordonnant de se cacher dans la limite supérieure de la forêt qui entourait la clairière, au cas où sa prémonition se matérialiserait, et pas seulement par pure précaution.

« Dékacien ! » Un de ses guerriers pointait du doigt. « Là, au sud-ouest – tout juste au-dessus de la cime des arbres. »

Skrei leva les yeux et étendit ses ailes pour faire de l'ombre à ses yeux dans la lumière matinale.

C'était l'un des transporteurs nocturnes des fées – quoique ce dernier fût différent de ceux qu'il avait vus auparavant. La gondole était encore suspendue dans les airs aux globes de

---

* C'est un mot kyree qui fait référence soit à un titre honorifique accordé à celui qui commandait une centaine de guerriers kyree, soit au groupe de guerriers en soi.

verre, mais la coque était lisse – il n'y avait pas de poignées, ni de fées pour la pousser, comme à l'habitude. Non, réalisa-t-il, c'était là un transporteur nocturne de Sharajentei, qui était sans aucun doute propulsé par une quelconque sorcellerie.

Le vaisseau se posa doucement sur les grandes herbes. Skrei pouvait déjà distinguer le centaure qui flottait dans les airs au-dessus du pont principal – il était en effet difficile de ne pas voir une bête si énorme ainsi suspendue dans une bulle magique.

Un jeune fée voleta depuis le pont du vaisseau, une main tendue vers la bulle luisante qui entourait le centaure. Il bougea et la bulle le suivit, transportant le monstre esclave au-dessus du bastingage en direction du dékacien qui l'attendait.

« Maître kyree », dit le jeune fée d'un ton gêné. « Je vous rends votre esclave comme il en a été convenu. »

Les guerriers kyree s'élevèrent du sol et encerclèrent autant le fée que le globe.

« Libérez-le, fée », dit Skrei en faisant la grimace. « Nous avons déjà eu affaire à une créature de cette espèce auparavant. »

« Une des conditions de son retour était qu'aucun mal ne lui soit fait », poursuivit le fée.

Skrei remarqua la peur qui transparaissait dans la voix du fée et se demanda pourquoi ils avaient envoyé quelqu'un d'aussi jeune. Cela sentait de plus en plus mauvais. « Tes ordres étaient de nous livrer cet esclave, et tu l'as fait. Il est la propriété des Kyree-Nykira – et nous l'utiliserons ou en disposerons comme ne le déciderons. Maintenant, libère-le ! »

Le fée cligna des yeux. « Non. »

Skrei exposa ses dents tout en parlant. « Qu'est-ce que tu as dit ? »

« On nous… on nous avait fait la promesse qu'aucun mal ne lui serait fait », répondit le jeune fée.

Skrei avança d'un pas, sa main se portant vers la poignée de son épée. « Petit garnement de fée, as-tu seulement une idée de ce que tu es en train de faire ? Toute aide au vol d'un bien appartenant à l'Empire kyree ou tout recel d'un bien qui lui a été volé est un acte de guerre commis contre l'État. Maintenant, est-ce que tu cherches à me donner un prétexte pour prendre les armées de vétérans de nos seigneurs du ciel de Nykira et les faire marcher victorieusement dans les rues de Sharajentis – ou est-ce que tu me remets cet esclave ? »

Le fée cligna des yeux et regarda le sol.

Skrei sourit.

La bulle luisante s'abaissa jusqu'à toucher le sol et disparut.

« Dégage, fée », dit Skrei en souriant avec mépris. « Ce n'est pas un endroit pour toi, ici. »

Le fée hocha la tête sans lever les yeux et se tourna vers le centaure. Il fit quelques pas rapides et se planta devant l'énorme bête en tendant sa main devant lui.

« Je suis désolé, dit le fée. »

« Hueburlyn désolé pour Ar-ryk », dit le centaure.

À ce moment, une brusque montée de lumière blanche entoura le fée et le centaure. Elle frémit comme la surface d'un étang dans une journée venteuse et se mit à tourner sur elle-même à la façon d'un tourbillon, déformant ses occupants, les écrasant et les rapetissant tout d'un coup en un petit point lumineux. La lumière blanche s'écrasa aussi sur elle-même dans un coup de tonnerre qui aspira les Kyree qui volaient dans le ciel ainsi que le dékacien Skrei au sol, et qui le fit percuter ses propres guerriers au centre du tourbillon.

Le contingent jusque-là dissimulé du dékacien Skrei émergea de la limite supérieure de la forêt et se pressa au secours de son commandant, mais il arriva trop tard. Le dékacien Skrei était mort, saignant de la bouche, du nez, des yeux et des oreilles, comme les autres guerriers qui se trouvaient près de lui sur le sol.

Le centaure et le fée n'étaient plus là.

L'aide de Skrei retira le casque de son commandant et emporta immédiatement l'objet dans le ciel. L'esclave et le sorcier de Sharajentei s'étaient échappés, et ils avaient tué son commandant. Il n'y avait pas un moment à perdre.

Ce serait la guerre.

OBSESSION

 e qui le surprit en premier fut le bruit retentissant.

La peur d'Arryk fut viscérale en réaction au coup de tonnerre presque assourdissant qu'il venait d'entendre. Il se plaça immédiatement, sans réfléchir, en position accroupie, les sens en éveil. Il se tourna instinctivement vers le dékacien kyree, lançant un appel à la Magie profonde pour que celle-ci monte en lui, mais, inexplicablement, elle ne fut pas là…

Le dékacien n'y était pas lui non plus, ni aucun des guerriers kyree qui les encerclaient de façon menaçante dans les airs quelques instants auparavant. Il eut un deuxième choc lorsqu'il réalisa que la clairière non plus n'était pas là, pas plus que son transporteur nocturne, le toit de la forêt ou le ciel.

Ils se trouvaient dans une cage.

L'Oraclyn et le centaure étaient complètement entourés par des rubans métalliques tissés de manière à laisser juste assez d'espace pour y glisser la main. Ces rubans formaient une boîte qui s'étirait vers le haut au-dessus de leurs têtes à partir du froid sol de pierre. L'air devint soudainement humide et frais, mais certainement pas immobile. Au-delà du treillis, Arryk ne pouvait voir que de la poussière et un grand nombre de feuilles de parchemin qui voletaient sous l'effet du coup de vent qui se retirait.

« Quoi Ar-ryk faire ? » Hueburlyn se tenait encore à côté du fée – voilà au moins une chose qui n'avait pas trop changé –, mais il y avait assurément un tremblement dans la voix grave de la créature.

« Rien ; ce n'est pas moi », répondit prudemment Arryk. Il fit un pas en direction du treillis de métal, mais son pied buta contre quelque chose qui produisit un tintement métallique. « Par les caprices de Gobrach* ! Qu'est-ce que c'est que cette chose ? »

Tout autour d'eux, sur le sol, se trouvait un grand anneau métallique. On aurait dit qu'il était formé de six bras de métal pliés au niveau du coude, et que chacun tenait l'épaule de l'autre. Il y avait un certain nombre d'objets en rotation reliés avec des courroies à sa périphérie de même que des tiges de cuivre qui bougeaient sans fonction ni motif apparent. Il y avait une lueur tout autour de l'ensemble, mais elle se dissipait rapidement. Arryk n'avait jamais rien vu de semblable à ce mécanisme, mais la source de son pouvoir était indéniable. Il se tourna immédiatement vers le centaure.

« Qu'est-ce que tu as fait, famadorien ? » cria l'Oraclyn. « Tu vas nous ramener tout de suite, où sinon, je vais… »

Geep !

Le centaure et le fée localisèrent tous deux l'origine du son, car la poussière qui leur obscurcissait la vie était finalement retombée. La cage semblait se trouver à l'intérieur d'une tour circulaire. Faits de pierre brute et rainurée, les murs incurvés s'élevaient en un puits de près de cent pieds de hauteur terminé par un dôme translucide. Arryk remarqua plusieurs balcons à différents niveaux dans le puits, et le son qui venait de les faire

---

*Gobrach est l'ancêtre des fées connu également sous le nom de Gardien du voile. Plus fréquemment associé au chaos et aux vérités encore inconnues.

sursauter provenait du balcon le plus proche, juste au-dessus de leur cage.

Arryk resta bouche bée. Cela ne pouvait être vrai, et, pourtant, *ça l'était* – une Nouvelle Vérité, comprit-il, qui était totalement inattendue.

Il y avait là une créature qui les regardait, elle aussi, et Arryk était certain jusque-là qu'elle ne pouvait être réelle. Elle avait deux grands yeux orangés de chaque côté d'un nez crochu, et d'énormes oreilles en pointe. Son menton aussi était pointu, et sur son crâne dégarni poussait une unique touffe de longs cheveux blancs. Ses énormes seins et sa bedaine semblaient à peine contenus par le gilet teint en rouge qu'elle portait sous une mante de cuir noir. Plus surprenante encore était sa couleur de peau, d'un vert foncé et tacheté.

«Ar-ryk avoir déjà vu créature avant?» parvint à bégayer le centaure.

«Oui», répondit le fée, qui commençait à avoir mal au cœur. Il avait une forte envie de se coucher, de se couvrir les yeux et d'oublier ce qu'il était en train de regarder. «Mais je n'ai vu cette espèce que dans le Sharaj… Ils… ils n'existent pas!»

«Semble bien réelle pour Hueburlyn», dit-il d'une voix rauque.

La créature verte sautait sur place, et Arryk ne pouvait dire si elle sautait de joie ou de colère. Elle regarda vers le bas une fois de plus, son regard hideux fixé sur Arryk.

«*Wakarka!*» cria la créature, qui disparut ensuite derrière le surplomb.

«Qu'est-ce qu'elle a dit?» demanda Arryk en se tournant vers le centaure.

Le centaure fit un pas prudent vers l'arrière, ce qui était toute la place dont il disposait, et il secoua la tête.

La créature réapparut au même moment, courant à travers la pièce jusqu'à l'autre côté de la porte de la cage. La pièce était dans un fouillis total, et on pouvait voir encore plus de roues dentées, des tiges et des boules de métal disposées un peu partout de même qu'un bon nombre de parchemins, seuls ou reliés dans des livres, avec d'étranges images sur les couvertures.

«*Akti bekaraka suhak?*» La petite créature parla à Arryk d'une voix qui sonnait comme deux ardoises frottées l'une contre l'autre, et termina sa phrase par un grand sourire qui exposait ses dents acérées.

«Pardon?» répondit Arryk.

Le petit monstre cria, plaça vivement ses mains sur ses grandes oreilles et se mit à pleurer de grosses larmes bien mouillées. Il tituba vers l'arrière, s'arrêtant tout juste devant deux grandes portes qui devaient, selon Arryk, mener à une autre salle. La grotesque petite chose s'approcha de nouveau des barreaux de la cage d'un pas chancelant et fit une nouvelle tentative.

«*AKTI BEKARAKA SUHAK?*» cria le petit monstre de sa voix discordante, les mains toujours sur les oreilles.

Arryk se tourna vers le haut et cria lui aussi au visage de la créature. «JE NE COMPRENDS PAS!»

La petite chose s'évanouit d'un seul coup et tomba à plat, le dos contre le sol de pierre.

«Moi pas penser qu'insecte vert aime voix Ar-ryk», observa Hueburlyn. «Par tous dieux d'*Emrth*, où toi avoir amené Hueburlyn?»

«Mais, comment le saurais-je? *Je* ne nous ai emmenés nulle part», répondit Arryk avec virulence. Il leva les mains devant lui, tendant tous ses muscles de frustration tandis qu'il cherchait le pouvoir. Il ferma les yeux et se retira dans son esprit vers l'endroit où se trouvait le Sharaj. Il les ouvrit dans un état proche de la panique. «Je ne peux pas – je ne sais pas! Le Sharaj – il n'est plus là.»

Le centaure ferma les yeux, approchant son visage du plafond de leur cage. «Ar-ryk avoir tort; l'endroit des rêves être encore là pour *kntrr*. Peut-être quelque chose ne pas aller pour Ar-ryk.»

«Écoute, centaure», dit Arryk. Les mots se ruaient hors de sa bouche en proie à la panique. «Il arrive quelquefois que le Sharaj coule en moi comme un ruisseau calme, et d'autres fois c'est plutôt une inondation torrentielle, mais il ne s'est encore jamais asséché au point de disparaître totalement.»

«Peut-être cage être spéciale pour toi», grommela Hueburlyn. «Peut-être nous demeurer calme, réfléchir, et trouver façon hors cage spéciale Ar-ryk.»

«Non! C'est impossible, et nous ne pouvons demeurer ici! Nous devons repartir maintenant!» Arryk tendit les bras avec l'intention de secouer la cage à mains nues. Au moment où les doigts du fée agrippèrent les croisillons de la cage de métal, sa tête fut repoussée vers l'arrière, et ses yeux roulèrent dans leurs orbites. Il se tint là, immobile pendant un moment, jusqu'à ce que ses doigts lâchent prise et qu'il s'écroule à la renverse.

Hueburlyn parvint tout juste à attraper Arryk avant que ce dernier ne se cogne la tête contre les pierres du sol. De crainte de blesser la fragile créature accidentellement, il la tint dans ses mains pendant une seconde, puis l'installa doucement sur le sol, sur le ventre, de façon à ne pas endommager ses ailes.

Le regard d'Hueburlyn passait alternativement du petit monstre vert inconscient à l'extérieur de la cage au fée inconscient à l'intérieur. Il haussa finalement ses larges épaules, replia ses jambes sous lui et abaissa son propre corps contre la pierre froide.

«J'imagine que nous attendons que quelqu'un se réveille», se dit-il en repliant ses bras contre sa poitrine.

* * *

La première impression d'Arryk fut une douloureuse et atroce sensation d'engourdissement émanant de ses mains. Se sentant quelque peu désorienté, il ouvrit les yeux et remarqua que sa joue était posée contre le froid sol de pierre. La vue qui s'offrit fut celle d'un centaure regardant attentivement quelque chose qui se trouvait au-delà du fée. Arryk cligna des yeux et poussa un gémissement devant l'effort impossible qu'il devait déployer pour s'éveiller. Le bruit interrompit la profonde contemplation du centaure, qui jeta un coup d'œil vers Arryk et lui signifia avec empressement de ne pas parler en plaçant ses deux mains contre sa bouche.

Arryk hocha la tête pour lui dire qu'il avait compris et se releva lentement du sol, chancelant.

La cage et ses environs n'avaient pas changé; le treillis de métal mystérieux le séparait encore du reste de la pièce et du puits imposant au-dessus de lui. Il ignorait les terrifiantes propriétés du métal et ne désirait pas les éprouver à nouveau. À présent, ce n'était plus tellement la cage qui attirait son attention, mais le fait que la créature lui rendait son regard à travers les ouvertures de la largeur d'une main.

Le hideux petit monstre le fixait, ses yeux orangés attentifs à ses moindres mouvements. Les fines touffes de poils blancs au sommet de ses longues oreilles pointues frémissaient tandis qu'elle le regardait, la bouche grande ouverte de stupéfaction. Sa mâchoire bougeait alors qu'elle murmurait quelque chose intérieurement, ses dents pointues claquant les unes contre les autres. Elle tenait dans ses mains un chapeau plat qu'elle pétrissait comme si elle était nerveuse. Ses larges pieds étaient nus et ses orteils arboraient de longs ongles jaunes bien visibles.

Il s'agissait toutefois d'un visage qu'Arryk connaissait bien dans le Sharaj. Il avait toujours trouvé quelque chose d'enfantin à ce visage du rêve, qui le regardait maintenant dans la réalité; un état d'étonnement et d'innocence caractérisé par des yeux tout écarquillés dissimulés derrière la hideuse et terrifiante couleur verte de son visage. Il se pencha plus près, faisant très attention au treillis, tandis qu'il tentait de regarder dans ces étranges yeux orangés et de voir ce qui se trouvait derrière.

Le centaure émit un grognement d'avertissement derrière lui dans les basses fréquences, mais Arryk ne tint pas compte de la mise en garde.

La créature verte cligna des yeux puis sourit légèrement, les yeux grands ouverts. Elle se pencha aussi vers l'avant et inséra sa main puis son bras entre les barreaux, ses longs doigts noueux s'approchant du visage d'Arryk.

Le jeune fée demeura parfaitement immobile tandis que les yeux du monstre s'emplissaient de larmes. Ses doigts effleurèrent délicatement la joue d'Arryk. La petite créature retira sa main avec réticence ; des larmes coulèrent sans retenue sur ses joues tachetées. Elle se mit soudainement à danser, faisant claquer ses larges pieds sur le sol en tournoyant dans la pièce entre les piles d'étranges pignons et axes rouillés et les grandes portes qui fermaient l'autre extrémité de la pièce.

Hueburlyn se leva et s'approcha lentement du fée sidéré. Il se pencha de façon à pouvoir parler doucement dans l'oreille du fée. « Créature verte amie de Ar-ryk ? »

« Je-je ne l'ai vu que dans le Sharaj », murmura le fée en guise de réponse.

« Vérité eux exister ici aussi », ronchonna le centaure.

« Nouvelle Vérité », répondit Arryk à voix basse. « Peu importe ce que le mot "ici" représente. »

« Vérité *nous* exister ici aussi », dit vivement Hueburlyn. « Eux travailler pour Nykira Kyree ? »

« Je ne le crois pas, dit Arryk d'un air pensif, mais j'ai bien l'intention de le découvrir. » Le fée frappa dans ses mains avec force.

La petite créature se tourna immédiatement vers le son, arrêta sa danse, puis regarda fixement le fée.

Arryk leva la main gauche, la paume face à la créature, et plaça ensuite sa main droite à plat contre sa poitrine, avant de la faire glisser de gauche à droite. Il joignit ensuite les extrémités des doigts de ses deux mains devant lui et attendit. *Je suis un Sharajin*, pensa-t-il en reproduisant le signe comme il l'aurait fait s'il s'était trouvé dans le Sharaj.

Le sourire soudain de la petite créature semblait malveillant, mais elle répondit en reproduisant intégralement les mêmes mouvements.

Elle est une Sharajin? en déduisit Arryk, se demandant pendant un moment si la créature ne faisait que lui répéter ses propres mouvements.

La petite créature émit des meuglements et les gestes de ses mains se poursuivirent selon un schéma familier.

«Que dire créature verte?» demanda doucement Hueburlyn avec surprise.

«Enfin, elle… cela n'a aucun sens», répondit calmement Arryk, les yeux rivés sur la créature. «Elle ne cesse de dire "bienvenue" ou "joie" et quelque chose à propos d'une "passerelle magique" que je ne comprends pas du tout. Tous les symboles sont familiers, mais cela ne peut vouloir dire cela.»

«Pourquoi? Quoi elle dire d'autre?»

«Eh bien, quelque chose à propos d'une "douleur pour toujours" – non, plutôt "avec un désir éternel"», répondit Arryk tout en continuant de regarder ses gestes frénétiques. Tout à coup, elle se détourna d'eux et fonça en direction des grandes portes à l'autre bout de la pièce. «Elle parle maintenant "d'aimer un laid ailé avec feu-cœur-feu jusqu'à ce que cela meure". Que penses-tu que cela signifie?»

La créature ouvrit les portes, qui grincèrent légèrement en guise de protestation avant de s'ouvrir en grand. Une salle encore plus vaste se présenta à leurs yeux, éclairée par des puits de lumière situés au plafond. La salle entière était remplie d'objets fabriqués à partir de tous les types de matériaux : bois, pierre, métal, tous étant façonnés avec amour en des statues de toutes les tailles imaginables en une incroyable multitude de poses. Il y avait aussi des peintures et des gravures à l'eau-forte suspendues au plafond, ou sur les murs, ou debout sur le sol. Certaines étaient abstraites, mais la plupart étaient d'un réalisme et d'une précision si incroyables qu'elles avaient l'air vivantes. Il y avait là tous les types d'art imaginables, et chaque objet avait le même thème.

Chaque création reproduisait sans l'ombre d'un doute Arryk, depuis les cheveux noirs et raides jusqu'aux bottes délicates.

Sous le choc, le fée resta bouche bée.

Le centaure parla le premier, en grognant. «Quoi vouloir dire? Hueburlyn dire Ar-ryk quoi vouloir dire – dire Ar-ryk avoir de grands ennuis!»

TOURS D'IVOIRE

e Grand Trésorier Thwick, maître incontesté des Gros Dons au sein des gobelins MDL d'Og, passa les portes principales du Trône du Grand Trésorier – le bâtiment le plus prestigieux de toute la cité – et regarda l'ensemble du parc ovale avec une immense satisfaction.

Le parc avait enfin été mesuré de manière satisfaisante par le ministère de l'Archéologie rentable, et le Grand Bricoleur Tudu lui-même venait de lui faire part de sa longueur. Plusieurs expéditions avaient été envoyées dans cette région envahie de façon totalement insensée par la végétation, les broussailles et les mauvaises herbes, et n'en étaient jamais revenues. La sixième et dernière expédition de gobelins MDL fut conduite par le Grand Bricoleur Tudu lui-même, de l'extrémité est du parc jusqu'aux marches du Trône du Grand Trésorier, et elle ne campa que deux fois en cours de route.

Malgré son horaire chargé, le Grand Trésorier Thwick avait pris le temps de marcher cinq minutes le long de la route qui contournait l'extrémité sud du parc pour assister à une célébration de départ organisée gracieusement par le ministère voisin (et beaucoup plus grand) du Révisionnisme historique. La fête avait duré trois jours et avait laissé le Grand Trésorier dans un tel état qu'il eut du mal à rentrer à pied. Il avait conséquemment décidé de ne pas assister au Premier Atelier de campement ni à la Deuxième École de survie en campement – deux événements qui s'étalaient sur une semaine chacun et pour lesquels il soupçonnait que des dons importants devraient être faits au ministère.

Malgré tout, six semaines après le départ de l'expédition, ses membres émergèrent du parc avec plusieurs merveilleux objets découverts lors de leurs examens minutieux : un vase titan brisé, des roches aux formes curieuses et un livre inconnu dont les pages couvertes de moisissures avaient été transportées avec soin sur les têtes de plusieurs « bricoleurs limités », qui jouèrent le rôle d'assistants dans l'expédition.

Bien sûr, la découverte la plus importante demeurait la mesure précise de l'immense parc, qui avait jusqu'ici défié le système de calcul des gobelins MDL, limité au nombre cent quatorze. (Ce n'était pas la première fois que le Grand Trésorier de l'Académie MDL s'était questionné sur la pertinence de créer un ministère du Calcul créatif.) Cependant, le Grand Bricoleur Tudu fit la démonstration de son intelligence en inventant une nouvelle unité de mesure : une perche qui équivalait à la longueur de dix pieds de gobelin. Tudu nomma l'unité « tudu » en son honneur et fut ensuite en mesure d'établir avec précision que le parc mesurait presque cent quatorze tudus de longueur*.

Le Grand Trésorier Thwick se tenait à présent sur les marches du haut et regardait le parc qui menaçait d'engloutir les routes nord et sud qui le bordaient, et il hocha la tête en signe de satisfaction. L'expédition de Tudu serait une excellente chose à évoquer lors de sa prochaine rencontre avec le seigneur Skramak, principal bienfaiteur de l'académie.

---

* Si l'on se fie à la longueur moyenne d'un pied de gobelin, nous pouvons donc affirmer que le parc devait mesurer approximativement mille deux cents pieds de longueur, d'après les unités de mesure des humains.

Comme les choses avaient changé depuis les premiers jours, songea-t-il. Thwick était le dernier d'une longue et prestigieuse lignée de grands trésoriers gobelins MDL qui s'étirait depuis environ quatre-vingts ans, soit depuis l'époque de Thux – le premier Grand Trésorier et fondateur de l'académie. C'était Thux qui avait fondé la cité d'Og et qui avait découvert la Maison des livres, base de tout ce qu'ils construisirent par la suite.

Thwick se tourna pour regarder du côté nord du parc. Là se trouvaient la Maison des livres, telle que Thux l'avait découverte, et un bâtiment bien plus petit – qui accueillait maintenant le ministère de la Théorie des livres –, où l'académie originelle avait vu le jour. Depuis quatre-vingts ans, ceux qui se trouvaient à l'intérieur tentaient de déchiffrer la séquence de symboles dans les livres abrités par la mystérieuse et puissante Maison des livres. Le Grand Bricoleur Doon lui avait assuré qu'ils feraient sans nul doute une autre découverte, tant il était certain de s'en rapprocher chaque jour. C'était après de tels débuts modestes que l'académie s'était mise à grandir, pour finalement occuper les anciens bâtiments de chaque côté du parc – qui mesurait à présent près de cent quatorze tudus de longueur.

Thwick fronça subitement les sourcils. Aussi impressionnant que fût l'exploit de Tudu, il ne pouvait intéresser, essentiellement, que les gobelins MDL savants de l'académie. Thwick savait, en son for intérieur, que, s'il voulait impressionner le Dong Mahaj Skramak, il devrait fournir quelque chose qui aurait une application plus pratique.

Il avait donc besoin de quelque chose de nouveau de la part des « bricoleurs émérites ».

Armé de confiance, Thwick descendit à grandes enjambées les marches du Trône du Grand Trésorier et se mit en route le long de la route du sud qui suivait le parc. Il constituait un personnage imposant pour les académiciens qu'il croisait sur son passage ; il mesurait près de cinq pieds, avait de larges épaules et un gros ventre bien ferme. Il inspirait le respect chez tous ceux qu'il rencontrait, même si c'était parfois un respect quelque peu forcé. Les lobes de ses oreilles étaient incroyablement longs et avaient tendance à se balancer lorsqu'il marchait, ce qui, il le croyait, détournait toujours l'attention de ses ennemis. Plus importante encore, cependant, était la touffe de cheveux blancs sur sa tête, sans commune mesure avec celles des autres gobelins MDL. C'était une chose réellement élégante qui était séparée au milieu et qui tombait en une longue cascade de chaque côté de sa tête. Ce n'était un secret pour personne : il avait atteint son rang et sa fonction actuels en grande partie grâce à sa saisissante beauté.

Il marcha devant les grands édifices jumeaux qui accueillaient le ministère des Gobelinités, contourna soigneusement deux arbres qui étaient tombés sur la route, puis descendit dans une fondrière d'un côté pour remonter de l'autre. La cité d'Og avait été conservée intacte depuis l'époque des titans eux-mêmes par les ogres résidents, qui avaient mis en pratique un ensemble de règles très strictes. Ces règles – les deux qui existaient – étaient les pierres de touche de tout ce qui était légal et de bon ton pour les ogres, et elles disaient ceci : protéger la cité, et ne toucher à rien. L'académie était située dans un endroit que les ogres appelaient encore le Trésor, qui avait été remis aux bons soins de Thux et de ses gobelins MDL huit décennies auparavant. Les ogres, qui régnaient encore sur la cité au-delà du Trésor et qui la protégeaient des attaques, avaient seulement prêté l'emplacement et les bâtiments de l'académie aux gobelins – un fait dont tous les grands trésoriers, depuis Thux, n'avaient que trop pleinement conscience –, et la règle de ne toucher à rien était encore suivie aussi strictement que possible.

La fondrière passée, Thwick arriva enfin face aux imposants murs de la salle des Bricoleurs émérites, dont les murs grisâtres richement décorés de motifs complexes faisaient paraître toute petite la salle des Bricoleurs limités qui était serrée devant elle. Thwick se retira de la route et monta les marches vers l'entrée en forme d'arche, sur le côté, puis se glissa à l'intérieur.

La partie transversale de l'arrière de la salle était un spectacle incroyable, mais le fait de la regarder rendait toujours Thwick un peu étourdi et mal à l'aise. Les grandes colonnes de chaque côté de la salle de trente pieds de largeur s'élevaient à près du triple de cette largeur avant de décrire des arcs gracieux vers le plafond. Il y avait deux halls au-dessus de la salle, accessibles par de grands escaliers, d'après ce Thwick avait compris, mais il ne s'était encore jamais résolu à s'y rendre personnellement. Le Grand Trésorier ne se sentait pas tellement à son aise dans les hauteurs.

Cette fois, cependant, il ne fut pas décontenancé par l'espace vertical de la salle, puisqu'un divertissement d'importance se déroulait à l'étage principal, au croisement de la partie transversale de la salle et de la galerie principale, où un groupe de gobelins MDL criaient et sautaient sur place.

Au centre de cette agitation se trouvaient deux gobelins MDL en plein combat et qui tentaient apparemment de s'entretuer; l'un était un «Grand Bricoleur» âgé et l'autre un plus jeune «bricoleur substitut». Ensemble, ils formaient un tas chaotique et grondant qui roulait sur le sol, et les griffes comme les poings ensanglantés volaient dans les airs. Un assortiment de Grands Bricoleurs, de bricoleurs substituts et de bricoleurs limités était disposé en cercle autour d'eux et encourageait la bagarre.

Thwick observa le combat pendant quelques minutes. Il avait toujours apprécié les débats animés et était d'avis que cela aidait l'académie à continuer son noble travail de façon plus efficace. Il aurait aimé pouvoir rester plus longtemps pour voir qui allait survivre et découvrir quelle question philosophique avait été l'enjeu, mais il n'avait cependant tout simplement pas le temps.

Il continua donc son chemin à contrecœur de l'autre côté de la salle transversale avant de sortir de l'autre côté. Sur la place encombrée par les broussailles, nichée entre le Centre de mise à l'épreuve des idées et le Laboratoire secret public, se trouvait une tour unique connue de tous dans l'académie sous le nom de « Laboratoire secret secret ». Un seul escalier courait le long de la tour sur environ vingt pieds avant d'atteindre une porte latérale – escalier que le Grand Trésorier gravit rapidement. Dong Mahaj Skramak l'attendait dans la salle du Grand Trésorier, et Thwick savait qu'il n'existait qu'un seul bricoleur émérite capable d'avoir l'idée qui allait plaire à son bienfaiteur – et cela tombait à point aussi, car le Dong avait acheté tout ce que ce bricoleur émérite avait déjà inventé.

Même si elle n'était qu'une femme, pensa Thwick en frappant la porte de la tour avec son poing, la bricoleuse émérite Lunid était un des gobelins MDL dont les recherches s'avéraient toujours payantes.

Lunid pouvait à peine se maîtriser. Elle sautait et dansait dans tous les sens parmi ses créations – ses magnifiques œuvres d'art – et se tourna ensuite vers la cellule de détention pour admirer une fois de plus la silhouette parfaite de la source du désir de son cœur.

Cela avait fonctionné exactement comme elle l'avait vu dans la voyance-du-gros-volume ; les anneaux de vision, le mécanisme du régulateur, et les bras manipulateurs. Elle avait eu besoin de beaucoup plus de bacs-de-livres qu'elle l'avait imaginé au départ – une invention de son cru qui alimentait en énergie tout l'assemblage et qui avait dangereusement excédé ses ressources – mais qui pouvait bien s'en plaindre, à présent ? Elle s'était rendue dans l'endroit fébrile des voyances-du-gros-volume, avait utilisé ses mécanismes titaniens convertis pour regarder dans l'endroit avec ses yeux éveillés, et avait souhaité que l'objet de ses désirs prenne forme dans son propre monde à travers les machines qu'elle avait elle-même fabriquées !

Et il lui appartenait, maintenant : le bel homme ailé à la peau foncée, et aux cheveux noirs et raides. Peu importait que son ventre soit plat et que son visage ait la couleur du vieux bois ; elle pensait qu'il était d'une beauté fascinante, à sa terrifiante manière. Elle l'avait vu plusieurs fois dans ses rêves et dans ses livres. Tout comme elle, il avait toujours eu l'air si triste. Bien qu'elle ne lui ait jamais parlé dans le monde des rêves, elle l'avait suivi toutes les nuits, dissimulée dans des coins et des endroits protégés, étant témoin de son désespoir et de son chagrin jusqu'à ce que cela lui brise aussi le cœur. Elle avait alors entrepris de recréer son image dans ses recherches, trouvant de l'inspiration à penser à lui et du réconfort à modeler des objets à son image. Avec le temps, elle avait commencé à croire qu'elle le connaissait mieux dans ses rêves qu'elle connaissait ses collègues dans l'état d'éveil. C'était son désir de le voir pendant ses heures d'éveil qui l'avait amenée à construire les anneaux de vision en tout premier lieu. Le fait de l'avoir vu voler l'avait obsédée avec l'idée du vol et lui avait inspiré certaines de ses plus belles trouvailles en matière de machines. Ses créations ne lui suffisaient cependant pas ; la convoitise grandissait dans son âme chaque nuit jusqu'à ce qu'elle trouve un moyen de l'amener plus près d'elle afin de pouvoir le toucher et d'entendre sa voix.

Enfin, peut-être pas sa voix, finalement, décida-t-elle. Elle était trop belle pour ses oreilles et, maintenant qu'elle l'avait entendue, elle la remplissait d'une telle tristesse et d'une telle honte que cela faisait en sorte que son esprit quitte sa tête, la faisant sombrer dans l'inconscience. Elle pouvait enfin le toucher, prendre soin de lui, le nourrir et le protéger. Et il l'aimerait pour cela – ne pourrait s'empêcher de l'aimer pour cela –, et cela remplirait enfin le vide qui rongeait jusqu'alors son existence.

Bien sûr, elle n'avait pas prévu qu'il amènerait avec lui cette énorme bête monstrueuse. Cette chose fort laide se servait de quatre jambes pour soutenir son gros corps et avait, en plus, deux bras et une queue. Cela ressemblait au type d'expériences que le ministère des Spéculations avancées avait tentées il y a de cela quelques années – celles qui s'étaient soldées par de spectaculaires échecs. En vérité, elle avait construit la cellule de détention uniquement pour l'homme ailé, et n'était pas certaine de ce qu'elle devait faire de la chose. Peut-être pourrait-elle donner le monstre au Centre d'essai des idées de démembrement. Assurément, même le Grand Trésorier Thwick ne pourrait s'opposer à ce que…

Le Grand Trésorier! Elle avait entendu dire ce matin qu'il viendrait faire un tour. C'est seulement à ce moment qu'elle prit conscience des coups qu'elle entendait à la porte et dont le son descendait les marches de l'escalier intérieur de la tour.

Lunid examina son magnifique homme ailé et son compagnon inattendu de façon songeuse. Elle souhaitait désespérément présenter son triomphe au Grand Trésorier, mais fut soudainement prudente; elle n'était pas encore certaine de la raison pour laquelle la voix de l'homme ailée l'affligeait autant, et elle voulait plus particulièrement pouvoir expliquer la présente du monstre à quatre pattes dans la cellule de détention.

Avec réticence, elle détacha son regard de son magnifique prisonnier et grimpa les marches en direction du bruit de coups qu'elle ne cessait d'entendre à la porte.

MOYENS VISIBLES

h, tu veux bien essayer de rester à ma hauteur, Lunid ?»

«D-désolé, G-g-r-grand T-t-t-t-trésorier», dit la bricoleuse émérite pour la troisième fois, avec son débit saccadé. Le fait de savoir qu'il était difficile pour ses jambes lamentablement courtes d'aligner le pas sur les longues enjambées de Thwick accentuait encore son honteux bégaiement. «Où – où allons-n-n-nous ?»

«Nous retournons à mon Trône», répondit Thwick sèchement.

«M-mais, l-l-la salle…»

«Il y a un débat en cours dans la salle en ce moment, et nous n'avons pas le temps de nous laisser distraire par de telles civilités», répondit Thwick d'un ton impatient. Il avait plutôt décidé d'emprunter le chemin arrière qui passait entre la salle des Bricoleurs émérites et le sanctuaire des Arts élitistes. Lunid se sentit quelque peu reconnaissante envers le Grand Trésorier ; moins d'académiciens pourraient ainsi la regarder, ici, derrière les bâtiments. « Tu es dans un bel état – sur quoi gaspilles-tu ton temps ces jours-ci ? »

« Ex-ex-expér-expéri… »

« Oh, Lunid, reprends-toi », dit le Grand Trésorier d'un ton exaspéré. « Ton visage tressaute de manière désagréable lorsque tu bégayes comme cela ! »

Les yeux de Lunid se portèrent vers ses petits pieds et elle se mordit la lèvre inférieure. « Oui, G-grand T-t-t… »

« Écoute, Lunid, tu es une des meilleures bricoleuses émérites que nous avons. » Thwick lui parlait autoritairement au lieu de lui faire la conversation, sans jamais se tourner vers elle. « Tes découvertes sont inestimables pour l'académie – chacune d'entre elles est un retentissant succès. »

« Je t-tente seulement de faire des choses qui sont b-b-be-belles », répondit rapidement Lunid. « J'aime fabriquer de belles choses qui bougent. »

« Et tu y parviens, Lunid ; tu y parviens très bien », dit Thwick tandis qu'il empruntait maintenant le sentier derrière le ministère des Gobelinités en direction de la route qui croisait l'avant du Trône du Grand Trésorier. « C'est de cette façon que tu contribues – c'est de cette façon que tu fais ton chemin dans le monde. C'est pourquoi nous te protégeons, ici, dans l'académie – en te mettant à l'abri du monde extérieur où ton génie ne serait pas compris. »

« N'empêche que je me suis t-t-toujours d-demandée à q-q-quoi cela ressemblait, dit Lunid de sa voix hésitante, à l'ex-extérieur de l'a-académie. Avez-vous… Avez-vous réfléchi à ma demande pour u-une étude sur le t-t-t-errain… »

Le Grand Trésorier Thwick s'arrêta et se retourna si brusquement que Lunid lui fonça presque dedans.

« Lunid, regarde-toi un peu », dit le Grand Trésorier en souf-flant et en haletant. « Tes pieds sont trop petits, ton ventre est trop plat, et tes oreilles sont hideuses. Tu es le gobelin le plus laid du campus. Même lorsque je tente de te placer avec un partenaire de travail qui ne t'a même jamais vue, c'est ton bégaiement et la façon dont tu tressautes qui les font s'éloigner de toi avant qu'ils ne puissent accepter tes défauts et voir la bricoleuse émérite que tu es, et je le sais. Tu as fait fuir tous les bricoleurs substituts que je t'ai assignés, avec ton tempérament. Quel genre de vie aurais-tu, hors de la protection de l'académie? Combien de temps penses-tu que tu pourrais durer, dans un monde qui n'est pas aussi compréhensif et tolérant que je le suis?»

«O-oui, G-grand T-t-trésorier», dit Lunid dans un reniflement.

«Maintenant, un vieil admirateur de tes travaux est venu en visite et voudrait entendre tout ce qu'il y a à savoir sur ta dernière trouvaille», dit Thwick d'un air détaché. «Il est venu de bien loin, et je ne voudrais pas qu'il soit déçu. Est-ce que tu as quelque chose d'intéressant à lui montrer?»

* * *

C'était la toute première fois, depuis que Lunid travaillait à l'Académie, qu'elle était invitée dans le palais du Grand Trésorier, et elle était émue aux larmes.

La magnifique rotonde abritait ce que les gobelins MDL appelaient tout simplement le Trône. C'était un ramassis d'énormes mécanismes composé, en partie, de la portion supérieure d'un titan mécanique, dont les bras fortement musclés tenaient un globe d'où jaillissait une lumière bleu foncé, tandis que sur le dos du titan se trouvait une petite statue métallique d'un gobelin tenant un globe de teintes grises changeantes. De chaque côté du titan mâle se trouvaient deux grandes et monstrueusement minces femelles, des titanes qui tenaient chacune un globe de métal au-dessus de la tête avec une expression où on semblait deviner de la douleur.

Tout cela se trouvait autour d'une unique sphère de bronze à l'assemblage complexe, posée au sommet d'un piédestal au centre de la pièce.

Le mécanisme de Thux, comprit Lunid avec une soudaine bouffée d'émotion. C'était en cet endroit même que les gobelins MDL – les gobelins de la Maison des livres – étaient nés, et que l'Académie de Thux avait été fondée. De tous les endroits qu'il ne fallait pas toucher, celui-ci était demeuré absolument inviolé. Elle jeta un coup d'œil sur le mécanisme qui était la source d'inspiration de tout ce qu'ils faisaient à l'académie ; des larmes lui montèrent aux yeux simplement d'avoir posé son regard sur lui, même depuis l'autre côté de la pièce.

Une personne se leva du trône de pierre du Grand Trésorier, situé juste derrière le Mécanisme. Le gobelin avait de plus larges épaules et était plus musclé que la plupart des gobelins, et portait des bottes dans le même style que celles portées par les trolls de Laklond Westfall. Sa touffe de cheveux était rasée, laissant son crâne totalement dégarni et empreint d'un air de défi, et il portait un gilet semblable à ceux des géants de Skorech, fait d'anneaux métalliques entrelacés. C'était toutefois l'orbite sombre coupée en deux par une cicatrice qui partait de son front et qui allait jusqu'à son oreille qui l'identifiait le plus clairement ; l'œil gauche manquant était connu comme son symbole depuis les très lointains monts Thunderforge, à l'ouest, jusqu'aux mines des Diablotins, à la frontière orientale. Il était connu sous le nom de Dong Mahaj Mahal – un nom qu'il s'était approprié à la mort de son père, mais, pour Lunid, il était tout simplement connu sous le nom de…

« Skramak ! » s'écria Lunid, visiblement ravie.

L'empereur des gobelins fit un grand sourire en s'approchant de la bricoleuse émérite et du Grand Trésorier. Sa cape se gonflait magnifiquement derrière lui tandis qu'il s'approchait d'elle – une remarquable réussite de la technomancie, puisqu'il n'y avait pas la moindre brise dans la salle.

«Je savais que ce serait toi.» Le vieux gobelin sourit de plus belle, exposant ses dents jaunes, pointues et luisantes. «Lorsque j'ai dit à Thwick d'aller quérir le meilleur et le plus brillant des bricoleurs émérites, je savais que ce serait toi.»

«M-me-mer-merc-merci, V-vo-votre Ambi-ambitieuseté», dit Lunid en tentant de saluer bien bas le grand gobelin, perdant presque l'équilibre.

«Relève-toi, Lunid», gronda Thwick à voix basse. «Le Dong n'est pas intéressé par tes manières serviles.»

«Ça va, Grand Trésorier», dit Skramak avec décontraction en s'approchant d'eux. Il tendit la main vers l'arrière et appuya sur le fermoir, situé sur son épaule, de sa cape encore gonflée. Cela eut pour effet de dissiper la magie et la cape retomba vers le sol avec un bruit sourd et poussiéreux. «Lunid a toujours servi l'académie au mieux de ses compétences, et son art m'a toujours… bien servi aussi. C'est bien toi qui as créé ce fantastique mécanisme lanceur de disques, n'est-ce pas?»

«O-o-oui, Votre M-m-m-ma-ma-majesté.»

«Et les ailes de titans, et les flèches de sûreté?»

«O-o-oui, Votre M-m-m-ma-ma…»

«Alors, je suis convaincu que notre vieille amie Lunid a eu une nouvelle idée merveilleuse pour nous distraire», continua Skramak, n'attendant pas que la femme gobeline s'étouffe avec ses mots. Ses lèvres s'amincirent par-dessus ses dents tandis qu'il étirait son sourire en une dangereuse grimace. «Tu *as* bien quelque chose de nouveau, n'est-ce pas?»

«Oh! Oh oui, Votre M-m-majesté», répondit Lunid joyeusement.

«Alors, qu'est-ce que c'est?» demanda patiemment Skramak. «Sur quoi travailles-tu, maintenant?»

«P-porte-entrouverte… porte-entrouverte», parvint à dire Lunid.

«Porte-entrouverte?» demanda le seigneur de tous les gobelins. Il regarda Thwick du coin de l'œil et vit qu'il était tout aussi perplexe que lui. «Qu'est-ce qu'une porte-entrouverte?»

«Je-je voulais v-voir dans – dans les images des gros volumes», commença à expliquer Lunid. Son discours devint de plus en plus fluide à mesure que son esprit retrouvait l'excitation entourant sa découverte. «P-pas seulement quand j'étais endormie, mais aussi à l'état d'éveil.»

«Je n'arrive pas à voir comment cela pourrait être utile», dit Thwick avec une moue. «Tous les gobelins MDL sont des technomanciens – nous avons seulement besoin d'un livre et d'un peu de sommeil. Qui paierait pour acheter un mécanisme leur permettant de voir le jour ce qu'ils peuvent voir gratuitement la nuit?»

«C'est le mécanisme des a-anneaux de vision», dit hargneusement Lunid d'un air malheureux. «M-mécanisme t-totalement différent. Enfin, peut-être pas totalement; j'ai utilisé les a-anneaux de vision dans la porte-entrouverte, mais les résultats sont complètement d-d-différents!»

«Mmm.» Skramak réfléchit pendant un moment. «Alors, tu peux utiliser cette nouvelle création pour voir dans les rêves d'autres personnes – je veux dire, dans la voyance-du-gros-volume?»

«N-non, Votre Majesté», dit Lunid en s'inclinant maladroitement devant lui une nouvelle fois. «Cela a f-fonctionné encore m-mieux que ce à quoi je m'attendais. Cela m'a permis de voir au-delà de la voyance-du-gros-volume jusque dans le monde des dieux.»

Un silence soudain remplit la totalité de l'immense salle du trône. Skramak et Thwick regardèrent tous deux Lunid, la bouche entrouverte d'étonnement. Plusieurs instants s'écoulèrent avant que quelqu'un prenne la parole.

«M-m-mon explication n'était p-p-pas claire?» demanda Lunid en voyant leur réaction.

«Est-ce que tu as dit que tu avais utilisé le mécanisme pour voir dans le monde des dieux?» dit Skramak, en tournant légèrement la tête afin que son œil valide puisse jeter un meilleur regard sur la bricoleuse émérite.

«Oui, Votre M-ajesté», répondit Lunid, ailleurs dans ses pensées. «Vous voyez, il s'agissait de relier les bacs-de-livres en série avec les anneaux de vision dans une configuration à double canal, puis d'utiliser un livre de commande avec des pierres de vision afin de stabiliser la structure du champ et de la projeter à travers la voyance-de-gros-volume vers un objet fixe dans le domaine des dieux.» Elle regarda les deux hommes. «Est-ce que v-v-ous me suivez?»

Skramak et Thwick se regardèrent tous les deux, mais ne purent s'aider. L'empereur se tourna vers Lunid et secoua la tête. «Les Dongs de l'empire ont toujours été d'excellents technomanciens depuis l'époque de Mimic. Je suis moi-même considéré comme le plus grand technomancien de notre époque – et je n'ai aucune idée de ce dont tu parles.»

«Peut-être, intervint rapidement Thwick, qu'il n'est pas nécessaire que nous comprenions tous les… euh, détails techniques en ce moment, Lunid. Tu dis que nous pouvons… espionner le monde des dieux?»

«Enfin, oui» – Lunid hocha la tête – «tant qu'il y a un dieu cible qu'on peut fixer. Nous savons depuis un c-certain temps que les livres nous relient avec les d-dieux de nos rêves. C'est ce qui f-fait que les l-livres ont du p-pouvoir; ils le volent aux dieux. Alors, j'ai pensé que les l-l-livres pourraient peut-être être utiles pour relier mes pierres de vision avec le domaine des dieux. J'ai m-moi-même o-o-observé un des d-dieux depuis un c-c-certain temps – p-p-purement un sujet pour m-mener mon test, remarquez bien.»

L'esprit de Skramak s'était remis en marche, et il venait à peine de s'approprier l'idée d'utiliser une machine pour avoir accès aux royaumes éternels. «Alors… nous pourrions regarder les dieux et découvrir si nos offrandes sont acceptables ou savoir si nous serons victorieux dans une bataille. Cela retirerait beaucoup de conjectures de notre religion.»

«Les anneaux de vision utilisent la voyance-de-gros-volume pour localiser les sujets, mais ils n-ne rapportent pas de s-sons», expliqua soigneusement Lunid. «Il serait bien plus simple de se rendre plutôt dans le monde des dieux et d'essayer de leur poser des questions directement.»

«C'est ridicule», dit Thwick, prenant la mouche. «On ne peut aller dans le monde des dieux…»

«C'est possible, à travers la porte-entrouverte.»

Une fois de plus, un silence étonné s'abattit sur Skramak et Thwick.

«Je suis désolée», dit Lunid en secouant la tête. «Je pensais que je m'étais expliqué clairement. La fonction de la porte-entrouverte est de former une passerelle entre notre monde et le monde des dieux. Il s'agit simplement de la franchir ou, dans certains cas, d'y être aspiré contre son gré, quoique je suis certaine qu'après coup, vous trouveriez la sensation agréable.»

«Tu veux dire qu'il est possible de voyager dans le monde des dieux?» demanda attentivement Skramak, avec une pointe de scepticisme dans la voix. «Combien de temps est-ce que cela prend? Combien de personnes peuvent y aller?»

«Eh bien…» Lunid réfléchit pendant un moment. «Cela ne p-prend pas de temps du tout, en fait. C'est juste c-comme passer d'un côté à l'autre d'une porte – sauf qu'on se retrouve dans le monde des dieux plutôt que dans le monde des titans. Et pour répondre à la question de savoir combien de personnes peuvent y aller, eh bien, c'est principalement fonction du nombre de livres qu'on peut relier en série. En théorie, il n'y a pas de l-limite.»

«Ah, Votre Majesté, plaida Thwick à la hâte, je dois vraiment m'excuser au nom de Lunid. Elle a été soumise à des contraintes considérables au cours des dernières – enfin, des dernières années, probablement – et elle a, à l'évidence, besoin d'un congé sabbatique bien mérité. Je suis sûr que je peux trouver un autre bricoleur émérite qui pourra vous montrer des choses plus pratiques…»

«Mais, cela f-fonctionne!» insista Lunid.

«Lunid, je t'en prie! Tu ne peux pas sérieusement…»

«Mais, je l'ai essayé! J'ai aspiré une paire de dieux à travers la porte-entrouverte ce matin même.»

«Tu as quoi?» dit Thwick d'une voix grinçante.

«Tu as aspiré une paire de *dieux* à travers ton mécanisme de porte-entrouverte?» demanda Skramak en haussant les sourcils d'étonnement, ce qui leva légèrement la cicatrice sur son front et ouvrit davantage son orbite vide.

«Enfin – oui. Je suppose que j'aurais dû demander la permission avant de mener l'essai, mais…»

«Et où sont ces dieux, maintenant?»

«Oh, dans une c-cellule au sous-sol du laboratoire.»

Skramak fit un pas vers Lunid, son grand œil orangé la fixant du regard. «Est-ce que tu me montreras ces dieux? Est-ce que tu me montreras comment je peux atteindre leur monde? Est-ce que tu ferais cela pour moi, ma chère Lunid?»

Lunid leva les yeux vers le visage vert cicatrisé de Dong Mahaj Mahal Skramak et se contenta de hocher la tête.

Thwick se tenait à côté de l'empereur au moment où Lunid se hâta vers la salle principale du Trône et passa sous la lumière du soleil après avoir franchi les portes principales. Le Grand Trésorier demeura silencieux jusqu'à ce que les portes se referment au loin.

«Votre Majesté», dit Thwick, dont les mots inquiets étaient prononcés soigneusement. «Je ne sais pas trop quoi penser de toute cette affaire avec le "monde des dieux". Je veux dire, il y a eu un débat au meilleur des cinq l'année dernière entre le ministère de l'Archéologie rentable et la Technomancie théorique à propos de l'existence des dieux, et les membres qui ont survécu ont déterminé que…»

«En ta qualité de chef de l'académie, je trouve que tu n'as pas une très grande confiance envers tes compagnons gobelins MDL.» Les mots de Dong Skramak étaient brusquement dépourvus de leur chaleur habituelle. «Tout ce que Lunid nous a présenté jusqu'à présent a été plus qu'utile – cela a même été essentiel à l'édification de l'empire.»

«Mais le monde des dieux, Votre Majesté», gémit Thwick.

«Non, Thwick!» Skramak se passa la langue sur les lèvres d'excitation. «Pas seulement le monde des dieux – mais une passerelle vers ce monde! Je cherchais une telle réponse depuis un bon bout de temps maintenant, Thwick, et cela pourrait bien être la bonne.»

«Je ne comprends pas, Votre Majesté.»

«Évidemment que tu ne comprends pas; tu es un académicien!» dit-il d'un ton hargneux. «Tout ce que vous faites est de vous asseoir dans vos tours, tentant de trouver votre chemin dans une réalité qui n'existe que dans vos propres esprits, et ensuite vous jugez que le monde n'est pas comme il devrait l'être parce qu'il n'est pas conforme à vos normes impossibles. Je vis dans le monde réel, l'académicien. Et c'est mon monde réel qui continue de pomper le sang dans votre monde idéaliste et mort.»

«Vous n'avez pas le droit de me parler comme…»

«J'ai tous les droits», répondit hargneusement Skramak. «J'achète et je paye pour toi tous les jours. C'est la richesse de *mon* empire qui fait entrer de la nourriture dans cette académie et qui te donne le droit de respirer à chaque instant. Ce sont les conquêtes de l'empire qui font que les recherches dans la bibliothèque peuvent avancer – si elles avancent, bien entendu.»

«Le ministère de la Théorie des livres m'assure que…»

«Oui, je sais. Ils feront une percée "d'une semaine à l'autre". Ma famille attend cette percée annoncée depuis l'époque de mon arrière-grand-mère, ce qui représente en nombre d'années un nombre plus grand que ce que les gobelins peuvent compter. Sans nous, il n'y aurait plus de semaine à attendre, et, à moins que quelque chose ne change, il ne te restera plus que quelques semaines précieuses en réserve.»

«Pourquoi?» demanda Thwick, véritablement effrayé. «Que s'est-il passé?»

«La pire chose qu'on puisse imaginer», répondit Skramak d'un ton lourd de conséquences.

«Vous voulez dire la guerre à l'ouest?»

Skramak regarda le Grand Trésorier.

«Vous ne voulez pas dire que...»

«Oui.» Skramak hocha la tête solennellement. «Nous avons gagné.»

«Non!»

«C'est la vérité», continua Skramak en croisant les bras sur sa poitrine, l'air songeur. «Nous avons finalement maté les géants, en grande partie grâce à notre Lunid. Nos armées n'ont plus rien à conquérir.»

«Mais... mais il y a assurément d'autres territoires au-delà du Westwall et du Nomanlond? Qu'en est-il de l'escarpement du Sud – ou des forêts par-delà le trou des Diablotins?»

«Tout est si simple pour toi.» Skramak secoua la tête. «Tu es un académicien; tu penses aux territoires. Moi, d'un autre côté, je suis un guerrier; je pense à la logistique. Notre empire s'est étendu aussi loin qu'il le pouvait. Nous pourrions dépêcher nos armées encore plus loin, bien sûr, mais comment pourrions-nous les nourrir? Pire encore, comment pourrions-nous communiquer avec elles? Vaincre une nouvelle nation est une chose; la maintenir sous notre emprise est une tout autre chose. Toi-même serais d'accord pour dire qu'il est plus difficile de tenir une pierre à bout de bras que de la tenir contre sa poitrine.»

« Je ne comprends toujours pas en quoi Lunid résout quoi que ce soit avec sa soi-disant porte-entrouverte. »

« Réfléchis un peu à notre gouvernement. Richesse, travailleurs et nourriture – nous volons tout cela. Nos armées de titans passent avec un vacarme assourdissant dans le paysage, et prennent ce dont nous avons besoin de tous les abrutis qui ont la richesse, les travailleurs et la nourriture. Si nous voulons continuer à suivre la règle de nos conquêtes, alors nous avons besoin de quelque chose d'autre à conquérir – un endroit qui nous donnera une base de puissance à partir de laquelle nous pourrons nous étendre encore davantage – et ce doit être à une distance pratique. »

« Vous venez pourtant de dire qu'il n'y avait pas de territoire assez près de nous pour être conquis efficacement. »

« Oui, mais la porte-entrouverte de Lunid est juste ici, dans son laboratoire. Si j'ai bien compris ses explications, nous pourrions envoyer des armées entières la traverser, et ce serait comme de passer d'un côté à l'autre d'une porte. » Skramak sourit d'excitation. « Ce serait une campagne de conquête comme il n'y en a jamais eu dans l'histoire des gobelins – et cela assurerait mon immortalité. »

« Mais, qu'est-ce que vous voulez dire ? » demanda Thwick, redoutant déjà la réponse.

« Je dis que nous devrions nous servir de la porte-entrouverte de Lunid, roucoula Skramak, et conquérir le monde des dieux ! »

LA PORTE ASSOMBRIE

L e gardien de l'ombre passa sous l'arche menant à la grande salle de la maison des Conlan et enleva rapidement son chapeau.

« Maître Kyne Fletcher », annonça Agretha dans la grande salle, où la plupart des membres de la famille Conlan étaient réunis à la longue table. L'expression du visage de la domestique donnait l'impression qu'elle venait de laisser entrer une odeur nauséabonde dans la maison.

« Merci, Agretha », dit Rylmar, levant à peine les yeux.

Agretha se tourna et plaça un doigt menaçant devant le nez du gardien. « Tu ferais mieux de laisser tes bottes couvertes de boue sur le carrelage, ou tu auras affaire à moi, gardien de l'ombre ou pas ! »

« Oui, m'dame », dit Kyne en s'inclinant nerveusement.

Théona, qui se tenait à l'écart de la scène qui se déroulait devant elle, avait les bras croisés et la tête légèrement inclinée sur le côté. Le fait qu'elle ne possédait aucun talent dans les arts mystiques l'avait souvent écartée des rencontres importantes, mais son père, bouleversé, lui avait demandé d'être présente, alors elle était venue, même si elle avait l'impression de n'être rien de plus qu'une observatrice.

Son père s'installa à l'extrémité de l'énorme table dans la grande salle. Son humeur était passée par toute la gamme au cours de la dernière semaine, de la colère à la fourberie en passant par le désespoir, puis de nouveau à la colère. Il avait comploté et ébauché des plans, avait rencontré des gens en secret et en public, avait accordé des traitements de faveur, avait soudoyé et menacé tous les gens qu'il connaissait de l'aube au matin, en vain. Treijan, prince de la maison de Rennes-Arvad, avait disparu de la cité – et avec lui tous les longs et coûteux plans du plus grand triomphe de Rylmar sur ses semblables.

À ses côtés se trouvait Valana, dont les yeux étaient rougis et enflés. Elle risquait fort de ne plus avoir l'air si parfaite, pensa Théona, réprimant le sourire qui menaçait de se dessiner sur son propre visage.

Un silence gêné plana pendant un moment dans la salle. Valana ne dirait rien. Rylmar était déjà las d'avoir tant parlé, et le gardien de l'ombre semblait trop effrayé pour prendre la parole.

« Bienvenue chez les Conlan, maître Fletcher », dit finalement Théona, l'air détaché de sa voix se répercutant dans la vaste salle.

« Merci, madame. » Fletcher tripotait nerveusement son chapeau entre ses mains.

« "Madame" est dans son lit, en proie à son désarroi », dit rapidement Théona, ses yeux fixant le garde d'un air critique. « Je suis maîtresse Théona. Puis-je vous présenter maîtresse Valana de même que le seigneur Conlan. »

Fletcher s'inclina en entendant chacun des noms ainsi prononcés, un sourire nerveux figé sur son visage, bien que ses yeux décochaient moult regards.

« Vous semblez inquiet, maître Fletcher », observa Théona.

«Oh, non… enfin, oui, maîtresse Théona», dit le garde, manipulant son chapeau si fébrilement que tout espoir serait bientôt perdu qu'il reprenne un jour sa forme originale. «C'est seulement qu'il s'agit d'une question délicate. Peut-être une question de vie ou de mort – que certaines personnes aimeraient bien garder sous silence.»

«C'est bien ce que disait votre requête», grommela Rylmar en se reculant lourdement dans sa chaise. Ses yeux se tournèrent vers Fletcher pour la première fois. «Tout cela est bien mystérieux, mais qu'est-ce que cela a à voir avec nous?»

«Eh bien, messire, les rumeurs se font insistantes; on dit que vous voudriez retrouver le prince Treijan…»

Valana leva vivement les yeux, mais le visage de Rylmar ne changea pas d'un poil. L'ombre d'un sourire glissa sur les lèvres de Théona; son père n'était pas parvenu à faire grimper tant d'échelons à sa famille en révélant imprudemment une quelconque expression faciale.

Le gardien poursuivit son exposé au milieu du silence. «Je crois posséder des informations qui pourraient faire connaître l'endroit où se trouve le prince disparu.»

«Un prince de la maison de Rennes-Arvad?» répondit Rylmar d'un air détaché. «Voilà une question que vous devriez aborder avec le clan du prince; cela n'a que peu à voir avec moi.»

Valana lança un regard surpris à son père, mais le vieil homme s'abstint de réagir, préférant continuer à regarder le solliciteur d'un air indifférent.

«Je vous demande pardon, maître Conlan.» Théona pouvait lire le langage corporel de l'homme aussi bien que son père; les mots de Kyne Fletcher étaient assurés, mais l'état de son chapeau tout comme sa posture maladroite révélaient autre chose. «J'ai présenté ma requête à la maison de Rennes-Arvad, mais ils l'ont écartée d'emblée. Ils prétendent que le prince est parti en raison d'une affaire pressante et fort délicate, et ils croient qu'il reviendra une fois l'affaire traitée. Ils m'ont ensuite averti de ne pas mentionner cela à quiconque.»

«Et, pourtant, vous venez ici me le mentionner», dit Rylmar d'un ton presque ennuyé.

«Oui, messire.» Le gardien hocha la tête avant de lécher ses lèvres. «Je sais que la maison de Rennes-Arvad ment au sujet du prince. Votre maison est puissante, messire; le pouvoir engendre des ennemis. L'union d'une maison si grande que la vôtre avec celle de Rennes-Arvad ferait bien de l'ombre aux autres maisons. Plusieurs préfèrent que le prince ne soit jamais retrouvé.»

«Vous semblez savoir beaucoup de choses, pour un gardien, maître Fletcher», dit Rylmar en examinant le solliciteur plus attentivement.

«Je suis de la maison de Myyrdin, répondit Fletcher, et je n'ai pas l'intention d'être un gardien toute ma vie.»

Rylmar hocha la tête tout en esquissant un petit sourire. «De l'ambition, hein? Cela, je peux le comprendre. Vous avez reçu une formation de gardien – vos talents sont donc ektéiatiques. Je crois que je pourrais avoir une place pour un homme tel que vous dans les affaires de ma maison – un poste d'importance, une véritable chance –, si cet homme me prouvait sa valeur.»

Kyne Fletcher sourit de façon plus décontractée, et relâcha son emprise sur son chapeau déjà fortement malmené.

«Alors, dites-moi, dit Rylmar d'un air détaché, que savez-vous à propos de ce prince Treijan qui pourrait m'intéresser?»

Une heure plus tard, le sourire fendu jusqu'aux oreilles, l'homme flatté qu'était maintenant Kyne Fletcher s'inclina avec reconnaissance pour la troisième fois avant de se voir propulser énergiquement vers la sortie de la grande salle par Agretha. Ses bruits de pas bottés se répercutèrent dans l'atrium, tandis que Théona, Rylmar et Valana attendaient en retenant leur souffle le claquement distinctif que la porte du vestibule émettait en se refermant.

Rylmar explosa de colère, faisant presque tomber sa chaise sur le sol. «Qu'ils soient maudits tous autant qu'ils sont! Je ne les *laisserai* pas nous faire cela!»

«Père! Que s'est-il passé?» s'écria Valana, d'un ton qui laissait présager l'apparition de nouvelles larmes. «Où est mon prince adoré? Que lui ont-ils fait?»

«Qu'est-ce qu'ils ont fait?» ragea Rylmar en arpentant la salle d'un bout à l'autre en longeant la table. «Je vais te le dire, moi, ce qu'ils ont fait! Une des maisons a enlevé ton gentil prince – quoi que je n'arrive pas à croire que l'une d'entre elles ait eu assez de cran pour le faire! À présent, ils trouvent *tous* cela plutôt commode – peut-être même *trop* commode – pour remettre notre maison à sa place. Je vais te dire ceci : s'ils croient avoir affaire à un châtelain imbécile d'une quelconque colonie perdue, alors ils vont avoir une bonne leçon!»

«Père, je vous en prie», dit Théona en secouant la tête. «Ce type de réaction ne nous aide pas. Nous devons réfléchir.»

«Réfléchir? Que penses-tu que je fais, depuis que cet idiot a disparu?» s'insurgea Rylmar, bouillant de rage. «Maintenant qu'il est parti, il n'y a pas un clan, une maison ou une guilde parmi tous les mystiques qui souhaite que ton "prince adoré" soit retrouvé. Les lignées concurrentes feraient n'importe quoi pour mettre un frein à un mariage entre la maison de Conlan et la maison de Rennes-Arvad, et son propre clan semble faire tout ce qu'il peut pour *ne pas* le retrouver.»

«Je croyais qu'ils souhaitaient cette alliance», dit Théona.

«Ils la *souhaitaient*, oui, et à les entendre parler cela semble être encore le cas», répondit Rylmar, à présent un peu plus calme, car sa fureur était redevenue un simple bouillonnement de colère. «Sauf qu'ils veulent maintenant que nous acceptions le plus jeune prince comme parti.»

«Le prince Clyntas?» glapit Valana. «Il n'a que douze ans!»

«Douze ans, et déjà idiot», acquiesça le patriarche. «Te marier avec lui ne nous apporterait rien d'autre que du ridicule; les autres guildes percevraient ce mariage comme une imposture, et notre maison deviendrait la risée de tous. Cela ne nous apporterait rien.»

«Et c'est ton unique objection à un mariage entre moi et Clyntas?» demanda Valana avec dédain. «Que nous ayons l'air ridicule?»

«Bien sûr que non!» dit hargneusement Rylmar. «Mais il y a des considérations pour la famille qui sont plus grandes que celles de deux personnes; des obligations envers notre maison que nous devons tous partager de toutes les façons possibles!»

«Peut-être… peut-être que nous examinons cela du mauvais angle», suggéra Théona, l'air songeur. «Nous savons qu'un bon nombre de groupes voulaient se débarrasser du prince et mettre un frein au mariage. D'après ce que Fletcher nous a révélé, le responsable de sa disparition de la cité serait Gaius.»

«Oui.» Rylmar hocha la tête, ses yeux se plissant tandis qu'il réfléchissait. «Et, d'après le compte-rendu du gardien, il ne serait pas parti de son propre gré.»

«Gaius aurait assommé son cousin au pied de la Citadelle et l'aurait fait passer par une porte», dit Théona à voix haute, mais ses yeux étaient concentrés sur un point qui semblait situé à l'extérieur de la pièce. En pensée, elle revit son rêve ainsi que la porte qui numéro quarante et un.

«Théona», dit Rylmar. «Où veux-tu en venir?»

«Je dis seulement que Gaius est impliqué, et donc que tout cela doit avoir quelque chose à voir avec la maison de Petros», dit-elle, son esprit ne prenant encore que partiellement part à la discussion. «Si ce n'était de Treijan, sa maison serait à la tête des mystiques, aujourd'hui. Mais si le plan était de se débarrasser de Treijan, alors pourquoi n'est-il pas déjà de retour pour revendiquer le trône ? »

« Parce que Treijan n'est pas mort », répondit Rylmar, incertain de la tournure que prenait la discussion. « J'ai des sources à l'intérieur de la maison de Rennes-Arvad ; le jeton du prince n'est pas revenu. »

« Alors, c'est qu'il *est* vivant », s'exclama Valana pleine d'espoir.

« Cela n'a aucun sens ! » s'écria Rylmar en abattant ses deux poings sur la table. « La maison tout entière s'inquiète de la sécurité du prince, mais personne ne semble souhaiter retrouver le garçon. »

« Alors, nous devons le retrouver », dit Théona d'une voix monocorde.

Rylmar leva les yeux et hocha lentement la tête. « Oui, tu as raison. C'est à nous de le faire. Je vais former une expédition ce soir. Dès demain, nous pourrons lancer des dizaines de groupes à sa recherche à travers les portes… »

Théona secoua la tête. « Non, père. »

« Comment ça, non ? »

« Vous ne pouvez y participer, et il ne peut y avoir d'expéditions », répondit Théona. « De Tsabethia à Hramalia, tous les mystiques sauront que vous vous êtes lancé à la poursuite de Treijan. Notre maison aura l'air désespérée et faible dès l'instant où vous partirez. Vous devez demeurer ici à Calsandria et maintenir une impression de normalité – quel que soit le sens du mot "normalité" dans cette cité. »

« Qu'ils suffoquent tous dans leurs propres bulles », dit Rylmar d'un ton hargneux. « Je me fiche bien de ce qu'ils pensent. »

« Non, père, il ne faut pas », continua Théona, son visage aussi impassible qu'un masque. « Vous *devez* vous en préoccuper, au contraire. Vous m'avez appris qu'un des secrets de la négociation était de ne jamais permettre à la partie adverse de savoir à quel point on avait désespérément besoin d'elle. Nous ne devons pas abandonner si nous pouvons encore faire en sorte que les choses tournent en notre faveur, mais, pour l'instant, nous ne voulons pas que les autres maisons pensent que nous sommes en péril à cause de cette affaire. Même si vous restiez et financiez des expéditions, cela ressemblerait quand même à de la faiblesse, et les autres maisons commenceraient à nous percevoir comme une charogne qu'ils pourraient se partager. Non, père, vous ne pouvez partir.»

«Mais… mais, nous ne pouvons pas davantage rester assis ici», dit Valana, la voix tremblante. «Il est quelque part là-bas – mon prince est là-bas –, et nous devons le retrouver avant que quelque chose de terrible ne lui arrive.»

Rylmar ignora sa fille aînée, les yeux rivés sur Théona. «J'ai déjà vu ce regard, mon enfant. Qu'est-ce que tu as en tête?»

«Je pense qu'après une tragédie telle que la disparition du prince, dit lentement Théona, Valana pourrait avoir envie de voyager afin de penser à autre chose qu'à ses problèmes pendant un certain temps.»

«Quoi?» coupa hargneusement Valana. «Je n'ai pas besoin de distractions! J'ai besoin de mon prince!»

«Et je pense, continua Théona, que sa sœur devrait l'accompagner afin de pouvoir lui offrir du réconfort.»

Rylmar secoua la tête. «Je n'aime pas cela, Théona.»

«C'est un plan parfait, père», conclut Théona. «Valana et moi voyageons dans les portes des Pierres de chant. Nous ne sommes pas à la recherche de Treijan – nous cherchons seulement à avoir une idée de la direction qu'il a pu prendre. Si nous nous retrouvons dans une situation ou un endroit quelconque qui pourrait mettre notre couverture en péril, nous reviendrons, et vous pourrez alors parler d'une expédition. Au minimum, ce que nous apprendrons devrait nous donner une meilleure idée de l'endroit où nous devrions en envoyer une. Valana sera là pour détourner l'attention de quiconque pourrait nous soupçonner – et personne ne remarquera que je mène ma petite enquête.» *Personne ne me remarque jamais*, se dit Théona.

«Oui, Théona», dit soudainement Valana. «C'est parfait!»

«Non», dit Rylmar catégoriquement. «Vous ne parviendrez pas à me convaincre.»

«Mais, c'est la solution à tous nos problèmes, père.» Valana se leva et se déplaça autour du bout de la table en parlant avec excitation. «En nous permettant de quitter la cité pour prendre ces prétendues "vacances", nous avons plutôt l'air forts que faibles. Vous pouvez continuer à mener vos affaires comme à l'habitude pendant que Théona et moi découvrons ce qui est arrivé à Treijan.»

«Ridicule!» répondit Rylmar. «Vous ne sauriez même pas par où commencer à chercher! Fletcher ne pouvait pas dire par quelle porte ils étaient passés…»

Théona cligna des yeux. «Les portes des Pierres de chant, père : où conduit la porte numéro quarante et un?»

«Quarante et un?» Rylmar fut troublé par la question. «Enfin, elle mène à une porte située à Khordsholm – un port de mer sur la côte du Croissant. Pourquoi me poses-tu une telle…»

«Gaius et Treijan n'ont-ils pas exercé leurs fonctions de bardes sur la côte du Croissant pendant un certain temps?» demanda Théona d'un air pensif.

«Oui, en effet!» répondit Valana. «Dame Mari n'arrêtait pas de m'en parler lorsque je l'ai convoquée, l'autre jour.»

Théona hocha la tête. «Voilà où il est parti; il l'a emmené dans un endroit familier, où il connaît son chemin.»

«C'est par là que nous devrions commencer nos recherches», acquiesça Valana.

«Non! Écoutez-moi, toutes les deux», dit Rylmar avec toute l'autorité qu'il pouvait rassembler. «Je l'interdis! Je refuse complètement de permettre cela!»

«Père, vous devez être raisonnable», roucoula Valana, en s'approchant du vieil homme.

«Non, Valana; tu n'es tout simplement pas prête pour effectuer un tel voyage sans escorte», dit Rylmar d'un ton catégorique.

«Mais, Théona sera avec moi.» Valana sourit.

«Je veux dire une escorte *armée*!» s'écria Rylmar.

Valana se tourna vers Théona avec un sourire faussement modeste. «Thei? Tu permets? J'aimerais parler seule avec père.»

Théona se retourna et sortit de la grande salle, passa devant la statue du Roi inconnu et contourna l'atrium. Il y avait beaucoup à faire avant leur départ, et elle était d'avis qu'elles n'avaient que peu de temps. Qu'elle et Valana ne puissent pas partir n'était plus un problème.

Elle savait très bien que Rylmar n'avait jamais pu refuser quoi que ce soit à Valana, si cette dernière le voulait vraiment.

LA CÔTE DU CROISSANT

ienvenue ! Bienvenue à Port Khordsholm ! » beugla le visage aux grosses bajoues et au teint olive depuis l'embrasure de la porte. « Puis-je vous dire – si vous me le permettez, et j'espère bien que vous le ferez – que nous tous – et par nous tous, j'inclus tous les membres de ma famille – sommes terriblement honorés et si incroyablement flattés que vous – et par ce mot, nous voulons bien sûr dire vous et votre sœur – ayez daigné… »

Théona regarda l'homme d'un air renfrogné, debout dans l'étroite allée tortueuse. Les pavés étaient encore trempés de la pluie du midi, qui avait réveillé des odeurs âcres et aigres mélangées à la puanteur atroce qui émanait de leur propre torusk détrempé. La peau tachetée de l'énorme créature était couverte de boue séchée en raison d'un voyage effectué à la hâte ; ses longues défenses bougeaient mollement à présent, limitées dans leurs mouvements par la proximité des murs de chaque côté.

Valana, qui était assise dans la couchette attachée sur le large dos de la créature, détourna le visage et ne répondit pas un seul mot à cet homme agaçant, en bas, dans l'embrasure de la porte. Elle avait l'air tantôt distraite, tantôt ennuyée ou simplement au-dessus des mots dont elle était actuellement bombardée.

Théona se trouvait à côté de la bête, tenant toujours le bâton de conduite dans sa main gauche, et elle donna un petit coup sur la défense du torusk d'un air las. La bête s'affaissa dans la rue avec un long soupir doublé d'un grondement. Sachant à présent que la bête ne s'éloignerait pas, Théona avança d'un pas vers l'embrasure de porte, tendant sa paume vers le bas de la façon la plus condescendante possible, bien qu'elle ne fût pas sûre d'avoir l'air réellement imposant, avec sa robe et ses cheveux détrempés.

«Je suis Théona, fille de la maison de Conlan, et voici ma sœur, Valana», dit-elle rapidement en intercalant ses mots lors d'une des trop rares pauses que l'homme prenait pour respirer au milieu de son babillage incessant. «Vous êtes maître Zolan, je présume?»

«Nul besoin, nul besoin en effet de présumer quoi que ce soit, maîtresse Théona, car vous avez devant vous – et je suis sûr que vous le saviez déjà – ce Gerin Zolan que vous recherchiez», répondit l'homme avec une jovialité teintée de nervosité. Le teint foncé des cheveux bouclés de Zolan n'était surpassé que par l'éclat noirâtre de ses yeux. «En toute franchise, cependant, et je suis persuadé que vous voudrez que je sois aussi précis que possible dans tous les aspects de nos échanges – comme votre estimé père pourrait avec raison s'y attendre d'un humble serviteur tel que moi – mon titre est maître de torusk Zolan, cependant, si cela vous fait plaisir, maîtresse, vous pouvez m'appeler simplement maître Zolan ou encore, si c'est plus commode, Zolan, tout court – car je n'oserais présumer pouvoir offrir mon propre patronyme à une personne aussi estimée que vous – et bien sûr, il va sans dire, pour votre très glorieuse sœur également…»

Théona leva les yeux en signe d'exaspération. Les épreuves de la route ne lui étaient pas étrangères, car elle avait eu l'occasion de monter des torusks de temps à autre depuis l'âge de douze ans. En fait, elle avait déjà dirigé des caravanes entières de torusks chaque fois que son père avait vu un avantage à déménager leur famille. Ce voyage avait déjà chuté en deçà de ses attentes les plus sombres. Elle avait l'habitude des voyages, mais ce n'était pas le cas de sa sœur ; Valana trouva le moyen d'émettre des reproches et des plaintes à chaque inconvénient, petit ou grand. Premièrement, le torusk avait rechigné à passer par la porte à la Pierre de chant, et, une fois de l'autre côté, il en était ressorti en courant à toute allure et en piétinant presque un des gardiens ektéiatiques au passage. Théona était ensuite parvenue à rependre le contrôle de la bête et aurait préféré installer leur campement pour la nuit dans les ruines où les bardes avaient dissimulé la porte, mais les gardiens de l'endroit lui suggérèrent fortement de poursuivre immédiatement sa route de façon à arriver à la cité avant la tombée de la nuit – après avoir insisté sur le fait que ni la route en terrain découvert ni la campagne n'étaient des endroits où il faisait bon se trouver en pleine nuit. Elle dut donc conséquemment obliger le torusk capricieux qui portait leurs marchandises et leurs bagages à filer à une allure inconfortable le long de la route sale afin de pouvoir rallier la sûreté offerte par Khordsholm.

La cité en elle-même avait bien peu à leur offrir pour leur remonter le moral. Les rues étaient labyrinthiques et excessivement étroites ; après avoir franchi la porte fortement protégée du Corail blanc, dans le mur d'enceinte de la ville, elles eurent besoin de près d'une heure pour trouver l'auberge dans les passages et les allées à angle qui portaient ici le nom d'avenues. De chaque côté de la route s'alignaient des bâtiments construits avec du bois usé par le temps. Ils comptaient tous au minimum deux étages, et certains en comptaient jusqu'à cinq. Ils penchaient vers la route d'une manière si inquiétante qu'ils donnaient à Théona la très inconfortable impression qu'ils allaient s'écrouler sur elle d'un moment à un autre. L'air entre les bâtiments était vicié et figé sur place en dépit de la proximité du port et de la mer. «Maître Zolan…»

«Nul besoin d'en parler – c'est vraiment inutile –, car Zolan connaît bien vos besoins et les a même anticipés avant votre arrivée», répondit Zolan, dont les yeux brillants décochaient des regards à gauche et à droite dans la rue étroite. «J'ai mené certaines investigations – des enquêtes discrètes, et, je peux vous l'assurer, les résultats obtenus l'ont été avec la plus entière confidentialité –, qui…»

«Et nous en sommes reconnaissantes», l'interrompit Théona une fois de plus, d'une voix nettement plus stridente qu'elle ne l'avait prévu. Elle voulut ensuite tapoter son manteau de voyage, mais arrêta son geste en remarquant la boue foncée qui le tachait en plusieurs endroits. «Cependant, ma *sœur* – Théona insista d'un geste de la main – doit se reposer de notre voyage. Est-ce que nos chambres sont prêtes?»

«Fort assurément, vos chambres sont prêtes – les meilleures chambres disponibles!» La tête de Zolan bougeait comme si elle n'était pas rattachée à son cou. «Cependant, je dois vous informer que nous avons dû faire certains compromis en raison du délai très court précédant votre arrivée, j'en ai bien peur, alors, si les chambres ne sont pas à votre goût…»

«Alors, il faut nous les montrer immédiatement!» dit Théona hargneusement.

«Sans plus attendre, maîtresse Théona – et c'est aussi valable pour vous, maîtresse Valana», bredouilla Zolan tandis qu'il se triturait les mains dans tous les sens en effectuant une profonde révérence et en tentant de sortir de l'embrasure de la porte en même temps. «L'aubergiste et sa femme attendent à l'intérieur et sont disposés à combler vos moindres caprices – je leur ai parlé personnellement, et j'ai obtenu leur assurance que…»

«Très bien!»

«Mais…»

«Mais?» Théona soupira.

«J'en suis venu à croire – en effet, j'en ai été informé fort précisément par votre estimé et *très* hautement respecté agent accrédité – que vous auriez besoin de mon rapport immédiatement», dit Zolan, qui ne quittait pas Théona des yeux, même lorsqu'il faisait la révérence. «Je suis fort heureux de servir le maître de ma guilde, il n'y a aucun doute possible là-dessus – en fait, vous ne trouverez pas un membre plus loyal que moi au sein de tous les maîtres de torusks dans la société hautement privilégiée de Conlan –, et pourtant je suis certain que des personnes si habituées à la nature pressante de ce genre d'affaires comme vous l'êtes – autant vous, maîtresse Théona que votre plus que magnifique sœur – saurez comprendre qu'il y a plusieurs tâches qui requièrent mes humbles efforts et qui m'éloigneront peut-être de vos gracieuses personnes, bien qu'il me chagrine de le faire. Le temps est une commodité si précieuse que...»

«Alors, je pense bien que vous devriez cesser de le perdre si généreusement», répondit Théona avec des mots froids et directs. «Vous ferez en sorte que notre torusk soit déchargé. Nous avons des marchandises à troquer, sur cette bête – les jetons mystiques ne nous procureront pas de mauvais conseils dans cette cité – alors, sachez que j'exige un inventaire complet avant la nuit et un bon prix dans la monnaie locale. Voyez aussi à ce que nos bagages personnels soient acheminés à l'intérieur et placés sous la responsabilité de l'aubergiste. Vous m'attendrez ensuite dans la salle commune. Je vais installer ma sœur dans sa chambre et je viendrai ensuite vous rencontrer directement pour entendre votre rapport.» Elle retourna près du torusk, qui ronflait à présent avec force dans la rue, et aida sa sœur à descendre de la couchette avant de la suivre par la sombre embrasure de porte. «Nous verrons ensuite à quel point vous avez bien servi la maison de Conlan.»

Zolan s'inclina encore plus bas qu'auparavant. «Vos exigences ont été très clairement reçues dans la joie par votre simple et humble serviteur!»

Théona rentra à l'auberge en fin de soirée d'un pas traînant, passa ensuite la porte de leurs chambres, situées au troisième étage, et fit face à Valana.

«Et alors?» demanda sa sœur.

Théona poussa un soupir d'épuisement et s'affala sur le fauteuil misérablement rembourré qui se trouvait à l'autre extrémité du salon. «Alors, voilà, nous ne sommes assurément plus à Calsandria.»

Valana fit la grimace. «Tu as certainement un don pour les euphémismes. Ces chambres sont abominables!»

«Ta grand-mère», dit Théona en fermant les yeux et en penchant la tête en arrière jusqu'à ce qu'elle repose contre le mur grossier, «vivait parmi les meubles qu'elle réussissait à trouver lorsqu'elle n'était pas pourchassée par le Pir.»

«Elle a aussi dit que chaque époque avait ses propres difficultés», dit Valana en faisant la moue. «Elle dut construire son propre taudis – et nous avons à endurer ces trois chambres. C'était déjà assez pénible de devoir voyager pendant une demi-journée sur cet affreux torusk rien que pour se rendre ici. Pourquoi les bardes n'ont-ils pas simplement installé la porte dans la cité, comme à la maison?»

«Nous avons fait le tour de cette question, Val», dit Théona en se frottant la nuque. «Les emplacements des portes doivent être secrets afin d'éviter que ces dernières soient utilisées par le Pir. Les Pierres de chant sont bidirectionnelles; si le Pir savait où les portes se trouvaient, alors leurs armées pourraient marcher à travers elles jusque dans le jardin de père.»

«Enfin, je comprends cela, bien entendu», répondit Valana, légèrement vexée. «Je ne vois seulement pas pourquoi ils n'ont pas pu la cacher en un endroit plus près d'ici par souci de commodité. Mais, dis-moi, Thei, qu'est-ce que ce Zolan t'a *révélé*, finalement?»

«Beaucoup de choses, comme tu peux certainement l'imaginer», soupira-t-elle. «Je n'ai jamais entendu autant de mots ayant aussi peu de signification.»

«Qu'en est-il de Treijan? Est-il venu ici? Est-ce que quelqu'un l'a vu? Et Gaius?»

Théona leva la main comme si cette dernière était un bouclier capable de la protéger de l'assaut de ces mots. «Valana, je suis réellement épuisée. Est-ce qu'on ne pourrait pas en parler demain matin?»

«Non, Thei; je dois le savoir maintenant», dit Valana. «Je n'arriverai pas à dormir autrement; tu sais que je n'y arriverai pas.»

Théona hocha la tête. «Ce qui signifie que je n'arriverai pas à dormir moi non plus.» Elle se pencha vers l'avant, ses mains se retournant d'un air dédaigneux avec chaque question et réponse. «J'ai posé la question suivante : "Quelqu'un a-t-il vu Treijan dans la cité au cours des deux dernières semaines?" "Non", répondit-il, après environ dix minutes d'explications inutiles. "Est-ce que quelqu'un a vu Gaius au cours de la même période?" ai-je demandé dès que j'ai pu glisser un mot. "Oui", a-t-il répondu, bien que cette réponse soit parvenue à mes oreilles après une période encore plus longue que celle écoulée avant d'avoir le "non" à la première question.»

Valana se pencha vivement vers l'avant. «Il a dit oui? Alors, Gaius a été vu ici au cours des deux dernières semaines?»

Théona hocha la tête. «Ou, du moins, c'est ce que Zolan a pu entendre. Cependant, il m'a donné l'information dont j'avais besoin pour entrer en contact direct avec les personnes qui disent l'avoir vu. Cela me prendra peut-être quelques jours, mais je devrais alors savoir un peu mieux s'ils étaient vraiment ici ou pas, et peut-être même connaître l'endroit où ils ont pu aller. Tu auras ensuite le travail le plus difficile à faire.»

«Vraiment?» dit Valana avec étonnement. «Est-ce que c'est dangereux?»

«Eh bien, Port Khordsholm est situé *sur* la côte du Croissant, Valana.» Théona parlait doucement en regardant sa sœur droit dans les yeux. «D'après le peu que j'ai pu apprendre de ma conversation avec Zolan, il semble que les habitants de cette cité ont une histoire complètement différente avec les dragons que celle dont nous avons hérité du Pir Drakonis. Ce large mur autour du centre de la cité, ces tours et ces grandes catapultes installées sur les tourelles : cet endroit a encore affaire aux dragons, Val, et je ne parle pas des monstres soumis que le Pir contrôle de près. Ils portent les noms d'Ulruk et de Whithril. Ils deviennent de plus en plus mécontents de la chasse qu'ils peuvent faire dans le Northwilde, et alors Ulruk devient suffisamment désespéré pour attaquer la cité.»

«Ulruk? Je croyais qu'il avait déjà rejoint le paradis des dragons ou quelque chose du genre.»

Théona éclata d'un rire sombre. «Oui, selon les croyances du Pir, les deux dragons sont censés avoir transcendé – alors, tu peux imaginer quelle surprise désagréable le Pir aurait si leurs supposés dragons bienveillants et bénis s'avéraient encore être bien vivants et qu'ils attaquaient les cités le long de la côte du Croissant. Je ne possède pas tous les détails, mais il semble qu'un des membres du Pir aurait tenté de maîtriser Ulruk il y a quelques années, et que cela n'aurait pas fonctionné. Le dragon est apparemment encore en colère à propos de toute cette histoire, et les gens du coin pensent que le Pir est à blâmer pour ses attaques occasionnelles. Néanmoins, il ne vient que la nuit, alors tu devrais être suffisamment en sécurité pendant le jour. Il semble aussi être venu plus souvent au cours des deux dernières semaines, d'après ce que Zolan m'a dit, mais la cité est bien défendue. Tout devrait bien aller pour toi si tu demeures à l'intérieur de l'auberge la nuit venue et que tes volets sont fermés. Oui, il y a pas mal de danger, mais nous sommes bien plus en sécurité ici que nous l'étions en terrain découvert aujourd'hui. Je dis cependant que ton travail sera *difficile*, et non dangereux. »

« Enfin, un peu de travail ne m'effraie pas, si cela a pour effet de me ramener mon Treijan. »

« Merci de t'être ainsi portée volontaire », dit Théona en se relevant lentement du fauteuil et en se rendant dans sa chambre, de l'autre côté du salon. Elle pouvait déjà voir que les malles de voyage de Valana bloquaient le passage vers son lit étroit. « Pendant que je tenterai de découvrir où est passé Gaius, toi, tu auras la responsabilité de divertir notre nouvel ami, maître Zolan. Il m'a fait part des moyens qu'il comptait prendre pour faire bonne impression auprès de toi en te parlant de la fascinante histoire de sa cité, de son travail et de ses aptitudes en tant que partenaire pour le mariage ; tu es bien avertie maintenant. »

« Lui ? Ce crapaud ? » Valana afficha un air revêche en regardant dans la direction de Théona, avant de souffler les mots suivants : « D'accord ! Si cela nous peut aider à retrouver Treijan, je le ferai. Est-ce qu'il y a autre chose dont tu voudrais que je m'occupe pendant que je suis ici ? »

Théona s'arrêta, puis se mit à rire de ses propres pensées ridicules. « Eh bien, si tu vois un nain avec un chapeau rouge éclatant, tu peux me le dire. »

« Enfin, plusieurs choses sont *possibles* », dit d'un ton désinvolte le seigneur Vikard, maître des bardes de Khordsholm, en marchant au côté de Théona. Ils se trouvaient dans la salle à ciel ouvert du grand temple encore en restauration dans le quartier de l'île du Baron. « Avec qui avez-vous dit qu'il se trouvait ? »

Le mot « île » dans ce nom était à peine justifié, puisque le quartier concerné se trouvait entre les bras est et ouest de la rivière Wilde, qui s'écoulait en deux différents endroits sous l'énorme mur d'enceinte de la ville, avant de se jeter dans la baie de Khordsholm. Au faîte de la puissance de la cité, cette soi-disant île avait été le domaine du baron du commerce Kordan et de ses descendants, dont les puissants navires sillonnaient non seulement les eaux de la côte du Croissant, mais qui bravaient aussi les mers du golfe de Meluun jusqu'à Vestadia, à l'ouest, et au-delà des piliers de Rhamas eux-mêmes jusqu'à la partie supérieure d'Uthara, au sud. La gloire des barons s'était cependant rapidement fanée après la dévastation causée par Ulruk. Les bardes mystiques étaient à présent les invités de l'actuel baron de Khordsholm, en grande partie grâce à leur promesse de restaurer le port et de redonner aux barons leur gloire perdue. Le temple de Thelea n'avait pas encore de toit, et la lumière du matin brillait sur les dalles de marbre poussiéreux à travers les nouvelles poutres récemment hissées en place.

«Comme je l'ai déjà dit, je suis de la maison de Conlan, maître Vikard, et je souhaite simplement m'assurer que le prince est sain et sauf, et qu'il se porte bien. Tout ce que je veux savoir, c'est si le prince Treijan ou son compagnon peuvent avoir franchi la porte à la Pierre de chant sans se faire remarquer, ou du moins, sans que cela soit consigné dans les registres», dit Théona une nouvelle fois. En parlant, elle leva les yeux et regarda, par-delà les poutres dégagées, vers les tours. Les ombres qu'elles projetaient s'allongeaient de plus en plus; elle savait qu'elle devait être de retour dans sa chambre avec Valana avant le coucher du soleil.

«Vous posez la question de la part de la famille du prince?»

«Je n'ai que leurs intérêts fondamentaux à cœur», dit Valana d'une voix monocorde.

«Vous savez, c'est drôle que vous me posiez cette question, m'dame», dit le vieux gardien en caressant la barbe de plusieurs jours qui ornait ses deux joues. «Je veux dire, normalement, je ne parlerais pas avec vous des affaires de la guilde, mais, puisque je constate que vous êtes ici de la part de la famille, sans parler du fait que vous êtes la deuxième personne à me poser la question en deux semaines… »

« La deuxième personne ? » demanda Théona avec étonnement. « Qui d'autre voulait savoir ? »

« Eh bien, c'était un homme plutôt grand – de longs cheveux gris qui descendaient jusqu'à ses épaules, peignés vers l'arrière à partir d'un front haut. Un conducteur de torusk, d'après son apparence ; un grand pardessus, un pantalon, des bottes usées. Il était également curieux – un peu trop curieux – à propos du passage du prince Treijan et de son compagnon à travers la porte. Bien évidemment, je n'ai rien dit à cet homme, je lui ai seulement conseillé de reprendre sa route. »

Le maître de porte s'arrêta dans la salle et regarda Théona droit dans les yeux. « J'espère que vous direz aux maîtres de la maison de Rennes-Arvad que j'ai fait ce qu'ils m'avaient demandé de faire. Aucun passage du prince et de son compagnon n'existe dans les registres. »

« Même s'ils ont bel et bien franchi la porte de la cité », dit Théona.

Vikard sourit. « Quelle porte ? »

Théona colla ses genoux contre de sa poitrine et ferma les yeux. Les murs de leurs chambres furent secoués pour une deuxième nuit d'affilée. Valana pleurait et criait en alternance en entendant les explosions à l'extérieur et les cris lointains des guerriers. À l'occasion, elles entendaient le bruit sourd des catapultes projetant leurs gros éclairs dans le ciel ou sentaient les relents de la poussière roussie des éclairs propulsés par les quelques gardiens mystiques postés dans la cité. Ce qui était cependant pire que tout, c'était les cris du dragon lui-même quand il fendait l'air au-dessus de leurs têtes, au-delà des ardoises qui s'entrechoquaient et du bois qui gémissait. Le son était partout à la fois, pénétrant les murs et les pierres, la chair et les os, et il distillait de la peur directement dans leurs âmes.

Les cris stridents s'éloignèrent enfin et les hurlements se dissipèrent une fois de plus dans la nuit. Théona se détendit lentement et leva les yeux.

Valana était assise sur son propre lit et était toute tremblante, tellement que ses cheveux en frémissaient. « Est-ce… est-ce que c'est fini ? »

« Oui. » Théona expira et se demanda depuis combien de temps elle n'avait pas pris une respiration complète.

Valana était de plus en plus en colère. « Ce dragon cherche quelque chose ; j'espère qu'il le trouvera bientôt. »

« Tu pourrais rentrer, Val », proposa Théona. « Je demeurerai ici pour finir le travail. Si je trouve quelque chose, je… »

« Il n'en est pas question ! » dit Valana, dont les dents claquaient toujours. « Rentrer et être la risée de tout Calsandria ? Nous resterons ici jusqu'à ce que nous sauvions mon prince, même si je dois l'attacher et le traîner moi-même sur le sol. »

« Val, je ne sais pas si cela sera possible », dit Théona en tenant de dénouer les nœuds qui s'étaient formés dans ses muscles tendus. « J'ai parlé avec ce commerçant, aujourd'hui – celui qui se vantait d'avoir récemment fait payer le prix fort à des acheteurs extérieurs à la cité. Il jure que c'est Gaius qui a conclu l'affaire – et une mauvaise affaire, en plus. C'était principalement pour des réserves, d'après le commerçant, et il a été payé près de trois fois le tarif habituel. On aurait dit que Gaius se préparait pour un long voyage. Si c'est le cas, alors nous devrons rentrer chez nous et remettre toutes ces informations entre les mains de père. Nous avons besoin de plus de détails que ce que nous avons jusqu'à présent, mais je ne pense pas que ni toi ni moi ne le trouverons dans les rues de cette cité, Val. »

« Eh bien, je n'abandonne pas aussi facilement », dit Val hargneusement. « Je joue mon rôle ; ce Zolan m'a emmené jusqu'au sommet de la colline à l'est de la cité pour me montrer les ruines de la nécropole, et, même si la vue sur l'océan était agréable, j'ai failli mourir d'ennui.»

«Il est drôlement gentil avec toi, Val», l'agaça Théona en bâillant, comprenant tout à coup à quel point elle était fatiguée. «T'emmener ainsi dans un cimetière était sa façon à lui de te monter son côté romantique.»

«Oh, cela me fait penser», dit Valana en se recouchant dans son propre lit. «J'ai vu ton nain, aujourd'hui.»

Théona s'immobilisa. «Tu... tu *quoi*?»

«Tu m'avais dit de garder l'œil ouvert au cas où je verrais un nain, non?»

L'esprit de Théona était dans tous ses états. C'était une image dans son rêve – un rêve plutôt frappant, assurément, mais un rêve quand même. Elle avait seulement dit cela à sa sœur pour faire une blague. «Oui, mais...»

«Je l'ai vu aujourd'hui – chapeau rouge éclatant, et tout – là-haut dans ces ruines. Je crois qu'il a remarqué que je le regardais, car il a ensuite soudainement disparu. Thei? Tu as une expression vraiment étrange dans ton visage!»

«Oh, je suis désolée», répondit Théona. Valana passa la main près de la sphère de lumière à côté de son lit pour l'éteindre. «Je peux me charger de Zolan – mais tu t'occuperas toute seule du nain.»

Théona demeura étendue pendant un moment, ses grands yeux regardant fixement l'obscurité. *Elle voit des choses,* se raisonna-t-elle. *Je lui ai dit de garder l'œil ouvert pour un nain portant un chapeau rouge, et voilà qu'elle a vu quelqu'un au loin et qu'elle l'a confondu avec lui.* Théona ferma les yeux, mais, malgré tous ses efforts, elle ne parvint pas à chasser l'image du nain de son esprit.

* * *

«Gaius Petros est une canaille de la pire espèce», répondit la jeune femme, devenant presque apoplectique en entendant ce nom.

«Toutes mes excuses, mademoiselle Nikau», dit Théona en s'asseyant bien droit dans son fauteuil moelleux et en se demandant comment elle pourrait quitter cette pièce sans offenser son hôtesse davantage qu'elle ne venait de le faire. «Je comprends qu'il vous a rendu visite récemment, mais je ne savais pas qu'il...»

«Maître Petros *n'a pas eu* la décence de me rendre visite», cracha mademoiselle Evina Nikau, fille de Klar Nikau et maître barde de Khordsholm. «Même s'il m'avait donné l'assurance qu'il *viendrait* me voir lors de sa prochaine visite dans notre cité. Vous pouvez imaginer ma surprise lorsque je l'ai vu au marché il y a moins de deux semaines. Je m'attendais à ce qu'il se présente à notre porte le soir même, mais il n'a pas daigné venir me rendre visite depuis ce temps.»

«Vous l'avez *vu* au marché?» demanda Théona d'un air entendu.

«Oui. Au marché du Mendiant, situé juste entre le donjon de la tour et le quai», répondit mademoiselle Nikau avec passion. «De plus, je crois qu'il m'a vu, lui aussi, et qu'il a simplement poursuivi sa route comme s'il n'entendait même pas mes appels. C'est un goujat, mademoiselle Conlan! Il a joué avec mes émotions, et je suis sûre qu'il est impliqué dans des affaires abominables! Je souhaite ne jamais plus le revoir, et si vous le trouvez, j'espère que vous lui direz de passer chez moi afin que je puisse le lui dire en personne.»

Théona se trouvait avec sa sœur, entre la cité et la mer. Le quai de Port Khordsholm s'élevait comme une sombre falaise directement des eaux de la baie fermée. La partie supérieure du quai, qui avait un peu plus de soixante pieds de largeur, était pavée avec des roches plates et ajustées, qui séparaient la chute à pic dans les eaux des bâtiments gris tout aussi à pic de la cité.

Zolan était là lui aussi, étonnamment silencieux, tout près de la porte de ce qui ressemblait à une taverne particulièrement répugnante aux yeux de Valana. Les petits carreaux de verre, disposés en croisillons, étaient recouverts d'une mince couche de graisse qui les empêchait de voir à l'intérieur. La porte au fini rouge patiné était située sous un panneau oscillant où l'on pouvait lire le nom de l'endroit, « Le Maelström ».

« Je suis désolée, Val », dit Théona en lui tenant le bras. « Mais je voulais que tu viennes ici et que tu entendes cela de tes propres oreilles. »

Théona ouvrit la porte et la guida dans la salle commune de la taverne. Le plafond était plus bas que ce à quoi elle s'attendait, quoique cela ne les empêchait pas de se tenir bien droites ; il semblait seulement les écraser tandis qu'elles se déplaçaient sous ses lourdes poutres. Un grand comptoir s'étirait sur toute la longueur du mur du fond et faisait de bonnes affaires auprès d'un certain nombre de personnes assises au bar, le dos voûté, jusqu'à ce que les deux femmes pénètrent dans la salle. C'est alors que tous les clients se retournèrent, autant ceux du bar que ceux attablés aux tables grossières disséminées dans la salle, pour regarder bêtement la beauté mystique qui venait d'entrer de façon impossible dans leur univers personnel.

Théona conduisit rapidement Valana dans le labyrinthe des tables et des chaises jusqu'à une table, dans le coin, près des carreaux de verre tachés. Il y avait là un homme seul, qui sirotait un grand pichet de bière.

« Valana, voici le constructeur naval Quin », dit Théona en aidant sa sœur à s'asseoir sur la chaise qui faisait face à l'homme.

« M'fait plaisir, m'dame », dit Quin en hochant à peine la tête. Théona avait été frappée par son visage, qui était un peu trop beau : un visage puissamment musclé et une mâchoire qui dégageait trop de confiance. En dépit de cela, ses yeux étaient rougis par la boisson, et il était impossible de ne pas en distinguer l'odeur aigre, même dans un endroit aussi terrible que celui-là.

«Oh, ne vous laissez pas tromper par mon apparence, m'dame», dit Quin plutôt rapidement. «Je ne suis pas toujours dans un tel état. Je suis simplement un peu nostalgique de la maison, voilà tout.»

«Où se trouve votre maison, alors, maître Quin?» demanda sèchement Valana.

«Dehors, m'dame.» Le marin fit un signe de la tête en direction de l'océan, de l'autre côté des vitres sales. «Je récupère ici depuis près de sept mois, maintenant. Pris ma jambe dans un câble à un bien mauvais moment. Une vraie malchance, ça.»

Quin baissa les yeux vers sa jambe étendue, et Valana suivit son regard. Le pantalon que portait Quin était noué à l'endroit où aurait dû se trouver le genou de l'homme. Valana cligna des yeux, et le sang reflua de son visage.

«Dites-lui ce que vous m'avez dit, Quin», dit doucement Théona, qui se tenait près de la table, les bras de nouveau croisés contre sa poitrine.

«Oui.» Quin hocha la tête. «Eh bien, je suis assis ici, jour et nuit, regardant mes frères aller et venir. Regardé mon propre navire – le *Narcella* – mettre les voiles vers les ports de l'est pas tellement longtemps après qu'ils m'aient laissé ici à guérir. Un homme doit faire ce qu'il peut pour survivre, et j'ai commencé à travailler sur le quai – des travaux divers et d'autres choses du même genre, tout ce qu'un marin d'eau salée laissé ici à terre pourrait faire.» Le marin prit de nouveau la cruche dans ses mains et s'en versa une longue rasade dans le gosier.

«Qu'avez-vous pu entendre qui pourrait m'intéresser?» dit Valana.

Quin la regarda par-dessus le bord de sa cruche, puis déposa celle-ci. «Ah, une femme qui veut que je fasse court et direct. Eh bien, comme je l'ai dit à votre sœur, ici, les rats du quai se payaient tous la tête d'un barde qui avait distribué pas mal de pièces de monnaie, il y a environ dix jours de cela. Il tentait d'agir en douce sous le sceau du secret, mais on ne peut rien cacher à un rat de quai comme moi – surtout si une bonne histoire et quelques pièces étaient en jeu.»

«Poursuivez», insista Valana.

«Eh bien, voilà que se pointe ce barde», dit Quin, ses grandes mains musclées s'animant de plus en plus sous l'effet de ses paroles. «C'est assurément un mystique, parce qu'il a cette cape à capuchon et tout. Il veut louer un bateau, dit-il, mais ne veut pas que quiconque soit au courant. Il dira au capitaine où il veut aller une fois en mer, et pas avant. Alors j'ai pensé que c'était un de ces mystiques travaillant dans le chargement des cargaisons qui voulait sortir quelques marchandises de l'entrepôt d'un riche et transférer le tout dans sa propre poche, seulement, il n'y a pas de marchandises, et pas de torusk à décharger ni rien d'autre. Il se présente avec un petit canot supplémentaire et une seule boîte, un genre de cercueil, paye les rats de quai comme s'ils avaient travaillé pour lui pendant une semaine entière et leur ordonne de ne rien dire.» Quin leva sa cruche comme pour trinquer. «Moi, je dis : que tout aille bien pour lui ! Je bois grâce à ses pièces, depuis ce jour !»

«Avez-vous pu entendre le nom de ce barde?» demanda Valana.

«Oui, bien sûr que je l'ai entendu.» Quin sourit. «Cela devait être un secret, alors nous ne l'avons pas oublié. Gaius – Gaius Petros. Il a levé les voiles à bord du *Mercalia* à la marée suivante – mais je me demande bien ce qu'un barde peut faire avec un cercueil. Je ne sais pas. Néanmoins, j'espère qu'il reviendra. Il était généreux en affaires. Il avait presque autant que vous la pièce facile !»

Valana se leva abruptement, et sa chaise gratta bruyamment le plancher.

« Viens, Val », dit Théona en prenant à nouveau sa sœur par le bras et en la faisant traverser la salle dans l'autre sens. Elles foulèrent le quai quelques instants plus tard.

Plusieurs bateaux avaient jeté l'ancre dans la baie fermée.

« Je pensais – je pensais qu'il aurait pu être juste là, de l'autre côté de la porte, quelque part, ou au bout d'une quelconque rue, mais là… »

Théona secoua la tête. Il n'y avait rien à dire. La piste les avait menées jusqu'au bord de l'eau et s'était arrêtée.

Tout à coup, le son grave d'un cor retentit dans la cité, rapidement imité par de nombreux autres. Théona regarda autour d'elle avec l'air d'attendre quelque chose puis vit Zolan, dont les yeux étaient grands ouverts de peur. Sa mâchoire bougeait, mais aucun mot n'en sortait. Elle pouvait entendre le son de voix paniquées s'élever dans la cité, des hurlements et des cris gutturaux mélangés dans un lointain chaos sonore. Partout sur le quai, les gens mirent fin à ce qu'ils étaient en train de faire, s'accroupirent instinctivement et jetèrent des regards effrayés autour d'eux.

Puis elle entendit ce cri strident, si familier, maintenant.

Théona et Valana se tournèrent en même temps pour faire face à la baie. Là, juste au-dessus des eaux agitées, planait Ulruk, un énorme et vieux dragon. Les extrémités de ses ailes de cuir aux tons de rouille rasaient la surface de l'eau tandis qu'il s'approchait d'eux en rugissant. Sous ses ailes, l'air repoussait les bateaux sur le côté, menaçant de les faire chavirer d'un seul coup. C'était une bête magnifique et terrifiante. Une corne de sa crête avait été brisée lors de quelque combat, et sa longue queue acérée formait une arche derrière lui. C'était cependant ses yeux qui gardaient Théona terriblement fascinée ; des yeux rouges brillant d'une haine résolue.

Les gens autour d'eux se mirent à bouger, courant vers la cité dans une panique généralisée. Théona agrippa sa sœur et se tourna avec eux vers la sûreté des rues tortueuses.

Le dragon se dirigeait droit vers elle. Elle se mit à courir, empoignant fermement le bras de sa sœur, et elles foncèrent avec d'autres personnes dans une allée étroite.

Là, à sa grande surprise, elle vit dans la foule terrifiée qui courait autour d'elle un chapeau rouge éclatant.

LE GUIDE AVEUGLE

Théona ! Où allons-nous ? » s'écria Valana en s'efforçant de maintenir le rythme imposé par sa sœur.

« Je ne sais pas », hurla Théona. Devant elles, la rue se séparait soudainement vers la gauche et vers la droite, et la foule qui les entourait semblait se diviser également dans les deux directions. « N'importe où, sauf ici ! »

Le cri strident et assourdissant derrière elles se rapprochait dangereusement.

« Mais, le dragon ne vient jamais en plein jour ! » protesta Valana.

« Il a de toute évidence changé d'avis », cria Théona, fort contrariée. Elle venait d'apercevoir une nouvelle fois le chapeau écarlate avec son large bord et sa longue plume rouge au milieu les corps qui se bousculaient dans la foule, au moment où son porteur avait décidé de tourner à gauche dans la rue. « Viens ! »

Théona tourna également vers la gauche, se retrouvant à présent en train de courir dans une rue toute droite au fond d'un canyon de bâtiments grisâtres. Elle entendit un terrible bruit de bois fendu et de verre volant en éclats derrière elle, et jeta un coup d'œil en tournant la tête.

Théona perdit presque pied en le voyant : Ulruk avait tenté d'emprunter la même rue qu'elles, mais n'avait pu modifier sa trajectoire aussi rapidement qu'il l'avait souhaité. Son corps immense avait donc percuté le mur d'un bâtiment et l'avait réduit en petit-bois. Ulruk s'agitait, en colère, parmi les débris. Elle remarqua ensuite que les catapultes des tours défensives, totalement prises au dépourvu par cette attaque sans précédent, n'étaient pas encore prêtes et que leurs opérateurs tentaient désespérément de se rendre à leurs postes.

Pendant qu'elle regardait les tours, la tête écailleuse du dragon se dégagea d'un mouvement brusque et se tourna directement vers elle en poussant un nouveau hurlement.

Valana trébucha. Théona savait que, si elle tombait, elles seraient toutes les deux piétinées à mort par la foule paniquée qui les entourait. Elle parvint à remettre sa sœur sur ses pieds à côté d'elle en utilisant toute sa force, et elles suivirent ensuite la route vers leur droite. La foule se faisait de moins en moins dense, puisque de nombreuses personnes devant elles plongeaient dans les bâtiments de chaque côté de la rue, mais Théona continua sa course. Sa propre auberge se trouvait à quelques rues devant elle, mais elle douta à ce moment de pouvoir la retrouver dans ce labyrinthe en courant ainsi à toute allure. Qui plus est, le dragon était encore si près derrière qu'elle savait que la moindre attente à l'une ou l'autre des portes fermées serait fatale.

Tout ce qu'elle avait était cette vision du chapeau rouge. Il y avait quelque chose à propos de ce chapeau – quelque chose à propos du nain qui le portait – qui l'avait hanté au cours des derniers jours ; un rêve qui était soudainement devenu réalité. Elle pouvait maintenant voir plus facilement à travers la foule éparse, tout en prenant à gauche à un autre embranchement de la rue.

Elle tourna le coin en suivant le chapeau et remarqua qu'elles avaient atteint le marché du Mendiant. Les étals de la place étaient déserts et les marchandises, abandonnées. Le nain, qu'elle pouvait voir encore plus clairement, courait à travers la place du marché à une vitesse étonnante. Son manteau bleu et violet et ses culottes rayées formaient une vision totalement absurde, au cœur d'une telle crise. Son masque de tissu paraissait cramoisi, lui aussi. Théona se serait bien arrêtée quelques instants pour réfléchir à tout cela, mais le cri du dragon derrière elle et le bruit de ses ailes le soulevant vers le ciel bannirent cette envie soudaine ; elle tira sa sœur vers elle et poursuivit sa course sur les traces du nain.

Une ombre surgit au-dessus des deux femmes, recouvrant les étals évacués. Théona pouvait enfin distinguer le bruit des catapultes en action, et se demanda s'il était trop tard pour elle et sa sœur. Elle entendait le dragon plonger vers elles en fendant l'air.

Le nain descendit en courant un escalier à pic aux marches de pierre qui pénétrait sous le mur de fondation d'un grand bâtiment. Il y avait un écriteau au-dessus des marches, mais Théona n'eut pas le temps de le lire en suivant le nain.

La cage d'escalier n'avait que quelques pieds de largeur, mais elle les conduisit vers le bas sur une distance de trente pieds avant de donner sur une porte de fer entrouverte. Théona n'hésita pas une seconde et entraîna sa sœur avec elle dans l'ouverture.

La porte de fer se referma derrière elles avec un bruit sourd.

L'obscurité – totale et impénétrable – les enveloppait.

L'instant d'après, un terrible impact fit trembler le sol et trébucher les deux femmes. Théona s'agita dans le noir, et sa main s'écrasa contre une table dure lorsqu'elle chuta sur le sol. Le son des griffes déchirant les pierres lui emplit les oreilles, mais elle ne put évaluer la distance qui l'en séparait, dans cette obscurité absolue. Elle entendit ensuite un nouveau hurlement de colère du dragon, et un silence soudain s'ensuivit.

Théona demeura parfaitement immobile, ne sachant pas trop si un mouvement dans une direction quelconque pourrait lui faire du mal. Sa propre voix lui sembla toute petite. « Val ? »

« Oui, Théona », répondit sa sœur d'un ton docile. « Je suis ici. »

« O-où est-ce, ici ? »

« Content demoiselles demander où être, oh oui », dit une voix bourrue dans l'obscurité.

Théona se raidit.

« Dregas content d'aider demoiselles, oh oui », dit la voix.

Théona remarqua progressivement qu'une faible lumière rouge commençait à envelopper l'espace autour d'elle. Elle parvenait à discerner des formes à mesure que la lumière augmentait en puissance : un mur, puis un coin, des étagères se formant le long de ces murs, toutes chargées de larges rouleaux de papier épais, et, enfin, une longue et énorme table, avec deux longs bancs d'une bonne largeur de part et d'autre de la table. Elle pouvait voir que la lumière provenait d'étranges lanternes dans la salle, et une autre lanterne commençait à briller sous la main de la silhouette du nain.

« Perdu quelque chose, oh oui ? » dit le nain de sa voix grave et âpre tandis que sa silhouette faisait la révérence devant Théona, qui était assise sur le sol. « Dregas Belas sait comment trouver, oh oui. »

« Belas, dit une nouvelle voix derrière elle, qu'est-ce que cela signifie ? »

Théona se retourna. Elle pouvait discerner la silhouette d'un homme assis sur un tabouret, dans le coin, près d'une pile de gros livres. Il était difficile pour elle de remarquer des détails précis, mais Théona observa que l'homme, qui portait une longue houppelande, semblait avoir l'âge de son père. Il avait de longs cheveux gris tirés fermement vers l'arrière depuis son front haut, et ces derniers étaient attachés sur sa nuque.

«Pas vous inquiéter, oh oui», beugla le nain. «Sécurité ici dans maison nain, oh oui. Ma maison-boutique, oh oui. Solide comme tombeau!»

Tout à coup, le sol trembla de plus belle. Le dragon n'avait apparemment pas encore abandonné la lutte.

«Ce n'est pas ce que je voulais dire, et tu le sais très bien», dit l'homme depuis le coin. «Nous avions une entente.»

«Nenni, pas entente», dit le nain en faisant la moue. «Négociation, oh oui. Vous chercher et elles chercher. Profit à en tirer, oh oui.»

L'homme croisa ses bras sur sa poitrine. «Tu veux avoir une vie écourtée, le nain?»

«Nenni, pas écourtée», répliqua posément le nain. «Amis à moi être nains, et eux être de bons tueurs. Pas aussi plaisant que tueurs humains. Eux prendre plus leur temps pour tuer loin de la clarté.»

«Qui êtes-vous?» dit Valana d'un ton indigné. «Et qu'est-ce qui vous fait croire que nous avons un intérêt quelconque pour vous?»

«Dregas le Radiesthésiste, nom gens me donner», dit le nain en faisant une nouvelle révérence. «Dregas Belas mon nom être. Traqueur moi être; guide pour choses perdues.»

«Un guide aveugle?» Théona leva les yeux vers lui avec scepticisme.

«Plusieurs être aveugles envers vérité même si eux avoir bonne vision», dit le nain en donnant l'impression de chanter de sa voix grave. «Pourquoi être surpris nain aveugle les guider vers vérité, oh oui?»

Valana secoua la tête avec force. «Théona, mais *de quoi* parle-t-il donc?»

Le nain pencha la tête vers Valana. «Trouvé homme mariage? Valana Conlan connaître chemin emprunté Treijan doux cœur, oh oui?»

Valana fixa le nain du regard, la bouche ouverte et prête à répondre, mais aucun mot ne se fit entendre.

«Oui.» Le nain hocha la tête. «Dregas Belas connaître chemin, oh oui! Quoi rats quais monde et gens prétentieux hors terre, dire vous?» La voix du nain se transforma en une voix de fausset tandis qu'il se lançait dans sa meilleure parodie d'humain. «Oh, partis en mer et voguent au loin, oh oui! Gaius et Treijan voguer au loin, oh oui!» Le nain reprit sa propre voix. «Tout cela être *oreilles de lutin**, oh oui! Homme aveugle pouvait remarquer le mensonge, et nain aveugle l'a vu!»

«Vous voulez dire, dit lentement Théona, que tout cela était un mensonge – une astuce pour faire croire à tous qu'ils voguaient maintenant sur les océans du sud?»

«Loin lui être, vérité oh oui», dit le nain en exposant ses dents espacées dans un sourire, «mais pas sur bateau grinçant.»

«Dregas», dit l'homme dans le coin avec un ton synonyme d'avertissement.

«Porte, oh oui», murmura le nain. «Inconnue du Pir. Inconnue des mystiques. Porte *privée*. Porte *secrète* – connue seulement de Dregas.»

Théona hocha la tête. C'était un marché; quelque chose qu'elle comprenait. «Combien?»

«Trois cents anneaux des barons du siècle***», dit le nain d'une voix monotone.

L'homme dans le coin se leva. Il était plus grand encore que Théona l'avait supposé. «Cela suffit, Dregas. Vous m'aviez dit cent anneaux.»

«Prix monte, oh oui», ronchonna le nain.

---

* Les lutins ont été inventés par les nains pour faire peur aux enfants dans les contes moraux. L'expression «oreilles de lutin» est une épithète qu'emploient les nains pour parler d'un mensonge monstrueux.

** Pièce de monnaie standard des barons, exprimée en anneaux d'or d'un poids spécifique.

«Non», dit Théona. «Cent cinquante.»

«Nenni», répondit le nain. «Trois cents anneaux du siècle et pas un de moins.»

«Je n'ai que deux cents anneaux», dit Théona.

«Trois cents, ou trouver vous-mêmes, oh oui», dit le nain en écrasant son grand pied contre le sol. Il se tourna en direction d'une seconde porte menant à l'arrière de la boutique. Il les salua tous d'un air dédaigneux. «Fermez porte derrière vous! Dregas pas vouloir dragon dans son bureau, oh oui!»

«Attendez!» dit vivement Valana.

Le nain s'arrêta et semblait regarder le plafond à travers le bandage qui lui couvrait les yeux.

Valana se tourna vers l'homme qui se tenait debout dans le coin. «Il ne nous servira à rien de faire des offres concurrentes. Travaillez avec moi, et peut-être que nous pourrons tous deux obtenir ce que nous voulons.»

«Qu'est-ce que vous avez en tête?» demanda l'homme.

«Attendez, dites-moi auparavant la raison pour laquelle vous recherchez Treijan», dit Valana. «Pourquoi est-ce important pour vous de le retrouver?»

«Écoutez, ce ne sont vraiment pas vos…»

«Je vous en prie», insista Valana.

«Je suis un parent éloigné – nous nous sommes connus lorsqu'il faisait son travail de barde», dit l'homme. «Je lui dois beaucoup et j'ai besoin de découvrir ce qui lui est arrivé.»

«Alors, vous pensez qu'il lui *est* arrivé quelque chose?» demanda rapidement Valana.

«Quelque chose qui aurait à voir avec Gaius, je pense bien», répondit l'homme. «Je tente seulement de lui venir en aide.»

«Nain!» dit Valana en se tournant vers Dregas. «Nous t'offrons le prix que tu demandes, mais c'est pour nous trois. Trois cents anneaux des barons du siècle si tu peux nous conduire auprès de Treijan Rennes-Arvad.»

Le nain se retourna lentement, réfléchissant quelques instants avant de parler. «Marché conclu, oh oui! Dregas venir pour vous tôt; partir lever du soleil. Vous être prêts alors, oh oui?»

«Oui!» dit joyeusement Valana. «Oui, nous serons prêts.»

«Et les anneaux d'or payés d'avance, oh oui?»

Valana jeta un coup d'œil vers l'homme, qui hocha la tête en guise de réponse.

«Oui», dit Valana. «Nous les aurons avec nous au petit matin.»

«Cela être excellente affaire oh oui!» exulta Dregas. «Trois pour un être une aubaine! Dregas montrer vous chemin Treijan demain ou brûler ma barbe!»

«Oh, Thei, n'est-ce pas merveilleux?» pépia Valana. «Tout se passera bien!»

«Oui, c'est merveilleux», répondit Théona sans trop de conviction. Elle se tourna vers l'homme dans le coin, «Je crois que nous devons vous remercier de votre aide.»

«Pas du tout. Croyez-moi, je suis bien heureux que nous puissions nous entraider ainsi», répondit le grand homme.

«Puisque nous semblons être partenaires dans cette affaire, je crois que des présentations sont requises.» Théona tendit la main. «Je suis Théona Conlan.»

«Partenaires, alors», dit l'homme en prenant sa main. «Et je suis Dorian – Dorian Arvad.»

TERRAIN D'ENTENTE

ourquoi ne peux-tu pas me laisser tranquille?» cria Arryk, exaspéré, en voletant avec impatience de part et d'autre de la cage.

À en juger par la lumière du soleil qui entrait à flots dans la pièce, une seule journée s'était écoulée depuis leur arrivée, et leur prison était déjà trop étroite pour le confort du fée. Peu importe ce qu'il faisait, Arryk ne parvenait pas à déjouer l'étrange pouvoir des barres de métal entrecroisées qui les retenaient prisonniers et qui semblaient le priver des pouvoirs du Sharaj. Il commençait à désespérer de trouver une façon de s'évader de cet endroit malsain.

Une partie de son affolement grandissant était imputable à cette hideuse petite créature, de l'autre côté des barreaux, qui ne cessait de revenir dans la pièce pour effectuer son étrange danse de joie. Il était devenu évident pour Arryk que c'était cette petite créature démoniaque qui avait créé toutes ces œuvres où il était représenté, et qu'elle le trouvait, sans qu'il sût pourquoi, séduisant. Sa fierté à son égard devint flagrante la nuit précédente, lorsqu'elle revint avec deux démons de son espèce pour le regarder, lui et Hueburlyn. Le plus grand des trois portait de longs vêtements, et l'autre était une puissante créature trapue portant un bandeau noir par-dessus un œil endommagé et un genre de gilet métallique. Tous deux lorgnèrent le fée et le centaure pendant un bon moment, produisant de terribles couinements et faisant des gestes véhéments avec les deux bras, quand ce n'était pas avec leurs grands pieds.

Cependant, aussi éprouvante qu'ait été cette expérience, elle n'était rien comparée aux questions incessantes de son compagnon de captivité.

«Comment seul Arryk être dans une cage si petite?» Le centaure était couché sur le sol, les jambes repliées sous lui, et il retirait de la poussière logée sous ses longs ongles. «Arryk bouger beaucoup mais pas libéré. Arryk échouer seul.»

«Je ne veux pas de ton aide», répondit hargneusement Arryk. «Je n'ai besoin de l'aide de personne.»

«Hueburlyn pas aider Arryk, mais toutes les créatures besoin d'aide», dit Hueburlyn, désinvolte. «Toutes les créatures besoin d'aide; cela être volonté des dieux.»

«Alors, les dieux sont des idiots», répondit Arryk tout en examinant pour une centième fois les boulons qui assemblaient la cage. Il cria de nouveau, en colère. «Tout cela est de *ta* faute, famadorien! Je ne sais pas comment tu t'y es pris pour nous entraîner dans ce lieu, mais tu ne peux pas me laisser ici. Débrouille-toi pour me ramener immédiatement chez moi, tu as bien compris, immédiatement!»

Le centaure renversa sa tête et éclata d'un immense rire sonore. «Arryk être un sacré farceur! Arryk vouloir retourner maison – alors, vole jusqu'à ta maison, homme-fée! Hueburlyn regarder toi partir; même te saluer signe d'adieu. Hueburlyn rester ici et regarder Arryk partir – pleurer grosses larmes si fée rapide s'en aller loin d'Hueburlyn.»

Le fée se tourna pour faire face au centaure. «Oh non, tu ne feras pas cela; tu dois rentrer avec moi.»

«Pourquoi?» demanda Hueburlyn avec un doux sourire.

«Tu le sais bien! Les seigneurs de guerre Kyree-Nykira étaient à la recherche d'un prétexte pour envahir Sharajentis, et le prétexte, c'était toi. Si je ne te livre pas à eux...»

«Guerre entre fées et Kyree?» Le centaure leva un de ses sourcils broussailleux. «Nation qui soumet *kntrr* à l'esclavage en combat mortel avec nation qui opprime et craint connaissance *kntrr*? Dis-moi, Arryk; quelle nation *kntrr* espérer gagner guerre? Mieux, dis-moi pourquoi *kntrr* pas triompher si *deux* nations perdent?»

Arryk regarda le centaure, son esprit tentant de retrouver le fil de sa raison en dépit de la colère immense qui l'envahissait.

«Si Hueburlyn rentrer avec Arryk, Hueburlyn mourir», dit calmement le centaure avant de cligner de l'œil. «Si Hueburlyn pas rentrer, alors fées et Kyree mourir en bien plus grand nombre. Mieux pour clans *kntrr* que Hueburlyn se contente regarder Arryk jouer intérieur cage fée. Grosse plaisanterie!»

Arryk tenta de se calmer et de parler avec un ton plus aimable. «Est-ce que tu peux nous ramener?»

Le centaure lui sourit. «Hueburlyn pas t'avoir emmené ici – même pas savoir où *ici* être.»

«Alors, qu'est-ce que...»

«Cage magique construite pour Arryk», dit le centaure en étirant voluptueusement ses bras au-dessus de sa tête tout en parlant. «Arrêter rêves magiques de fée; vider magie d'Arryk.»

Le centaure tendit la main et la posa contre la cage.

Rien ne se produisit.

«Cage construite pour fée.» Hueburlyn sourit.

Arryk était vraiment étonné. «Peux-tu... peux-tu la briser?»

«Métal être solide – Hueburlyn pas pouvoir le briser.»

«Alors, quel est l'idée de...»

«L'idée, c'est... Hueburlyn encore capable de *rêver*.»

Arryk voleta vers le bas jusqu'à ce que ses pieds touchent le sol. « Le Sharaj ? »

« Arryk enseigner Hueburlyn », dit le centaure, dont les yeux foncés brillaient intensément. « Donner *kntrr* connaissance art magique fée, et Hueburlyn trouver moyen sortir cage pour Arryk. »

Le fée détourna le regard du centaure et fixa la cage. « Rien de tout cela ne serait arrivé si tu ne t'étais pas présenté à la porte. Tout cela est de ta faute ! Tu as fait en sorte que cela arrive comme cela. »

« Ah », ricana l'homme-cheval. « En premier, Hueburlyn penser "Grand fée trop puissant – trop fier – pour accepter aide humble *kntrr*". Maintenant, Hueburlyn mieux comprendre. Arryk être simple lâche. »

« Lâche ? Balivernes ! »

« Pas balivernes », répondit sombrement le centaure. « Fée peur échouer, alors jamais essayer. Blâmer autre pour se donner excuses. Est-ce que Arryk avoir si peur tomber qu'il ne se tient pas debout ? »

Le fée jeta un coup d'œil vers le centaure. « Promets-moi de me ramener chez moi, et je t'enseignerai ce que je sais. »

Je ne sais pas pendant combien de temps encore je pourrai endurer cela.

Le cercle de lumière qui apparaît en haut du puits a fait plus d'une dizaine de passages depuis notre arrivée, et je n'arrive toujours pas à trouver mes aises dans cet endroit. C'est particulièrement difficile pour moi, car notre féerie est une société dans laquelle chacun a droit à sa vie privée, et nos coutumes ne sont pas facilement adaptables à une vie partagée dans une cellule publique. Ce qui est spécialement troublant pour moi, c'est que notre ravisseuse – cette étrange démone qui vient si souvent nous observer à travers la cage –

semble prendre un trop grand plaisir à me regarder lorsque je suis contraint de m'occuper de mon hygiène la plus intime. Le famadorien barbare avec qui je suis obligé de partager cet espace affreux trouve mon inconfort amusant – apparemment, les centaures ne se préoccupent guère des aspects les plus subtils de la civilisation.

Néanmoins, je ne demeurerai pas ici pour toujours. Le famadorien montre davantage d'aptitudes chaque jour de son apprentissage, en dépit de sa nature barbare. C'est une tâche difficile, car je sens que nous devons prendre garde à ne pas exposer nos activités à nos ravisseurs – en particulier à cette affreuse créature femelle. Nous suivons donc un programme très strict, nous éveillant lorsque la démone cogne sur notre cage chaque matin avant de procéder au nettoyage de cette dernière. Nous repoussons les pots qui nous servent de toilettes vers l'extrémité de la cage, où la créature démoniaque s'en empare avec peut-être un peu trop de gaieté, avant de revenir avec ce qu'elle considère comme étant de la nourriture.

La nourriture s'améliore. Au début, la créature démoniaque était perplexe à propos de ce que nous pouvions manger, et nous apportait une variété d'objets. Nous avons tous deux montré un profond dédain pour tout ce qui était de nature minérale. Les roches, le sable et les morceaux arrondis de métal furent rejetés. Les morceaux de bois furent également mis de côté, et nous avons finalement pu nous entendre sur des fruits et quelques formes de légumes pour moi-même. Puisqu'aucun d'eux ne m'est familier, je fais extrêmement attention à ce que je décide d'ingérer. Mon compagnon famadorien a démontré ses tendances omnivores, car il ne mange pas que des légumes ; il a

*aussi un faible pour les viandes locales de notre ravis-
seuse – qu'elles soient cuites ou crues – un fait nouveau
qui m'a fait passer plusieurs nuits blanches. Les bières
semblent être les plus sûres pour étancher la soif, car
je ne fais pas confiance à l'eau.*

*Il y a maintenant plus de place dans notre cellule ;
la hideuse petite créature a réussi, d'une façon ou
d'une autre, à retirer pendant notre sommeil le curieux
mécanisme en forme d'anneau métallique de l'intérieur
de notre cage. Toutefois, je ne suis pas encore parvenu
à comprendre comment elle avait pu le faire. Elle a
passé les derniers jours à installer l'anneau en position
verticale sur un grand piédestal de métal rouillé près
de la porte.*

*En ce qui concerne mon entente avec le famado-
rien, disons que sa maîtrise du Sharaj s'améliore
chaque jour, et ses améliorations font augmenter mon
propre niveau de mépris. Peut-être que je l'envie, car il
se prélasse dans cet endroit qui me procure du
réconfort et qui m'est actuellement interdit. Comment
se fait-il qu'il puisse à présent marcher dans les rues
du Sharaj, cité de mon bien-être, alors que je suis aveugle
et faible comme un nouveau-né, ici, dans cet endroit
épouvantable ?*

*Où se trouve maintenant mon ami sans ailes dans
le Sharaj – cette grande créature à travers laquelle je
trouve un but et de la puissance ? Je ne reviendrai pas
au simple individu que je suis sans le Sharaj. Je goûterai
de nouveau à sa puissance – et, alors, ce famadorien
connaîtra la signification de la magie des rêves !*

**Contes des fées
Cantiques du Bronze, Tome XIV, Folio 1, Feuillets 47-51**

Lunid souriait avec jubilation en descendant le grand escalier circulaire menant à son laboratoire secret. Son dieu ailé l'attendait, et elle prenait plaisir à le revoir chaque fois qu'elle entrait dans le laboratoire.

Une fois arrivée à la base de l'escalier, elle fit claquer ses grands pieds sur le dallage et traversa une petite salle donnant sur un corridor incurvé qui lui menait à son endroit préféré dans tout G'tok – le seul endroit où elle se sentait à l'abri des regards désapprobateurs et des murmures qui la suivaient partout depuis sa naissance.

Une grossière porte de bois se trouvait à l'extrémité de la salle courbe. La porte s'ouvrit toute grande en émettant un grincement satisfaisant, et elle se retrouva ensuite parmi ses œuvres d'art. Là se trouvait le dieu ailé dans toutes les formes de sa création, et elle glissa ses mains vertes aux longs doigts sur chacune des courbes des joues métalliques, des ailes de verre et des écheveaux de fibres de lin noircies en douces caresses. Ces œuvres avaient autrefois soutenu son cœur, pensa-t-elle en ricanant. Cependant, elle détenait maintenant sa vie – et, un jour, il l'aimerait autant qu'elle l'aimait.

Elle se retourna et poussa les grandes portes qui conduisaient au centre de la tour et du laboratoire proprement dit. Elle était, si c'était possible, encore plus en forme que d'habitude. Son chapeau plat était enfoncé sur sa tête, principalement maintenu en place par ses grandes oreilles. Elle avait fait un réel effort pour nettoyer son plus beau gilet rouge, afin d'avoir la meilleure apparence possible pour *lui*.

Et il était là, encore si étrangement fascinant et magnifique. Elle désirait tant le toucher, lui faire savoir qu'elle était à son service – qu'elle ne pouvait tolérer l'idée qu'il soit éloigné d'elle. Peut-être qu'un jour, se dit-elle, il accepterait volontairement de demeurer à ses côtés (comme elle savait qu'il devait le faire), mais, pour l'instant, sa cage était une malencontreuse nécessité ; un moyen de le garder jusqu'à ce qu'il en arrive à comprendre à quel point elle l'aimait. C'était pour son propre bien, vraiment, se dit-elle.

Quel dommage que le dieu ailé ait apporté cet autre affreux dieu-monstre avec son corps de monstre à quatre pattes et son torse de dieu. Elle voulait que la chose soit détruite, mais le ministère des Spéculations avancées n'avait pas encore déterminé quelle méthode serait la plus efficace pour tuer un dieu.

Elle était cependant parvenue, avec l'aide de l'Enclave de l'ingénierie des titans, à diffuser dans le laboratoire un gaz qui a pu faire dormir les créatures divines assez longtemps pour qu'elle puisse retirer la porte-entrouverte. Le Grand Trésorier Thwick avait beaucoup insisté pour qu'une démonstration de la porte-entrouverte soit présentée à Skramak dès que possible, alors Lunid avait hissé le mécanisme et l'avait installé à la verticale (pour un meilleur effet) sur un grand pignon qui se trouvait déjà dans son laboratoire, un qui le mettait bien en valeur. Il ne nécessiterait qu'un petit calibrage, avait-elle pensé, et le tout serait prêt pour une démonstration au Dong Mahaj.

Le dieu ailé lui faisait encore des signes, ses mains reproduisant les mouvements des dieux qu'elle connaissait grâce à ses visions de l'autre monde. Comme tous les bons gobelins MDL, elle était versée dans cet art, bien qu'il lui arrivait à l'occasion de se demander si sa compréhension des signes était bien celle que le dieu ailé avait voulu lui transmettre.

« Tu veux… quoi ? » murmura Lunid intérieurement, traduisant les signes frénétiques du dieu ailé. « Attends ! Ralentis, je n'arrive pas à te comprendre quand tu – oh, la porte-entrouverte ? N'est-elle pas merveilleuse ! Oui, je vais procéder au calibrage de la porte-entrouverte et… quoi ? M'en aller ? Non, je ne vais nulle part maintenant, je dois procéder au calibrage de… la maison ? Maison du dieu ailé ? Oui, c'est ce à quoi cela sert. »

Lunid grimaça. Il arrivait quelquefois que le dieu ailé s'excite un peu trop pour son bien. Elle tenait ses mains en l'air pour l'arrêter, et le dieu, l'air quelque peu fâché – comme tous les dieux le sont sans aucun doute, se souvint Lunid –, cessait alors de s'exprimer par gestes. Au moins, il n'avait pas utilisé sa voix de dieu, pensa-t-elle, reconnaissante, en lui disant une nouvelle phrase par signe afin qu'il puisse la comprendre. «Moi... te montrer... porte-entrouverte. »

Lunid s'arrêta pendant un moment. Comment pourrait-elle lui expliquer l'importance de ce qu'elle faisait ? Il n'y avait pas de signes de main pour le terme de «Grand Trésorier» ni pour les mots «Thwick», «subvention» ou même «fonction». Toutes ces choses mises ensemble signifiaient qu'elle n'aurait plus à travailler autant à ses inventions, et qu'elle et son dieu ailé pourraient passer beaucoup plus de temps ensemble.

Cependant, il lui manquait les signes pour lui en faire part.

Lunid jeta un coup d'œil dans le laboratoire encombré et le trouva assez rapidement ; le livre de contrôle se trouvait sous plusieurs épaisseurs de feuilles de métal qu'elle avait posées dessus par inadvertance. Lunid retira soigneusement le livre de là, cracha sur une des pierres précieuses qui en ornaient la couverture, et s'attarda à la polir avec sa manche. Elle saisit ensuite le livre fermement avec sa main gauche et s'approcha de la porte-entrouverte à pas lourds, avant de se tourner pour faire face au dieu ailé.

«Regarde, c'est simple», dit-elle, en faisant de son mieux pour faire des signes de sa main droite tout en pointant du doigt vers le livre dans son autre main et vers l'ensemble d'anneaux de vision installé à la verticale derrière elle. «Livre ! Pierre précieuse – pierre précieuse chante – ouverture porte-entrouverte. Passerelle magique – à travers la porte des cieux... »

Le dieu ailé la regarda en plissant les yeux, un regard revêche sur son visage.

«Oh ! » Lunid trembla, contrariée. Les dieux semblaient parfois bien stupides. «Regarde, et sois attentif. »

Lunid se tourna avec le livre pour faire face aux anneaux. Comme elle l'avait fait auparavant, elle se mit à fredonner pour le livre. Les pierres précieuses lui répondirent avec leurs propres tons jusqu'à ce qu'une chorale de sons s'élève d'elles et remplisse le laboratoire d'harmonies tissées avec des accords profonds et résonants. Les livres installés dans le cadre des anneaux répondirent avec leurs propres tonalités, teintant le métal d'une lueur bleutée qui en estompait les contours. L'air à l'intérieur des anneaux changea et se déforma ; les pierres du mur visibles à travers les anneaux s'entortillèrent de façon invraisemblable et furent repoussées sur le côté comme si elles étaient éliminées de l'existence par un tourbillon de son et de lumière. Il y eut un autre éclat lumineux, et un autre endroit put ensuite être vu à travers les anneaux – la cité des rêves apparut comme si elle existait juste de l'autre côté des anneaux. Puis la perspective se modifia, comme si les anneaux tombaient dans la cité, glissant dans ses rues de porte en porte jusqu'à ce que l'image arrive devant une certaine porte et avance vers elle – la franchissant pour entrer dans un autre éclat lumineux.

Soudainement, les anneaux semblèrent dominer les étranges portes de la cité des dieux remplie de créatures mortes où Lunid avait trouvé son dieu ailé pour la première fois. Il y avait deux grandes statues noires de chaque côté du portail ouvert. Un flot continu de dieux ailés au regard rempli d'effroi se déplaçait vers la cité. Au même moment, une armée de morts tenant haut leurs lances sortait par ce portail.

Lunid se retourna, triomphante, faisant des signes avec énergie. « Tu vois ? Porte-entrouverte vers le paradis ! »

DE MOINS EN MOINS

wynwyn, reine des morts, se tenait au-dessus de la porte principale de sa cité fortifiée, flanquée une fois de plus par les jumeaux d'onyx, et pleurait.

Sous elle, la grande avenue qui s'étirait vers le sud était remplie de réfugiés, leurs yeux remplis d'un peu d'espoir, mais surtout de peur tandis qu'ils déployaient de longs efforts pour entrer en marchant dans la cité, trop épuisés pour voler, maintenant, après avoir parcouru plusieurs milles en vol dans leur retraite précipitée. Leurs pieds étaient couverts de boue séchée et saignaient dans bien des cas, mais ils continuaient néanmoins leur progression vers la cité, dernier espoir vacillant de sûreté et de protection.

Au-dessus d'eux, empruntant ce même portail, volait l'armée des morts, dont les pointes des lances touchaient presque le sommet de l'arche. Des rangs de soldats franchissaient l'un après l'autre l'ouverture encombrée, formant rapidement des colonnes de chaque côté de la route. Leurs yeux fixes regardaient la route vers le sud, et leurs mains à la peau grise tenaient leurs armes avec détermination. Leurs armures étaient noires, une préférence des morts, et leurs capes en lambeaux claquaient au vent, seul bruit émis par ces colonnes en mouvement des deux côtés de la route.

« Dwynwyn », dit calmement Péléron derrière elle, la main tendue vers son épaule. « Éloigne-toi. »

Lorsqu'il la toucha, elle s'éloigna vivement de lui. Sa voix tremblait d'émotion : « Non ! Je *dois* regarder. Je suis *obligée* de regarder. »

« Le fait que tu regardes ne change strictement rien », dit doucement Péléron au-dessus des cris des réfugiés qui montaient à leurs oreilles.

« Peut-être… mais quelqu'un doit être témoin de tout cela », répondit-elle, sa voix s'étouffant sur ses mots. « La fin de Sharajentei – la fin de la gloire qu'était le Sharaj. »

« De toute façon, tu n'auras plus à regarder encore très longtemps », dit son mari avec résignation. « On me dit que ces requérants sont les derniers de nos établissements externes. Les cités de Delfli et d'Edricor ont toutes les deux été abandonnées, et ceux qui pouvaient survivre à un tel voyage sont maintenant à l'intérieur des murs de notre cité. »

« Qu'en est-il de Sylandra ? » demanda Dwynwyn.

Péléron ne répondit pas.

« Dis-moi, Pél. »

« Sylandra a été incendiée avant que ses citoyens ne puissent être évacués », dit Péléron, ses yeux dirigés vers la route du sud, mais fixés ailleurs. « Les Kyree sont venus la nuit sous les nuages et ont laissé tomber des jarres d'huile enflammée sur la cité. L'Oraclyn de Sylandra a rassemblé les guerriers, mais le mal était fait, et il n'y en avait plus assez pour combattre les incendies et les Kyree en même temps. Il y a eu beaucoup de pertes. »

« Combien ? »

« Nous n'avons pas été en mesure de retourner à la cité pour faire un décompte précis – et nous n'y retournerons probablement pas », répondit Péléron. « Les Kyree-Nykira ont avancé les lignes de combat au-delà de Sylandra et approchent maintenant de la lisière nord-ouest de la forêt d'Oaken. Ils seront ralentis à cet endroit pendant un certain temps – la forêt est notre alliée –, mais ils ne peuvent être arrêtés. »

Dwynwyn hocha la tête. « C'est ce qu'on m'a dit. »

« On pourrait penser que la maison d'Argentei viendrait à ton secours, railla Péléron, même si ce n'était que pour avoir une occasion de se battre. »

« Aucune maison ne viendra à notre secours, Pél », dit Dwynwyn, les lèvres pincées. « Chaque maison a été jalouse du pouvoir du Sharaj, et plus important encore, de notre mainmise sur le Lycée qui l'enseigne. Les seigneurs et les dames de la caste dirigeante de la féerie n'ont jamais vraiment fait confiance aux chercheurs, et, maintenant que nous avons des pouvoirs qui dépassent l'entendement de leurs esprits étroits, nous sommes également craints. Ils nous ont soutenus tant qu'ils ont cru que nous étions invincibles, que nous ne pouvions pas mourir, à l'instar des morts qui affluaient ici. Mais les Kyree leur ont montré quelque chose qu'ils ne soupçonnaient pas : que les armées de morts qu'il nous restait *pouvaient* être battues – pas par la force des armées de nos ennemis ni par l'intelligence de leur tactique, mais par le noble acte de défendre Sharajentis ! »

« Nous sommes donc des victimes de nos propres victoires », dit Péléron calmement en observant les armées restantes voler vers le sud.

« C'est là une vérité bien étrange », acquiesça Dwynwyn. « Les morts qui restent le font parce qu'ils ont encore de nobles actes à accomplir. L'acte de défendre Sharajentis – même le fait de tuer un ennemi devant eux – peut leur permettre d'atteindre leur Illumination, les faisant ainsi disparaître du champ de bataille. Notre propre succès nous affaiblit, car plus nos guerriers sont victorieux, moins ils sont nombreux. Notre ennemi kyree ne comprend peut-être pas cela complètement en ce moment, mais les maisons de la féerie savent que la force de notre armée des morts diminue après chaque triomphe. Ils savent maintenant que ce n'est plus qu'une question de temps ; ils sont déterminés à attendre le moment de notre mort. »

« Tout de même, Qestardis… »

« Qestardis souhaite notre disparition plus que toutes les autres maisons », répondit Dwynwyn.

Péléron fronça les sourcils. La reine Tatyana t'a installée sur ton trône. »

« Tatyana m'a installée sur mon trône et m'a donné mon royaume parce que cela faisait son affaire. Néanmoins, je sais qu'elle m'aimait. » Dwynwyn soupira. « Et je l'aimais aussi ; peut-être que c'est pour cette raison qu'elle veut que mon royaume soit conquis et qu'il connaisse la honte et la destruction plus que tous les autres. »

« À cause d'Aislynn ? »

Dwynwyn hocha la tête. « Aislynn était sa seule fille, Pél. La princesse a trouvé une raison d'être dans le Sharaj, mais cette même raison l'a conduite par-delà l'océan pour tenter de libérer les âmes des Kyree – et c'est à cet endroit qu'elle a disparu avec son mari. Nous ne connaîtrons peut-être jamais ce qui leur est arrivé par la suite. Tatyana me reproche la perte de sa fille, et peut-être maintenant celle d'un petit-fils qui ne l'a jamais vraiment connue. »

« As-tu eu des nouvelles d'Arryk ? »

« Celle-là », dit-elle en désignant d'un geste les hordes de fées qui affluaient dans la cité. « C'est la seule nouvelle que nous avons : nos cités ont été incendiées et notre peuple recherche la sécurité de sa capitale. »

« La déclaration de guerre stipulait qu'Arryk et le centaure avaient attaqué leurs troupes sans qu'il y ait eu provocation. »

« Ha ! » railla Dwynwyn.

« Tuant leur commandant, le dékacien Skrei, et une multitude de gardes de son escorte en disparaissant. »

« Ils ont aussi dit que c'était une attaque planifiée et délibérée, que j'aurais autorisée en guise de prélude à une invasion de notre part ! » Dwynwyn bouillait. « Une invasion, rien de moins ! Les Kyree-Nykira sont des menteurs – exactement comme les famadoriens. »

« Ils ont utilisé le mot "disparaissant", Dwynwyn », poursuivit Péléron, qui tentait ainsi de faire en sorte que sa femme suive le fil de son raisonnement. « Arryk est un jeune fée étrange, nous le savons tous, mais il est aussi un excellent Sharajin. S'il a disparu, il doit forcément être allé quelque part. Si nous pouvions le retrouver – déterminer ce qui s'est réellement produit avec le dékacien… »

« J'ai cherché. » Dwynwyn secoua la tête. « Et j'ai demandé à d'autres de chercher où je ne pouvais le faire moi-même. Nous avons des Sharajin dans chacune des maisons dirigeantes de la féerie et quelques-uns au sein des Kyree également. J'ai été en contact avec eux, et aucun n'a soufflé mot de la disparition d'Arryk – et encore moins de ce centaure qui l'accompagnait. »

« Il doit être quelque part », insista Péléron.

La reine des morts se frotta les yeux. « J'ai demandé aux dryades de parler avec les forêts – aucune n'a ressenti son souffle sur leurs feuilles. »

« Les forêts ne coopèrent pas toutes avec les dryades… »

« Non, mais elles aiment converser ensemble, et je pense qu'elles s'en seraient vantées si elles avaient offert un refuge à un fugitif de son importance. J'ai même été en contact avec les gens de la mer ; ils me disent qu'Arryk ne se trouve pas dans les profondeurs. Et s'il a disparu – ainsi que le laissent entendre ces rapports contestables –, alors pourquoi n'a-t-il pas laissé de pistes dans le Sharaj ? J'ai marché dans l'endroit des rêves à sa recherche ; en vérité, Péléron, je l'ai souvent suivi dans le Sharaj, car je craignais que quelque chose puisse lui arriver. Il n'est pas là. »

Péléron hocha la tête avec une expression grave sur le visage. « Alors, il est vraiment perdu. »

« Comme nous tous », répondit Dwynwyn, le regard tourné vers le cœur de la cité. Les étranges tours noires étaient encore enveloppées dans ce brouillard perpétuel. C'était un endroit repoussant dont la vue lui répugnait. Elle avait cependant appris, depuis bien longtemps, qu'il valait mieux prendre une longue inspiration et regarder au-delà des orbites vides qui l'observaient depuis cette terrifiante architecture, et d'y voir plutôt l'espoir de la vie dans l'Illumination au-delà du règne des mortels qui rougeoyait telle la braise sous une sinistre couche de cendres.

« Ses murs sont peut-être épais, mais ils se rompent, Péléron. Jamais je n'aurais pensé remercier un jour les morts d'avoir construit une si grande cité – on sait cependant qu'ils ne construisaient que pour tenter d'oublier leurs souffrances. En dépit de cela, leurs pièces étranges dans ces bâtiments abominables sont maintenant occupées par les gens de notre nation. Nos garde-manger et nos greniers se videront très rapidement, et alors les murs de la cité paraîtront aussi sûrs qu'un potager à découvert. Nous serons dans l'obligation de quitter les lieux, Péléron, et où pourrons nous aller ? »

« Nous pourrions déployer les Sharajin », dit Péléron. « Utiliser le pouvoir du Sharaj pour soutenir les guerriers morts. »

« Comme nous l'avons fait à Sylandra ? » répondit hargneusement Dwynwyn en secouant la tête.

« Tu es avant tout une chercheuse », dit Péléron en prenant les épaules de sa femme et en l'obligeant à le regarder dans les yeux. « Tu as vécu ta vie en poursuivant la nouveauté, en découvrant ce qui était auparavant dissimulé aux yeux de la féerie. Il doit y avoir une Nouvelle Vérité – quelque part dans le Sharaj – qui pourrait t'indiquer la voie à suivre. Je n'ai jamais connu une femme plus forte que toi, Dwynwyn, mais la force n'est pas ce dont tu as besoin en ce moment. »

« Ce dont j'ai besoin, dit Dwynwyn de façon hésitante, c'est d'une Nouvelle Vérité. »

Péléron sourit. « Oui, Dwynwyn ; tu dois découvrir une Nouvelle Vérité. »

Dwynwyn se retourna pour regarder la route. La file de réfugiés s'étirait encore jusque dans la forêt lointaine, mais il y avait maintenant des trouées. Les derniers rangs de guerriers de son armée étaient maintenant hors de son champ de vision.

Une nouvelle idée, pensa-t-elle.

« J'aimerais que tu lances un appel à tous les chefs de quartier de la cité », dit Dwynwyn. « Je voudrais qu'ils se présentent à la citadelle ce soir et qu'ils se rassemblent dans la cour. Je veux qu'ils transmettent un message de ma part à tous les Sharajin de la cité. »

« Tu as une Nouvelle Vérité ? » dit Péléron avec un sourire plein d'espoir.

« J'ai les balbutiements d'une Nouvelle Vérité. » Dwynwyn était songeuse. « Un pas sur une route que je n'ai encore jamais empruntée. J'aimerais faire quelques pas de plus et voir ce qui m'attend au tournant. »

Péléron hocha la tête. « Nous ferons ces pas ensemble. »

« Mes pas me conduiront peut-être sur le bord d'un abîme », dit Dwynwyn.

« Alors, nous sauterons tous les deux. » Péléron haussa les épaules avec un sourire.

Dwynwyn lui rendit un mince sourire. « Eh bien, je ferais mieux de choisir avec soin la route sur laquelle je nous emmènerai. »

AU-DELÀ DES ROUTES

e brouillard était une bénédiction ; il s'était installé dans la cité de Khordsholm au petit matin, recouvrant les étroits passages sinueux de ses plis épais et humides, et dissimulait derrière son voile la terrible destruction de l'après-midi précédent.

Le soir venu, le dragon Ulruk ne s'était pas présenté – au grand soulagement de la femme de l'aubergiste, qui espérait que les défenseurs de la cité aient finalement réussi à abattre le monstre. Théona en déduisit que cela n'était qu'un souhait ; deux gardes qui occupaient temporairement des chambres à l'auberge avaient dit à tous les gens présents qu'ils avaient vu le dragon se déplacer vers le nord-ouest, ayant été repoussé par les attaques et même blessé, mais encore en mesure de voler. Ils semblaient tous deux bien plus préoccupés par le fait que le dragon n'avait encore jamais attaqué la cité avec une telle violence, et jamais en plein jour.

Par la porte de l'auberge, Théona jeta un coup d'œil prudent à la rue enveloppée de grisaille. Il y avait deux individus dans le brouillard, semblables à des ombres ; le plus grand tenait en ses mains une canne noueuse, et le plus petit, court et corpulent, portait un grand chapeau rouge. Chacun se protégeait de la fraîcheur humide et pénétrante en tenant son manteau fermement plaqué contre son corps.

« Maître Arvad ? » dit Théona avec prudence. « Maître Belas ? »

« Vrai pour nous deux, oh oui », répondit le nain en murmurant.

« Je vous demande pardon de me présenter ici si tôt, dit Dorian, mais Dregas a insisté sur le fait que nous devions partir maintenant. »

« Oui », dit le nain avec enthousiasme. « Mieux de filer dans le brouillard, hein ? »

Théona hésita, et se tourna vers sa sœur qui se tenait derrière elle dans l'embrasure de la porte.

« Eh bien, dit Valana avec impatience, qu'est-ce que tu attends ? »

Elle marqua une pause ; qu'est-ce qu'elle attendait ? Le nain qu'elle avait vu dans ses rêves était soudainement bien réel ; un nain qu'elle ne rencontra qu'après avoir suivi le rêve jusqu'ici. On aurait dit de la magie, mais tout au long de la nuit agitée qui venait de passer, elle avait examiné toutes les disciplines variées des mystiques, et aucune d'entre elles ne correspondait à son expérience. Le nain ne pouvait être réel, mais il était pourtant là, comme elle se l'était imaginé. Elle essaya de se souvenir des autres choses qu'elle avait pu voir dans ses rêves, se demandant si cela aussi deviendrait réel.

« L'obscurité nous enveloppait, marmonna-t-elle, et ensuite il y avait un rivage éloigné de sable blanc… »

« Mais, de quoi parles-tu ? » demanda Valana avec impatience.

Théona se tira soudainement de ses rêveries. « Désolée ; ce n'est rien, vraiment. » Elle s'entoura elle aussi de son manteau et se glissa dans la fraîcheur matinale. « Veuillez nous excuser, maître Dregas, mais nous n'avons pas encore préparé notre torusk pour le voyage. Nous n'avons besoin que d'un peu de temps pour ce faire. Si vous vouliez bien entrer dans l'auberge, je serais heureuse de vous offrir le déjeuner pendant que... »

« Trop de mots, oh oui », dit le nain en regardant la fille d'un air perplexe.

Théona sourit. « Désolé, Dregas ; je crois que j'ai passé trop de temps auprès de maître Zolan. Est-ce que je peux vous offrir à déjeuner pendant que nous préparons le torusk ? »

« Oui, déjeuner être bonne idée, oh oui ! » dit le nain qui se mit aussitôt en marche, mais qui fut tout aussitôt stoppé dans son élan par la main du grand personnage à ses côtés.

« Maître Dregas oublie qu'il m'a dit que notre destination était tout près d'ici et que les torusks ne seraient pas nécessaires », dit rapidement Dorian. « En fait, il a insisté pour que nous marchions. »

« Oui, vérité, oh oui, grommela le nain, mais le déjeuner était aussi bonne idée. »

« Marcher ? » dit Valana avec une certaine consternation. « Je croyais que vous nous conduisiez vers... cette porte, elle est près d'ici ? »

« Chut ! Pas loin, m'dame », dit rapidement Dregas. « Juste un petit bout de chemin à marcher avec vos beaux escarpins. Votre satisfaction est garantie par Dregas Belas, oh oui. »

« Alors, allons-y », dit Théona en s'avançant dans la rue. « Ce brouillard ne durera pas éternellement, et, pour ma part, j'aime autant voyager sous son couvert, autant que possible. »

L'étrange quatuor passa la rue Sailfin jusqu'à ce qu'elle tourne, et suivit ensuite la rue Jolin en direction du quai. Les bâtiments semblaient plus vieux et grisâtres que jamais, et les rues étroites, encore plus étouffantes. L'air était lourdement chargé de brouillard, et Théona respirait avec difficulté.

Le nain menait le groupe avec une rapidité surprenante, ses courtes jambes se déplaçant d'une façon alerte qui étonna Théona. Son accoutrement étrange semblait bien terne, aujourd'hui : le rouge et le violet de sa culotte et de sa veste étaient affadis par la lumière grise. Il ne semblait certainement pas vêtu pour l'aventure ; il avait davantage l'allure d'un fou du roi que d'un guide dans la nature.

Pour sa part, Dorian semblait préparé à tout de par son choix de vêtements. Il portait une pèlerine vert foncé sur une tunique marron clair et un haut-de-chausses brun foncé. Le cuir de ses bottes semblait souple, et leurs semelles faisaient vraiment très peu de bruit lorsqu'il marchait sur le pavé. Le rythme de son allure était maintenu par une grande canne noueuse qu'il balançait avec aise selon une habitude de longue date. Il n'avait sur lui ni sac ni poche ; à l'évidence, il ne comptait pas être longtemps absent.

Cela réconforta Théona, car elle n'était pas certaine de l'endroit où les conduisait le nain. Il avait parlé d'une porte – une porte secrète, selon ses dires –, mais trouver une porte et affronter ce qui se trouvait derrière étaient deux choses totalement différentes. Elles avaient dit à leur père qu'elles venaient à Khordsholm pour découvrir ce qui était arrivé à Treijan, et c'est ce qu'elles avaient fait, ou du moins ce qu'elles pensaient avoir fait, avant que la destinée ne leur fasse rencontrer ce nain. D'une façon ou d'une autre, Théona savait que la chose la plus sûre à faire serait de rentrer chez elle, de faire un compte rendu à leur père sur ce qu'elles avaient pu découvrir, et de le laisser traiter ces informations par le truchement de ses propres agents.

Elle avait toutefois su quelle porte choisir pour se rendre jusque-là grâce à son rêve, et ce même rêve les avait menées jusqu'à ce nain. On *aurait dit* de la magie – une certaine forme de magie, assurément – et peut-être que cela pourrait la rendre spéciale, elle aussi. Elle devait la suivre – devait savoir pour elle-même si ce n'était que son imagination qui tentait de lui donner de faux espoirs de devenir une mystique comme son père et sa mère et comme tous les autres qui la considéraient comme quelque chose de pitoyable.

Elle demeura donc silencieuse en atteignant le bout de la rue Jolin. Elle pouvait entendre le bruit des vagues de l'océan qui venaient se briser contre le perré, au sud, bien qu'elle ne puisse les voir en raison du brouillard. Le quai lui-même se trouvait sur sa droite en bas d'une petite courbe de la route, mais le nain tourna à gauche vers la route des Larmes pour ensuite quitter la cité par la porte des Morts.

« Je suis déjà venue ici », dit doucement Valana qui se tenait à côté de Théona. « Zolan m'a emmenée ici. C'est la route côtière qui serpente sur la colline – ce que les gens d'ici appellent montagne – et qui mène jusqu'aux ruines. »

« C'est bien vrai, oh oui », dit Dregas. « Suivi maîtresse Valana ici, Dregas avoir. »

« C'est la vieille cité », nota Dorian en passant devant les échoppes, de l'autre côté de la porte. La route bifurquait vers le sud au pied de la colline, dont la masse commençait seulement à émerger du brouillard qui les entourait encore. « Khordsholm faisait partie des villes commerçantes qui régnaient sur la côte du Croissant et était une partie essentielle de la portion sud de l'Empire rhamassien, à cette époque. Lorsque l'empire de Rhamas sombra, les rois marins de la côte continuèrent à régner sur leurs cités États et tentèrent de perpétuer le rêve de Rhamas. Ulruk avait cependant d'autres idées en tête ; les parleurs de dragons de son époque négocièrent une entente avec la créature de leur propre accord. La plupart des rois marins capitulèrent devant les demandes du dragon, mais le seigneur Jefard, de Khordsholm, refusa. Les autres rois marins firent pression sur lui, et il s'inclina. Ulruk ne fut cependant pas satisfait, car il avait perçu cela comme une insulte, et il fit le serment de détruire la haute-ville. On raconte que le seigneur Jefard lui-même s'installa au sommet du phare de Khordsholm – une tour dont la lumière vive guidait les marins de retour chez eux depuis plus de cinq cents ans – et attendit le dragon avec une simple lance brillante à la main. »

Théona leva les yeux tandis qu'ils marchaient le long de l'ancienne route. Le flanc abrupt de la colline était recouvert d'un épais tapis de plantes verdoyantes. Elle ne voyait qu'occasionnellement une statue brisée ou quelques pierres d'un mur de fondation dépasser de l'espace envahi par la végétation. La route grimpait constamment vers le haut, jusqu'à ce qu'un pan de mur roussi apparaisse au sommet de la colline.

« Que lui est-il arrivé ? » Théona ressentait, à son propre étonnement, une crainte mêlée d'admiration.

« Au seigneur Jefard ? » répondit Dorian. « Il se tint debout sur le sommet du phare et cria en direction du dragon au moment même où la bête gigantesque fondait sur lui. Il a alors rejeté son arme d'un air de défi – du moins, c'est que les histoires racontent – et il a ensuite été englouti sur-le-champ par le feu craché par le dragon. Ce dernier libéra ensuite sa rage sur le sommet de la colline. Les temples des anciens dieux, les marchés, les maisons, les parcs et les gens furent tous brisés et réduits en cendre sous l'effet de son souffle. Ceux qui survécurent – principalement les gens qui habitaient dans la basse-ville, que le dragon avait astucieusement laissée intacte – racontèrent pendant longtemps la dernière fois qu'ils avaient vu le seigneur Jefard affronter le dragon et sa propre qualité de mortel. On prononça son nom avec révérence pendant un bon moment, mais les souvenirs s'estompent avec le temps. Tout cela s'est passé environ cinq cents ans avant notre époque. Les anciens contes ne sont cependant racontés que lorsqu'ils servent les puissants du moment. Si l'histoire ne leur est pas utile… eh bien, l'histoire doit alors être modifiée, ce qui fut le cas pour ce pauvre vieux seigneur Jefard. Les bardes – *nous*, les bardes – avons eu un grand rôle à jouer avec cela, en particulier à cause du soulèvement du Pir, il y a quelques années. Le Pir et les mystiques tentaient de prendre de l'expansion dans la côte du Croissant au même moment ; le Pir promettait de maîtriser les dragons, tandis que les bardes promettaient le pouvoir de la magie en guise de défense. Les bardes devaient convaincre les habitants de la côte du Croissant que le Pir avait tort – et ils sont parvenus à leurs fins en modifiant les récits locaux pour faire la preuve de ce qu'ils avançaient. Maintenant, grâce aux bardes, le dernier grand geste du vieux seigneur Jefard est devenu synonyme de perte de la fierté, d'arrogance et d'acte de défi égoïste – le dernier geste d'un idiot prêt à tout pour dissimuler ses propres erreurs. »

La route tourna parmi les ruines. Le nain poursuivit son chemin et gravit, imperturbable, quelques marches brisées.

« Quel est le nom de cet endroit ? » demanda Théona, qui commençait à claquer des dents.

« Il porte le nom de Nécropole », répondit Dorian. « La Cité des morts. »

Théona leva les yeux au moment même où le brouillard se dissipait. Les fondations en cercle d'une tour blanche s'élevaient devant elle. Les pierres fendues et déchiquetées étaient totalement brûlées. Ce ne fut qu'une vision fugitive, car le brouillard recouvrit de nouveau les ruines de son voile opaque, comme s'il voulait épargner à ses yeux ce lieu empreint de tristesse.

« Vous savez beaucoup de choses à propos de cet endroit », dit Théona en tentant de se changer les idées de ce frisson qui venait soudainement de se glisser jusque dans ses os. Il y avait quelque chose à propos d'une « Cité des morts » qui résonnait en elle. C'était un peu comme si cet endroit ou ce nom lui étaient familiers – comme un souvenir partiellement oublié.

« J'ai fait du troc ici pendant plusieurs années », répondit Dorian. « On en vient à apprendre des choses – mais apparemment pas autant que notre guide. »

Le nain se déplaça rapidement sur le terrain inégal jusqu'à ce qu'il arrive aux ruines d'un temple. Les pierres de la fondation étaient intactes sur un des côtés, mais de grandes taches en altéraient la surface autrefois polie.

« Nains avoir construit ici bien avant humains », dit Dregas avec une pointe de fierté dans la voix. « Avant-poste sud de Khagun Zhav ici, oh oui. Rois marins jamais savoir – construire par-dessus et ignorant construction naine sous leurs pieds, oh oui. »

Valana s'enveloppa un peu plus dans sa veste. « Mais de quoi parle-t-il donc ? Je vous assure que je ne comprends pas un mot de ce qu'il dit. »

« Khagun Zhav est le royaume des nains, sous les montagnes au nord de Vestadia », dit Dorian en fronçant les sourcils. « Je crois qu'il veut dire qu'il y a des ruines de nains sous les ruines des humains. »

Le nain fit claquer sa main grassouillette sur sa cuisse et pointa son petit doigt en direction de l'homme[*]. « Lui avoir raison, oh oui ! Montrer des merveilles, moi… Mieux que ruines humaines. »

Dregas se retourna vers la fondation, fit un pas vers la gauche et deux vers la droite, puis examina les pierres pendant quelques minutes que Valana trouva bien longues.

« Vous avez oublié où se trouvent vos merveilles de nain ? » demanda Valana d'un ton brusque.

« Valana, je t'en prie ! »

« Théona, il est évident que ce petit personnage ne sait pas… »

Le nain abaissa brusquement sa main et l'abattit sur une pierre. Celle-ci résonna d'un grand déclic, suivi par un faible grincement. Les pierres s'enfoncèrent dans le sol les unes après les autres, formant un escalier menant à un endroit sombre sous le temple.

---

[*] Les nains de Khagun Zhav jugeaient impoli de pointer avec tout autre doigt que le plus petit.

Le nain se tourna vers eux et sourit. «Les femmes d'abord. Dregas être poli, oh oui.»

«Si vous n'y voyez pas d'objection, dit Dorian avec un sourire, je crois que vous devriez descendre en premier – vous êtes le guide.»

Le sourire de Dregas s'étendit jusqu'à ses oreilles en guise de réponse. Il se tourna et se mit à descendre les marches en coup de vent.

Dorian se tourna vers Théona. «Je ne suis pas un mystique. Pourriez-vous nous éclairer la voie?»

Le visage de Théona s'empourpra. «Je-je ne…»

«Nous vous rendrons ce service avec plaisir, Dorian», dit rapidement Valana en passant devant eux, sa main déjà tendue. La sphère lumineuse se forma dès qu'ils se mirent à descendre les marches. «Viens, Théona. Nous ne voudrions pas faire attendre notre guide.»

«Ceci est un avant-poste?» se demanda tout haut Théona, dont la voix se répercuta dans les longs et vastes espaces vides qui l'entouraient.

Valana avait augmenté la puissance de la sphère lumineuse dans sa main autant qu'elle pouvait l'oser. Bien qu'éblouissants, ses rayons parvenaient à peine à atteindre les confins de l'immense caverne dans laquelle ils se trouvaient. D'immenses piliers de pierre s'élevaient en des endroits que sa lumière n'atteignait pas. Il y avait sur chacune des colonnes des sculptures délicates et complexes, tandis que les murs étaient couverts d'œuvres d'art en relief d'un réalisme saisissant.

«Arriverons-nous bientôt?» demanda Valana d'un ton las.

«Oui», dit le nain. «Juste un peu plus loin, oh oui.»

«Personne n'en a jamais rien su», murmura Dorian avec de l'étonnement dans la voix.

«Et je me demande bien comment il est possible que nous le sachions maintenant», murmura également Théona.

«Comment se fait-il que ce nain parvienne à nous guider aussi facilement dans un endroit dont personne d'autre ne soupçonnait l'existence? Plus important encore, est-ce qu'il nous laissera *quitter* cet endroit et ainsi risquer que nous en parlions à d'autres?»

Dorian hocha la tête. «Vous en doutez.»

«Je pense que la seule raison pour laquelle il nous a conduits jusqu'ici est parce qu'il savait qu'il n'aurait pas à nous montrer le chemin du retour. Qui plus est, comment Gaius et Treijan ont pu descendre ici s'il ne les avait pas guidés lui-même? Je commence à me demander s'il y a vraiment une porte ou si…»

«La voilà, oh oui!» cria le nain d'une voix triomphante.

Valana se tourna vers la voix, sa sphère lumineuse révélant une sombre embrasure de porte contre laquelle se tenait le nain aux yeux bandés. Quelque chose scintillait au-delà de la lumière.

Le nain fit une profonde révérence, en faisant un geste vers l'ouverture. «Voici la porte, oh oui.»

Théona passa devant Valana, son ombre s'étirant vers la sombre embrasure tandis que Valana et Dorian suivaient derrière.

Elle pouvait la voir, à présent – une porte! Il n'y avait aucun doute, on distinguait une courbe dans la roche sous la pierre de chant lumineuse. Théona examina l'arche mystique et jeta un coup d'œil dans la salle. La porte avait été construite ici à partir des pierres qui se trouvaient déjà dans la salle.

«Construite par les nains?» demanda Théona.

«Nenni», dit le nain, plissant le nez à cette suggestion. «Mauvais travail. Pas construite par nains – construite par humains mystiques.»

«Où conduit-elle?» demanda Théona.

Le nain haussa les épaules. «Pas savoir. Seuls Gaius et Treijan passer à travers.»

«Chante pour l'ouvrir, Val», dit posément Théona.

Valana se plaça devant l'ovale et se mit à chanter. Sa mélodie plana et se répercuta dans les anciennes salles des nains. La pierre de chant se joignit à elle, son harmonie se superposant à la chanson jusqu'à ce que l'espace dans l'ovale clignote une fois avant de se remplir d'un noir chatoyant.

«Maintenant porte être ouverte, oh oui – vous conduire directement à Gaius. Un pas, et vous y être.»

Le nain se tourna vers la porte, et les salua de sa grande main. «Travail guide terminé – vous avoir montré merveilles, montré porte. Bon petit voyage!»

Le nain fut subitement stoppé par le bâton de Dorian, placé dans son chemin.

«Oh non, Dregas, vous êtes bien loin d'avoir fini», dit l'homme. Il fit un signe de tête vers la porte. «Après vous.»

L'esprit de Théona tenta de se reconstituer à partir d'idées et d'impressions dispersées – formant lentement une image d'où elle se trouvait et essayant de comprendre ce qui lui était arrivé.

Il faisait noir. Théona n'arrivait pas à comprendre pourquoi; ils avaient franchi la porte tôt en matinée, et maintenant elle pouvait voir, du coin de l'œil, les étoiles briller intensément dans le vaste ciel. Elle pouvait entendre le bruit des vagues qui se brisaient derrière elle, mais une large bande d'obscurité se trouvait dans son champ de vision, si dense que ses yeux ne pouvaient la pénétrer.

De plus, il faisait chaud; ridiculement chaud à une heure si matinale. L'air était chargé d'humidité, encore plus qu'à Khordsholm.

Tout ce qu'elle parvenait à faire était de reposer sur le côté et de respirer cet air. Elle se souvenait d'avoir franchi la porte pour ensuite tomber ici. Elle avait tenté de bouger depuis, mais ses jambes ne semblaient pas vouloir obéir à sa volonté – elle était en effet paralysée, reposant sur le côté, impuissante, sur le sable chaud qui avait amorti sa chute.

Du sable, pensa-t-elle. *Du chaud sable blanc.*

«Valana?» chuchota-t-elle.

«Thei! Je suis ici!» répondit une voix faible. «Je ne peux... je pense que j'ai un problème.»

Quelque chose bougea dans la bande obscure. Des personnes et des formes se déplaçant rapidement.

«Thei?» C'était Valana, apeurée.

«Tout ira bien, Val», dit Théona, bien qu'elle y crût à peine. Quelque chose avait vraiment mal tourné en passant la porte; elle en était sûre, et se demanda si le nain n'avait pas quelque chose à voir avec cela.

Elle entendit des voix étranges et inconnues dans l'obscurité. Leurs mots ne voulaient rien dire de concret pour elle – un langage différent de tous ceux qu'elle avait pu entendre auparavant.

Une voix se fit soudainement plus forte et aiguë que les autres, et cette voix criait des ordres. Les personnes dans la bande obscure se déplaçaient rapidement, puis la voix changea et devint horriblement familière.

«Dregas Belas, espèce de petite vermine hypocrite», cria la voix. «Qu'est-ce que tu as fait?»

Tout à coup, une lumière apparut, et Théona fut en mesure d'y voir. La bande obscure était en fait une rangée d'arbres étranges à la limite de la plage de sable blanc. Des hommes à la peau cuivrée, luisant sous la lumière, tenaient des lances richement ornées et la regardaient. La lumière se rapprocha, puis un homme s'agenouilla dans le sable face à Théona. L'étroit visage pâle entra dans son champ de vision, et des yeux perçants la regardèrent attentivement.

Elle ne l'avait encore jamais rencontré, mais elle avait entendu sa description, et elle l'avait elle-même décrit plusieurs fois, à Khordsholm. La surprise qu'elle eut en le reconnaissant parcourut son corps comme un frisson – c'était tout ce qu'elle pouvait ressentir.

Gaius Petros regarda Théona d'un air sombre pendant un moment, hocha la tête, puis éteignit sa lumière.

FOLIO 8

LES DÉSACCORDS

EN CAPTIVITÉ

ademoiselle Conlan ? »

L'appel venait de tout près, mais Théona avait du mal à répondre. Ses membres semblaient retrouver leurs sensations à mesure que la lumière du jour naissant s'infiltrait dans l'ouverture voûtée de la fenêtre, juste au-dessus d'elle. Malheureusement, elle éprouvait maintenant des douleurs intenses et des picotements dans ses muscles qui ne cesseraient pas de sitôt. Elle ne pouvait pas encore bouger la tête, mais ses doigts et ses orteils semblaient répondre à ses demandes, à contrecœur. Elle poussa un gémissement et découvrit qu'elle pouvait encore parler, et que son cœur comme ses poumons avaient gardé leur rythme réconfortant et habituel. Il lui était cependant impossible de bouger quoi que ce soit d'autre – donc de se lever d'où elle était couchée. Il lui vint à l'esprit que, quoi qu'il ait pu lui arriver, c'était vraiment particulier, en ce sens qu'elle était paralysée pour certaines choses, mais pas pour d'autres – une précision dans la méthode qui en dissimulait la fourberie initiale.

«Mademoiselle Conlan», dit de nouveau la voix aiguë qui était malgré tout une voix d'homme. «Est-ce que vous m'entendez?»

«Oui, je peux vous entendre», dit-elle d'une voix râpeuse, la gorge asséchée. Elle pensa que son monde avait considérablement rapetissé. Elle regarda vers le haut et vit la même chose qu'elle avait pu voir au cours de la dernière heure; de longues et minces perches attachées ensemble avec des courroies de cuir séché, le tout prenant la forme de côtes arquées au-dessus d'elle. Ces perches soutenaient un treillis sous un toit fortement pentu fait de plusieurs couches d'un genre de grandes feuilles étranges. Cela ressemblait à des éventails vus de dessous, et cela lui faisait penser à des ailes de dragons, à la façon dont les motifs s'imbriquaient les uns dans les autres dans le petit espace sombre au-dessus des chevrons. Chaque feuille était colorée avec des lignes fluides de rouge, de vert, de jaune et de bleu, et Théona commençait à y déceler des figures hautement stylisées à mesure que la lumière du jour gagnait en intensité. Le mur le plus proche d'elle – juste à sa gauche et presque hors de sa vue – était fait d'herbes tissées, une autre plante qu'elle ne connaissait pas. «Je peux également voir, mais je ne peux toujours pas bouger.»

«Cela prendra un certain temps», dit la voix haut perchée. «Ce sera plus facile pour vous si vous ne luttez pas. Détendez-vous, et vos douleurs cesseront le moment venu. Je vous en fais la promesse; vous vous sentirez bien mieux ce soir.»

«Et qu'est-ce qui se passera, ce soir?»

«Alors, nous verrons. Vous avez profané les terres ancestrales du roi Pe'akanu. Il a décrété que vous soyez emmenée devant sa Roue du jugement ce soir pour entendre sa décision sans appel à votre sujet et à celui des autres.»

«Où – où est ma sœur?»

«Votre sœur est en sécurité. Elle est avec les autres et elle a demandé des nouvelles de vous – en fait, elle a exigé votre présence – depuis qu'elle a retrouvé sa voix.»

«Je vous en prie… emmenez-moi près d'elle.»

«Je ne peux pas. Le roi a interdit que vous soyez détenue avec les autres. Vous leur êtes précieuse et vous ne devez pas être souillée par leurs dons inférieurs.»

Théona eut un gros éclat de rire. «Ils ne me connaissent manifestement pas, monsieur.»

«Je ne le comprends pas complètement moi-même, mais j'ai parlé de cela avec le roi, et il demeure strict sur ce point.»

«Vous comprenez ces gens?» demanda Théona en faisant de grands efforts. «Qui êtes-vous?»

Un mince visage ressemblant à un faucon s'avança dans son champ de vision. Ses yeux étaient perçants, pensa-t-elle, bien qu'elle pût y percevoir une immense tristesse. Il portait la tunique des bardes, nota-t-elle, mais sans cape ni gilet, et avec le col grand ouvert sur sa poitrine. Il s'assit à côté d'elle, prit sa main molle dans la sienne et la frotta, quoique sa façon de le faire lui parût curieusement froide. Néanmoins, ses efforts semblèrent la soulager des picotements pour le moment.

«Vous vous êtes manifestement donné beaucoup de mal pour me retrouver, vous et vos amis. Je soupçonne donc que vous savez déjà qui je suis. Pour le moment, je crois qu'il serait préférable que ce soit moi qui pose les questions – et puis-je vous suggérer que votre destinée pourrait dépendre en grande partie des réponses que vous me donnerez? Puis-je commencer?»

Il faut que ce soit *Gaius*, pensa Théona, ou du moins elle avait semblé en être certaine la nuit précédente. «Est-ce que j'ai le choix?» dit-elle d'une voix rauque.

L'homme sourit de nouveau sans manifester de bien-veillance. «Non, pas vraiment.»

«Alors, posez vos questions.»

L'homme hocha la tête. «Savez-vous où vous êtes?»

Elle se souvenait vaguement d'avoir été emmenée dans cette chambre étrange, bien que tout ce qui s'était passé auparavant n'ait été qu'une suite disjointe d'impressions : sable blanc et hommes forts ayant le teint sombre et la peau peinte. L'un d'eux l'avait cueillie sur le sable – elle se souvint de la panique qui s'était emparée d'elle d'être ainsi manipulée par un étranger tout en étant incapable de l'empêcher de la toucher. Elle avait en tête une image, celle d'être transportée avec une force et une vitesse remarquables dans une forêt de plantes étranges d'une épaisseur telle qu'elle ne pouvait voir le sol.

« Non », répondit-elle. « Je n'ai aucune idée de l'endroit où je me trouve. »

« Et comment êtes-vous arrivée jusqu'ici ? »

« Une porte ; le nain nous a montré une porte secrète dans les ruines à l'est de Khordsholm – une porte qui, je le crois bien, doit être inconnue même des maîtres bardes de Calsandria. Il y avait un homme avec nous… il a obligé le nain à passer par la porte avant nous, et nous l'avons suivi. L'homme et le nain – vous dites qu'ils sont tous deux avec ma sœur ? »

« Nous parlerons d'eux un peu plus tard. D'abord, mes questions. » Il continua à lui masser la main. « Est-ce que quelqu'un sait que vous êtes ici ? »

Théona sentit la panique la gagner intérieurement. Comment avait-elle pu être si bête ? Ce n'était qu'une autre porte à traverser ; une chose toute simple qu'on fait tous les jours dans tout l'Empire mystique, et elle avait cru qu'elle serait simplement passée d'un endroit à l'autre. Valana avait voulu partir le plus tôt possible, et Théona avait de ce fait négligé de dire à quelqu'un où elles allaient – pas même à Zolan, qui travaillait pour la guilde des Transports. Elle décida de gagner du temps en racontant un mensonge, la gorge nouée. « Oui, bien sûr, des gens le savent. Vous connaissez mon nom. Mon père est Rylmar Conlan, et il sait où nous sommes allées. Ce n'est qu'une question de temps avant qu'il ne rapplique. »

«Maître Conlan est effectivement plein de ressources», répondit l'homme, dont les yeux fixaient songeusement quelque chose par l'ouverture de la fenêtre. «Mais je pense que nous n'avons pas trop à nous en faire pour le moment. Le nain est astucieux et ne vous aurait pas mentionné votre destination avant de vous conduire ici. Si votre ami n'avait pas obligé le nain à passer par la porte, c'eût été une autre histoire, mais puisque nous prenons bien soin d'eux, je ne prévois pas la venue d'une équipe de sauvetage par notre petite porte secrète. Alors, dites-moi, mademoiselle Conlan, pourquoi vous et vos amis vous êtes donné tant de mal pour me retrouver?»

Les yeux de Théona se déplacèrent vers l'homme, puis elle cligna des paupières. «Je pense que vous savez pourquoi nous sommes venus, Gaius Petros.»

L'homme hésita pendant une fraction de seconde, puis prit son autre main dans la sienne. «Eh bien, je crois que les présentations ne sont plus nécessaires.»

«Qu'avez-vous fait de lui?» demanda-t-elle.

Gaius haussa un sourcil, et sourit à une pensée intime. «Qu'est-ce que j'ai *fait* de lui? J'aime le ton de cette question – cela me fait paraître mystérieux et puissant.»

«Gaius, peu importe ce que vous manigancez, nous pouvons peut-être en arriver à une entente. Je suis certaine que mon père peut faire en sorte que cela vaille vraiment la peine de...»

Gaius se leva brusquement, laissant tomber la main molle de Théona sur le côté de son corps. «Les Conlan! Toujours en train d'acheter leur passage vers le sommet, hein? Eh bien, sachez que tous les coffres remplis de jetons bien garnis de toutes les maisons de tous les clans ne peuvent tout régler, mademoiselle; certaines choses ne peuvent être achetées, et certains problèmes sont simplement trop alambiqués pour être dénoués avec quelques pièces aux rebords bien nets.»

«Nous *sommes* des Conlan», répondit hargneusement Théona, de sa voix encore enrouée. «La réputation de ma sœur a été attaquée par vos actions égoïstes et méprisables, et nous sommes prêts à faire n'importe quoi pour corriger la situation.»

Gaius se pencha soudainement au-dessus d'elle, ses mains s'agrippant de chaque côté du lit où elle se trouvait, son visage s'approchant si près du sien qu'elle pouvait sentir son souffle.

«Voilà des paroles bien courageuses pour une femme allongée sur le dos.»

Un son aigu à mi-chemin entre le sifflement et le grincement se fit entendre, poussant Gaius à tourner la tête vers la fenêtre ouverte. Il sourit, relâcha le cadre du lit et se releva puis tendit son bras droit pour faire un signe de la main. Il y eut un bruit de battement d'ailes, et un mélange de couleurs jaillit par l'ouverture.

Théona eut le souffle coupé.

La créature affichait de brillantes nuances de vert, de jaune et d'orangé sur son long corps et des motifs magnifiques sur ses ailes. Elle se posa doucement sur la main tendue de Gaius, replia ses ailes de cuir, remonta rapidement son bras et ses épaules, puis enroula sa longue queue avec précaution autour de son cou. Les petites serres de ses quatre pattes s'enfoncèrent tendrement dans le tissu sur l'épaule gauche du barde tandis que sa petite tête large s'élevait vers le haut, se frottant doucement le nez contre un Gaius ravi.

«J'aimerais vous présenter un vieil ami», dit Gaius en souriant joyeusement. «Son nom est Hauli.»

La créature ne mesurait peut-être qu'environ trois pieds du museau au bout de sa queue à barbillons, mais il n'y avait aucun doute quant à sa forme ; elle en avait été témoin elle-même la veille.

C'était indubitablement un dragon.

«Où sommes-nous ?» demanda Théona d'une voix tremblante.

«Vous avez dit que les Conlan étaient prêts à faire n'importe quoi.» Pendant que Gaius baissait les yeux vers elle, le dragon s'installa sur son épaule droite comme pour dormir. «Je soupçonne que vous vous êtes éloignée de chez vous davantage que vous ne le pensiez – et, ce soir, nous saurons si vous êtes allée trop loin.»

Théona, debout sur un trottoir de planches, prenait de grandes goulées d'air face aux rouges de plus en plus foncés du soleil qui se couchait sur les eaux de la grande baie. Les effets de son étrange paralysie s'étaient dissipés – comme Gaius le lui avait promis – et elle se sentait étonnamment reposée l'après-midi venu. C'était agréable pour elle d'être ainsi debout dans la brise du soir et d'apprécier la simple joie de pouvoir de nouveau se servir de ses membres.

«Théona!»

Elle se tourna en direction de la voix familière. «Valana! Est-ce que tu vas bien?»

«Assez bien», répondit sa sœur d'un ton maussade. «Je peux au moins bouger, si c'est ce que tu veux dire. Où étais-tu?»

Valana s'approcha d'elle en empruntant une des centaines de passerelles de lianes qui reliaient les maisons perchées dans les arbres de cet étrange quartier du bord de la baie. D'après ce que Théona pouvait voir depuis son balcon, la majeure partie de cette communauté, le long de la côte et en plusieurs endroits au sein de la cité elle-même, était suspendue dans ces arbres inconnus à environ quinze pieds au-dessus du sol ou – comme c'était actuellement son cas – au-dessus de l'eau, car plusieurs de ces arbres poussaient directement dans la baie. Ce qui lui sembla au premier regard être un seul tronc démesurément épais se révéla, après un examen plus attentif, un regroupement de plusieurs petits troncs poussant tous ensemble autour du même arbre.

La cité, qui luisait maintenant sous l'effet de ces rayons plus foncés, la fascinait encore davantage que cet incroyable coucher de soleil. Les bâtiments de pierres ajustées qui s'élevaient au-dessus des arbres étaient tout en angles, avec des surfaces et des toits plats. Au-delà de ces amas de bâtiments tout près d'elle qui visaient le ciel par-delà le feuillage se trouvait un grand mur défensif qui entourait la cité intérieure, protégeant plusieurs constructions étranges et magnifiques à la fois : des pyramides faites de vastes couches disposées en gradins, avec sur les flancs de grands escaliers qui montaient de la base au tiers supérieur. Elle compta quatre de ces constructions de tailles diverses de même que d'autres grands bâtiments – certains étant très abrupts et d'autres ayant le même genre de toits plats que ceux à l'extérieur du mur. C'était, même en s'en tenant à la définition la plus blasée, une cité digne de tous les empires dont Théona avait jamais entendu parler – et elle était tout aussi certaine qu'elle était totalement inconnue des plus savants maîtres des traditions mnéméatiques.

Théona se débattit pour redonner son attention à sa sœur. « J'étais juste ici, Valana. »

« Tu aurais dû venir me rejoindre immédiatement. Tu peux voir à quel point j'avais besoin de toi », répondit sa sœur en faisant un geste vers sa robe. Valana avait insisté pour porter un de ses plus beaux costumes de voyage et pour arborer la plus belle coiffure avec l'espoir que son Treijan aurait pu se tenir juste de l'autre côté de la porte. Sa robe était maintenant salie et légèrement tachée à la suite de sa chute paralysante sur le sol, et ses cheveux avaient pris des formes inattendues dans cette nouvelle humidité. « Pire encore, ils refusent de me laisser aller quelque part sans ces sauvages qui me suivent pas à pas. »

Théona jeta un coup d'œil derrière sa sœur. Valana était suivie par deux immenses gardes dont les carrures étaient plutôt intimidantes. Théona cligna des yeux et rougit légèrement ; à Calsandria, il était rare de voir des hommes sans au moins une chemise pour leur couvrir le corps, et cela n'arrivait jamais avec des mystiques. Théona se retrouva ainsi apeurée, troublée, gênée et malgré tout fascinée en regardant ainsi leur sensualité décontractée. Leur large visage comprenait une forte et large mâchoire ainsi que des yeux foncés perçants. Ils avaient le visage et le corps peints : des motifs bleus, noirs et blancs suivaient de longues courbes continues du front jusqu'au dos, à la poitrine et au ventre, qu'ils avaient plat, en passant par la nuque, puissante, et formaient un dessin aux lignes enchevêtrées. Chacun d'eux portait un pagne autour de la taille qui tombait juste au-dessus des genoux, et leurs jambes musclées se terminaient par des pieds nus.

Leur air grave était en soi plutôt terrifiant, mais c'était l'aisance avec laquelle ils tenaient leurs armes en main qui attirait maintenant l'attention de Théona. Ils portaient des instruments semblables à des massues qui avaient été frottés et polis jusqu'à ce qu'ils puissent luire à la lumière tombante. Chacune des armes était lourdement lestée d'une pierre grise à une extrémité, tandis que le bout le plus long formait une grande courbe de bois avec une bande de pics épineux au dos. Des yeux gravés dans le bois de chaque côté s'étirant en un long front complétaient l'effet désiré d'un visage monstrueux.

De plus, chaque guerrier portait un dragon sur les épaules. Sur celles de l'homme à sa droite – qui était légèrement plus grand que l'autre et avait de longs cheveux noirs – était posé un dragon rouge et orangé dont la tête bougeait de gauche à droite dans son sommeil tandis que l'homme marchait. Assis attentivement sur les épaules de l'autre guerrier se trouvait un plus petit dragon bleu cobalt avec des taches bleu pâle, dont les yeux noirs brillèrent au moment où ils se posèrent sur Théona.

«Ce ne sont pas des sauvages», s'entendit dire Théona, presque autant que pour se convaincre elle-même que pour convaincre sa sœur. «Ils – ils vivent simplement d'une manière différente de la nôtre.»

« Ce sont des barbares ! Regarde un peu cela ! » dit Valana en grimpant sur la plateforme de Théona. Elle tendit les bras, et Théona remarqua immédiatement les bracelets qu'elle portait à chaque poignet. On aurait dit qu'ils avaient été fabriqués de morceaux d'os blanchis et gravés de motifs incrustés. Valana souleva ensuite le bas de sa robe et montra à Théona un arrangement similaire à ses chevilles. « Nous nous sommes éveillés ce matin avec cela. Ils sont hideux et sales, et ils dégagent une telle odeur ! »

« Eh bien, tu n'as qu'à les enlever, alors. »

« Penses-tu que je n'ai pas déjà essayé ? » répondit Valana hargneusement. « Ils me mordent lorsque je tente de les enlever. »

« Valana, sers-toi de ta magie et… »

« Je ne peux pas ! »

« Comment cela, tu ne peux pas ? »

« Aucun de nous ne le peut ! » gémit Valana. « Ni moi ni ce Dorian, qui est venu avec nous. C'est un mystique, lui aussi, peu importe ce qu'il en dit – mais cela ne nous sert à rien, car nous ne pouvons pas nous servir de la Magie profonde, ici. »

« Ce n'est pas possible », dit Théona.

« Enfin, possible ou pas, c'est ainsi », dit Valana d'un ton qui voulait dire qu'il n'y avait rien à ajouter. « Ce Gaius aux airs suffisants pense qu'il a prise sur nous et sur mon fiancé… »

« Valana, Treijan ne t'a jamais demandé… »

« Et s'il croit qu'il peut nous retenir ainsi contre notre gré, nous *et* le prince de Rennes-Arvad, il devrait y penser de nouveau ! » continua Valana avec la même vigueur.

« Et dès que tu auras une nouvelle pensée, je serais heureux d'en entendre parler », dit une voix aiguë depuis un balcon de l'autre côté du pont. Gaius s'y trouvait, les bras croisés sur la poitrine, quatre autres guerriers en position derrière lui. La main gauche du barde au visage étroit était posée sur la poignée d'une massue du pays suspendue à une boucle au niveau de sa taille.

« Tu devras cependant faire vite, car c'est l'heure de connaître ton destin face à la Roue du jugement. »

LA ROUE DU JUGEMENT

 héona marchait dans le sentier à la suite de sa sœur. Elles réglaient leur allure de façon à ne pas foncer dans les deux immenses guerriers qui leur ouvraient la voie avec des torches enflammées, tout en évitant de se faire rentrer dedans par les deux guerriers de même gabarit qui les poussaient à avancer. Le soleil s'était couché à l'horizon et avait laissé derrière lui, réparties dans le vaste ciel, les sombres braises des nuages du soir. Les sœurs de Calsandria foulaient de nouveau le sol, les gardes les ayant guidés depuis la cime des arbres jusqu'au luxuriant feuillage, en bas. Théona s'attendait à être conduite directement dans les confins de cette étrange et magnifique cité qu'elle avait pu observer depuis les hauteurs, mais les gardes les menèrent plutôt vers le nord, hors du grand mur extérieur, le long d'un sentier de terre battue. L'épais feuillage de chaque côté du chemin était maintenant sombre et intimidant. Il alimentait l'imagination de Théona, qui voyait là des formes devenant de plus en plus grandes et terrifiantes à chaque seconde. Elle tenta de prendre une grande inspiration, de contenir ses pensées et de repousser les ombres, mais elle eut l'impression de ne pouvoir emplir ses poumons d'air.

C'étaient les yeux des petits dragons qui la rendaient nerveuse. Des dragons étaient nonchalamment posés sur les épaules de chacun des guerriers qui les entouraient. La peau de chaque dragon était parée de couleurs brillantes, même à la lumière des torches, et il lui semblait qu'il n'y avait pas deux dragons identiques, qu'il s'agisse des taches sur leurs corps ou de leurs comportements. Théona observa les deux dragons devant elle. L'un d'eux était étendu sur le large dos de son guerrier, la tête posée sur ses serres antérieures, tandis que l'autre était assis bien droit, les ailes repliées avec soin et les serres postérieures agrippant fermement la bande de tissu, sous lui. La seule chose en commun entre les deux était leurs yeux noirs et brillants, qui semblaient invariablement rivés sur Théona.

Leur vigilance soutenue la décontenançait, d'autant que chaque guerrier gardait sa main droite sur la poignée de cette arme étrange suspendue à la bande de tissu – un rappel constant qu'elles se devaient de suivre leurs ravisseurs, sous peine de payer un terrible prix.

En vérité, Théona n'était pas du tout certaine qu'elles n'étaient pas sur le point de mourir, et se demanda s'il ne serait pas préférable pour elle et sa sœur de tenter une évasion désespérée en fonçant dans les sous-bois qui bordaient le sentier. Elle ne tenterait jamais un tel coup si cela signifiait qu'elle laisse sa sœur derrière elle ; malheureusement, Théona n'avait aucun moyen de faire part de ce plan à sa sœur sans risquer d'être entendue par Gaius.

Gaius marchait juste devant les sœurs d'un pas confiant, et Théona souhaita malgré elle pouvoir partager cette confiance. Il ne craignait pas les autochtones à la peau foncée comme elle pouvait le faire – en effet, il semblait préférer leur compagnie et se plaisait à accabler de son dédain sa propre famille et sa société. Il parlait leur langage, à l'évidence, ce qui était un avantage qui faisait peur à Théona. Il était tout aussi évident que Gaius s'était emparé de Treijan avec un dessein abominable en tête, le faisant passer discrètement par sa porte à pierre de chant secrète vers ce territoire étranger – peu importe où ce dernier pouvait bien se trouver. Treijan était le cousin de Gaius, et la maison de Petros s'était toujours avérée une alliée loyale de la maison d'Arvad, quoique l'introduction de la lignée de Rennes ait quelque peu tendu leurs relations. Quelle était la portée du plan de Gaius ? Est-ce que cet homme avait, pour une raison ou pour une autre, trahi les mystiques pour le compte de ce peuple étrange qui les retenait maintenant prisonniers ? Il portait une de leurs armes à sa taille. Quelle était son implication auprès de ces gens ? Était-il en train mettre sur pied une armée ?

Le sentier prit fin brusquement en bordure d'une large route pavée. Gaius ne montra aucun signe d'hésitation et bifurqua immédiatement vers le sud en direction de la porte ouverte dans le mur de la cité qui les dominait de sa hauteur. De petits dragons perchés de part et d'autre de la porte suivirent Théona du regard tandis qu'elle entrait à la suite des gardes.

Gaius les conduisit le long d'étroites allées entre les édifices de pierre aux formes carrées. Théona s'émerveillait du savoir-faire qui avait été mis en œuvre dans la construction de la ville ; les lisses pavés avaient été posés avec une précision telle qu'il était impossible, selon elle, d'y glisser une feuille de parchemin, et il n'y poussait pas le moindre brin d'herbe. Les murs des bâtiments qui défilaient sous ses yeux étaient également si bien construits qu'elle ne vit aucun mortier entre les pierres – et pensait bien que cela n'aurait pas été nécessaire de toute façon.

Les pensées de Théona cessèrent cependant d'envahir son esprit à la vue d'une énorme pyramide en gradins – la plus grande des quatre qui se trouvaient dans la cité – qui dominait les plus hautes branches des palmiers des environs et tous les autres bâtiments autour. La large base carrée de la structure semblait mesurer au moins deux cents pieds de côté, et ses murs d'une hauteur de trente pieds étaient légèrement orientés vers l'intérieur. Des gravures détaillées, usées par le vent, la pluie et le temps, ornaient des panneaux qui occupaient tout l'espace disponible. Puis un second étage était posé sur le premier, orné de la même façon et lui aussi d'une hauteur de trente pieds. Cette progression se poursuivait vers le haut selon une suite d'étages – sept en tout – jusqu'à une structure carrée au sommet. Il y avait des statues stylisées de dragons à chaque coin, dos tourné au bâtiment. Un unique escalier de pierre, de près de vingt pieds de largeur, s'élevait le long de l'édifice jusqu'au troisième étage, où il rejoignait une grande arche qui donnait accès à l'intérieur. L'escalier se séparait ensuite en deux branches de chaque côté de l'arche avant de se rejoindre de nouveau pour atteindre chacun des étages supérieurs jusqu'au sommet.

Les statues de dragons servaient de perchoir à un bon nombre de petits dragons bien réels. *Par les dieux*, pensa Théona, terrifiée à cette idée. *Combien y a-t-il de dragons en tout ?*

C'est seulement à cet instant qu'elle remarqua qu'ils se trouvaient du côté nord d'une énorme place remplie de milliers de personnes en délire, et un frisson lui parcourut l'échine en dépit de l'air chaud de la nuit.

Des hommes et des femmes à la peau foncée et au visage carré, sévère, étaient entassés épaule contre épaule, sur une vingtaine de rangs, aux extrémités de la place. Tous portaient une bande de tissu similaire entourée autour de leurs hanches de l'avant vers l'arrière, puis de nouveau vers l'avant par-dessus leur poitrine jusqu'à leur nuque. La façon de porter ce tissu était la même, mais les motifs étaient toutefois variés et se répétaient rarement. Les enfants se pressaient vers l'avant ou se tenaient suspendus à des branches d'arbres peu élevées afin d'être en mesure de mieux voir le spectacle.

Tous les yeux étaient rivés sur un cercle de guerriers, près d'une centaine au total, qui tournoyaient en une danse rythmée autour du centre de la clairière. Leurs traits étaient illuminés par des fosses où brûlait du bois, disposées à intervalle régulier à l'extérieur de leur cercle. Tout en chantant, chaque guerrier faisait passer avec une précision infinie son arme semblable à une massue de la main droite à la main gauche. Leurs voix augmentaient l'impact sonore des pieds lorsqu'ils cognaient la terre avec un bruit sourd. Leurs jambes étaient bien écartées et solidement ancrées au sol tandis qu'ils se frappaient la poitrine de la main gauche. Leurs voix graves et profondes secouaient l'air en chœur. Puis, sans prendre de pause et sans se tromper dans leurs pas, tous les guerriers soulevèrent leur pied gauche et se tournèrent comme un seul homme, leur arme polie luisant dans la nuit ; le cercle se déplaça un peu plus loin du centre. Leurs chants se poursuivirent avec leurs mouvements, le son de leurs larges paumes ouvertes se faisant clairement entendre d'un seul claquement sec sur leurs cuisses, leur poitrine et leurs bras tandis que leurs massues sculptaient des arcs complexes dans les airs. Sur l'épaule de chaque guerrier dansait un petit dragon dont la tête, au bout d'un long cou, se balançait d'avant en arrière. Ils sautaient d'une épaule à l'autre, ouvrant leurs ailes de cuir colorées et se déplaçant avec précision au son du chant et suivant les mouvements des guerriers.

Tout à coup, les guerriers se retournèrent, leurs massues basculant dans leurs mains avant de pointer soudainement vers le ciel. L'air au-dessus de leurs têtes altéra et déforma la vision des arbres encore visible à la lumière du crépuscule. Le changement était si subtil qu'elle se dit au début qu'elle l'avait peut-être imaginé, mais lorsque les guerriers se mirent à porter les pieds au sol de plus belle, le rythme de leur danse gagna en vitesse en même temps que l'intensité de leurs chants. Les massues furent de nouveau dirigées vers le ciel, tandis que le grand cercle de guerriers tombait à genoux comme un seul homme, leurs voix se répercutant tel le tonnerre sur le sol. L'air changea une fois de plus, cette fois faisant se contorsionner la fumée des fosses de feu environnantes en des contours et des formes dans les airs au-dessus du cercle.

«Regarde, Thei», dit Valana à sa sœur d'une voix feutrée. «Ils appellent quelque chose.»

Théona hocha la tête, puis redirigea son regard vers le centre du cercle. Elle n'eut que des visions fugitives des personnes qui étaient agenouillées là avant que les guerriers ne se remettent sur leurs pieds. Le rythme augmenta encore, et les mouvements des guerriers et des dragons sur leurs épaules devinrent plus rapides et plus marqués.

Les massues furent de nouveau dirigées vers le ciel, et, cette fois, une image se forma clairement dans la fumée et l'air au-dessus du cercle. C'était un dragon, mais il ne ressemblait pas aux petites créatures que les autochtones avaient domestiquées. C'était la forme d'un dragon immense – beaucoup plus imposant que la forme d'Ulruk qui avait attaqué et dévasté Khordsholm la veille. Il se tortilla dans les airs, tournant lentement sur lui-même en suivant la rotation des guerriers, qui formaient une roue au-dessous de lui. À chaque temps du chant des guerriers, la forme enveloppait de la fumée autour d'elle – l'incarnation d'un dragon sous la forme d'un esprit qui se mit à bouger, étirant ses ailes et ouvrant largement ses grandes mâchoires.

Les guerriers crièrent.

Au-dessus d'eux, le dragon de fumée poussa en guise de réponse un hurlement dont l'intensité secoua les feuilles des palmiers tout autour de la clairière. C'était un son si terrifiant que Théona ne put soudainement plus bouger ni penser, les yeux rivés sur cette terrible image qui flottait dans les airs.

Les massues des guerriers furent dirigées dans le ciel une dernière fois.

Le cou du dragon de fumée se courba vers le bas et plongea vers le centre du cercle avec un autre hurlement assourdissant.

Un cri épouvantable et solitaire déchira l'air.

Le dragon disparut en un instant, et les guerriers se mirent tous sur leurs pieds, poussèrent des acclamations en se plaçant sur le côté et ouvrirent un passage dans leurs rangs. Deux des guerriers traînaient derrière eux, hors du centre, le corps flasque et immobile d'un homme. À la seule lumière des fosses éclairées, Théona parvint à reconnaître le vert foncé de la houppelande à capuchon et les longs cheveux grisonnants qui dissimulaient la tête pendante de Dorian Arvad.

« Gaius ! » cria Théona. « Que lui as-tu fait ? »

« Moins que ce qu'il méritait », répondit hargneusement le barde au visage étroit.

« Tu l'as tué », dit Théona spontanément. « Qu'est-ce que tu aurais pu lui faire de pire ? »

« Il bluffe, Thei », dit Valana d'un ton soudainement très calme. « Il essaie seulement de te faire peur. Il n'oserait pas nous faire de mal – il sait à quel point nous avons de la valeur. »

« Voilà une réponse typique d'une Conlan », railla Gaius en secouant la tête. « Tu n'as aucune idée de ce qu'est la véritable valeur. Personne ne t'a invitée à venir ici – essaie donc de ne pas rendre les choses encore pires qu'elles le sont par ta faute. »

« Rendre les choses encore pires ? » dit Théona en crachant les mots. « Comment pourrions-nous vraiment rendre les choses encore pires ? »

« Je ne peux imaginer comment, répondit Gaius, mais je soupçonne que, s'il *existe* une façon de le faire, tu la trouveras ! »

Gaius fit un signe de la main en direction des gardes. Ils poussèrent Théona et sa sœur vers l'avant, les faisant marcher sur les pierres lisses de la place vers l'ouverture au centre du cercle des guerriers. Théona marchait à deux pas de distance derrière sa sœur, sa position habituelle lorsque sa famille déambulait dans les rues de Calsandria. Elle réalisa à cet instant qu'elle avait toujours marché deux pas derrière sa sœur, et qu'elle le faisait encore maintenant en marchant vers sa mort – un acte familier réconfortant face à ce néant bien sombre.

Un homme immense avec une large et puissante poitrine se tenait au centre du cercle des guerriers. Sa tête était entièrement dissimulée par un masque décoré de façon à ressembler à un dragon féroce. À côté de lui se trouvaient deux autres personnes, dont les vêtements de cérémonie colorés tombaient des épaules jusqu'au sol, dissimulant entièrement leurs corps. Ces vêtements étaient décorés avec des motifs compliqués qui ressemblaient presque à un langage écrit, bien que cela fût certainement très différent de ce que Théona avait pu voir auparavant. Ces autres personnes portaient aussi des masques qui cachaient leurs visages en totalité, et ils ressemblaient aux visages sculptés sur les massues.

Théona baissa les yeux. Les pierres à ses pieds étaient tachées de sang.

«Gaius, dit Théona, la voix tremblante, ne fais pas cela. Cela n'a pas à se passer ainsi.»

«Oh, arrête, Théona», fit Valana avec une moue dédaigneuse. «Il bluffe; ne le vois-tu donc pas? Qu'est-ce que tu veux, Gaius? Tu as enlevé le prince et tu l'as conduit dans cette cité étrange avec ses pittoresques petites coutumes qui sont à l'évidence inconnues du Conseil des Trente-Six. Eh bien, bravo, Gaius, tu as réussi! Tu as accompli ce que tu avais prévu. Maintenant, je suis ici pour te dire que personne n'apprécie ce genre de talent autant qu'une Conlan. Si tu mijotes quelque chose, d'accord, je suis certaine que nous pouvons en arriver à une entente. Nous sommes toutefois venues pour récupérer le prince que tu as volé, et rien ne viendra entraver notre mariage – alors, quel est ton prix?»

«La belle damoiselle sauve le prince, hein?» dit Gaius d'un ton triste. «Ce n'est pas comme cela que se termine cette histoire, dame Conlan.» Il se tourna et sortit du cercle en marchant entre les guerriers.

«Non!» dit Théona.

« Je peux t'aider, Gaius », dit Valana à son intention tandis qu'il s'éloignait. « Peu importe le jeu auquel tu joues, tu es certainement mieux *avec* nous que sans nous ! »

Les guerriers resserrèrent les rangs et se mirent à chanter de plus belle. Leurs mouvements aisés et leurs voix graves résonnèrent à travers Théona. Elle trembla de peur.

Les rêves, pensa Théona, refoulant ses larmes. *J'ai suivi mes rêves – espérant qu'ils pourraient faire de moi quelqu'un de mieux que ce que je suis en ce moment. C'est ici qu'ils m'ont conduit ; je nous ai tué toutes les deux.*

Les mouvements des guerriers devenaient de plus en plus prononcés, leurs chants, plus forts.

C'est ici que prend fin ma vision ; les ténèbres et les regrets.

Les yeux de tous les petits dragons sur les épaules de la centaine de guerriers étaient tous fixés sur Théona.

Théona leva les yeux ; le dragon de fumée se formait au-dessus de sa tête. Elle aspira une bouffée d'air en tremblant – et le dragon fondit sur elle, hurlant dans le ciel tandis que sa mâchoire l'engloutissait.

* * *

Je me tiens au milieu d'un cercle de pierres plates. Je vois des étoiles se refléter sur sa large surface polie, mais je n'en vois aucune dans le ciel. Il n'y a rien au-delà de ce cercle de pierres – pas même des ténèbres – et, bien que cela devrait m'effrayer, je suis réconfortée, je n'ai pas peur. Je regarde de plus près et je vois trois anneaux d'or incrustés dans le sol, entrecroisés. Je me tiens précisément en plein centre, là où les trois cercles réunis forment un triangle aux arêtes courbes. Au centre de chacun de ces cercles incrustés se trouve un piédestal, et au sommet de chaque piédestal se trouve une sphère de lumière. Chacune d'entre elles projette un aspect différent : la première est blanche comme de la glace et de la neige, la seconde est une boule de feu et la troisième est verte comme un pré luxuriant. Chaque aspect est magnifique et abominable à sa façon, et me voilà follement désireuse de les voir de plus près.

Je m'avance depuis le centre sombre vers la sphère verte, et les ténèbres se dispersent en un instant. Il y a une montagne au loin, et mon cercle de pierres se trouve dans une plaine herbeuse. De grandes forêts se trouvent à une faible distance de moi, tandis que derrière se trouvent les portes noires d'une cité abominable. Des personnages horribles sculptés dans de l'onyx brillant se tiennent de chaque côté des portes.

Les portes s'ouvrent, et je redoute ce qui pourrait envahir la forêt, mais de cette ouverture émergent les plus magnifiques créatures : des êtres délicats avec des ailes comme celles des papillons, qui sont si exquis que je ne connais pas de mots pour les décrire. L'un d'eux s'éloigne de ses compagnons ailés – un mâle de leur espèce avec les cheveux qui lui tombent sur les yeux, et au maintien empreint de mélancolie. Il marche à travers les anneaux incrustés, se dirigeant près de la sphère rouge, et je m'approche dans sa direction.

Le monde se transforme autour de moi. La montagne est toujours là, mais la beauté luxuriante de son sommet a été remplacée par des rochers escarpés et des coulées de lave. La plaine autour de moi est dépouillée de ses herbes, exposant ainsi la terre et la roche. La cité est encore là, mais son aspect a également changé, car ses murs ont maintenant pris l'aspect du métal rouillé. La montagne est la même montagne et la plaine est la même plaine, et, pourtant, elles sont entièrement différentes.

Différentes aussi, les créatures ; de magnifiques, elles sont devenues petites et laides, avec de longues oreilles et de grands pieds. Elles ont la peau verte, et elles galopent parmi des objets de métal tout autour de moi, les ramassant et les poussant ensemble de bien étrange façon. Une créature dans le groupe retient mon attention ; une femelle, d'après son anatomie, qui porte un étrange chapeau plat fait de tissu grossier.

Je m'aperçois cependant que les magnifiques créatures ne sont pas toutes parties. Le mâle aux cheveux longs est maintenu en captivité par la créature femelle. Il parvient à s'échapper d'elle, et court en direction de la sphère bleue de notre petit monde, laissant la femelle verte en pleurs derrière lui, mais elle aussi se déplace pour suivre le mâle ailé, et je lui emboîte le pas.

Le monde change encore une fois, et la montagne ardente est soudainement guérie, transformée en sommet enneigé. La plaine autour de la montagne devient le rivage de l'océan. La cité métallique derrière moi est transformée en d'énormes arbres avec des maisons nichées dans les branches, dominées au loin par les quatre pyramides à gradins de la cité.

« Est-ce que tu vois cela ? »

Je me tourne vers la voix, et une larme coule de mon œil.

« Hrea ? »

La déesse me sourit en faisant un geste de la main autour d'elle. « Est-ce que tu vois cela, Théona ? »

Je hoche la tête, me rapprochant plus près d'elle. « Je vois – mais je ne comprends pas. »

Hrea me sourit de nouveau. Je sens la douleur de mon âme m'être enlevée, une douleur supportée depuis si longtemps que je ressens son absence. « Tu comprendras, mon enfant. C'est ta bénédiction et ta malédiction de comprendre. »

« Qu'est-ce que je dois faire ? »

« Regarder », dit Hrea en me prenant dans ses bras.

La lumière me consume et m'emporte au loin.

Et je vois !

Je vois les chemins du futur se dérouler devant moi – tous les futurs possibles qui émanent du moment présent. Je vois les résultats de tous les choix – grands et petits – de la conséquence la plus rapprochée à la destruction totale et complète des mondes. Je pleure, car cette connaissance me submerge, et mon esprit tente de saisir sa grandeur et son horreur tout d'un coup.

Je me tourne pour voir derrière moi, mais il y a aussi là des chemins trop nombreux pour être comptés, et ils convergent tous vers moi. Ce que je vois sont en fait les choix du passé, qui convergent encore vers moi dans le moment présent. Ce sont là des chemins que je ne peux modifier, car ils ont tous été empruntés auparavant. Je me tourne encore pour faire face aux chemins devant moi.

« C'est ta bénédiction », me murmure Hrea.

« C'est ma malédiction », dis-je en pleurant. « Je vois la fin du monde. »

« Tu dois voir au-delà de la fin », me répond doucement Hrea. « La fin n'est que le commencement. Toute la grandeur de la mortalité réside dans le moment de la prise de décision, dans le chemin choisi par un simple pas. Sage est celui qui comprend les fins de ses choix. »

« Mais je ne vois aucun chemin sans douleur », dis-je avec résignation.

« Il n'y a pas de chemin véritable qui soit sans douleur », *me répond Hrea.*

« Qui suis-je, alors ? » demandé-je.

« Tu es le guide. » Hrea me sourit, et son visage devient de plus en plus brillant, jusqu'à ce que je ferme mes yeux devant tant de lumière.

Journal de Théona Conlan, Volume 1, pages 32-36

Théona ouvrit les yeux en sursaut.

Tous les guerriers étaient agenouillés, faisant la révérence devant elle, tête inclinée. Les femmes et les enfants, dans la foule au-delà du cercle, faisaient aussi la révérence en détournant le visage. Les trois personnes masquées en vêtements de cérémonie étaient également agenouillées.

Seule une personne était encore debout : Gaius, bouche bée d'étonnement en regardant Théona.

Valana se releva rapidement de l'endroit où elle était tombée, sous le plongeon du dragon de fumée. Elle examina la horde prostrée à ses pieds et se tourna vers Gaius, encore béant d'étonnement.

Le barde se laissa lentement tomber sur les genoux, sa main gauche poussant sur la poignée de sa massue autochtone tandis qu'il s'inclinait devant Théona.

« Voilà qui est mieux », dit Valana en se tenant la tête haute. « Maintenant, je demande à savoir où tu gardes Treijan prisonnier ! »

« Femme stupide », dit la voix d'une des personnes en vêtement de cérémonie agenouillées derrière Valana, qui retira rapidement le masque qui recouvrait son visage. « On ne me garde *prisonnier* nulle part ! »

Valana et Théona se tournèrent, surprises.

C'était Treijan.

ÉVASION

rrêtez-vous immédiatement, Votre Altesse!» cria Valana, qui poursuivait Treijan, en fuite, à travers l'épais feuillage.

«Rentrez chez vous, maîtresse Valana», lui répondit Treijan par-dessus l'épaule. «Il n'y a rien pour vous, ici.»

Le prince s'était enfui en trombe dans la jungle, laissant sur place son costume coloré et entraînant un exode général dans son sillage. Valana l'avait pris en chasse sur-le-champ, sans se soucier de la direction qu'elle prenait, et appelait son presque fiancé. Leurs actions eurent également pour effet de secouer Gaius et Théona de leur étonnement, et ils s'étaient eux aussi mis à poursuivre Valana, tentant de maintenir le rythme.

«Où crois-tu qu'ils vont?» demanda Gaius en suivant Théona au-delà des gardes et des murs de la ville, en direction du sous-bois. Une lumière prit vie au-dessus de sa main gauche dans un effort d'illuminer l'obscurité autour d'eux.

«Je ne sais même pas où nous sommes», répondit Théona. «Comment pourrais-je savoir où ils vont?»

« Tu marques un point », dit Gaius, son visage se fondant en un bref sourire. Il lança lui aussi un appel au prince, qu'il pouvait entendre foncer dans les branchages de la jungle, au-delà de ce que ses yeux lui permettaient de voir. « Treijan, attends ! Cela ne réglera rien ! »

« Je ne serai *pas* traitée de cette façon ! » cria Valana. « Je suis une fille de la maison de Conlan, et vous ferez preuve de courtoisie à *mon* égard ! »

Le prince se retourna à peine et fit un sourire méprisant avant de s'enfoncer dans un mur de feuillage, dans lequel Valana se glissa presque immédiatement après.

« Penses-tu que nous devrions laisser le petit couple heureux tranquille ? » demanda Gaius en jetant un regard inter-rogateur à Théona.

« Est-ce que tu espères célébrer des funérailles ? »

« Le prince ne ferait de mal à personne. »

« Je ne suis pas convaincue que ma sœur est aussi inoffen-sive », dit Théona en s'enfonçant dans les fougères.

Elle en émergea au bord d'un long bassin qui constituait le pied d'une magnifique cascade. Treijan faisait de grandes enjambées dans l'eau peu profonde vers la rive opposée.

« Après tout ce que j'ai traversé – de la poussière, de la nourriture infecte et des cités étranges – et ce *dragon,* à Khordsholm ! J'ai surmonté tout cela, et pour quoi ? »

Treijan se retourna et s'immobilisa tout près de la berge. Le tranquille murmure de la chute ne fit rien pour adoucir les mots qui étaient lancés à travers la surface faiblement ondulée du bassin. « Personne ne vous a demandé de venir me sauver, prin-cesse de la maison de Conlan ! J'étais parfaitement heureux ici – j'aurais peut-être même pu goûter à une parcelle de bonheur – et c'est alors que vous vous êtes présentée ! »

« Eh bien, *quelqu'un* devait le faire ! » Valana cracha ces mots dans sa direction. « Vous m'aviez été promis ! Tout cela avait été organisé entre nos familles, et moi, j'étais prête à accomplir mon devoir pour ma maison. À mon avis, ce sont là des devoirs qu'un prince de Rennes-Arvad aurait dû honorer – du moins, il aurait dû en connaître le concept !»

«Honorer ma maison ?» répondit Treijan avec un rire moqueur. «J'ai passé ma vie à "honorer ma maison". J'ai parcouru les terres de Hramra, des Provinces jusqu'à Vestadia et du détroit de Cyran jusqu'au cap Bounty, en tentant de trouver de quoi honorer ma maison – et je n'ai rien trouvé nulle part, sauf *ici*. C'est *ici* que j'honore le mieux ma maison – en laissant derrière moi la ridicule coquetterie de la cour, les poignards luisants et les sourires venimeux. Je n'ai jamais voulu être un "prince d'Arvad" ; je n'ai jamais voulu le trône des mystiques. Tout ce que je voulais, c'était faire quelque chose de ma vie qui ait un sens et qui n'implique pas d'être un chasseur ou une cible. Croyez-moi, maîtresse Valana, lorsque je vous dis que me marier avec vous eût été la pire chose que j'aurais pu faire pour le grand et grandissant Empire mystique.»

«Et qu'en est-il de moi ?» Valana tremblait de rage. «Qu'en est-il de ma famille et de notre position sociale ? Qu'en est-il de notre mariage ? Vous pensiez peut-être pouvoir vous échapper du royaume, mais, si vous pensiez pouvoir laisser derrière vous les promesses de votre famille à *mon* égard, vous feriez mieux d'y réfléchir à nouveau !»

Valana était furieuse ; de gêne, de rage ou des deux, Théona ne pouvait le dire. «Je t'en prie, Valana», dit-elle, en faisant un pas prudent dans sa direction. «Peut-être que nous devrions tous nous calmer un peu.»

«Nous calmer ?» La voix de Valana se brisa de colère. «Cette – ce lamentable et *minable* descendant de Galen n'a pas été enlevé du tout, n'est-ce pas, Treijan le Grand ? Espoir de Calsandria et Lumière des royaumes des mystiques, effectivement ! Vous vous êtes enfui dans la nuit et vous avez laissé tous vos problèmes derrière vous, n'est-ce pas ? Eh bien, vous ne *me* quitterez pas !»

« C'est peut-être notre seule chance de nous enfuir ! » Arryk secoua la tête, contrarié. « Tu n'es pas encore prêt ? »

Hueburlyn leva les yeux d'un air las vers le fée irascible. Arryk lui tapait de plus en plus sur les nerfs. La patience était un art que les centaures n'avaient jamais vraiment cultivé ni maîtrisé. Hueburlyn était meilleur que la plupart des membres de sa race à ce sujet, mais il y avait des limites à tout.

« Hueburlyn être seulement aussi prêt qu'Arryk me rendre prêt », répondit-il. « *Kntrr* ne pas vouloir demeurer dans cage puante avec Arryk lui non plus. Arryk juger – Hueburlyn être prêt ? »

« C'est tout ce que je peux tirer de toi ! » explosa Arryk. « Tu parles, tu parles, mais tu ne dis jamais rien. Tout ce qui sort de ta bouche ne nous mène qu'à un cercle d'absurdités. »

« Hueburlyn savoir exactement où lui aller », dit le centaure sur un ton vexé, en fermant les yeux une fois de plus pour se concentrer. « Fée Arryk être celui qui est perdu. »

« Oh, tais-toi un peu, et concentre-toi », dit Arryk d'un ton hargneux.

« Hueburlyn ne pas être celui qui parle encore. »

« Oh – tais-toi ! »

Hueburlyn haussa les épaules et ferma les yeux. Le fée était un tel idiot – il se promenait dans la forêt de son propre apitoiement et ne la quitterait probablement jamais, même si quelqu'un lui montrait la sortie.

La maîtrise du Sharaj, comme l'appelait le fée, était loin d'être complète pour Hueburlyn. Il pensait maintenant en connaître les rudiments ; il pouvait concentrer l'énergie du pouvoir magique et en rester maître, s'il ne tentait pas de le faire pendant trop longtemps. La puissance brute ne semblait pas être son problème autant que de la façonner dans la direction appropriée, et plus important encore, d'être en mesure d'y faire appel au moment et à l'endroit voulus. Arryk l'avait aidé dans les deux aspects de l'art, mais ils avaient eu bien peu d'occasions de mettre les leçons en pratique, et le Sharaj était bien quelque chose qui se maîtrisait seulement avec l'expérience.

Alors, Hueburlyn se sentait aussi prêt qu'il pouvait l'être dans les circonstances – mais les circonstances étaient loin d'être idéales, et il était encore fortement permis de douter du résultat.

« Arryk certain que ce soir être le soir ? »

« Oui », dit rapidement le fée. « La petite femme-monstre m'a dit que sa démonstration était prévue pour ce soir. »

Hueburlyn hocha la tête, puis fit claquer nerveusement ses sabots antérieurs contre le sol de pierre. « Arryk devrait être plus gentil avec petite créature verte. »

« Quoi ? »

« Petite créature verte – elle t'aime –, elle gentille avec toi. Arryk devrait être gentil à son tour. »

« Par le chemin des Bornés », dit le fée en passant sa main d'un air las sur son visage. « Pourquoi ne peux-tu pas simplement arrêter de parler cinq minutes ? »

« Tout ce que Hueburlyn dit est… »

« Elle nous a *capturés* ! » Arryk parlait avec l'emphase exagérée qu'il utiliserait s'il parlait à un enfant. « Elle nous a *volés*. Elle nous a *emprisonnés* – elle nous a mis dans cette cage et ne nous laisse pas en *sortir* ! Elle a été plusieurs choses pour nous, mais *gentille* n'est pas une de celles-là ! »

« Mais, petite créature verte pas être en colère contre nous », répondit Hueburlyn. « Hueburlyn voir comment elle regarder toi. Elle se soucier d'Arryk. Peut-être Arryk pouvoir se soucier un peu d'elle. »

« Par Gobrach. » Arryk soupira. « Vous, les famadoriens, vous n'êtes jamais à court de mots ? »

« Pas famadorien », ronchonna Hueburlyn. « *Kntrr !* »

« D'accord ! Peu importe ce que tu dis, dis-le au moins en parlant moins fort. Cela dérange ces démons, et la surprise est notre meilleure… Attends!» Arryk déploya ses ailes en se levant et les étira*. «Ils arrivent.»

La grande porte à l'opposé de la cage s'ouvrit avec fracas et révéla une fois de plus les étranges mécanismes dans l'autre pièce. La petite créature qui les avait emmenés ici passa la première par l'ouverture. Elle portait un long manteau taché qui avait peut-être été blanc à une certaine époque ainsi qu'un étrange chapeau pointu.

«Regarde», murmura Arryk.

La petite créature transportait le livre orné de pierres précieuses en le tenant fermement contre sa poitrine.

Une procession de créatures similairement étranges mais de tailles différentes entra à sa suite. Celui qui suivait immédiatement derrière la femelle semblait plus âgé que les autres; il portait un haut d'armure cliquetant et n'avait qu'un seul œil. Derrière lui entra une créature plus grande, avec un nez et un menton pointus, et qui portait un manteau noir luisant. Derrière cette créature, plusieurs autres portaient un uniforme semblable à celui du borgne. Ils faisaient tous claquer leurs pieds sur le sol en regardant autour d'eux – Hueburlyn ne pouvait dire si c'était un geste approbateur ou non.

Le borgne approcha de la cage en se dandinant, et y jeta un coup d'œil. Son visage se fendit en un abominable sourire, exposant des dents pointues en zigzag. Cette créature dégageait une odeur terrible, même pour Hueburlyn.

«*Gobakadi meedu sewah!*» s'exclama la créature à haute voix, ce qui déclencha un gros éclat de rire chez les autres créatures dans la pièce.

Seule la femelle ne sembla pas amusée par le commentaire. Elle tapa du pied impatiemment, criant des ordres à ses collègues ainsi assemblés et pointant du doigt l'endroit où ils devaient se tenir, face aux anneaux, sur le côté de la pièce.

---

* C'est une réaction automatique en ce qui concerne les fées. Avec leurs ailes ainsi déployées, les fées peuvent sentir les mouvements de l'air de façon plus précise. Il s'agit d'un mécanisme de défense.

« Es-tu prêt ? » demanda Arryk.

« Aussi prêt que… »

« D'accord ! » dit rapidement Arryk en faisant un geste de la main. La petite femelle levait son livre devant elle avec ses deux mains. « Maintenant ! »

Hueburlyn se retira à l'intérieur de lui-même, appelant les pouvoirs du Sharaj. Il toucha la vision dans son esprit, vit le sommet des montagnes comme il les avait vus auparavant de même que la neige et la glace. Son compagnon se tenait dans la vision, un homme étrange sans ailes ni sabots qui semblait surpris de se trouver là, au sommet du monde. Il se mit à rassembler de la neige et de la glace, fit une boule avec et la lança vers le centaure. Hueburlyn se concentra sur tout cela – le froid de l'eau gelée, la fraîcheur de l'air – et fit pression sur tout cela jusqu'à ce que tout le froid de la montagne soit appelé et rassemblé dans son esprit. Il s'agissait maintenant de le pousser à l'extérieur de lui en un flot concentré…

Le métal se mit à hurler.

Hueburlyn ouvrit les yeux.

Les barreaux de la cage étaient en train de geler, le froid de ses pouvoirs faisant chuter leur température si rapidement que le métal grinçait. Autour des barreaux, la vapeur d'eau se condensa à la vitesse de la lumière en une épaisseur de glace grandissante, mais le centaure n'attendit pas que tout soit terminé ; il frappa la grille de ses poings en un seul coup puissant.

Le métal de la cage se brisa et explosa vers le haut et partout dans la pièce.

Pendant que les morceaux retombaient, Arryk s'envola par l'ouverture et, ainsi libéré de cette cage étrange, il fut de nouveau en mesure de laisser le pouvoir du Sharaj s'écouler en lui.

*Je suis redevenu Arryk – l'Arryk que j'étais né pour
devenir – et je marche à grandes enjambées dans la cité
du Sharaj, fou de joie de constater que le pouvoir coule
de nouveau en moi. Dans la rue, les flocons de neige se
rassemblent autour de moi et se mettent à tourbillonner
lorsque je traverse la cour.*

*Je vois mon vieil ami – l'homme sans ailes – debout
sous la neige qui tombe. Je le salue par signes, pressé
de me connecter à lui : la bataille fait rage dans le
monde réel, et je dois frapper en vitesse. Je tends la
main vers lui...*

Contes des fées
Cantiques du Bronze, Tome XIV, Folio 1, Feuillet 53

«Je t'en prie, Valana, il faut que tu arrêtes!» demanda Théona
d'une voix inhabituellement inquiète en tirant sa sœur par le
bras. La brillante voûte céleste révélait le sable noir de la berge.
La chute, les gens, le ciel – tout était devenu d'une familiarité
alarmante pour Théona. Elle avait vu dans son rêve ce qui allait
arriver, et souhaitait désespérément y mettre un frein.

Valana tira sur son bras d'un coup sec et le libéra. «Laisse-
moi tranquille! Je ne laisserai pas un garnement égoïste nous
ruiner!»

«Non! Tu ne comprends pas ce qui va se passer!» insista
Théona. «Je l'ai *vu*! Je t'en prie; nous devons tous retourner au
village immédiatement.»

«Tu l'as *vu*?» dit hargneusement Valana. «Théona, il
s'agit ici d'une affaire de mystiques – tu ne comprendrais pas...»

«Je comprends que tu dois quitter cet endroit dès maintenant», dit Théona instamment. «Je t'en prie, écoute-moi!»

«Non!» dit Valana en repoussant sa sœur. «Tu as peut-être
peur de ce "prince d'Arvad", mais ce n'est pas mon cas. Je
t'aime et tu as toujours été une bonne sœur pour moi, mais tu es

ordinaire. Tu ne comprends pas la Magie profonde et tu ne peux saisir les subtilités de cette situation!»

«C'est précisément la raison pour laquelle je suis parti!» cria Treijan à l'intention de Valana, toujours debout dans l'eau peu profonde, près de la berge. «Toute cette fausse gloire et la suffisance liées aux positions, et aux rangs, et aux lignées – j'en ai assez de tout cela! Sais-tu que l'un de mes titres est celui de maréchal des Grandes Armées des mystiques – ce qui n'est rien de plus que le fait de présider les défilés? Il n'y a pas eu une seule guerre sérieuse impliquant les mystiques depuis des décennies – et c'est quelque chose que nos ennemis voudraient bien changer. En ce moment, le Pir Drakonis s'agite dans les marches de l'Est, tentant de son mieux d'obtenir des appuis en faveur d'une guerre. Pendant ce temps, notre grand Conseil continue de faire marcher nos soldats dans les rues de Calsandria parce que ses membres se craignent davantage l'un l'autre qu'ils ne craignent le Pir. L'armée existe pour *qu'eux* puissent se maintenir au pouvoir, alors ils font toute une histoire à propos du fait que ce soit si grandiose d'être ainsi sous la protection du maréchal des Grandes Armées des mystiques! Les courtisans se tiraillent pour des restes et prétendent que tout cela est extrêmement utile alors que le seul ennemi qu'ils ont réellement est eux-mêmes!»

«Alors, change les choses!» cria Valana. «Tu es l'héritier de la dynastie Arvad – si tu n'aimes pas cela, fais les changements qui s'imposent! Si tu es si préoccupé par l'empire, alors bouge-toi!»

«J'ai mes propres raisons pour lesquelles...»

Les yeux de Treijan roulèrent soudainement dans leurs orbites. Son corps se raidit et ses mains s'écartèrent vers l'extérieur.

«Oh, non!» Gaius fonça vers l'avant, et l'eau du bassin éclaboussa autour de lui à chacun de ses pas. «Pas maintenant!»

Treijan s'effondra dans l'eau, violemment secoué.

La tête de l'homme sans ailes est rejetée brusquement vers l'arrière, et sa poitrine éclate. Moi, Arryk, je vois la tête d'un serpent à cornes couleur de neige en émerger, s'extirpant du corps de l'homme sans ailes comme s'il changeait de peau tout en se tortillant et en devenant de plus en plus grand sur le sol enneigé.

La tête du serpent plonge vers moi, la gueule grande ouverte et prête à me dévorer, mais je me délecte de son apparition. Mon homme sans ailes est si puissant que cette incarnation de son esprit me procure une puissance surpassant toutes mes connaissances, une force excédant toutes mes capacités.

Je saute dans les airs à la dernière seconde, atterrissant approximativement entre les cornes de cette abominable bête frétillante. Cette incarnation du Sharaj me rend à présent invincible. Je suis convaincu qu'aucun pouvoir connu – même ceux de Dwynwyn elle-même – ne peut égaler sa force.

Si seulement j'arrivais à la maîtriser...

Contes des fées
Cantiques du Bronze, Tome XIV, Folio 1, Feuillets 53-54

LA TEMPÊTE

ite!» Gaius demanda l'aide de la femme tandis qu'il agrippait Treijan, en proie à des convulsions. «Donne-moi un coup de main! Si on ne le sort pas de l'eau…»

Théona fonça en passant devant sa sœur, pataugeant dans l'eau peu profonde jusqu'à l'endroit où Gaius luttait avec le prince. «Qu'est-ce que je dois faire?»

«Aide-moi seulement à l'emmener jusqu'au sable», dit Gaius, la voix fatiguée par l'effort. Le prince était secoué de spasmes violents, et sa tête s'agitait de façon incontrôlée tandis que ses bras dansaient frénétiquement devant lui, frappant durement Gaius en plein visage. «Dépêche-toi!»

Théona inclina la tête et entoura de ses bras la taille tremblante du prince. On aurait dit qu'il s'était transformé en un animal malfaisant, soudainement plus fort et plus puissant, à sa grande surprise. «Valana! Viens! Nous avons besoin de ton aide!»

L'aînée de la maison de Conlan était figée sur la rive opposée, et l'horreur se lisait sur son visage.

«Pousse!» cria Gaius. «Je ne peux le retenir plus longtemps!»

Théona s'accroupit et planta ses pieds dans la vase du fond. S'aidant d'un cri, elle poussa de toutes ses forces au moment précis où Gaius soulevait le prince avec tout son corps. Treijan tomba à la renverse avec Gaius, s'affalant lourdement sur le sable noir de la berge du bassin.

Gaius roula sur le côté, se tenant ses côtes et gémissant de douleur. Les convulsions du prince semblaient empirer. Pendant ce temps, Théona tentait de se dépêtrer des membres très agités de l'homme inconscient. Elle recula à quatre pattes jusqu'à ce que le tronc d'un palmier l'arrête.

Gaius parvint à se hisser sur ses genoux et retira sa cape. Il la roula sur elle-même et poussa sur le côté le prince, toujours secoué de convulsions, puis glissa sa cape roulée sous la tête de Treijan avant de se relever et de reculer à son tour.

«Que faisons-nous maintenant?» demanda Théona, les yeux ronds.

«Rien!» répondit Gaius, plié en deux et en grimaçant de douleur en raison de ses côtes meurtries.

«Rien?»

«Nous l'avons placé dans la position la plus confortable possible, et il est maintenant dans un endroit sûr», dit Gaius en se redressant avec difficulté. «Tout ce que nous pouvons faire est attendre que cela cesse.»

«Mais, c'est de la folie!»

Gaius et Théona posèrent tous deux leur regard sur Valana, qui les avait finalement rejoints et qui regardait le prince avec de grands yeux.

«Il souffre de la folie des anciens rois!» dit Valana avec dégoût. «La magie l'a rendu fou!»

«Il n'est pas fou!» répondit hargneusement Gaius. «Pourquoi penses-tu que le prince passe autant de temps loin de la cour? Sa famille a caché sa condition avec les années, car elle craignait que les gens réagissent *exactement* comme tu viens de le faire. Je ne peux vraiment pas comprendre pourquoi ils avaient pensé devoir le marier à une idiote comme toi. Je ne sais pas comment ils envisageaient de dissimuler ce secret à tes yeux, et le prince l'ignorait également. Peut-être comprends-tu à présent pourquoi il a fui vos fiançailles comme un *drake*? Pourquoi il aurait été éternellement heureux de s'être éloigné ainsi de sa maison et de sa famille? Afin que tu ne le voies pas dans cet état!»

Gaius avança d'un pas vers le bord de l'eau, désignant le personnage qui tremblait de tous ses membres sur le sable, près de lui. «Alors, maintenant que tu comprends, maîtresse Valana de la maison de Conlan, est-ce que tu tiens toujours à prendre cet homme pour époux?»

Les yeux de Valana étaient fixés sur le personnage au corps contorsionné qui décrivait des cercles sur le sol. Elle recula d'un pas, secouant lentement sa tête de gauche à droite. Elle recula de deux autres pas, puis se retourna et s'enfuit dans la jungle.

Théona se leva. Elle pensa qu'elle devrait probablement suivre sa sœur. Tout ce dont elles avaient présumé à propos de ce voyage s'était révélé faux, mais le prince reposait à ses pieds, au beau milieu d'une attaque.

«Tu ne pars pas?» demanda Gaius en l'examinant d'un œil critique.

«Non.» Théona secoua la tête en baissant les yeux vers le prince, qui se tordait encore.

Un tohu-bohu monstrueux éclata au moment où Arryk et Hueburlyn sortirent en vitesse de leur cage brisée et passèrent dans la pièce. Les petites créatures à la peau verte se mirent à crier en courant vers l'abri le plus proche. Le petit monstre âgé et borgne parvint à plonger en grognant derrière une épaisse roue métallique appuyée contre le mur, suivi presque aussitôt par la grande créature au long manteau noir. Les autres se dispersèrent également, certaines se dissimulant derrière des caisses de chaque côté de l'immense porte tandis que d'autres retraitèrent en vitesse dans la pièce suivante, s'abritant derrière divers objets d'art à l'effigie d'Arryk.

Seule la petite créature femelle demeura sur place, tenant encore fermement son livre incrusté de joyaux, une expression de stupéfaction sur le visage.

Hueburlyn n'hésita pas – il savait, en fait, que l'hésitation pouvait les tuer. Même si les petites créatures dans la pièce s'étaient réfugiées derrière les statues et œuvres d'art les plus proches, il pouvait les voir tirer des armes des fourreaux qui pendaient à leur taille. La créature borgne criait des ordres d'une voix hystérique, et ce n'était qu'une question de temps avant qu'ils ne retournent les attaquer.

Le grand centaure chargea contre les caisses du côté gauche de la pièce. Deux des petites créatures étaient déjà debout, leur arme munie d'une petite lame luisant d'un pouvoir orangé qui ne pouvait être, selon Hueburlyn, que la version du Sharaj chez ces monstres. Le centaure tendit les bras au-dessus de la caisse et s'empara des petites créatures démoniaques par l'arrière de leur armure. Il les souleva ensuite du sol avec ses bras puissants et les projeta par-dessus ses épaules.

Les créatures poussèrent des cris rauques en culbutant dans les airs. Hueburlyn ne regarda pas la scène, mais les entendit entrer en collision avec le sol de l'autre côté de la pièce, leur armure s'écrasant durement contre la pierre d'une manière plaisante à ses oreilles.

Hueburlyn se retourna et fit face au monstre borgne et à son grand compagnon, qui s'étaient réfugiés derrière une grande roue dentée rouillée. La créature borgne fit un geste dans la direction du centaure alors que ce dernier se mettait à charger, mais ses sabots trouvèrent peu d'appui sur le sol de pierre, et Hueburlyn eut la certitude affreuse qu'il n'atteindrait pas sa cible à temps.

Un coup de foudre éclata devant le centaure, qui se cabra soudainement pour s'arrêter d'urgence. Hueburlyn se raidit, présumant que le magicien borgne lui assénait son coup de grâce. L'éclat lumineux se dissipa devant ses yeux, en dépit du fait que le coup de tonnerre résonnait toujours dans ses oreilles. Il pouvait encore apercevoir la route dentée, mais elle était maintenant brisée, et la créature borgne comme son compagnon au manteau noir fuyaient dans la pièce contiguë.

« Aelar soit loué ! » cria Arryk. Le fée voletait au-dessus du sol en battant rapidement des ailes, les mains en avant et les doigts étirés. Des éclairs jaillissaient de ses doigts, et ses yeux luisants donnaient à son visage un air dément.

La petite femelle chuta sur le sol en entendant la voix du fée, laissant tomber le livre tellement elle avait mal.

Les éclairs filaient dans la pièce circulaire, frappant les murs de pierre et rebondissant sur eux. Les éclairs s'accumulèrent sur les murs – plusieurs d'entre eux passèrent dangereusement près du centaure – avant d'être précipités dans la pièce attenante. Hueburlyn pouvait voir les petites créatures vertes en mouvement, tentant de revenir dans la pièce pour lancer une nouvelle attaque.

Le centaure sentit que l'air dans la pièce se mettait à bouger, qu'un vent tourbillonnait autour de lui, tournant et tournoyant, soulevant la poussière du sol tel un maelström. La brise se transforma quelques instants plus tard en un vent qui soufflait en tempête, obscurcissant les murs dans sa violence.

« Arryk ! » cria Hueburlyn pour se faire entendre à travers les hurlements du vent. « Arrête ! Temps de partir ! »

« Non ! » répondit Arryk, le visage déformé par une terrifiante extase. « Ne peux-tu pas le voir ? C'est magnifique ! »

Hueburlyn serra les dents puis marcha d'un pas lourd avec ses sabots là où voletait le fée. L'ouragan mugissait autour d'eux, et le centaure pensa voir plusieurs petites créatures vertes voler dans les airs parmi les débris. Il tendit la main, attrapa le fée par le devant de sa houppelande et le secoua.

La concentration d'Arryk fut perturbée. La lueur quitta ses yeux, et les éclairs moururent au bout de ses doigts. Cela n'empêcha toutefois pas la tempête de continuer avec la même violence, sous l'effet de son propre élan.

Le centaure attira le visage du fée trop près du sien et prononça ces mots en insistant sur chacun d'eux : « Arryk savoir comment utiliser livre petite créature – ramener Hueburlyn chez lui *maintenant* ! »

Le fée regarda Hueburlyn comme s'il venait tout juste de se réveiller. « Oui – bien sûr ! Lâche-moi, espèce d'idiot famadorien ! »

Hueburlyn lâcha Arryk sans prévenir, le laissant tomber sur le sol. « Pas famadorien ; Hueburlyn *kntrr* ! »

Arryk s'abstint de répondre et marcha vers l'endroit où la créature femelle se trouvait encore allongée face contre terre. Il tendit la main et s'empara du livre orné de pierres précieuses. La tempête faisait maintenant rage. Le tonnerre qui accompagnait les éclairs était si fort qu'il n'y avait plus moyen de se faire entendre. Arryk se tourna vers les anneaux du sol et tint le livre devant lui. Hueburlyn savait qu'Arryk n'était pas certain de la signification du livre dans le fonctionnement du mécanisme, mais le fée avait obtenu suffisamment d'éléments d'information de la part du petit monstre pour comprendre les principes sous-jacents du Sharaj. Hueburlyn se déplaça rapidement pour se tenir à côté du fée ; il craignait d'être abandonné, malgré les promesses qui les liaient tous les deux.

C'est alors qu'Hueburlyn baissa les yeux et vit la petite créature verte bouger. La créature détala avec une rapidité inattendue par-delà les anneaux et entoura fermement ses bras autour de la jambe du fée.

« Lâche-moi ! » cria Arryk en secouant sa jambe pour tenter d'en déloger la créature. « Va-t-en ! »

« *Tak !* » dit la petite créature. « *Nakamku re ?* »

Un regard de pure surprise apparut brièvement sur le visage du fée. « Arryk », dit-il en bégayant. « Mon nom – est Arryk. »

Hueburlyn sentait que quelque chose était en train de changer dans l'air autour d'eux – un calme qui contredisait la tempête qui faisait encore rage dans la pièce. « Quelque chose change, Arryk ! Nous partons, maintenant ! »

Mais Arryk, qui tenait encore l'étrange livre près de sa poitrine, regardait les yeux écarquillés la créature accrochée à sa jambe, qui lui marmonnait des choses dans cet étrange langage tordu. Fait incroyable, il lui répondait, tout en tentant de s'en défaire. « Non – c'est un centaure et je suis un fée. Maintenant, lâche-moi ! »

« *Berkamasku tokong Fa-ree Urk ?* » La petite créature pleurait, à présent. Elle tendit le bras vers le livre, et sa main se referma sur une des pierres précieuses de la couverture.

« Non ! » cria Arryk en secouant une dernière fois la jambe. Cela eut pour effet de libérer la jambe d'Arryk de l'emprise de la petite créature femelle, qui alla culbuter contre les pierres dans la pièce où tempêtait le vent.

C'est à ce moment que la pièce disparut du champ de vision d'Hueburlyn – le fée et lui se mirent à chuter dans le Sharaj.

Je tiens le livre contre ma poitrine, qui m'a été apporté dans le rêve par le centaure. Le serpent rue sous moi, et j'ai du mal à maintenir mon emprise sur ses cornes et sur le livre en même temps. Le centaure est ici, lui aussi. Juché sur le dos du serpent, il tente de suivre le rythme de ses folles ondulations. Je vois des mots tomber du livre, s'envolant de ses pages et cascadant jusqu'au sol. Leur encre recouvre les pierres, transformant la cour en un abysse noir partout où l'encre s'accumule. Les mots finissent eux aussi par s'accumuler et par former un unique puits sans fond dans le sol ; le serpent roule sur son dos et plonge dans l'obscurité du trou.

La pièce dans laquelle nous étions prisonniers disparaît de mon autre vision, mais les mots du petit monstre ne veulent pas quitter ma tête. J'ai tenté de communiquer avec la créature pendant des semaines, mais ce n'est qu'après être sorti de la cage que j'ai pu comprendre ses mots. Elle voulait connaître mon nom. Elle voulait venir avec moi.

Je tiens maintenant contre ma poitrine le livre que le centaure m'a donné. De la lumière éclate autour de nous alors que le serpent nous emporte tous les deux dans le Sharaj.

Contes des fées
Cantiques du Bronze, Tome XIV, Folio 1, Feuillet 55

« Est-ce qu'il va reprendre connaissance ? » demanda Théona, en s'agenouillant près du prince à présent immobile.

« Oui, mais cela peut parfois prendre du temps », dit Gaius, de la fatigue dans la voix. « Lorsqu'il revient à lui, il est confus et contrarié. Il est important que nous demeurions calmes et rassurants. Il voudra peut-être se promener un peu. Il faut le laisser faire ; l'en empêcher ne fait qu'empirer les choses. »

Théona hocha la tête, puis s'assit en silence, songeuse pendant un moment. « Tu le connais depuis longtemps ? »

« Moi ? »

« Je ne vois personne d'autre ici qui pourrait me répondre. »

Gaius éclata de rire. « Eh bien, dans ce cas, sache que je le connais depuis presque toujours. J'étais le compagnon de Treijan lorsqu'il grandissait. La préservation de son secret est le travail de ma vie depuis ma plus tendre enfance. »

« Alors, tu lui as consacré ta vie. » Théona parlait doucement.

«C'est davantage comme une vie unique partagée à deux», dit Gaius. «Sous certains aspects, je vis sa vie encore davantage qu'il ne la vit lui-même. Je l'accompagne partout où il va; je suis son compagnon barde lorsque nous parcourons le monde – un endroit, en passant, où ses épisodes sont moins fréquents. Lorsque nous trouvons l'occasion de visiter le cœur de l'Empire mystique, je prends bien soin de filtrer tous les gens qui pourraient le voir, tentant d'évaluer s'ils seront le type de personne pouvant déclencher cet état – bien qu'il n'y ait en ce domaine aucune garantie. Il y eut quelques incidents de parcours ici et là, mais la maison de Rennes-Arvad est à la fois riche et puissante. Plusieurs maîtres théléiques ont trouvé un emploi pour plusieurs années en aidant à effacer un souvenir ou deux chez les gens qui ont malencontreusement été témoins d'un des épisodes de Son Altesse. Je soupçonne que ta sœur – si elle retourne à Calsandria – se fera bientôt effacer le souvenir de tout ce qui s'est passé ici.»

«Est-ce que c'est là mon *destin*?» demanda Théona, le regard fixé sur les yeux de Gaius.

Le barde l'examina pendant un moment. «J'espère que non, Théona. Tu as vu le prince infirme pour ce qu'il était – et pourtant tu n'es pas partie.»

«Nous sommes tous infirmes, Gaius», répondit doucement Théona.

«Oui.» Il sourit. «Je crois que nous le sommes.»

Théona se tourna pour regarder la chute d'eau à l'extrémité du bassin. «C'est de toute beauté, ici – je détesterais vraiment oublier tout cela. Où sommes-nous?»

«Sur l'île de Rhai-Tuah.»

«C'est où?»

«Bien loin de chez nous.» Gaius éclata de rire. Il tendit la main vers sa taille et retira la massue décorée de sa boucle, puis il fit courir ses doigts le long de la surface polie. «Très loin, en effet.»

Les yeux de Théona fixaient l'arme avec appréhension. « Comment as-tu trouvé cet endroit ? »

Gaius haussa les épaules, abaissa le bout de la massue dans le sable noir du rivage et appuya le menton sur la poignée. « Accidentellement. Il y a quelques années, Treijan et moi avions emporté une pierre de chant vers le sud, par la mer, à partir de Khordsholm, afin de fabriquer une nouvelle porte. Ensuite, Treijan et moi avons pensé que nous pourrions installer la destination de cette porte quelque part sur le territoire d'Uthara afin d'éviter d'avoir à voyager par la mer pour atteindre le continent du sud. Ce n'était pas le type de voyage qui avait été préalablement autorisé – la guilde était d'avis qu'Uthara était trop loin pour y prendre de l'expansion à ce moment-là – alors nous avons installé la première porte dans les ruines près de Khordsholm. Les dieux avaient d'autres plans ; le bateau a été pris dans une grosse tempête – le vent nous a poussés loin à l'ouest au-delà de Vestadia et au beau milieu de l'océan Vestadique. C'est ainsi que nous sommes venus ici la première fois ; c'est comme cela que nous en sommes venus à connaître ces gens. Nous n'avons jamais parlé à personne de cette porte ou de cette île – notre refuge bien à nous –, car nous savions qu'un jour viendrait peut-être où nous devrions… »

Un bruit sourd se fit entendre, et Gaius fut projeté vers l'avant par-dessus sa massue, son visage s'écrasant dans le sable, tandis qu'une tache cramoisie grandissait à l'arrière de sa tête. Une grande pierre se trouvait à côté de lui.

Théona poussa un cri d'effroi et rampa vers Gaius. Elle entendit alors la voix d'une personne qui émergeait de la forêt sombre.

« Dégage de là, Théona Conlan », dit Dorian Arvad. « Cela ne te concerne pas. »

Il tenait une autre grosse pierre pointue au-dessus de sa tête.

LES CHEMINS
DE LA MOINDRE
RÉSISTANCE

 orian, arrêtez.» Théona, à genoux, demeura immobile. L'expression sur le visage de Dorian était trop détachée. Il était difficile pour elle de maintenir garder un ton calme. «Vous n'avez pas à faire cela.»

«Oh oui, j'ai bien peur de devoir le faire», répondit-il avec un petit sourire sur les lèvres, les yeux rivés sur Treijan, qui se trouvait juste derrière Théona. «J'ai attendu longtemps ce moment… la chute du grand Treijan.»

Théona voyait les bras de Dorian trembler sous le poids de la pierre qu'il tenait, et que ses mains étaient presque aussi blanches que les bracelets que les autochtones avaient fixés à ses deux poignets.

Les bracelets!

Théona regarda désespérément autour d'elle, ses yeux s'arrêtant finalement sur la massue des insulaires qui se trouvait à côté de Gaius, encore à plat ventre. Elle saisit le manche avec ses deux mains, se retourna et balança la massue de toutes ses forces contre l'abdomen de Dorian.

Dorian se plia en deux et recula de quelques pas sous la force du coup, lâchant la pierre sur le sol à moins d'une paume du visage inconscient de Treijan. Théona pouvait entendre l'air expulsé avec force des poumons de l'homme, mais il parvint à rester debout.

Théona n'hésita pas : avec un cri de rage, ou de peur – elle-même n'aurait pu le dire –, elle leva son pied droit tout en prenant appui sur sa jambe gauche, et enfonça son talon avec force dans la poitrine de l'homme stupéfait.

Dorian tituba vers l'arrière, le souffle coupé, en proie à une vive douleur. Il s'accroupit d'instinct, ses pieds creusant dans le sable, mais ses poumons éprouvaient des difficultés, tentant de récupérer l'air qui venait soudainement de les quitter. « Espèce de sorcière mystique ! Comment oses-tu t'interposer entre moi et ma destinée ? »

Théona reprit la massue à deux mains et la plaça derrière sa tête en se tenant debout près des deux bardes inconscients. « Je ne suis pas une sorcière, Dorian ! Je n'ai pas de magie en moi et je n'en ai jamais eu – et votre propre magie vous a quitté, n'est-ce pas ? »

Dorian regarda soudainement avec colère les bracelets d'os attachés d'une façon exaspérante à ses poignets.

« C'est cela », dit Théona avec un sourire méprisant. « Vous êtes dans mon monde, maintenant. »

À ses pieds, Gaius gémit et roula sur le côté.

Dorian grogna et s'avança d'un pas vers elle.

Théona releva la massue un peu plus haut, s'apprêtant à le frapper. « Avez-vous la moindre idée de ce qu'une massue comme celle-ci peut faire à un crâne privé de protection, Dorian ? Avec tous vos pouvoirs présumés dans la Magie profonde, vous avez peut-être oublié quel type de dommages du bon bois massif peut faire, mais je vous assure que cela peut être très efficace. »

Dorian se plia en deux de nouveau, appuyant les paumes de ses mains sur ses genoux tout en aspirant une autre goulée d'air. « Théona, cela ne te regarde pas. Va-t-en tranquillement, maintenant, et aucun mal ne te sera fait. »

Théona secoua la tête lentement de gauche à droite.

« Femme stupide », dit Dorian en grimaçant tout en se relevant. « Ta sœur... aurait reconnu la valeur d'une telle entente. »

« Je comprends mieux les valeurs que la plupart des gens », répondit Théona. « La dernière chose dont je me souviens, c'est que vous étiez tiré par deux des gardes du pays. Je ne sais ce que vous avez fait pour vous échapper, mais je présume qu'ils doivent être à votre recherche en ce moment. Vous approchez d'un autre pas vers moi, et je vous jure que vous découvrirez à quel point je peux être habile pour mêler votre tête au sable de cette plage. Vous demeurez sur place, et ces gardes vont vous retrouver. Maintenant, je pense que mon entente est grandement bonifiée. »

« Théona se tromper, oh oui », dit une voix bourrue derrière elle. « Ton entente vient de changer en pire. »

Arryk agrippait le livre fermement contre sa poitrine, l'esprit dans tous ses états. Leur passage ici, dans la mesure où il pouvait s'en souvenir, avait été instantané. Il n'avait rien ressenti ni expérimenté, à l'exception du coup de tonnerre qui avait accompagné leur changement d'emplacement.

Cela, cependant, était fort différent, et il se demanda s'il avait bien compris la séquence du Sharaj de la porte-entrouverte que lui avait présentée le petit monstre, en fin de compte.

Lui et le centaure flottaient dans l'air calme – à en juger par l'odeur, c'était le même air que ce donjon crasseux où ils avaient été emprisonnés –, mais, juste hors de leur portée, passait à toute vitesse devant leurs yeux une topographie floue d'endroits oscillant entre différents états d'existence. Un sommet montagneux passa rapidement devant eux – tout d'abord recouvert de neige, puis totalement dénudé, puis couvert d'une végétation luxuriante en à peine quelques secondes. Ils tombèrent vers un lac de glacier qui était là – puis qui n'était plus là – puis qui réapparut couvert de glace tandis qu'ils passaient à toute allure au-dessus de sa surface. Des forêts apparurent autour d'eux, abritant des pins de près de cent pieds de hauteur – qui furent remplacés quelques instants plus tard par des feuillus noueux qui disparurent aussi pour laisser la place à une plaine herbeuse. Arryk eut l'impression qu'ils tombaient dans un puits, seulement, le puits longeait la surface du sol plutôt que de s'y enfoncer. D'immenses géants métalliques déambulaient sur la plaine alors qu'Arryk et Hueburlyn volaient vers eux à contrecœur, comme s'ils faisaient du surf sur la crête d'une vague en précédant une armée de dix mille énormes hommes-animaux d'allure bestiale, armés uniquement de pierres et d'immenses massues, qui chargeait vers les géants métalliques. La bataille de géants disparut elle aussi au moment où le corridor dans lequel ils avançaient à toute allure fit une courbe vers un lointain rivage qui s'approchait de plus en plus vite.

« Où Arryk nous conduire ? » Le timbre de la voix d'Hueburlyn suggérait que ce dernier criait de toutes ses forces, mais le son en lui-même fut si ténu qu'Arryk parvint à peine à l'entendre. « Cela pas bien ! »

Peut-être que le fait d'avoir apporté le livre était une erreur, pensa Arryk. Il avait seulement fait cela au dernier moment parce qu'il lui avait semblé que c'était là le meilleur moyen d'éviter que la petite femme verte ne les suive. C'était peut-être le livre – et cela pouvait bien être le Sharaj lui-même. Il avait été nerveux et excité en découvrant ce lien une fois que le centaure avait brisé les murs de la cage – il avait forcé le Sharaj, et la réponse avait même réussi à le surprendre. Il avait vu les statues des gardiens de Sharajentis à travers les anneaux, alors la porte aurait simplement dû les conduire là. C'était cependant différent et imprévu – deux choses qui étaient bien peu rassurantes quand il était question du Sharaj.

Une cité prit soudainement forme sur le rivage, avant d'être ensuite remplacée par une cité entièrement différente, et de revenir à la cité originale par la suite. Arryk et Hueburlyn poussèrent tous deux des cris involontaires alors qu'ils volèrent *à travers* les murs extérieurs de la cité, virevoltant d'une rue à l'autre avant de passer devant une rapide succession de maisons – tout cela sans même que le moindre petit courant d'air ne vienne leur effleurer la peau –, avant d'être ensuite confrontés à une de ces créatures qu'Arryk n'avait vues que dans le Sharaj : un gigantesque monstre avec des ailes de cuir, un corps couvert d'écailles, une queue à barbillons, et une gueule malveillante et malgré tout souriante remplie de dents coupantes comme des rasoirs. La créature se retira de leur trajectoire au dernier moment, et le fée et son compagnon centaure se retrouvèrent subitement à foncer dans leur puits magique au-dessus des vagues de l'océan.

«Je ne sais pas où nous allons», cria Arryk d'une voix qui sembla s'arrêter juste devant son visage. Il pouvait encore sentir le Sharaj couler à l'intérieur de lui, et une partie de son esprit pouvait voir son compagnon sans ailes s'approcher de lui à chaque moment qui passait. «J'espère toutefois que nous arriverons bientôt!»

Théona se tourna légèrement, tenant toujours la massue bien haut derrière sa tête. Elle pouvait à peine voir le nain qui se tenait derrière elle et qui venait d'émerger des denses sous-bois. «Reste loin de moi, Dregas!»

«Entente facile avec ce nain, oh oui.» Dregas sourit de toutes ses dents. «Dépose ta massue comme une gentille jeune fille et va-t-en. Ce qui se passera pas beau à voir pour demoiselle avec classe.»

«Je vais te tuer, si tu t'approches d'un seul pas de plus!» siffla Théona. Elle serra les dents pour les empêcher de claquer de peur. Elle perçut un mouvement du coin de l'œil et ramena son visage vers son autre adversaire, deux pas plus près d'elle, à présent. «Et c'est aussi valable pour vous, Dorian – ou qui que vous soyez!»

L'homme se releva douloureusement, tendant ses paumes ouvertes dans sa direction. «Je suis Meklos, Théona. Meklos Jefard.»

Ses yeux se plissèrent. «Jefard? Je me souviens de ce nom – le même que ce vieux seigneur dont vous m'avez parlé?»

«Mon ancêtre», dit Meklos d'une voix calme, le regard fixé sur les yeux de Théona. «Un grand homme, le père d'une grande famille qui s'est fait voler tout ce qu'elle possédait. Le dragon a mis un terme à notre pouvoir; les bardes mystiques ont mis un terme à notre renom. Si vous me permettiez seulement de m'expliquer – si vous écoutiez mon histoire –, je suis certain que vous…»

Elle vit le nain charger dans sa direction par-derrière, un peu trop tard. Théona s'élança désespérément, mais rata la cible. L'élan de la massue l'éloigna légèrement de la trajectoire de Dregas, et ce dernier ne l'atteignit pas directement au niveau des genoux, mais il la percuta néanmoins : Théona fit une folle rotation dans les airs, retombant lourdement sur le côté dans le sable, au bord du bassin.

Meklos bondit vers l'avant et s'empara de la massue dans la main molle de Théona. «Tu aurais dû t'occuper strictement des affaires de ton clan, Théona. Tu aurais dû rentrer chez toi quand tu en avais l'occasion.»

«Non! Je vous en prie – attendez!» Théona rampa, griffant le sable vers l'endroit où Treijan reposait encore, immobile et sans défense, près du rivage.

«Non» fut la seule réponse. Meklos se tenait près de Treijan, et il leva bien haut la massue aux sculptures effrayantes.

Théona fit un brusque mouvement vers l'avant et se projeta sur Treijan, tentant désespérément de le protéger du coup qui allait incessamment pleuvoir sur lui.

DÉTOURS

héona ferma les yeux et attendit d'être foudroyée par la douleur.

Rien ne se passa.

Une étrange luminosité traversait ses paupières complètement fermées. Elle se risqua à les ouvrir, et se demanda vaguement pourquoi elle n'était pas morte ou, du moins, sans connaissance.

Gaius était là, et il progressait lentement et péniblement vers elle en griffant le sable devant lui. La scène tout entière était baignée d'étranges couleurs brillantes et changeantes. Ses yeux avaient un air absent. Ceux de Théona s'ajustèrent vaguement. Le sang de Gaius formait une croûte derrière sa tête. Il s'arrêta et se retourna sur le dos, et sa mâchoire se relâcha lorsqu'il regarda vers le haut. Théona tourna la tête dans la même direction que le barde.

Théona regarda fixement dans les airs, et sa propre mâchoire s'entrouvrit de stupéfaction et de terreur.

L'esprit ailé de sa vision – maintenant en chair et en os devant ses yeux – flottait au centre d'une grande sphère de lumière changeante qui les englobait, elle et les deux bardes allongés au sol. C'était un jeune homme, d'après l'aspect de son visage étroit, et de longues mèches de cheveux noirs tombaient de part et d'autre de ses yeux. Les traits de son visage recelaient une beauté irréelle, et il était presque pénible pour Théona de le regarder. Sa peau était foncée – plus foncée que tout ce qu'elle avait pu voir ou dont elle avait entendu parler – et il portait un long manteau noir à capuchon. Ses ailes battaient lentement dans les airs, et ses bras tenaient, fermement serré contre sa poitrine, un grand livre orné de bijoux.

Aux yeux de Théona, il représentait l'incarnation de Skurea, le Gardien des morts.

À ses côtés se trouvait une créature qu'elle n'avait jamais vue ni même imaginée – une créature dont la partie supérieure, représentant un homme incroyablement musclé, semblait pousser du corps d'un étrange torusk poilu. La créature n'était finalement pas aussi large que les bêtes de somme qu'elle connaissait, mais ses bras puissants et son regard sournois donnèrent immédiatement à Théona une idée du danger que pouvait représenter ce monstre.

« Cela ne peut être réel », désespéra-t-elle intérieurement, ainsi confrontée à ses propres cauchemars. « Cela doit être une illusion – de la folie ! »

Elle regarda autour d'elle : la bulle de lumière changeante entourait complètement Gaius, Treijan et elle-même en plus de ces deux étranges créatures sorties de ses rêves. Aucun signe de Dorian – Meklos, se corrigea-t-elle – ou du nain, mais la région du lagon lui-même, juste au-delà des limites de la bulle, ne cessait de changer ; les forêts de palmiers et la jungle vibrèrent et devinrent un champ de pierres parsemé de coulées de lave qui s'avançaient le long de la paroi rocheuse en formant un lagon de roche en fusion. De grands tourbillons de vapeur s'élevèrent brusquement dans les airs à partir du rivage de l'océan, à plus d'un mille de là, puis se modifièrent à nouveau et de prirent la forme de pelouses et d'arbres soigneusement entretenus qui entouraient une tour luisante de pierre blanche s'élevant à une hauteur impossible, avant de reprendre l'apparence de la jungle. Le rythme auquel ces images se succédaient était terriblement rapide.

Étourdie à force de regarder ces images changeantes, Théona concentra son attention sur la créature ailée qui voletait à quelques pieds d'elle. L'esprit désormais réel ne semblait pas la remarquer, car son regard surpris et décontenancé était dirigé vers Treijan. Le grand livre avec la couverture incrustée de pierres précieuses glissa de ses mains molles et tomba dans le sable, près des pieds de la créature à moitié homme qui se tenait à côté de lui.

Quelqu'un gémit au pied de Théona.

« Gaius ! » La voix de Théona était un murmure enroué. « Gaius ! Vite – relève-toi ! »

« Je rêve », répondit Gaius, hésitant et incertain. « Je *dois* être dans le rêve. »

« Cela n'est pas un rêve », dit Théona, la voix grave.

Meklos criait, à peine en mesure de voir quelque chose à travers sa rage et sa douleur. Il était en suspension à quelques pieds au-dessus du sol, le dos empalé sur la branche brisée d'un banian. Il se balançait contre un des multiples troncs, les bras entourés autour de plusieurs branches voisines tandis que la douleur fulgurante et vive dans son dos menaçait de le submerger. Le simple fait de remuer les jambes entraînait une douleur atroce qui partait de la blessure ; toutefois, il découvrit qu'il pouvait diminuer légèrement la pression en se soulevant à l'aide de ses bras. Il cligna des yeux, et tenta de se concentrer sur ce qui l'entourait ; il tenta également de se souvenir comment il avait pu perdre la maîtrise de ce qui aurait dû être un assassinat facile.

Il n'aurait cependant pas dû être aussi étonné, pensa-t-il alors que son esprit vagabondait entre son état de choc et sa douleur, étant donné la façon dont les choses s'étaient passées depuis qu'il avait traversé la porte. Il avait d'abord cru que l'œil de Vasska le guidait ; il avait traqué le responsable de ses malheurs et découvert le repaire du rat, tout en gardant un coup d'avance sur les bardes et deux sur le nain. Toutefois, les choses s'étaient gâtées depuis qu'il était arrivé ici. La magie des autochtones ne ressemblait en rien à ce qu'il connaissait ; la puissance des bracelets d'os l'avait privé de son avantage et l'avait rendu aussi faible que n'importe quel homme ordinaire. Il était l'inquisiteur du Pir – le juge du peuple –, et ils l'avaient malgré cela traduit devant leur propre justice dans un cercle de magie qui lui était inconnu et qui échappait également à la connaissance de son ordre.

Et puis ce dragon était apparu au-dessus de lui, avait plongé, et ses flammes avaient brûlé son âme et déchiré son cœur…

Ainsi suspendu, il frissonnait, secouant frénétiquement la tête pour se concentrer sur un problème urgent : comment survivre. Son esprit méthodique prit le dessus, atténuant la peur et la panique. Il ferma les yeux et tenta de demeurer aussi immobile que possible. Il devait trouver un moyen de descendre de l'arbre. S'il pouvait en tout premier lieu réussir à se souvenir comment il en était venu à être ainsi empalé par le dos, peut-être pourrait-il alors trouver une façon d'éviter la mort.

Il se souvint d'avoir échappé à ses gardiens ; oui, ils l'avaient privé des pouvoirs de la Magie profonde, mais ils ne pouvaient le déposséder de ses talents au combat et dans le domaine de l'évasion. Puis il se souvint de s'être trouvé au-dessus de Treijan – il avait sa massue à la main et il s'apprêtait à respecter son serment. Quelque chose avait changé dans l'air – puis le tonnerre et une puissance écrasante qui expulsa l'air de ses poumons. Les branches, le sable, les palmiers, les feuilles, les rochers – tout se mit à virevolter avec lui comme une image floue – et puis suivit l'impact qui entraîna son inconscience.

Il rouvrit les yeux. Certains des troncs de palmiers parmi les plus solides étaient encore debout, mais beaucoup d'autres avaient été abattus. Leurs troncs rayonnaient tous d'un endroit près de la rive du lagon où il s'était tenu quelques instants auparavant.

Il plissa les yeux, tentant de se concentrer pour mieux voir.

C'était un genre de globe – une sphère magique avec une surface changeante comme l'eau qui ondoie à la surface d'un lac. À l'intérieur, il pouvait voir...

Les yeux de Meklos s'agrandirent.

Ce n'était pas possible. Son esprit luttait pour admettre l'évidence que lui présentaient ses propres yeux : un esprit ailé et une monstrueuse créature à moitié homme qui se tenaient près de sa proie. Il avait déjà eu affaire aux deux types de créature dans le rêve et s'était servi de leur magie comme bon lui semblait dans le monde de l'éveil ; tout le monde savait qu'ils n'étaient pas des êtres réels, mais seulement des manifestations dans le rêve. Mais voilà qu'ils étaient là, manifestement aussi réels que lui, à observer la femme et les deux bardes inertes qui se trouvaient à ses pieds. L'esprit ailé tenait contre sa poitrine un grand livre orné de pierres précieuses, mais il le lâcha lorsqu'il regarda la silhouette immobile de Treijan sous lui. Le livre tomba dans le sable lorsque la créature ouvrit les bras pour étreindre le barde.

«Non!» cria Meklos, le son du mot s'étirant en un hurlement continu de rage. Une force inattendue parcourut ses membres, et il se souleva à l'aide de ses deux bras, tirant ses jambes contre le tronc noueux de l'arbre derrière lui. Le son brut de sa voix ne cessa de se faire entendre – ce n'était plus un mot, mais le rugissement incohérent d'un animal. Il poussa avec ses jambes et ses bras d'un seul coup, extirpant son corps de cette branche brisée qui lui empalait le dos, et il se propulsa dans les airs. Une lumière blanche explosa derrière ses yeux avec la douleur, et il culbuta, aveuglé, dans les airs, ses bras et ses jambes s'agitant dans le vide. Le voile blanc disparut quelques secondes avant que le sol ne se dirige vers lui à toute vitesse, lui donnant à peine le temps de réagir. Meklos tomba durement sur le sol, roulant instinctivement sur son épaule, mais ses jambes n'étaient pas tout à fait sous lui au moment de l'impact ; il s'étala douloureusement sur le flanc, et l'air fut de nouveau expulsé avec force de ses poumons. Le voile blanc revint accompagné d'une douleur lancinante, mais il refusa de se laisser sombrer dans le confort du néant. Il tenta plutôt de se relever, les bras tremblants, essayant désespérément de replacer ses jambes sous lui, bien que les feuilles de palmier sur le sol fussent glissantes, couvertes de son propre sang.

Il leva la tête. Il pouvait voir Théona à l'intérieur de la bulle scintillante et changeante. Elle se tenait debout entre la créature ailée et Treijan, tentant avec acharnement de maintenir la créature à une certaine distance. Gaius était aussi en mouvement, récupérant un peu trop rapidement du coup que lui avait asséné Meklos quelques instants auparavant.

L'esprit ailé ne se laissait cependant pas dissuader facilement ; son regard demeurait fixé sur Treijan, ses bras se tendant vers le bas pour le soulever et…

«Non !» grogna Meklos entre ses dents serrées. Il planta son pied dans le sol, faisant la sourde oreille à la douleur qui menaçait de l'engloutir. Il avança, se souleva avec une détermination farouche, sa voix s'élevant jusqu'à devenir un cri de rage, et courut en titubant. «Tu ne peux l'avoir ! Il est à moi !»

Ce qui s'ensuivit sembla se dérouler très lentement dans l'esprit de Meklos. Le sol se déroba sous ses pieds comme s'il courait sur l'eau ; la créature à moitié homme tendit sa main épaisse et puissante et attrapa Théona par le bras pour la tirer sans effort sur le côté ; Gaius tenta de l'aider comme il le pouvait en se relevant maladroitement sur ses pieds.

« Il est à moi ! » La propre voix de Meklos lui revenait au ralenti. « Il doit payer pour ce qu'il m'a fait – pour ce qu'il m'a enlevé ! »

L'esprit ailé tendit la main, et saisit la silhouette immobile de Treijan dans ses bras.

« Vasska, non – ne me prive pas de ma justice ! » Des larmes coulaient le long du visage taché de Meklos. « Ne me prive pas de ma paix ! »

La sphère changeante fut réduite à néant devant ses yeux. Meklos se sentit de nouveau emporté dans les airs par le coup de vent soudain qui avait rempli le vide laissé par la forme, l'air, les monstres et les humains présents là quelques instants aupa-ravant. Le tonnerre gronda sur le sol, son bruit se répercutant sur la paroi abrupte de la montagne qui s'élevait au-dessus des arbres, tandis que Meklos glissait à plat ventre sur le sable du rivage, dont la surface était légèrement agitée à la suite de la disparition soudaine de la sphère.

Meklos n'arriva pas à se convaincre de se relever. Son visage était posé contre le sable blanc du rivage, et il pleurait de douleur. « Sois maudit, Treijan. Sois maudit jusqu'aux recoins les plus éloignés de N'Kara ! »

Les dieux eux-mêmes venaient, eux aussi, de le priver de son dû.

Des générations de honte s'accumulèrent en lui au moment même où il sentait sa force vitale s'écouler dans le sable. Il leva ensuite la tête, entendant la voix de son père – un ton furieux et maussade, car c'était là la seule façon de parler qu'il lui connaissait. « *Nous étions les rois de la mer de Khordsholm* », dit son père. « *Nos actions étaient nobles, et la justice était notre droit ! Nous sommes devenus prospères grâce à la force de nos bras, la ruse de nos esprits et notre cœur à lutter contre tous ceux qui voulaient nous arrêter.* »

«Père?» demanda Meklos en clignant des yeux, tentant de visualiser l'homme décédé depuis longtemps dont les paroles lui résonnaient dans la tête.

«*Privés de notre passé! Privés de notre avenir!*» cracha la voix d'un ton aigre et accusateur, une voix rendue pâteuse par trop de boissons fortes et une trop longue vie. «*J'aurais aimé que les dieux me donnent un fils doté de sang dans les veines! Qui oserait se lever et reconquérir le trône de Khordsholm? Certainement pas ce garnement dont la seule force réside dans cette magie d'arrière-cuisine et ces bavardages de religion!*»

Meklos leva sa main au-dessus de sa tête. «Père! Je ne vous laisserai pas tomber – je ne peux pas...»

Sa main toucha quelque chose de dur dans le sable.

Sa vision rétrécissait, mais il pouvait néanmoins voir l'objet, et ses mains l'agrippèrent dans l'espoir d'être sauvé.

C'était un livre – un livre ancien dont la couverture était incrustée de bijoux.

Meklos s'aperçut que c'était le livre de l'esprit ailé, qui l'avait laissé tomber lorsqu'il avait tendu les bras vers Treijan.

Meklos le retira du sable et l'étreignit. Si l'esprit l'avait laissé derrière lui, alors il espérait pouvoir s'en servir pour le retrouver. La créature voudrait sûrement récupérer un si précieux objet. Elle reviendrait sûrement le chercher, et lorsqu'elle le ferait...

Une douce et indolore obscurité envahit l'esprit de Meklos Jefard, et la voix dans sa tête se fit enfin silencieuse.

Dirc Rennes, debout dans son cabinet de travail plongé dans le noir du donjon Arvad, regardait dehors, à travers l'arche, au-delà du balcon. Quiconque se serait trouvé avec lui dans la pièce somptueusement aménagée – seules trois personnes autres que lui-même avaient l'autorisation d'entrer dans cette chambre à l'étage supérieur du donjon – aurait pu penser que le dirigeant du Conseil des Trente-Six portait son regard sur les tours du temple mystique qui se détachaient sur le fond d'étoiles brillantes d'un ciel dégagé, tard dans la nuit. L'un ou l'autre de ces trois conseillers de confiance – ils ne pouvaient pénétrer dans l'antre qu'un à la fois – aurait eu tort de le croire.

Le regard de Dirc Rennes semblait peut-être dirigé vers la silhouette sombre du temple, mais ses yeux s'efforçaient de voir bien au-delà. C'est depuis le jour où son fils avait disparu avec son compagnon Gaius qu'il s'était retiré dans ce sanctuaire pour réfléchir sur les circonstances qui l'avaient conduit, lui et sa maison, à cette situation précaire. Il se demandait également pendant combien de temps encore il serait en mesure de maintenir les chiens de garde du Conseil à distance, le temps qu'il puisse trouver une solution à son problème.

Son problème était tout simplement son héritier.

Treijan était la coqueluche de la cour, et il avait été perçu par toutes les maisons – en particulier la sienne – comme étant le successeur évident de son père à la tête de la plus grande et de la plus puissante maison des mystiques. Descendant de Galen Arvad par l'entremise d'Arémis, fils de Caelith et père de Thaïs, femme de Dirc – Treijan Rennes-Arvad était l'espoir qui maintenait la lignée Arvad intacte et qui tenait toutes les autres maisons à distance.

Rennes-Arvad, pensa Dirc ; un partage de l'identifiant de sa propre famille pour la clarté de la lignée. Il avait renoncé à beaucoup de choses, accepté des compromis plus souvent que de coutume, tout cela pour que ce nom stabilisateur demeure intact et que la paix précaire entre les maisons rivales persiste. Une guerre entre les maisons aurait eu pour effet de déchirer leur empire naissant. Un bon mariage pour Treijan – avec la bonne maison possédant les bonnes relations – pourrait unifier les lignées de la descendance généalogique et apporter la stabilité à l'empire – ou, à défaut de la stabilité, assez d'influence pour réduire au silence les détracteurs les plus malfaisants.

Puis vint le jour où Treijan eut sa première crise. Ce fut Gaius, son compagnon omniprésent de la maison de Petros, qui le conduisit au donjon, effrayé et à bout de souffle. Ils se trouvaient alors dans les champs, au nord, au-delà des ruines de la cité, à jouer aux guerriers en se jetant d'inoffensifs sorts à base d'eau, lorsque Treijan tomba soudainement au sol, en proie à des convulsions. Gaius chercha en vain quelqu'un qui pourrait les aider, paniqué et incertain quant à ce qui pouvait bien arriver au prince, mais ils se trouvaient trop à l'écart pour que de l'aide soit disponible.

Heureusement, pensa Dirc ; car si quiconque avait été témoin de l'événement, ce dernier aurait été bien plus difficile à dissimuler. La crise n'avait pas duré bien longtemps, et Treijan avait pu revenir au donjon par ses propres moyens, ayant apparemment récupéré de sa crise à son arrivée, ce qui n'était pas le cas pour Gaius.

L'entente fut conclue le jour même : la maison de Petros serait dédommagée et ses demandes, satisfaites lorsqu'il serait possible de le faire, et Gaius deviendrait le compagnon et le gardien de Treijan et le dépositaire à vie de ce secret invalidant. Le prince n'était que la moitié d'un homme aux yeux de Dirc et des rares personnes de sa maison qui étaient au courant du secret. Gaius représentait quant à lui l'autre moitié de l'homme et était en quelque sorte un genre d'invalide lui aussi, d'après Dirc. À mesure qu'ils grandissaient, on envoyait les garçons au loin en qualité de bardes au service de l'empire, et leur absence permettait ainsi de soustraire les crises continuelles et parfois extrêmes de Treijan aux yeux multiples de Calsandria.

Ce stratagème avait fonctionné pendant plusieurs années jusqu'à ce qu'il ne fût plus possible de refuser à la maison de Conlan une union entre leurs deux maisons. Conlan s'était bien préparé et s'était positionné socialement parmi toutes les maisons d'une façon telle que son offre serait impossible à refuser. Dirc Rennes-Arvad, maître des Trente-Six, était dans l'obligation d'accepter cette union afin d'apaiser les esprits dans l'empire. Dirc donna consciencieusement ses instructions à la guilde des bardes afin que cette dernière passe le mot à Gaius par les portes, demandant le retour du prince à Calsandria.

Le problème était toutefois le suivant : comment marier la fille prisée de la maison de Conlan au prince invalide – Dirc soupira à cette pensée – de la maison de Rennes-Arvad? Maître Conlan était un homme avisé en affaires. Que se passerait-il s'il apprenait qu'on lui avait « vendu » un prince défectueux? Dirc frissonna à cette nouvelle pensée.

La comédie avait donc été concoctée très rapidement; Gaius « enlèverait » le prince, et cela permettrait à Dirc de gagner du temps pour élaborer un meilleur plan. Gaius rassura Dirc et lui dit qu'il connaissait un endroit où personne ne pourrait les trouver, bien au-delà des horizons de l'empire, un lieu inconnu des dragons et des hommes.

Et voilà pourquoi Dirc regardait au loin à travers l'arche, par-delà l'horizon, chaque soir. Ce n'était pas un homme qui vivait dans la peur – personne n'aurait pu demeurer longtemps dans sa position si c'était le cas –, mais il préférait regarder ses ennemis en pleine face. C'étaient plutôt les choses sur lesquelles il n'avait pas de prise qui le troublaient dans la nuit.

Un doux tintement se fit entendre derrière lui depuis son bureau.

Dirc se tourna en direction du bruit. C'était un homme ordonné, qui débarrassait son bureau chaque soir de tous les parchemins et les outils de ses journées fort occupées. Il avait laissé un livre ouvert sur son bureau afin de pouvoir se souvenir où il avait laissé le texte la veille, mais, autrement, il croyait bien avoir laissé la surface de travail totalement dégagée.

Il s'approcha prudemment du bureau dans la pièce sombre, touchant son bord poli, puis glissant ses mains sur son dessus lisse. Il rencontra ensuite le bord du livre, et passa ses doigts sur les pages jusqu'à ce qu'il...

Les yeux de Dirc s'agrandirent soudainement dans la nuit.

Ses mains se refermèrent autour du disque de métal froid, le retirant de la surface du bureau. Il sentit la chaîne du pendentif suivre le disque, s'entourant d'elle-même autour de son poing fermé.

Dirc Rennes-Arvad, seigneur de l'Empire mystique, ouvrit la bouche et laissa s'échapper des lamentations qui provenaient du plus profond de son désespoir et qui furent entendues au-delà des murs de son étude ainsi que dans la cour du donjon. Il sentit ses jambes se dérober sous lui. Il s'effondra, s'appuyant contre le rebord de la table, tentant de rester debout malgré tout, gardant sa main droite devant son visage. Il ne pouvait voir dans l'obscurité, mais il savait ce qui se trouvait dans sa main, et il tomba vers l'avant en proie à la plus profonde désolation.

C'était le jeton de Treijan.

Son fils était mort.

LES MURS DE SKUREA

héona ne pouvait maîtriser ses tremblements.

Ce n'était pas seulement attribuable à cet air frais qui lui assaillait les narines. L'air chaud et humide dans lequel elle évoluait confortablement quelques instants auparavant s'était rapidement dissipé, et les frissons sur sa peau n'étaient pas tant la conséquence du changement de température que d'un changement soudain dans *tout*.

En un clin d'œil, le monde, autour d'elle, s'était modifié de façon horrible. Son esprit avait maintenant du mal à saisir le brusque changement de perspective. L'esprit ailé qui se trouvait devant elle tenait encore dans ses bras le corps immobile de Treijan, mais le visage de la créature fut soudainement plongé dans l'ombre. La monstrueuse bête à moitié homme qui accompagnait l'esprit ailé tenait toujours le bras de Théona, et c'était peut-être la seule raison pour laquelle elle était encore debout.

Ces êtres mystérieux se trouvaient de part et d'autre d'un portail massif et richement orné, dont les battants étaient recouverts de motifs en relief qu'elle ne connaissait que trop bien. De chaque côté de ce portail, il y avait des sculptures géantes de squelettes de montres ailés. Leurs traits gravés dans l'onyx poli luisaient dans la nuit et lui glaçaient le sang encore plus efficacement que l'air frais alentour.

Elle ne pouvait pas parler, en proie à la plus grande des terreurs, risquant par le fait même de perdre l'esprit.

Gaius se mit debout en chancelant à côté d'elle. « Qu'est-ce que... où sommes-nous ? »

« Je le sais », dit faiblement Théona tandis qu'elle claquait des dents. « J'ai déjà vu cet endroit. »

« Tu es déjà venue ici ? » demanda Gaius d'un ton incrédule. Son souffle formait de petits nuages de vapeur devant lui à cause du froid.

« Non, je l'ai *vu* », dit-elle dans un claquement de dents. Des larmes coulaient lorsqu'elle clignait des yeux.

« Tu es déjà venue ici – d'accord, tu l'as vu –, mais dis-moi seulement où nous sommes ! » dit Gaius à voix basse en se rapprochant de Théona et en l'éloignant quelque peu de la demi-créature qui se tenait au-dessus d'eux.

« Skurea le Non-croyant », bégaya Théona, les yeux encore rivés sur ces horribles statues noires et luisantes, de chaque côté des immenses portes. Sa voix devint plus pressante et paniquée à mesure qu'elle parlait. « Ce sont les portes menant au pays des morts oubliés ! Nous sommes morts, Gaius. Dorian, ou Meklos, ou peu importe qui il est, nous a certainement tués tous les deux – nous ainsi que Treijan –, et ces esprits sont venus pour ramener nos âmes dans les ténèbres, de retour dans l'oubli sans souvenirs ou douleurs ou... »

« Théona ! » Gaius la saisit par les épaules, la détourna de ces portes terrifiantes et la regarda droit dans les yeux. Il la secoua légèrement afin qu'elle puisse se concentrer sur lui, que son monde se limite de nouveau aux traits anguleux et précis de son visage. « Je suis ici ! Tu es ici ! Treijan est *ici*. Nous ne sommes pas morts – du moins, pas encore. Je ne sais pas où nous sommes ni comment nous sommes arrivés ici, mais nous trouverons un moyen de nous en sortir, Théona. Nous trouverons sûrement un moyen de nous en sortir.»

«Mais les portes… Elles…»

«Je ne sais pas ce que sera la vie après la mort, dit Gaius en esquissant un sourire ressemblant plus à une grimace, mais je suis à peu près certain que je ne saignerai pas à ce moment-là.»

Théona cligna des yeux, et jeta un coup d'œil au sommet de la tête de Gaius. Il la pencha vers l'avant, lui montrant le filet de sang qui s'écoulait encore dans ses cheveux emmêlés à partir de la coupure.

«Mais… mais j'ai vraiment *déjà vu* cet endroit», dit Théona, qui entendait encore bien son propre souffle. La créature à moitié homme se pencha et parla à voix basse dans l'oreille de la créature ailée. L'esprit lui répondit ensuite subrepticement, et Théona ne put entendre sa réponse.

«Où?» demanda Gaius. «Est-ce que c'était dans la Magie profonde?»

Théona rougit. «Non. Je… je suis une roturière.»

Gaius fit une pause, et la regarda d'un air sceptique. «Tu es tout sauf une roturière, Théona.»

Elle pouvait sentir un ancien ressentiment monter en elle, ce qui lui fit retenir avec force les mots durs qui voulaient sortir de sa bouche. «Je n'ai pas de magie en moi, Gaius. Je n'en ai jamais eu.»

«Et, malgré cela, tu as des visions qui prennent vie?»

«Laisse-moi!»

L'emprise de Gaius était étonnamment forte. «Théona, écoute-moi! Je crois que tu es plus… spéciale que tu ne le penses.»

L'esprit ailé se détournait d'eux, un regard de joie s'affichant derrière les mèches qui tombaient devant son visage. Il s'approcha des portes noir et cramoisi en tenant encore Treijan dans ses bras, ses ailes foncées battant doucement dans la nuit fraîche. En retour, les portes répondirent avec un puissant raclement de métal, suivi par un terrible grincement de charnières. Les portes s'ouvraient pour l'esprit ailé. La créature à moitié homme fit un signe, invitant Théona à traverser les portes.

Théona se mit à trembler de plus belle.

«Écoute-moi!» dit Gaius en l'agrippant encore plus fermement par les épaules. «Nous pouvons nous en sortir, mais je vais avoir besoin de ton aide. Tu as un pouvoir – quelque chose que les Khani'i de Rhai-Tuah ont vu en toi.»

«Qui?»

«Les Khani'i – les gens du village. Leur cérémonie a découvert quelque chose en toi qui les as fait...»

Théona se souvint soudainement de tout; elle vit l'image spectrale du dragon qui la dominait, les hommes du village qui balançaient leurs étranges massues tout en chantant au cours de leur rituel autour d'elle. Le dragon qui lui plongeait dessus...

Elle *vit* tout ce qui pouvait se passer.

Théona se calma et se tourna vers les portes avec une tristesse tranquille.

«Tu as raison, Gaius. Nous *allons* effectivement nous en sortir. Nous sommes cependant plus loin de chez nous que tu sembles le penser, et le prix de notre retour sera peut-être plus élevé que ce que toi ou moi serions prêts à payer.»

Gaius l'observa d'un air étrange. «Je ne comprends pas.»

«Personne ne comprendra avant qu'il soit trop tard.» Théona soupira, puis sourit tristement en direction du barde. «Je suis désolée – je ne suis pas tout à fait prête pour tout cela.»

Gaius haussa les épaules et se tourna avec elle en direction des portes. «Alors, ce n'est pas l'abysse de Skurea, finalement, hein?»

«Non», dit Théona en prenant une longue inspiration. «Il s'agit toutefois bel et bien d'une cité des morts.»

Gaius fronça les sourcils en voyant Théona faire les premiers pas vers les portes ouvertes et les horribles bâtiments de la cité.

Le chaos le plus total régnait dans le « Laboratoire secret secret ».

Le Grand Trésorier Thwick criait et sautait sur place dans son manteau de fonction en agitant ses bras en l'air de façon insensée. Le chef militaire Skramak glapissait ses ordres à toutes les personnes qu'il voyait tout en sautant et en roulant de l'arrière d'une caisse brisée vers une autre à la recherche d'une meilleure position défensive. Plusieurs officiers de l'armée des gobelins – deux généraux et une foule de lieutenants – plongèrent derrière diverses piles de livres et continuaient à lancer des cailloux, des morceaux de bois, des éclats de fer, tout cela en criant continuellement dans la confusion. Trois technomanciens, qui étaient venus en qualité d'observateurs, ajoutèrent à cette confusion en jetant plusieurs sorts explosifs colorés et bruyants dans le plafond de la pièce en guise d'avertissements, alors même que la source de leur colère avait quitté les lieux depuis un bon moment. Les cascades de pierre brisée et de débris de mortier qui résultèrent de ces coups de semonce ajoutèrent à la fureur des généraux et des lieutenants, qui recommencèrent de plus belle à lancer ce qui leur tombait sous la main en proférant les pires jurons.

Tout cela passa inaperçu aux yeux de Lunid, qui était affalée sur le flanc, les yeux fixés sur le cercle d'anneaux à présent vide dans le sol, et dont la main retenait douloureusement la pierre précieuse qu'elle avait pu arracher à la couverture de son livre de contrôle au moment où son dieu disparaissait. Elle l'avait perdu, son dieu divin et magnifique qui avait autrefois été à elle pour être aimé, chéri et gardé pour toujours, et elle se demanda comment elle pourrait continuer à vivre sans lui près d'elle dans sa cage.

C'était la faute de la créature à quatre pattes – elle en était certaine –, ce n'était certainement pas un coup de son Urk adoré. Elle connaissait son nom : Urk ! Lunid se sentit défaillir légèrement à cette pensée ; elle l'avait entendu lui *parler*, et elle était parvenue à comprendre ses mots! Elle savait bien peu de choses sur son dieu captif et chérissait ce qu'elle connaissait de lui dans son cœur; que son nom était Urk, qu'il était un dieu de la catégorie des *fées*, que son compagnon était un *centar* et qu'il devait y avoir quelque chose d'incorrect à propos de la cage qu'elle avait construite qui l'avait empêché de lui parler auparavant. Lunid avait la conviction qu'elle avait établi un lien avec le dieu ainsi qu'un profond niveau de compréhension, en dépit du fait qu'elle ne pouvait supporter le son de sa voix. Néanmoins, et grâce aux quelques phrases qu'ils avaient pu échanger, Lunid était absolument convaincue qu'Urk commençait à l'aimer et qu'il serait resté avec elle pour toujours.

Si seulement ce stupide *centar* ne s'en était pas mêlé! Elle savait à présent que cette affreuse abomination avait comploté contre Lunid depuis les premiers instants de leur capture avec la porte-entrouverte. C'était lui qui avait *obligé* Urk à briser la jolie cage qu'elle avait conçue pour son bien-aimé, et c'était certainement lui aussi qui avait enjoint Urk à lui voler son livre de contrôle. *Pauvre Urk*, pensa-t-elle. *Ainsi détourné du droit chemin par un compagnon si faux.*

La souffrance s'abattit de nouveau sur elle. Elle l'avait perdu et elle ignorait comment elle pourrait continuer à vivre un moment de plus sans l'espoir d'avoir de nouveau Urk à ses côtés. De grosses larmes gluantes montèrent dans ses yeux et Lunid, la plus grande bricoleuse émérite de tous les gobelins, se mit à sangloter d'une voix rauque.

Un long moment s'écoula avant qu'elle ne remarque que les explosions au plafond avaient cessé, que les guerriers avaient cessé de lancer des choses et de se maudire entre eux, et que, bien qu'il gesticulât encore avec ses bras, le Grand Trésorier ne criait plus.

«Lunid», dit une voix grave derrière elle. «À quoi penses-tu?»

La bricoleuse émérite secoua la tête, et ferma les yeux à la douleur qui se manifestait dans son estomac*.

« Lunid, tu sais que je veux t'aider. » Celui qui lui parlait, et dont la main atrophiée était posée sur son épaule, était Skramak. « J'ai toujours voulu t'aider. »

Lunid ne parvient qu'à laisser s'échapper un nouveau sanglot en guise de réponse.

« À quoi cela sert-il ? » hurla le Grand Trésorier Thwick. « Elle les a perdus ! J'aurais pu soutenir cette institution *pendant des années* à partir des revenus des seules applications de ces armes, et voilà qu'elle a… »

« La ferme, Thwick, ou je te tire la langue et je te la fais entrer dans l'oreille ! » Skramak grognait. Brutale pendant un moment, sa voix redevint celle, douce et rassurante, d'un oncle prévenant. « Tu n'as qu'à me dire où les dieux sont partis, d'accord ? Peut-être qu'ensuite je pourrai t'aider à trouver un moyen de les récupérer. »

Les épaules de Lunid s'agitaient encore de temps à autre, mais elle était enfin parvenue à étouffer ses sanglots.

« Allez, c'est assez maintenant, Lunid », insista Skramak, de la tension dans la voix. « Dis-moi comment retrouver les dieux. »

Lunid renifla et s'essuya le nez dans la manche de son manteau de bricoleuse. « Eh bien, nous – nous pourrions les c-c-chercher, j'imagine. »

Un des généraux prit la parole, s'ennuyant de plus en plus depuis que les cailloux avaient cessé de voler. « Seigneur Skramak ! Cette petite génératrice de crottin ne sait rien du tout ! Il est insultant de vous voir ainsi lui parler de cette… »

Skramak retira sa main de l'épaule de Lunid. Elle entendit le tintement du métal, un claquement, et le son de quelque chose qui glissait dans les airs, suivi par un bruit sourd contre le sol.

---

* Les gobelins croient que le siège de leur âme se trouve dans leur estomac. Les académiciens croyaient que c'était une grande amélioration par rapport à cette croyance arriérée qui stipulait que l'âme des gobelins se trouvait dans leur gros orteil gauche.

« Dis-moi, ma chère Lunid, poursuivit Skramak sans perdre le rythme de ses paroles, comment nous pourrions chercher tes précieux dieux perdus. »

Lunid se pencha sur ses mains et réfléchit tout en rampant posément vers les anneaux. Peut-être *pourraient-ils* retrouver son précieux Urk, après tout. Peut-être pourrait-elle fabriquer un autre livre de contrôle et l'utiliser pour ouvrir une autre porte-entrouverte. Tout cela lui semblait si difficile et si loin, après avoir eu son cher Urk si près d'elle et se l'être fait enlever de la sorte – oui, il avait sans l'ombre d'un doute été *enlevé* par ce *centar* –, que de recommencer lui semblait être une tâche décourageante sinon impossible. Toutefois, Skramak croyait en elle – il croyait qu'ils pourraient retrouver Urk ensemble et qu'elle pourrait être de nouveau heureuse comme elle l'avait été au cours des dernières semaines.

Lunid toucha les livres qui étaient attachés en série au mécanisme. Les anneaux luisaient de façon satisfaisante, et l'air, entre eux, commença à changer et à scintiller en des images d'endroits lointains.

Skramak gloussa de plaisir. « C'est bien, Lunid. Tu progresses. Que regardons-nous, en ce moment ? »

« Le livre de c-contrôle et les a-anneaux sont l-liés », répondit Lunid d'une voix fatiguée. « Le monde des dieux est vaste, mon-s-seigneur. Il est plus f-facile pour moi de c-chercher le l-livre de contrôle qui a été v-volé que de chercher le d-dieu lui-même. »

Les images changèrent rapidement. Skramak regardait maintenant une montagne recouverte d'une matière blanche et une étrange cité au loin, puis les images changèrent et le tout fut remplacé par un rivage bordé d'une jungle près d'un vaste océan.

« N'est-il pas possible d'arrêter les images en un endroit ? » demanda Skramak, impatient.

« C'est im-im-impo-possible sans un livre de contrôle », dit Lunid avec une grimace. « Je fais de m-mon mieux, monseigneur. »

L'image changea de nouveau, et Skramak en eut le souffle coupé.

Lunid resta bouche bée.

Ils voyaient maintenant des créatures comme le dieu que Skramak venait de voir, mais celles-là étaient dépourvues d'ailes. Elles travaillaient dans un certain type de structure, et la plupart semblaient s'ennuyer ferme dans leurs efforts. Ce ne fut cependant pas leur attitude qui étonna Lunid.

C'était des créatures qui *fabriquaient des livres* !

« Par les dieux », murmura Thwick derrière eux. « Le pouvoir illimité ! »

L'image changea de nouveau et fut remplacée par une scène où des guerriers menaient un combat dans une plaine éloignée, mais cette nouvelle vision n'était d'aucun intérêt pour les gobelins stupéfaits dans la pièce.

« Attends ! » cria Skramak. « Reviens en arrière ! »

« Je ne peux pas », gémit Lunid. « Pas sans un livre de contrôle. »

Le dernier général encore sur les lieux marmonna : « Par les titans, monseigneur, si nous pouvions trouver l'*origine* des livres... »

Skramak lui coupa la parole. « Lunid, est-ce que tu pourrais réparer la porte-entrouverte pour moi, ou peut-être même construire une porte-entrouverte encore plus grande ? »

« Enfin, bien s-sûr », répondit Lunid, quelque peu perplexe. « Je parviendrai peut-être à retrouver mon vieux livre de contrôle avec les anneaux de vision, mais cela ne m'aidera pas à retrouver mon Urk – je v-veux dire, le dieu que nous avons p-perdu. Il p-pourrait être p-partout. »

Skramak prit la main de Lunid et l'aida à se relever du sol. « Tu peux me laisser m'occuper de cela, Lunid. Construis-moi une *très grande* porte-entrouverte vers ce monde des dieux où ton précieux livre se trouve – et je lancerai l'armée de l'empire à travers elle. Je retrouverai ton dieu ! »

CONVERGENCE

es grandes portes grondèrent en se refermant derrière eux, et Théona eut enfin l'impression qu'elle pouvait respirer.

Leur passage dans cette cité étrange avait presque entraîné une émeute. Les rues étaient remplies de créatures désespérées semblables à celle qui transportait le corps mou de Treijan dans ses bras et qui continuait à les entraîner plus loin dans d'abominables ruelles sinueuses. Les créatures étaient majoritairement très belles ; la diversité de leurs vêtements était impressionnante et leurs traits, remarquables, bien qu'ils la regardaient avec des yeux emplis de méfiance et de crainte. C'est en les regardant de plus près qu'elle se rendit compte que leurs beaux costumes étaient fortement abîmés et que leurs visages semblaient décharnés. Des réfugiés ? Si oui, elle se demandait bien pourquoi. Leurs regards passaient successivement de l'homme ailé à la créature à moitié homme qui continuait à les faire progresser en les poussant par l'arrière. Théona remarqua que la foule qui passait devant elle semblait éprouver du dédain à l'endroit de la créature à moitié animale, et elle pouvait également ressentir leur curiosité à l'égard de Gaius et d'elle-même.

En tournant serré dans une autre rue, ils entendirent le cliquetis des armures et le chant des guerriers dans une langue grave et étrange. Même les étranges personnes ailées autour d'elle se rangèrent sur le côté de la rue étroite, et la créature à moitié homme tendit son énorme main pour repousser Gaius et Théona contre un pan de mur dégagé.

Une armée marchait vers eux dans la rue.

Théona eut le souffle coupé.

C'était une armée de morts. Ses soldats avaient les ailes et les corps lestes des vivants qui les entouraient, mais leur peau était tachetée et leurs yeux, vides. Les os de leurs pieds étaient exposés, et leurs épées cognaient contre leurs vieilles armures rouillées. La plupart d'entre eux étaient dans un état de décomposition plus ou moins avancé, et il leur manquait certaines parties du corps. Le commandant de l'armée des morts tourna son visage à moitié ravagé vers Théona ; ses yeux avaient la blancheur laiteuse de la mort. Il adressa un sourire tordu et la salua en appuyant la poignée de son épée contre le plastron de sa cuirasse.

Gaius saisit la main de Théona ; elle se retourna vivement pour lui faire face. Se fixant mutuellement du regard, aucun d'eux ne souhaitant voir l'horrible spectacle si près d'eux. Cela n'empêcha Théona pas de les entendre marcher, de savoir qu'ils étaient là et que leur horreur passait dans une procession quasiment sans fin.

« Je… je n'ai jamais vraiment aimé les parades », dit-elle d'un ton hésitant.

« Moi non plus », dit Gaius, un sourire nerveux sur les lèvres. « Je crois que nous pouvons rater celle-là. »

Les derniers soldats de l'armée des morts finirent par passer devant elle après une période que Théona ne put déterminer. Gaius se détourna d'elle, et regarda autour de lui. «Je crois que nous devrions nous mettre en marche.»

Les voix dans la foule se faisaient de plus en plus fortes et insistantes. Elle ne pouvait comprendre leur langage, mais le ton était manifestement plus hostile. L'homme ailé qui les avait menés jusqu'ici se déplaçait maintenant bien plus rapidement dans les rues, et la créature à moitié homme insistait pour qu'elle et Gaius le suivent.

Les préoccupations de la créature semblèrent tout à coup amplement justifiées, car c'était maintenant une foule en colère qui leur criait dessus depuis qu'ils avaient atteint le portail extérieur d'une grande cour. Ils franchirent le portail, et le rythme de l'homme ailé accéléra tellement qu'il courait presque avec Treijan dans les bras.

Des gardes portant des vêtements foncés leur permirent d'entrer dans l'énorme cour pavée qui entourait le pied d'une intimidante tour noire, et ils firent heureusement s'arrêter la progression de la foule en colère. Théona dut toutefois attendre d'avoir traversé la cour et d'être entrée dans la tour avant de se sentir à l'abri de la foule.

Elle réalisa soudainement que l'endroit où elle se trouvait maintenant n'était pas du plus grand confort. Le plancher noir et poli se courbait vers le haut au fond de la pièce et se transformait en des colonnes à nervures semblables à des veines noires qui montaient vers une obscurité impénétrable. Des globes lumineux étaient installés ici et là pour éclairer la pièce, mais on aurait dit qu'une grande partie de la lumière ainsi émise était avalée par les murs et le plancher d'un noir d'ébène.

Théona fut surprise lorsqu'elle sentit Gaius relâcher sa main – elle était jusque-là à peine consciente du fait qu'il la tenait encore.

L'homme ailé s'agenouilla et déposa doucement Treijan sur le sol, puis il leva les yeux vers Théona, caché derrière ses longues mèches de cheveux, et lui sourit de façon rassurante.

Il fit un geste de la main vers la créature à moitié homme, l'enjoignant à le suivre vers deux piliers d'onyx qui lui arrivaient à la taille, à environ vingt pas d'où ils se trouvaient.

«Et maintenant?» demanda Gaius à l'intention de Théona. Elle secoua la tête. Elle regarda l'homme ailé placer sa main sur le sommet d'un des piliers, avant d'incliner la tête vers le haut pour observer les ténèbres.

«Je ne sais pas, répondit Théona en regardant dans la même direction que l'homme ailé, mais je pense que nous allons le savoir bientôt.»

Deux personnages se laissaient descendre depuis les sombres hauteurs. L'un d'eux était un homme ailé à la peau foncée doté d'un regard chaleureux et de cheveux flottants, mais c'était l'autre personne, une femme, qui retenait l'attention de Théona. Elle était grande et élancée, avec des cheveux extrêmement blancs tirés vers l'arrière en un chignon serré; ses cheveux paraissaient encore plus éclatants par contraste avec sa peau foncée. En dépit de la faible lumière de la salle d'audience, Théona pouvait deviner que la peau de la femme possédait des nuances similaires à celles d'un riche terreau, et qu'elle était néanmoins aussi douce que du velours. Ses lèvres charnues et ses pommettes saillantes étaient d'une élégance poignante, et ses mouvements étaient aussi fluides qu'une danse dans les airs. Elle portait une robe noire dotée d'un haut col pointu et une longue cape qui flottait derrière elle. Ses ailes délicates laissaient passer la lumière des globes illuminés tandis qu'elles battaient en silence dans les airs. Théona eut soudainement honte de la sobriété de ses vêtements, mais elle était toutefois certaine que même sa sœur n'aurait pu rivaliser avec une si incroyable beauté. Ce fut lorsque Théona remarqua des éclairs au bout des doigts de la femme noire qu'elle prit conscience de la lueur de danger dans ses yeux, rivés sur l'esprit ailé qui avait déposé Treijan au sol. Elle était terrifiante et impressionnante à la fois, à tel point qu'elle et Gaius ne purent que rester bouche bée lorsqu'elle descendit entre les deux piliers.

« Elle a l'air en colère », dit doucement Gaius.

« Espérons que nous n'en sommes pas la cause », dit Théona en frissonnant.

« Attends un peu », dit Gaius, dont les yeux venaient de s'agrandir d'étonnement. « Je – je *connais* cette femme ! »

« Je ne sais pas où je me trouvais », répondit Arryk aussi simplement qu'il le pouvait. « J'ai été enlevé – tout comme Hueburlyn. »

« Qui ? » demanda Dwynwyn, bouillant d'impatience.

« Le centaure », répondit Arryk. « Nous avons été capturés en même temps, juste au moment où j'allais le remettre entre les mains des Kyree-Nykira. Nous avons été enlevés par un portail ou une déchirure – je ne sais pas trop quel mot est le plus précis – créé par une démone du Sharaj. Cela nous a emportés – je ne sais pas *où*, mais c'était vraiment loin d'ici. »

« Assez loin pour déclencher une guerre », répondit hargneusement Dwynwyn. « Assez loin pour faire pleuvoir la mort sur mon royaume. Assez loin pour assurer notre chute. »

« J'ai fait exactement ce que vous m'avez demandé », répondit Arryk, d'un ton qu'il trouva dur lui-même. « Je n'ai pas provoqué mon enlèvement, et j'ai fait tout ce que j'ai pu pour revenir aussitôt que possible. »

« Et tu es en effet revenu » – dit Dwynwyn en hochant la tête et en faisant un signe de la main vers le centaure – « avec cette créature qui a donné un prétexte aux Kyree-Nykira pour nous envahir. Comment suis-je censée expliquer *cela* à l'empereur de Nykira ? »

« Mais est-ce que "loin" n'est pas précisément où nous devrions aller ? » dit posément Péléron, à l'écart de Dwynwyn et d'Arryk, sa position habituelle lors de leurs discussions. « Si Arryk a été enlevé et qu'il a apparemment trouvé le moyen de se servir de la méthode ayant mené à son enlèvement pour revenir jusqu'à nous, n'y aurait-il pas une façon d'utiliser cette Nouvelle Vérité à notre avantage?»

Dwynwyn se tourna vers Péléron et réfléchit un moment à ses paroles. «Utiliser cette Nouvelle Vérité? Tu souhaites enlever quelqu'un, Péléron?»

L'époux de la fée lui proposa son sourire le plus désarmant en guise de réponse. «Non, ma reine, mais je désire fortement l'utiliser pour aider des gens à s'enfuir. Nous sommes prisonniers de nos propres frontières, ici – les Kyree parviendront certainement à nous détruire; ce n'est qu'une question de temps. Ils ne négocieront pas, car la paix ne fait pas partie de leurs objectifs. Seule notre destruction parviendra à les satisfaire. Nous sommes également limités par les autres maisons de la féerie qui se contentent de laisser les Kyree nous détruire à leur place, et aucune d'elles ne nous accordera de droit de passage vers les terres au-delà.»

«Mais, cette – cette déchirure, ce portail, dit Dwynwyn en commençant à comprendre, a emmené Arryk au-delà de toutes nos frontières et l'a ramené parmi nous.»

«Les maisons de la féerie souhaitent certainement nous assaillir pour le pouvoir du Sharaj», poursuit Péléron. «Ils vont laisser les Kyree nous affaiblir considérablement avant de nous envahir à leur tour et de prendre tous les Sharajin en otage. Ils nous diviseront et nous remettront à notre place dans la caste des chercheurs, nous répartissant entre les anciennes maisons afin que nous ne puissions plus avoir de voix au chapitre.»

Dwynwyn se tourna vers Arryk. «Cette chose qui t'a permis de te déplacer si loin sur la face du monde, comment l'appelles-tu?»

«La créature qui me l'a dit appelle cela une porte-entrouverte», répondit Arryk. «C'est une construction complexe du Sharaj comme je n'en avais encore jamais vu auparavant.»

« Est-ce que tu crois être en mesure d'en concevoir d'autres exemplaires ? »

« Bien sûr », répondit rapidement le jeune Sharajin.

« Nous devons alors déterminer où tu as été conduit, dit Dwynwyn, et à quelle distance d'ici cet endroit se trouve. Est-ce que tu sais quelque chose qui pourrait nous aider à comprendre où tu es allé ? »

Arryk regarda le sol d'une manière embarrassée. « Eh bien, j'ai ramené quelqu'un – trois créatures, en fait – qui… »

Les yeux de Dwynwyn n'étaient plus fixés sur Arryk. Elle était bouche bée.

Un homme sans ailes était sorti de l'ombre derrière Arryk et s'approchait d'elle. Il guidait une jeune femme – également sans ailes – par la main, mais ce furent son visage étroit et ses yeux perçants qui retinrent immédiatement son attention.

Dwynwyn cligna des yeux et s'exclama, d'une voix pleine d'émerveillement : « Arryk ! Péléron ! Je – je *connais* cet homme ! »

Le roi Pe'akanu était assis sur son trône, dans son palais. Il avait le menton posé sur son large poing et il réfléchissait.

Le conseil avait été convoqué tôt, ce matin-là – une heure à laquelle le roi n'avait pas l'habitude de convoquer la cour, ce qui, d'après les personnes concernées, était certainement un indicateur d'une réelle urgence. Des flambeaux avaient donc été allumés dans la grande salle de pierre, autant pour leur lumière que pour apporter un peu de chaleur à cette aurore pas encore née. Les anciens et les chamans de la ville et des villages environnants étaient assis en tailleur, chacun sur le petit tapis qu'il avait placé sur le sol de pierre polie. Les dragons domestiques, perchés sur les personnages de pierre sculptée qui s'alignaient le long des murs de la grande salle, fixaient le roi de leurs yeux noirs. Le mot s'était passé rapidement dans toute la ville en dépit de l'heure matinale, et ceux qui n'avaient pu se trouver une place dans la grande salle attendaient à l'extérieur, sur la place des Esprits, les nouvelles à venir. Les messagers attendaient avec nervosité les mots que le roi voudrait faire porter aux autres cités réparties vers le nord, le long du littoral des baies à l'ouest de Rhai-Tuah.

Tous attendaient.

Le roi Pe'akanu n'était cependant pas pressé. C'était un homme posé, qui considérait que son poste était sacré. Ses jugements – qui n'étaient pas toujours très rapides – étaient toujours justes.

Le roi prit enfin la parole. «Mokahi?»

Tous se redressèrent. Mokahi, un ancien dont les cheveux poivre et sel étaient tirés vers l'arrière pour former une longue natte, était assis dans la première rangée de la grande salle. Il répondit sans attendre. «Oui, Pe'akanu.»

«La Roue du jugement a été sans équivoque pour toi au sujet de la femme?»

«Oui, Pe'akanu – comme elle l'a été pour tous ceux qui étaient là la nuit dernière. La femme, Théona, est celle dont les anciens avaient annoncé la venue. Elle est celle qui parlera avec la voix des dieux. Elle est celle qui verra avec les yeux des dieux. Elle est celle qui…»

«Oui, Mokahi», l'interrompit Pe'akanu – un acte incroyable, car personne ne se souvenait d'avoir vu le roi faire cela. «Nous connaissons tous la prophétie. Elle est cependant partie avec Treijan et Gaius. La prophétie ne disait rien à propos de la disparition de la Voyante.»

Mokahi haussa les épaules. «Les voies des dieux ne sont pas les voies des mortels.»

Pe'akanu se tut pendant quelques secondes, puis reprit la parole. «Mokahi, dis-moi, est-ce que la prophétie n'annonçait pas également que la Voyante serait un signe d'une grande guerre à venir?»

«Oui, Pe'akanu, c'est que ce que la prophétie révèle», répondit le vieux chaman d'un ton solennel.

«Alors, nous devons nous préparer pour cette guerre sans plus attendre», dit le roi.

«Roi Pe'akanu!»

Le roi se retourna pour faire face au guerrier qui venait de se lever brusquement de son tapis, dans la deuxième rangée. «Parle, Lelika.»

«Devons-nous subir une guerre par égard pour ces étrangers non civilisés?» Lelika était le commandant des guerriers de Tua'a-Re, et, en tant que tel, il se sentait responsable du fait que Meklos se soit échappé la nuit précédente. «Les visages pâles sont un peuple d'arriérés dépourvu de culture ou de traditions. Nos livres racontent l'histoire du Hanu'ui depuis un millier d'années, et la paix règne avec le dragon de la montagne depuis l'époque où les ancêtres de notre roi se sont assis sur ce trône. Qui sont ces visages pâles qui menacent notre paix? Ce ne sont que des sauvages agressifs, dont le plus grand talent est de détruire leurs civilisations à peine celles-ci créées.»

«Je suis le premier à admirer les réalisations de notre peuple», dit Pe'akanu avec agacement. «Les visages pâles *sont* des barbares.»

«Alors pourquoi devrons-nous combattre dans cette guerre?»

«Je ne sais pas si c'est dans leur guerre que nous combattrons», dit prudemment Pe'akanu. «Il s'agit peut-être de leur guerre, mais c'est *notre* prophétie – et le destin de tous les Hanu'ui dépend de son résultat.»

«Comment pouvons-nous nous préparer au combat si nous ne connaissons pas notre ennemi?» demanda le guerrier.

«Comment pouvons-nous ne pas nous préparer lorsque nous savons que la guerre sera bientôt à nos portes?» continua Pe'akanu. «Attendre reviendrait à inviter la mort chez nos frères et nos sœurs partout dans Rhai-Tuah. Cependant, nous avons un certain espoir de découvrir cet ennemi sans nom,

Lelika. Un mystère s'est présenté à nous, et je pense qu'il peut répondre à plusieurs de nos interrogations. »

La main gauche de Pe'akanu fit un signe vers un grand livre orné de pierres précieuses, posé devant son siège.

«Cela a été dérobé à Meklos à l'endroit où la Voyante a disparu», dit Pe'akanu avec assez de force pour que tous puissent l'entendre dans la grande salle. «C'est un objet bien curieux, ce livre, avec une écriture que nous ne connaissons pas. La Voyante l'a laissé derrière elle lors de sa disparition, et le visage pâle nous aurait dissimulé son existence, n'eût été de la vigilance de nos guerriers. »

Pe'akanu fit une pause. Il réfléchit une nouvelle fois sur sa décision, puis s'adressa de nouveau à l'assemblée. «Entendez maintenant la parole de Pe'akanu ! »

Les messagers à l'autre extrémité de la salle se retournèrent, prêts à transmettre les prochaines paroles de leur roi dans les confins les plus reculés de l'île.

«La Voyante est venue, comme nos ancêtres l'avaient prédit. La guerre suivra – une guerre que nous ne pouvons voir, mais ce livre nous est peut-être parvenu pour que nous puissions justement la voir ! Nous l'étudierons afin de pouvoir connaître le danger qui a été prédit. Que tous se préparent pour la guerre pendant l'étude de ce livre. Que chaque guerrier, des villages les plus lointains jusqu'aux grandes cités, se prépare à cette catastrophe dont nous connaissions l'existence depuis le début – et que tous le fassent selon ce que leur dictent leur cœur et leur esprit. Et moi, le roi, je suis persuadé que nos frères à visage pâle Treijan et Gaius nous ramèneront la Voyante. Ce sont les paroles de Pe'akanu ! »

L'assemblée lança un seul cri puissant pour signifier son accord puis se leva. Les messagers se précipitèrent dans les sentiers de la jungle, se hâtant de rejoindre les autres messagers qui les attendaient un peu plus loin et qui porteraient eux aussi la parole du roi. Les citoyens s'éloignèrent, et les anciens, les guerriers et les chamans firent de même en petits groupes. Une fois que le roi avait dit ce qu'il avait à dire, l'assemblée était terminée.

Mokahi s'approcha du roi tandis qu'il prenait dans ses mains ce livre bizarre et étranger. Il parlait à voix basse afin que personne d'autre ne puisse l'entendre. « Tu n'as rien dit à propos de nos prisonniers, Pe'akanu. Que devons-nous faire d'eux ? »

« J'ai pensé à eux aussi », répondit le roi.

« Meklos est passé par la Roue du jugement », continua Mokahi, nullement démonté. « Tu sais ce que son cœur recèle. »

« Oui », répondit simplement Pe'akanu. « Oui, je le sais. »

« Lunid, est-ce que cela va ? »

Debout au sommet d'une petite colline, la bricoleuse émérite des gobelins cligna douloureusement des yeux à cause du soleil. « T-tout v-va bien, Skramak. C'est s-s-seulement que – que j-je ne sors pas très s-s-souvent de l'académie, c'est tout. »

« Pas très souvent, hein ? » Le conquérant gobelin éclata de rire ; son œil valide était brillant et clair. « J'aurais pensé que "jamais" était plus approprié ! Sais-tu pourquoi je t'ai invitée ici ? »

En vérité, Lunid n'était pas du tout certaine de savoir où se trouvait précisément le "ici" dont il parlait. Le Grand Trésorier Thwick était venu la quérir dans son laboratoire ce matin même et n'avait pas écouté ses protestations. Lunid était encore fortement contrariée d'avoir perdu son dieu le jour d'avant – son précieux Urk, son Urk chéri ! – et avait dit au Grand Trésorier en utilisant pourtant de nombreux mots qu'elle était en congé sabbatique autodirigé jusqu'à ce qu'elle se sente mieux. Thwick avait répondu à cela en ouvrant sa porte à grands coups de pieds et en la traînant hors de son laboratoire par les oreilles, tout en lui répétant qu'il lui donnerait un congé sabbatique sur la tête de façon répétée si elle ne le suivait pas comme l'avait ordonné l'empereur Skramak. Que Skramak lui-même l'ait fait demander l'apaisait quelque peu, mais elle était néanmoins déterminée à se sentir malheureuse, et estimait que c'était son droit.

Elle n'avait cependant pas prévu de se retrouver ainsi à l'extérieur de son laboratoire, mais surtout de marcher hors des portes principales de l'académie en tant que telle jusque dans la cité d'Og! Les ogres n'étaient jamais admis dans l'académie – ou le Trésor, comme ils l'appelaient –, et elle avait conséquemment oublié à quel point ils étaient grands et effrayants. Elle fut soulagée de constater qu'il n'y avait pas d'ogres de l'autre côté des énormes portes qu'ils franchirent.

Ce sentiment de joie s'estompa cependant lorsqu'elle réalisa qu'il n'y avait *rien* de l'autre côté. Ils étaient à l'extérieur des murs de la cité. Il y avait assurément un ciel au-dessus de sa tête, et un sol recouvert d'herbe sous ses pieds, et des montagnes à l'horizon, mais, pour une académicienne telle que Lunid, tout cela *était* l'équivalent de rien.

Cela n'atténua pas l'insistance du Grand Trésorier Thwick – sans parler de sa prise sur ses oreilles –, et il conduisit la Lunid-qui-n'était-plus-morose-mais-maintenant-totalement-terrifée au sommet de cette petite colline, au nord de la cité.

«Non, Skramak», répondit Lunid, clignant toujours des yeux à la lumière du soleil. «Je n-ne sais p-pas pourquoi t-tu m'as fais v-venir jusqu'ici.»

«Je t'ai fait venir jusqu'ici pour t'offrir un cadeau», dit Skramak. «Tu as tant fait pour moi au cours des années, Lunid, que j'ai cru bon de te rendre la pareille – de nous rendre la pareille à tous, hein, Thwick?»

«Oui, en effet», répondit le Grand Trésorier avec un sourire aussi profond que sa révérence.

«Aimerais-tu avoir un cadeau, Lunid?» demanda douce-reusement Skramak.

Lunid fronça les sourcils. Non, pensa-t-elle, elle ne voulait pas de cadeau – elle voulait ravoir Urk. Que Skramak puisse penser qu'une babiole pourrait compenser sa perte la rendait encore plus en colère. Elle fit une moue et répondit. «Non, merci.»

«Mais tu ne l'as pas encore vu!» insista Skramak. «Souviens-toi, hier, lorsque tu as perdu ton ami dieu – comment s'appelait-il, déjà?»

«Urk», renifla Lunid.

«Oui, Urk.» Skramak hocha la tête. «Nous avons ensuite jeté un coup œil à ton adorable invention, et tu as dit qu'avec elle tu pourrais retrouver ton livre dans le royaume des dieux?»

Lunid leva les yeux d'un air soupçonneux. «Oui?»

«Je t'ai dit que je t'aiderais à trouver ton ami dieu», dit Skramak. «C'est le cadeau que je t'offre. C'est à *mon* tour de t'aider, pour changer. Regarde!»

Lunid suivit du regard le doigt pointé de l'empereur. Au début, elle ne vit que de la poussière s'élevant du sol et obscurcissant l'horizon, mais elle put bientôt discerner des silhouettes. C'étaient d'immenses machines rouillées munies de roues et de plaques – malmenées au combat et ridiculement squelettiques. On aurait dit que les morts de fer avaient été horriblement ramenés à la vie.

«Des titans!» s'exclama-t-elle d'étonnement. «Il y en a des centaines!»

«Pas seulement des titans.» Skramak souriait, animé d'une satisfaction intérieure. «Des technomanciens, des guerriers, des commerçants, des vivres – et plus de livres que tu n'en as jamais vu, Lunid. Et ce sont là uniquement les unités les plus proches que j'ai pu contacter. Ils arriveront de partout dans l'empire, Lunid, pendant des jours et des jours, jusqu'à ce que la Grande Armée de la Conquête établisse son campement ici au pied de cette colline. Tu auras tout ce dont tu as besoin, Lunid, pour construire ta – enfin, tout ce qui est nécessaire pour nous conduire dans le royaume des dieux. Tu la construiras encore plus grande et plus puissante que tu l'aurais cru possible, avec toute la richesse de l'empire à ta disposition et toute l'académie derrière toi pour en superviser la construction, n'est-ce pas, Thwick?»

«Toute la richesse de l'empire.» Le Grand Trésorier sourit. «Oui, Empereur.»

«Et lorsqu'elle sera construite» – Skramak expira voluptueusement à travers ses dents pointues – «alors, je ferai passer toute la puissance des titans par la porte.»

«Et nous retrouverons mon Urk?» Lunid sourit, d'immenses larmes coulant sur ses joues vertes.

«Nous retrouverons tout ce que tu veux», dit Skramak, de nouveau souriant.

PERTES

ouché sur le dos, les yeux dirigés vers l'intérieur immense du temple, Meklos ne pouvait s'empêcher de trembler.

Les yeux froids d'une centaine de dragons miniatures étaient posés sur lui. Leurs ailes étroitement repliées sur le corps, ils étaient perchés sur une centaine de sculptures différentes qui s'avançaient en saillie depuis une série de halls en hauteur. Meklos demeurait paralysé par leurs yeux, trop effrayé pour s'en détourner.

En dépit de sa douleur, Meklos pouvait sentir contre son dos la pierre froide, lissée par l'usure, d'un autel. Il percevait du coin de l'œil un certain nombre de guerriers fortement armés, dont l'expression démontrait clairement qu'ils ne permettraient pas à leur prisonnier de les ridiculiser comme ce fut le cas la nuit précédente. Ils balançaient leurs armes richement décorées et polies dans les airs selon une suite définie de mouvements lents et rythmés. Chacun de ces mouvements laissait derrière un filament lumineux verdâtre, semblable à de la fumée, qui disparaissait après avoir formé des symboles.

Meklos n'était pas précisément dans un état lui permettant de s'évader de nouveau ; la blessure dans son dos brûlait comme du feu, et ses membres semblaient remplis d'une fraîcheur douloureuse et presque paralysante. Des sueurs froides perlaient sur son front en dépit de la fraîcheur de la pièce. Sa cape et sa vareuse lui avaient été retirées, tout comme ses bottes et ses bas. Une couverture fabriquée dans le tissu le plus doux qu'il ait jamais touché lui recouvrait le corps.

Il cligna des yeux et leva son bras de sous la couverture au prix d'un effort extrême, portant du même coup son regard sur son poignet – avant de pousser un soupir de désespoir. Le bracelet était encore fermement en place autour de son bras, et la Magie profonde demeurait hors d'atteinte. Sa force le quitta, et son bras retomba mollement à côté du rebord de l'autel.

Meklos fit un effort pour détourner la tête du regard des petits dragons. Il entendit alors des pas s'approcher de lui sur sa droite. Un homme immense, au torse puissant et aux bras encore plus gros que ceux des gardes, s'avança près de l'autel sur lequel reposait Meklos. Le visage de l'homme était plat, avec un nez large et un épais front incliné. Ses cheveux étaient fournis, avec de petites boucles serrées, et sa peau était de la même couleur brunâtre que celle des gardes. Ses yeux foncés brillèrent lorsqu'il porta son regard sur Meklos, et un petit sourire prit naissance sur ses lèvres.

Un petit dragon iridescent était penché sur les larges épaules de l'homme ; ses écailles changeaient de couleur lorsqu'il bougeait. Le dragon aussi posa son regard sur Meklos, et on aurait dit qu'il souriait en s'approchant de lui.

Meklos se raidit, sentant la peur l'envelopper de ses tentacules. Il eut un mouvement de recul face à l'homme si imposant, et sa respiration se fit saccadée. « Je vous en prie... non ! Ne le faites pas ! Ne le faites pas ! »

L'homme gigantesque regarda Meklos avec curiosité et se recula en croisant les bras sur sa poitrine, avant de parler d'une voix aussi profonde que l'océan, rendue chaleureuse grâce aux couleurs des fleurs de la jungle. « Que croyez-vous ? Que je vais vous faire encore plus de mal que vous vous en êtes infligé à vous-même, maître Meklos ? »

L'aboth lui retourna un regard étonné. « Mais – mais vous êtes… »

« Je suis Pe'akanu, roi des Khani'i. Vous êtes chez les Hanu'ui de Rhai-Tuah », poursuivit l'immense homme avec un petit sourire satisfait, tandis que le dragon sur son épaule frottait doucement le sommet de sa tête sur les cheveux de l'homme, juste derrière ses oreilles. « Vous bénéficiez de mon hospitalité, et vous êtes sous ma protection et mes soins en vertu des lois de mon peuple. Vos blessures sont sérieuses, maître Meklos, mais on m'a dit que votre vie n'était pas en danger. Nos chamans les ont enduites avec des baumes spéciaux, et bien qu'elles soient inconfortables en ce moment et qu'elles auront besoin de soins pendant un certain temps, on me dit que vous allez guérir. »

« Vous – vous comprenez notre langage ? »

Le rire de l'homme fut profond et franc. « Qu'avez-vous cru ? Que j'allais vous dévorer comme un sauvage ? » Le colosse se tourna soudainement pour faire face aux hommes rassemblés autour de lui, pointant de ses gros doigts l'aboth qui reposait sur l'autel. « *Howleni be'anu Tuahni Hanu'uie.* » Le grand homme commença à frapper sa poitrine de ses poings, et fit ressortir sa mâchoire pour parler d'une voix à présent encore plus profonde et bourrue. « *Oranu Kalapi !* »

Les hommes entourant l'autel éclatèrent soudainement de rire, balançant toujours leurs armes en arcs rythmés dans les airs.

Pe'akanu leva les mains et continua à parler à l'assemblée. « *Aku betarua oranu Kalapi ! Aku moru'ea Howlena, kina e'hi ke'opu malakani – uru'u erue kelekarua !* »

Les hommes rassemblés hurlèrent de rire.

«Quoi ?» Les yeux de Meklos s'agrandirent. «Que leur avez-vous dit ?»

Pe'akanu se pencha au-dessus de l'aboth et le regarda de ses yeux foncés, tentant de se faire une idée de l'homme pâle qu'il avait devant lui. «Je leur ai dit que je devais être un *sauvage généreux*; que j'ai décidé de *ne pas* vous manger, car vous êtes un invité de ma maison, et que ce serait de *mauvais goût* !»

Meklos tenta de rassembler ses forces, mais sa lèvre inférieure tressaillit lorsqu'il prit la parole. «Tout le mal que vous me ferez vous sera rendu au centuple, à vous et à votre tribu ! Je suis un Inquis Requi du Pir Drakonis ; la main et la voix des Rois-dragons ! Vous seriez fort bien avisé de... de me relâcher immédiatement ou... ou de subir l'immense poids du mécontentement de Satinka !»

Les yeux mi-clos, Pe'akanu eut l'air incertain d'avoir bien compris les mots de l'aboth. Il secoua ensuite la tête, et son nez se plissa tandis que sa lèvre se recourbait. «Ma nation vivait déjà en paix depuis longtemps quand votre Pir Drakonis n'était encore qu'une idée. Comme c'est aimable au visage pâle du Vaste Territoire d'amener ainsi son courroux et son mécontentement à notre humble et bien plus ancienne nation. Comment pourrions-nous alors vous rembourser une telle dette ?»

Pe'akanu fit un geste en direction de ses hommes, et, à son commandement, ses guerriers balancèrent leurs massues bien haut au-dessus de leurs têtes, levant leurs pieds comme un seul homme et les écrasant avec force contre les pierres du sol. Chacun poussa un grand cri, et l'harmonie des voix se répercuta sur les dalles en hauteur. Les petits dragons perchés plus haut répondirent en poussant des cris stridents et en secouant leurs ailes dépliées. Le chant des guerriers leur répondit, leur danse les conduisant autour de l'autel, tandis que leurs armes polies luisaient et laissaient en se déplaçant des traînées de vapeurs verdâtres dans l'air.

« Les voies des visages pâles sont bien étranges », dit Pe'akanu en examinant l'aboth qui se trouvait devant lui avant de renifler bruyamment. « Vous craignez la mort et l'infligez pourtant à vos semblables ; comme c'est barbare ! Tuahi Treijan et Gaius étaient des frères de ma maison ; ils sont maintenant portés disparus, tout comme Tuahine Théona, et cela, nous l'avons tous vu de nos yeux, est de votre faute. »

« Qu'est-ce que vous faites ? » demanda Meklos avec une pointe de panique dans la voix. « Qu'est-ce que vous allez faire de moi ? »

Les dragons étirèrent leurs ailes dans les hauteurs et se mirent à planer dans l'espace sombre dominant l'autel en formant un cercle au-dessus des têtes des guerriers.

Les guerriers se retournèrent et frappèrent une fois de plus le sol de leurs pieds. Ils chantaient un unique et magnifique accord tandis que leurs armes se balançaient parallèlement au sol, directement pointées vers l'autel. Les vapeurs vertes fusionnèrent en un cercle de flammes vertes qui tournoya pendant un moment autour du corps de Meklos avant de se précipiter sur son corps.

Une douleur aveuglante fusa de la blessure de Meklos dans son dos, lui arrachant un cri involontaire. Sa vue l'abandonna pendant un moment.

« Je ferai ce que vous craignez le plus. » Pe'akanu s'écarta de l'aboth. Il se détourna de l'autel et descendit sur le sol, marchant prudemment entre les gardes ainsi rassemblés qui dansaient et criaient en chœur autour de la salle tandis que leur rythme s'accélérait. « Je vais exposer votre visage pâle à la lumière, aboth Jefard. Cela guérira ou détruira votre âme. »

Le roi Pe'akanu franchit l'arche du temple en forme de pyramide vers ce qui aurait dû être une magnifique aurore. Le ciel s'éclaircissait autour du rebord du monde à mesure que les étoiles pâlissaient au-dessus de sa tête. Des traînées de nuages en provenance de l'est étaient illuminées d'une douce couleur saumon par le soleil levant. Les cimes des banians, dans lesquels la majeure partie du village était construite, commençaient à peine à recevoir les rayons de l'astre, tout comme les temples du Ciel, de la Mer, et du Feu qui se dressaient au-dessus des toits de la cité étalée devant lui, chacun luisant de façon magnifique au-dessus de la voûte de la jungle.

Tout autre jour, cette vision l'aurait réjoui, mais il y avait trop de tristesse dans son cœur, et c'était une journée typique d'un mauvais présage. Néanmoins, Pe'akanu la géra comme il avait géré le reste de sa vie : il lui fit face avec les yeux ouverts et le menton décidé. Ce n'était pas dans sa nature de se détourner de ce que la vie lui présentait ; il savait affronter les mauvaises choses tout comme il se délectait des bonnes.

Cependant, combattre la douleur ne l'atténue jamais – et il avait une autre tâche à accomplir.

Sur les marches du temple, quelques pieds plus bas, se trouvait la forme affalée de la femme que Gaius appelait Valana. À côté d'elle se trouvait la forme frissonnante de Dregas Belas, qui, semblait-il, ne pouvait cesser de parler.

« Le vieux Dregas aurait assommé ces démons à mort, oh oui ! » dit le nain en claquant des dents. « Protéger cette dame et les copains, je dis. J'étais fidèle à Treijan et à Gaius ! Au point que j'aurais préféré mourir avant qu'un de leurs cheveux ne tombe de leurs têtes, je dis, avant que ces démons me prennent par surprise ! »

Le roi Pe'akanu savait que c'était un mensonge – il savait en fait que c'était le cas de la moitié des paroles qui s'échappaient de la bouche du nain, et que la moitié qui était véridique l'était juste assez pour que les mensonges soient plus acceptables.

Cela n'empêcha pas Pe'akanu de sourire. Peu importe à quel point l'astucieux Dregas Belas pouvait s'avérer être un traître, il demeurait un nain jusqu'à l'os. Il portait encore son chapeau maintenant dépourvu de sa beauté d'antan, ce dernier ayant totalement perdu sa forme après avoir été largement imbibé d'eau dans le bassin au pied de la chute. Peu importe ce qui s'était produit sur la berge de la chute Ahanu – et après avoir questionné Dregas, Pe'akanu était encore incertain de ce qui s'était réellement passé –, la force de l'événement n'avait pas seulement projeté le nain dans le bassin, mais, selon Dregas, cela l'avait également fait bondir sur la surface avant de le faire plonger sous l'eau au pied de la chute. Lorsque les guerriers retrouvèrent le nain, il frissonnait dans une caverne peu profonde derrière la cascade, et le rebord de son chapeau s'était affaissé autour de ses oreilles.

Non, songea Pe'akanu, il savait quoi faire de Dregas – et il ne lui restait qu'un seul sujet d'inquiétude.

«Dame Valana», dit doucement le roi.

La femme tourna légèrement la tête, comme si elle était incertaine d'avoir entendu prononcer son nom.

«Dame Valana», répéta le roi. «Je suis réellement désolé de cette intrusion.»

«Vous parlez donc le rhamassien.» La tête de la femme tomba vers sa poitrine, puis elle partit d'un côté, laissant penser qu'elle devait déployer un effort immense simplement pour répondre. Sa voix était dénuée de vie. «Encore une autre surprise. Oui, je suis ici.»

«Je n'ai pas souvent l'occasion de le parler», dit le roi. «Treijan et Gaius me l'ont enseigné lorsqu'ils sont venus la première fois. Ils ne sont pas arrivés ici par accident – c'est la volonté des dieux qui les a menés ici avec un grand vent et qui les a conduits jusqu'à moi avec leur langage. Je suis le roi Pe'akanu, de...»

«Où est ma sœur?»

Le roi fit une pause. Le ton de la femme était impératif, et bien qu'il aurait pu tenter d'adoucir ses mots pour elle, il savait d'après ce ton qu'elle ne s'en laisserait pas conter. «Nous l'ignorons. Il y a eu une bataille dans la jungle. Votre compagnon

Meklos a été gravement blessé. C'était un ennemi de Treijan. Nous croyons qu'ils se sont battus. »

« Et où sont-ils, maintenant – Treijan, et Gaius, et... et ma sœur ? »

« Je te l'ai déjà dit, oh oui », grommela le nain d'un ton bourru. « Écrasés par ces démons ! »

« Silence, le nain », ordonna le roi.

« Mais je les ai *vus* dans l'eau tandis que je luttais pour ma propre vie ! Ils étaient tous illuminés dans une énorme bulle de savon qui s'est dégonflée dans un claquement de... »

« Gardez le silence ! » dit hargneusement Pe'akanu en faisant un geste de sa main gauche en direction du nain. À ce moment précis, Dregas s'étouffa, crachota et se fit soudainement silencieux alors qu'il portait ses mains à sa gorge. Bouche bée, il s'assit silencieusement et regarda le roi en le suppliant des yeux comme un poisson qui viendrait tout juste de se faire retirer de l'eau. Le roi se tourna à nouveau vers la femme.

« Je suis désolé, dame Valana. Non, nous ne savons pas où ils se trouvent », dit Pe'akanu.

La femme se leva lentement, lissant de ses mains les plis du devant de sa robe souillée. « Regardez-moi cela – elle est fichue. Elle était si belle, si propre et si parfaite, et voyez maintenant ce que j'en ai fait. Elle est vraiment dans un sale état – et j'étais pourtant très habile à être moi-même. Est-ce qu'il vous arrive de jouer à des jeux, ici ? »

Le roi regarda la femme attentivement. « Je ne comprends pas ce que – oui, nous jouons à plusieurs jeux. »

« J'étais bonne, dans les jeux », dit Valana en soupirant, l'air songeur. « Je croyais vraiment que j'avais bien compris celui-là. Il semble maintenant que j'ai perdu – pas seulement la partie ni seulement le prince et les espoirs de ma famille, mais également ma propre sœur, ma propre... » Valana baissa les yeux une nouvelle fois, les mots demeurant coincés dans sa gorge.

«Mes guerriers fouillent toujours la jungle. Ils reviendront porteurs de meilleures nouvelles.»

«Eh bien, merci, roi Pe'akanu, dit Valana, fixant le sol du regard, mais j'ai déjà fait ma part de recherches. J'ai vu les arbres abattus près de la chute, les troncs brisés et les feuilles arrachées. Tout cela s'est produit comme le nain l'a dit; ma sœur est morte.»

«Et vous croyez que Treijan et Gaius sont morts, eux aussi, tout comme votre sœur?» demanda doucement Pe'akanu.

Elle hocha la tête. «Oui. Et c'est peut-être mieux pour tout le monde.»

Pe'akanu secoua la tête. «Je vous dis que c'est impossible. Votre sœur – Théona – est un puissant chaman, et la prophétie dit qu'elle sera Celle qui fera entendre la voix des dieux.»

«Vous croyez que ma sœur possède un don magique?» dit Valana en jetant un regard sceptique en direction du roi.

«Son avènement a été prédit par la prophétie», affirma Pe'akanu. «Elle est Celle qui fera entendre la voix des dieux. C'est la plus grande magicienne entre toutes.»

Valana éclata d'un rire triste. «Pauvre de vous; vous ne comprenez vraiment pas.»

«Alors, restez des nôtres», offrit Pe'akanu. «Apprenez à nous connaître, découvrez nos us et coutumes. Nous n'avons plus à être des étrangers l'un pour l'autre.»

«Non; chacun de nous a son devoir à accomplir. Je sais où je dois aller et ce que je dois y faire», répondit Valana. J'en ai trop vu de ce monde, vous savez. J'aurais dû rester chez moi et vivre bien plus heureuse dans mon ignorance. Pensez-vous que cela soit possible, cher roi; pensez-vous que je puisse rentrer et oublier tout ce que je sais?»

Pe'akanu plissa les yeux à cette pensée. Il n'était pas du tout certain de ce que la fille voulait dire au juste, mais il pouvait reconnaître la tristesse et la douleur dans sa voix. «Treijan et Gaius ont établi une porte mystique dans notre île. C'est un secret que je n'ai jamais divulgué dans leur intérêt et dans le nôtre.»

Valana éclata d'un rire amer. «Et c'est un secret que je souhaite garder moi aussi sur mon âme. J'aurais aimé ne jamais découvrir cet endroit – ne jamais savoir ce que je sais maintenant. Je ferais disparaître tout cela de ma mémoire, si c'était en mon pouvoir. En effet, j'aurais avantage à ce que tout cela *disparaisse*. Non, Votre Majesté, je veux que cet endroit demeure secret encore plus que Treijan lui-même. Je veux seulement rentrer chez moi.»

Pe'akanu hocha la tête. Il tendit ses mains vers celles de la jeune femme et les prit entre les siennes. Il s'attarda sur les bracelets qui étaient encore refermés sur les poignets de Valana. Il glissa ses doigts sur les gravures osseuses, suivant les lignes gravées selon un tracé particulier.

Les bracelets tombèrent dans les mains du roi.

«Alors, vous devez rentrer chez vous», dit Pe'akanu.

«Vous me laisseriez partir?» Valana leva ses yeux remplis d'étonnement.

«Je vais vous aider, par égard pour votre sœur», dit-il en s'agenouillant pour lui retirer les bracelets qui étaient encore fixés à ses chevilles. «Je vous enverrai chez vous. La guerre est imminente.»

«Mais, la porte ne conduit qu'aux ruines des nains», dit Valana. «Comment ferai-je pour sortir de…»

«Le nain vous guidera jusqu'au village de Khordsholm», répondit Pe'akanu en se relevant.

Le nain sauta sur ses pieds, et un grand sourire fendit son visage barbu en deux. Il ajusta le bandeau sur ses yeux d'excitation. «Oui! Je le ferai, oh oui! Fort généreux de votre part, chef, de laisser le passé là où il est, oh oui!»

«Le nain reviendra ensuite ici me ramener ceci», poursuivit Pe'akanu avec un certain amusement tandis qu'il remettait les bracelets de poignets et de chevilles entre les mains de Valana.

«Ne lui remettez pas avant que vous ne soyez aux portes du village. C'est un menteur…»

«Je ne le suis certainement pas!» beugla Dregas.

«Vous l'êtes certainement», grogna Pe'akanu. «Tous les nains qui vivent à la surface sont des menteurs, des criminels ou des exilés – aucun nain ne choisit de vivre à la lumière du jour.» Le roi se retourna vers Valana. «N'écoutez pas ses paroles déformées et ne lui remettez ceci sous aucun prétexte, jusqu'à ce que vous soyez aux portes de la cité. C'est bien compris?»

Valana hocha la tête, puis regarda le nain d'un air soupçonneux. «Comment puis-je être certaine que le nain me conduira à la cité et ne m'abandonnera pas dès qu'il sera libéré?»

«Je ne ferais jamais pareille chose!» bredouilla le nain en guise de protestation. «Moi vous avoir mené jusqu'ici de bonne foi. Moi vous avoir aussi protégé de ces démons, bien que personne ne semble croire les paroles d'un pauvre vieux nain, bien triste cela être, oh oui.»

«Vous êtes en sécurité avec le nain», dit aisément Pe'akanu. «Dregas me laissera un gage de sa bonne foi – un gage que je lui remettrai quand il me rendra les bracelets de Valana.»

«Un otage, hein?» Le nain sourit. «Une rançon pour mon retour, oh oui. Une liberté à grand prix! Donnez-moi votre prix, chef!»

«Ton chapeau», dit Pe'akanu, désinvolte, en tendant la main.

Le sourire quitta brusquement le visage du nain.

«Je crois bien, dame Valana, que votre sécurité est assurée», dit Pe'akanu en faisant un nouveau signe de la main vers le nain, l'enjoignant à se départir de sa possession la plus précieuse.

«Oui», dit Valana en serrant les bracelets dans ses mains.

«Vous pourrez trouver un chemin sûr pour rentrer chez vous à partir de Khordsholm, n'est-ce pas?» demanda le roi.

«Oui – il y a un homme, là-bas, qui m'aidera», dit Valana. «Je vous remercie – en mon nom et en celui de ma famille.»

«Dame Valana», dit Pe'akanu, «Treijan et Gaius sont prudents. Si nous ne les retrouvons pas, alors ils viendront à votre rencontre avec votre sœur. Nous ne savons peut-être pas où se trouve votre sœur, mais eux savent certainement où *ils* sont!»

VISIONS RESTREINTES

Je vois...

Je regarde le flot du temps s'écouler autour de moi tel un torrent de visions et de sons qui roulerait inexorablement, me faisant parcourir en rugissant les années et les siècles. Les montagnes, les vallées, les côtes et les océans sont essentiellement les mêmes, mais leurs surfaces changent et varient selon trois réalités – trois existences véridiques qui assaillent mon esprit dans une pensée unique. Je vois le monde de mes ancêtres et des dragons qui planent au-dessus des montagnes. Je vois la surface changer, et les hommes aux ailes d'aigle s'élèvent à présent au-dessus de ces mêmes sommets, tandis que les créatures aux ailes de papillon volettent parmi des tours incroyablement hautes et finement ouvragées qui viennent d'apparaître au pied de ces montagnes. Et je vois une fois de plus ces mêmes sommets montagneux et ces vallées changer, à présent dénués de forêts ou de végétation, tandis que d'immenses squelettes métalliques piétinent les terres, leurs pas résonnant comme le tonnerre à travers le désert. Je vois la magie – la Magie profonde – tirer les mondes vers elle, rapprocher leurs réalités.

Je vois les mondes entrer en collision. Trois incarnations de notre propre monde glissant irrésistiblement les unes vers les autres tandis que la magie attire vers elle chacune de ces manifestations de la réalité – chacune ayant une histoire distincte, chacune étant une création totalement différente des autres, maintenant liée en un seul monde – en un cataclysme associant plusieurs morceaux entre eux. Je suis chacune des créatures de mes rêves ; je suis le magnifique être ailé, le demi-homme aux quatre sabots, le guerrier aux ailes d'aigle, le géant bestial et le démon vert. Je suis le kraken, le dragon, et l'habitant de l'eau. Je suis chacun des trois mondes qui s'effondrent devant les dieux tandis que la puissance de la Magie profonde nous attire vers notre destruction mutuelle.

Je suis les cités qui ont fusionné au cours d'une catastrophe. Je suis la femme qui pleure de peur pour ses enfants perdus. Je suis le guerrier ailé qui s'envole dans la bataille pour une cause qu'il sait perdue et sans espoir. Je suis le démon qui se retrouve avec les deux jambes brisées sous son propre monstre métallique.

Je suis les batailles de l'Engagement du monde.

Je suis la fin des mondes.

Je crie de dégoût à cette vision, et j'en détourne mon regard. La vision se fracasse ensuite en dix mille tessons qui tournoient autour de moi dans un nuage de sons et de couleurs changeantes.

Une voix se fait entendre dans ma tête, et, bien qu'elle soit calme et discrète, ses mots parviennent tout de même à surpasser le terrible bruit qui m'entoure.

« Plus près, mon enfant », dit la voix. « Toutes les choses sont possibles. Regarde plus près de ton cœur. »

Je tourne les yeux vers la cascade de couleurs qui m'entoure. Les fragments fusionnent en un vague motif, puis se transforment soudainement en une nouvelle réalité. Je suis dans l'obscurité à côté d'une route qui provient de tous les passés. La route se sépare dans le présent, offrant deux directions loin dans l'avenir, et un personnage se tient juste à la fourche. Le sol autour de la route ne cesse de changer – depuis la jungle près de la chute jusqu'aux murs noirs de la Cité des morts, en passant par les herbes desséchées au sommet des collines arides. Chaque changement entraîne également un changement de personnage. Je vois Treijan, debout sur la route près du bassin de la jungle, puis la femme ailée aux cheveux blancs dans la salle sombre, et enfin une petite créature verte aux allures de démon – également une femme, je crois – sur le sommet de la colline.

« Plus près, mon enfant », me dit encore la voix. « C'est ton don de voir ainsi, mon enfant. »

Je regarde Treijan alors qu'il fait face aux deux routes. Je regarde moi aussi le long de ces deux routes, et je vois bien plus loin qu'il ne peut le faire.

Je vois un mariage. Treijan prend la main d'une femme dans la sienne et sourit de façon rassurante. Je ne peux pas voir la mariée, mais je remarque que ses larmes tombent en silence sur les dalles, entre eux. Je regarde plus loin qu'eux sur la route, et je vois…

Je détourne le regard. Je refuse d'imaginer un tel avenir, et je ramène rapidement ma vision au carrefour. Confuse et désespérée, je regarde le long de l'autre route.

Je vois alors des funérailles. Valana est là, resplendissante dans ses vêtements de deuil. Père et mère sont également présents, et la salle est remplie de maîtres de toutes les guildes des mystiques. Je regarde un peu plus loin, au-delà des obsèques. Je me vois derrière la maison de mon père, regardant par-delà la rivière. La cité est en flammes, et les tours du temple s'effondrent tandis que des géants de métal se fraient un chemin parmi les pierres. Une autre vision me vient spontanément à l'esprit : le monde en flammes, la chute des mystiques. Il n'y en a plus un seul pour maintenir notre monde – et les dieux pleurent à la vue de la destruction totale de leur création!

Je me tiens une fois de plus au carrefour des routes, le souffle coupé par le désespoir.

J'ai vu – et ce que j'ai vu me laisse indécise.

Je lève la tête et regarde les étoiles. «Qu'est-ce que je dois faire? J'ai vu et je ne sais pas comment je pourrai continuer à vivre, sachant ce que je sais!»

«Il s'agit de ton don», dit la voix en provenance des étoiles. «Il te revient de savoir et de voir. La façon dont tu utiliseras cette vision dépend de ta propre sagesse – car le meilleur chemin à suivre n'est jamais le plus facile, et bien peu de gens l'emprunteraient s'ils savaient le prix à payer.»

Journal de Théona Conlan, Volume 3, pages 56-59

«Théona? Théona, réveille-toi!»

Théona s'éveilla avec l'impression qu'elle flottait sur un nuage. Elle aurait peut-être pensé à se replonger dans son sommeil, n'eût été du rêve épouvantable qu'elle venait de faire. Elle s'obligea à ouvrir les yeux. Elle répondit timidement. «Oui?»

Elle se retrouva face à face avec un très beau visage affichant une barbe finement taillée. «Oui? Prince Treijan! Est-ce que cela va?»

Le prince éclata de rire. «Bien mieux, maintenant, merci. J'ai pu dormir quelque peu, et tout va bien, à présent. Est-ce que je peux t'aider à te lever?»

«Oh, oui, merci, je...» La voix de Théona se tut peu à peu lorsqu'elle s'assit et regarda autour d'elle, car la vue qui s'offrit alors à ses yeux la priva immédiatement de ses mots.

Elle était assise à côté de Treijan sur un divan qui semblait pousser directement du sol. Les branches souples et les feuilles se tressaient pour s'adapter parfaitement à la forme de son corps. Le divan poussait au centre d'un cercle d'herbes tendres, à partir duquel partaient des sentiers blancs de carreaux aux motifs complexes qui s'étalaient dans les jardins les plus incroyablement impeccables qu'elle avait eu l'occasion de voir. De grandes feuilles dont les extrémités étaient couvertes de fleurs bleu cobalt oscillaient sous l'effet d'une douce brise au-dessus de lits de fleurs aux tons éclatants de jaune, d'orangé et de rouge. De petites haies dont les branches avaient été taillées de façon à créer des parois bien droites bordaient les sentiers. Tout près de là, un ruisseau à l'eau cristalline tombait en cascade sur un lit de galets, puis serpentait sous l'arche d'un pont fait de corail rose. Plus loin, Théona eut le souffle coupé en apercevant les énormes troncs d'arbres blancs qui s'élevaient à intervalle régulier à la manière des colonnes d'une cathédrale rhamassienne, et dont les branches blanchies s'évasaient à la cime pour former un treillis d'arches dans les hauteurs. Les rayons du soleil entraient à flots par ces arches, tels des puits de lumière.

«C'est le jardin de Dwynwyn», expliqua Gaius en s'approchant d'eux sur le sentier, dont le visage se tournait à mesure qu'il tentait d'absorber tout ce qu'il voyait.

«Qui?» demanda Théona.

«La femme ailée que tu as vue descendre des hauteurs. Tu te souviens d'elle? Je crois que tu t'es évanouie à peu près à ce moment-là. Heureusement que le centaure était près de toi pour t'attraper, puisque...»

«Attends», dit Théona en levant la main. «Je sais que tu parles en rhamassien, mais je ne te suis pas.»

«Ce n'est guère étonnant», dit Treijan en tapotant sa main de façon réconfortante. «Il y a pas mal d'autres langues que nous devrons tous apprendre. Tu peux continuer, Gaius, mais commence par le commencement.»

Gaius jeta un étrange coup d'œil en direction du prince, mais s'agenouilla sur l'herbe devant Théona. «De quoi te souviens-tu?»

«Nous avons suivi ce personnage ailé dans la salle obscure.» Théona parlait de façon hésitante tout en rassemblant ses souvenirs dans son esprit. «Il portait le prince Treijan, à ce moment. Il s'est ensuite dirigé vers une paire de – je ne sais pas trop – des piédestaux, je crois, et deux autres créatures ailées sont ensuite descendues en volant depuis les ténèbres au-dessus de nos têtes.»

«C'est exact», dit Gaius. «Tu te souviens d'autre chose?» demanda-t-il.

«Oui», répondit-elle. «Tu as dit que tu la connaissais – mais comment est-ce possible?»

«C'est incroyable», dit Gaius avec un certain émerveillement et un genre d'excitation dans la voix. «En effet, le fait que cela *soit* possible pourrait pousser les érudits mystiques à revoir quelque peu leurs enseignements.»

«Gaius l'a connue dans le *rêve*», intervint Treijan. «Elle est sa partenaire dans la Magie profonde.»

«Mais – mais je croyais que ces personnes n'étaient, vous savez, que des hallucinations ou des visions ou...» Théona se tut brusquement.

Je vois les mondes entrer en collision. Trois incarnations de notre propre monde glissant irrésistiblement les unes vers les autres tandis que la magie attire vers elle chacune de ces manifestations de la réalité – chacune ayant une histoire distincte, chacune étant une création totalement différente des autres, maintenant liées en un seul monde – en un cataclysme unissant plusieurs morceaux entre eux.

«Elle provient d'un autre monde», murmura Théona avec émerveillement.

«Quoi?» demanda Treijan, surpris.

«Pas d'un autre monde, mais…» Elle cherchait les mots justes. Tout cela lui avait paru si clair dans sa vision, c'était comme un concept complet. Elle se trouvait toutefois à présent dans le monde de l'éveil, et elle trouvait que les mots étaient trop limitatifs pour expliquer ce qu'elle savait. «Une autre version de notre monde.»

«Tu es certaine que tout va bien?» demanda Gaius, les yeux plissés d'inquiétude.

«Oui, j-je vais bien», répondit-elle rapidement. «Je t'en prie, tu peux continuer.»

«Eh bien, apparemment, les créatures que nous rencontrons dans le rêve ne sont pas des esprits ni des fantômes», poursuivit Gaius. «J'ai rencontré cette femme-là dans le rêve pendant la majeure partie de ma vie, et nous avons travaillé ma magie de concert. Je puisais le pouvoir de la Magie profonde à travers elle, et je soupçonne qu'elle faisait de même à travers moi.»

«Alors, où crois-tu que nous soyons?» demanda Théona.

Gaius sourit.

«Dis-le-lui», le réprimanda Treijan.

«Nous sommes dans le royaume de Sharajentis, et nous bénéficions de l'hospitalité de la reine Dwynwyn», répondit joyeusement Gaius. «Elle te transmet ses meilleures salutations et souhaite un bon rétablissement, en passant.»

«Elle... tu peux comprendre ce qu'elle dit?» demanda Théona avec grande surprise.

«Dans les faits, ajouta Treijan, il ne peut comprendre un seul mot de ce langage incroyablement mélodique qu'elle et tous les autres – comment s'appellent-t-ils, déjà?»

«Des fées», dit Gaius.

«Oui. Il ne comprend pas ce que disent ces fées, à l'exception de sa partenaire dans le rêve, la reine Dwynwyn. Il semble que, lorsque ces deux-là sont dans le même endroit, ses mots se rendent jusqu'à lui à travers le rêve, et il peut les comprendre à la perfection. Je sais que les deux ont eu une grande conversation au cours des dernières heures.»

«Oui, en effet», dit Gaius. «Et il semble que nous soyons en mesure de nous aider mutuellement d'assez belle façon.»

MOTS DOUX ET SILENCE

agnifique, n'est-ce pas ?» Gaius prononçait ces mots avec une fierté palpable.

Théona, debout sous le ciel gris à côté de Gaius, dans la grande cour qui ceinturait la tour de Dwynwyn, frissonna. Elle arrivait à peine à se convaincre de regarder l'affreux mécanisme. C'était un large ovale, qui ressemblait passablement à une porte à pierre de chant du temple de Calsandria, mais il était terriblement plus grand – près de quarante pieds de largeur à son point le plus large – et il avait été partiellement construit par les squelettes maçons de Dwynwyn. Théona avait réalisé au cours des derniers jours que les morts avaient leur propre idée de ce qu'était l'art architectural ; l'onyx poli de l'ovale installé à la verticale avait une forme qui ressemblait à des crânes souriants avec des tendons reliant les os et des tissus en décomposition. Cela la révoltait, mais, en même temps, elle savait, d'après les explications de Gaius et de Treijan, que c'était leur seul moyen de rentrer chez eux.

Les réfugiés de Sharajentis se déplaçaient avec détermination tout autour de Théona et de Gaius, et partout dans la grande cour au pied de la tour. Ils disposaient leurs biens de façon particulière – selon une certaine hiérarchie que Théona ne comprenait pas – pendant qu'ils se préparaient pour l'ouverture de la porte, prévue dans six jours. Tout cela était une véritable pagaille à ses yeux, mais Gaius lui assura que le plan – ordonné par la reine des morts – se déroulait comme prévu.

« C'est donc ton plan », dit Théona avec une pointe de scepticisme. « Tu feras passer la totalité de leur peuple à travers cette porte jusque dans notre monde ? »

« Reconnais que cela règle nos deux problèmes », répondit Gaius. « Ces Sharajin, comme ils se nomment, n'ont aucun autre espoir d'échapper à la destruction par leurs ennemis – et il s'agit de notre seul moyen de retourner chez nous. »

« Mais pourquoi dans *notre* monde ? » dit Théona avec inquiétude. « Pourquoi ne pas construire une autre porte menant à une autre partie de leur monde et les laisser… »

« Tu es bien placée pour savoir que les portes ne fonctionnent pas de cette façon. » Gaius éclata de rire. « Nous devrions tout d'abord nous rendre dans cet endroit en premier lieu, de façon à établir la porte qui lui sera associée, et je doute fort que ces guerriers kyree dont ils ne cessent de nous parler permettent à deux bardes sans ailes de traverser à pied leurs lignes avancées. Le fait est qu'Arryk a eu énormément de difficulté à établir la porte à un endroit en particulier, jusqu'à ce que Treijan lui explique comment utiliser une pierre de chant pour établir un lien avec une porte dans notre propre monde. Il s'avère que notre magie combinée à la sienne fonctionne plutôt bien : cette porte à pierre de chant franchit maintenant l'espace, mais également le royaume du rêve jusqu'à notre propre monde. »

« Les portes sont liées avec une pierre de chant ? »

« Oui. C'était la seule façon d'obtenir un passage stable. »

« Alors, où apparaîtront-ils ? »

« Sur l'île de Rhai-Tuah. C'est là que la porte liée à cette pierre de chant est située, et nous avons pensé qu'il serait préférable qu'ils entrent dans notre monde quelque peu à l'écart, afin que leur apparition ne déclenche pas une guerre dans notre monde aussi – Théona, est-ce que tu te sens bien ? »

Le visage de Théona était livide. Elle avait vu ce chemin. Elle connaissait ce qui se trouvait à la fin. « Oui, je vais bien », dit-elle en secouant légèrement la tête. « On dirait que le prince éprouve quelques difficultés avec – comment Arryk l'a-t-il nommé, déjà ? »

« La porte-entrouverte ? » dit Gaius en regardant l'anneau d'onyx debout sur sa base.

Treijan et Arryk, le fée qui était venu et qui les avait entraînés d'un monde à l'autre, se tenaient devant la porte, leurs mains bougeant continuellement alors qu'ils semblaient engagés dans une conversation plutôt animée. À côté d'eux, la fée Dwynwyn, reine des morts, paraissait de plus en plus contrariée à chaque instant.

Gaius éclata de rire. « Je présume que je devrais retourner avec eux et aider la reine à comprendre ce qui se passe. J'imagine que le fait d'être partenaires dans le rêve ne garantit pas automatiquement qu'on s'entende bien sur un plan plus personnel. Depuis que Treijan a découvert qu'Arryk était un de ses partenaires dans le rêve... enfin, disons qu'ils n'ont pas cessé de se disputer ! »

« Se disputer ? À propos de quoi ? » demanda Théona en les observant.

« Eh bien, à propos de plusieurs choses », dit Gaius en souriant faiblement. « En partie à propos de la porte et de l'utilisation qui en sera faite, mais principalement à propos de leur troisième partenaire démon. »

« Mais, je croyais t'avoir entendu dire que Treijan et Arryk étaient partenaires dans le rêve. »

« En fait, ils font partie d'un trio. »

« Un quoi ? »

«Un groupe de trois», poursuivit Gaius. «Certains liens dans le rêve sont de simples paires; un lien entre deux mystiques – bien que nous n'ayons pas compris avant tout récemment qu'il y avait *réellement* un autre mystique de l'autre côté du rêve. Tout cela est un peu différent, avec Treijan et Arryk; il y a un troisième membre impliqué – cette petite créature démoniaque dont ils parlent en ce moment.»

«Il y a donc trois destins liés», murmura Théona. «Trois mondes…»

«Qu'est-ce que tu as dit?»

«Gaius, je t'en prie», dit rapidement Théona en laissant son regard errer partout, sauf sur le large anneau qui semblait avoir grandi de façon déformée à partir du pavage de la grande cour. «J'ai besoin de te parler.»

Gaius se tourna vers elle, ses yeux perçants s'adoucissant du même coup. «Bien sûr. De quoi s'agit-il?»

Théona se sentit mal à l'aise. «Ne trouves-tu pas étrange que ton partenaire dans le rêve se trouve si près de celui de Treijan? Entre les milliers – peut-être les centaines de milliers de mystiques dans nos deux mondes, ne trouves-tu pas cela étonnant que le partenaire de ton compagnon soit le conseiller du tien?»

Gaius fronça les sourcils. «Oui, cette pensée m'a traversé l'esprit. Il existe une théorie dans la Magie profonde qui prétend que de telles coïncidences entre les mystiques seraient des preuves que la Magie profonde réorganise des événements qui se sont déjà produits de façon à obtenir les résultats souhaités dans le présent. Il s'agit d'une idée plutôt compliquée et assez déroutante selon laquelle la Magie profonde existerait hors de l'espace-temps, mais l'idée générale est que les "coïncidences" ainsi obtenues soient un effet secondaire de la Magie profonde.»

«Et si quelque chose d'autre planifiait ces coïncidences?» demanda Théona. «Quelqu'un qui aurait une raison de le faire…»

Le son d'une mélodie plaintive flotta autour d'eux, faisant naître dans l'esprit de Théona des visions de fleurs dans une chaude journée de printemps. Elle voulait fermer les yeux et se perdre dans les sens que le son avait éveillés, mais elle se tourna plutôt vers cette voix harmonieuse qui s'approchait d'eux depuis la porte.

« Oui, Votre Majesté ? » répondit Gaius en s'inclinant légèrement devant la reine Dwynwyn, qui voletait à présent devant eux.

La reine fée prit de nouveau la parole, cette fois avec le regard fixé sur Théona. Sa voix éveillait maintenant l'odeur de la pluie d'automne. Théona pouvait presque voir des ruisseaux cascader doucement en emportant des feuilles mortes dans leur flot.

Gaius se tourna vers Théona avec un doux sourire. « Sa Majesté a une question pour toi, Théona. Les fées, dit-elle, vivent dans le moment présent, tandis que les "sans-dons" – humains – semblent vivre dans le passé ou dans le futur. Sa Majesté souhaite donc savoir où tu vis – dans tes hiers ou dans tes demains ? »

Théona regarda les grands yeux de la fée à la peau foncée, qui lui retourna son regard de façon candide et dépourvue de méchanceté. « Je te prie de dire à Sa Majesté que je ne suis qu'une roturière ; je n'ai pas de… »

Théona s'arrêta, car elle *vit* la reine fée dans son esprit et les chemins qui se présentaient à elle.

« Elle n'a donc pas encore décidé si elle devrait confier sa nation à la porte-entrouverte ? » demanda Théona à Gaius.

« Non, pas encore, répondit Gaius avec étonnement, bien que je ne puisse dire pourquoi. Son peuple serait tout à fait le bienvenu dans l'empire. »

« Gaius, les choses ne sont jamais aussi simples qu'elles le paraissent. Dis à Sa Majesté que je vois deux routes devant elle. Une de ces routes est claire, certaine, et courte ; l'autre a une fin qui est au-delà de la vision, enveloppée de brouillard et inconnaissable. Elle devra un jour tout miser sur l'inconnu ou abandonner son peuple à une destruction certaine.»

Gaius regarda Théona avec étonnement.

«Allez! Dis-le-lui!»

«Je – je l'ai fait», dit Gaius avec un curieux sourire tandis que Dwynwyn s'inclinait profondément et retournait vers sa tour.

Gaius secoua la tête. «Théona, tu es une femme remarquable.»

«Non, Gaius», se moqua-t-elle. «Je suis tout à fait ordinaire.»

«Permets-moi d'en douter», dit Gaius en lui offrant son bras.

Théona le fixa pendant un moment. Elle connaissait ce geste, et, à la vérité, elle avait rêvé de le voir se produire pour elle à plusieurs reprises en tant que jeune femme. Elle avait toutefois abandonné tout espoir réel de le voir prendre forme. Elle se tint donc pendant un instant dans un état de surprise. Elle sentit ensuite l'incertitude gagner Gaius; elle réalisa qu'il pourrait en venir à retirer son bras offert en se sentant mal à l'aise et déçu, alors elle glissa son bras autour du sien, et rougit quelque peu ce faisant.

Il la conduisit sur les pavés de la cour, loin de cette porte horrible et de toutes pensées qui y étaient reliées. «Est-ce que tu aimerais retourner dans le jardin?» demanda-t-il.

«Oh, je t'en prie, n'y retournons pas.» Théona éclata d'un rire sombre. «Sa beauté est en quelque sorte aussi terrible que l'horreur que nous retrouvons ici.»

«Je sais ce que tu veux dire. Étrange, n'est-ce pas, de penser que nous pourrions marcher ici si aisément, toi et moi, dans un endroit qui existe au-delà de nos rêves?»

«Des rêves qui sont devenus bien réels, d'une certaine façon», acquiesça Théona.

« Tu as peut-être raison sur ce point. Savais-tu que j'avais entendu parler de toi, à Calsandria ? »

Théona sourit tristement. « Je peux imaginer ce que tu as pu entendre à mon sujet à cet endroit. La fille sans talent de la maison de Conlan – je ne doute pas une seconde que tu aies pu entendre des tas de choses. »

« C'est en effet le cas, madame », répondit Gaius, désinvolte. « J'ai entendu dire que tu étais exceptionnellement intelligente… »

« Et excessivement têtue… »

« Je crois que j'ai plutôt entendu l'expression "résolument déterminée" ainsi qu'"extraordinairement compétente". »

« Froide et distante ? »

« Enfin, peut-être une fois ou deux, mais j'ai aussi entendu dire que tu étais "remarquablement belle". »

Théona détourna le regard, soudainement mal à l'aise. « Tu ne devrais pas croire tout ce que tu peux entendre. Ils faisaient sans doute allusion à une autre Conlan. »

Gaius tendit sa main libre et la plaça au-dessus des doigts de Théona à l'endroit où ceux-ci tenaient encore son bras. « J'ai dansé avec ta sœur, Théona. Elle était tout ce à quoi je m'attendais, et pas une pièce de bénédiction de plus. C'était donc toi que j'avais espoir de rencontrer. »

« Je suis une roturière, Gaius », dit prudemment Théona, avec des braises d'espoir dans les profondeurs de son âme.

Gaius secoua la tête. « Les chamans de Rhai-Tuah te diraient le contraire, mais même sans eux, je peux te dire qu'il n'y a rien d'ordinaire à ton sujet. »

Elle s'arrêta pour lui faire face. « Oh, Gaius, je… »

Elle regarda son visage et vit les routes qui se présentaient à lui ; la différence précaire qui ne tenait qu'à un fil entre ses routes. Les conséquences épouvantables de ses choix. Elle le vit tomber et emporter avec lui les murs de Calsandria. Elle le vit régner sur l'empire.

«Théona, qu'est-ce qu'il y a?» Le visage de Gaius reflétait ses propres inquiétudes.

«Je – Gaius, oh, cher Gaius!» dit Théona de façon hésitante tandis que des larmes montaient à ses yeux. «Je sais des choses – je *vois* des choses – des choses qui vont se produire, des choses qui *peuvent* se produire. Je peux voir nos futurs, Gaius!»

«Théona, je ne comprends pas.»

«Que ferais-tu», demanda Théona, sa voix luttant tandis qu'elle tentait de maîtriser ses émotions, «si tu savais ce qui allait se produire? Comment te sentirais-tu si tu savais que le meilleur chemin à suivre infligerait de la douleur aux personnes qui comptent pour toi? Et si le fait de les sauver détruisait tout ce que tu aimes? Est-ce que tu les avertirais et risquerais de voir chuter le monde entier pour leurs seules vies? Est-ce que tu les laisserais aller volontiers – en oubliant que leur sacrifice sauverait d'autres vies? Pourrais-tu choisir entre une vie et une autre?»

Gaius l'observa attentivement, mais elle ne put déceler de réponses dans ses yeux.

«Je t'en prie, Gaius», sanglota-t-elle. «Dis-moi ce que je dois faire! Je ne sais pas comment choisir! Je *ne peux* choisir...»

Gaius tendit le bras et l'enlaça. Elle appuya sa tête contre sa poitrine et sut que c'était, peut-être, la seule réponse qu'il pouvait lui donner.

Meklos Jefard tenta de se redresser, mais la douleur qui lui tenaillait le dos l'obligea à se tenir penché. Il était encore difficile pour lui de se mouvoir; la douleur lui coupait le souffle au moindre faux mouvement.

«Qu'est-ce que vous avez fait de moi?» s'insurgea-t-il.

Le roi Pe'akanu baissa les yeux vers lui, les bras croisés sur la poitrine. «Nous t'avons guéri.»

«Guéri?» cria l'aboth. «Regardez-moi un peu, espèce de gros balourd arriéré. Je suis infirme!»

Le revers de la main de Pe'akanu vint s'écraser contre le visage de Meklos en une fraction de seconde, et Meklos partit à la renverse contre l'autel de pierre. L'aboth glissa sur la face gravée et tomba assis sur le sol, assommé. Les yeux pleins de haine, il se releva en poussant un cri de rage – avant d'aspirer de l'air avec force en raison de la douleur implacable qui s'emparait de lui. Il s'élança en tremblant sur le sol de pierre du temple.

Pe'akanu tendit son énorme main vers Meklos et le plaça en position assise, le dos contre l'autel de pierre. Le roi prit la parole d'un ton mesuré et doux. « Je dis que nous t'avions guéri, pas que nous t'avions rétabli. Les blessures de ton corps, nous les avons guéries. Les os brisés sont réparés. Les tissus sont réunis. Le sang coule de nouveau dans tes veines. Ton corps est guéri. »

« Je souffre le martyre, espèce d'idiot ! »

Pe'akanu secoua la tête. « Ton corps est bien… C'est ton âme qui se meurt. »

Les yeux de Meklos se plissèrent. « Mon âme ? Je suis au service des Rois-dragons – les dieux incarnés ! Que pourrais-tu bien savoir à propos de mon âme ? »

« Qu'est-ce que tu sais des dragons ? » se moqua le roi. « Nous vivons avec des dragons. Nous sommes utiles aux dragons, et les dragons nous sont utiles. Je connais tes façons d'agir, Meklos de Jefard ! »

Le roi recula vers un dragon sculpté qui se trouvait à une extrémité de l'autel, et il prit dans ses mains un objet qui s'y trouvait appuyé dans l'obscurité.

Meklos eut le souffle coupé.

C'était son bâton de dragon.

« Ton âme tremble de rage. Tu ne peux diriger les esprits à l'intérieur de ton corps, alors tu as besoin de *ceci* pour obliger les autres à agir selon ta volonté. » Le roi s'avança hardiment vers Meklos en tenant le bâton de dragon devant lui. L'œil du bâton brillait, en dépit de la faible lumière de la salle du temple. « Tu as besoin de cette – de cette béquille pour contraindre les grands esprits, et ils se rebellent contre toi, Meklos ! Ils te combattent et font jaillir le mécontentement des dieux sur toi. Ta vie se trouve diminuée de la longueur de ce bâton ! »

« Donne-le-moi ! » cria Meklos. « Maintenant ! »

Le roi Pe'akanu regarda le bâton avec dédain, puis il le lança nonchalamment en direction de l'aboth.

Meklos saisit le bâton dans les airs, le fit adroitement tournoyer dans ses mains puis le pointa, menaçant, en direction du roi.

Pe'akanu se tenait devant lui, ses poings se positionnant lentement sur ses hanches.

Les yeux de Meklos s'agrandirent – il secoua le bâton.

Rien ne se produisit.

« Tu vois ? Ton âme se meurt », dit simplement Pe'akanu. « Tu portes tes démons en toi – de mauvais esprits qui t'empoisonnent. Tu penses que tes démons sont des perles sans lesquelles tu ne pourrais vivre ; tu penses que tes démons te donnent la vie, mais ce sont ces lourdes pierres qui t'entraînent dans l'océan de la mort. »

Meklos leva les mains de façon à ce que les bracelets sur ses avant-bras soient à la hauteur du visage du roi. « Enlevez-moi ces bracelets, ou je vous montrerai à quoi ressemble l'océan de la mort ! »

Pe'akanu soupira. « Je ne peux plus te les enlever à présent. Toi seul peux le faire. »

« Mais, de quoi parles-tu ? » Les yeux de Meklos se plissèrent. « Comment ? »

« Tu dois lâcher prise », murmura Pe'akanu.

« Lâcher prise ? Lâcher prise sur quoi ? »

« Lâcher prise sur la douleur », dit Pe'akanu en se redressant. « Lâcher prise sur tes démons. Lâcher prise sur ta peur. Lâcher prise sur ton passé. Lâcher prise sur ta haine. »

Meklos grimaça. «J'ai *besoin* de ma haine.»

«Tu penses que tu vas disparaître si tu n'as plus ta haine en toi? Tes démons sont véritablement très puissants.» Pe'akanu soupira, puis tourna le dos à l'aboth.

«Reviens ici, espère de lâche!» cria Meklos avant de grimacer de nouveau sous l'effet de la douleur qui envahissait son dos.

«Ou sinon?» dit Pe'akanu en souriant avec mépris. «Tu tentes de maîtriser tout ce qui est extérieur à toi, car tu ne parviens pas à maîtriser quoi que ce soit à l'*intérieur* de toi. Les petits des dragons domestiques ne parviennent jamais à voler avant de lâcher leurs perchoirs et de se jeter dans le vent. *Tu* ne voleras jamais avant de lâcher prise et de te jeter dans le vent.»

Pe'akanu leva les yeux. «En haut de ce temple, au bout des mille marches, se trouve la Voix de Rhai-Kuna – un grand cor qui fait face à la montagne de feu, au cœur de notre île. Lorsque les Hanu'ui sont dans le besoin, je monte les marches et je fais retentir la Voix, et Rhai-Kuna – le grand dragon de la montagne – vient à notre secours. Rhai-Kuna vient lorsqu'il entend la Voix car les Hanu'ui l'honorent, lui et toute la race des dragons, avec équilibre et respect – pas avec un certain bâton luisant agité par une âme mourante et effrayée!»

Pe'akanu se retourna et sortit par la porte carrée du temple sans regarder derrière lui.

Théona était assise sur un banc de coraux au beau milieu du jardin de Dwynwyn, indifférente à la beauté qui l'entourait.

«Théona!»

Elle leva le menton en entendant son nom ainsi prononcé au loin.

«Je suis ici, Votre Altesse», répondit-elle, bien que ses mots furent aussi secs que du sable dans sa bouche.

Le prince Treijan bondit dans sa direction, son beau visage affichant un sourire et une apparente insouciance tandis qu'il se déplaçait entre les fleurs et les arbustes immaculés. Sa barbe avait poussé au cours des derniers jours et avait maintenant l'air peu soignée, mais ses yeux étaient plus brillants et joyeux que jamais. « Vous voilà donc, maîtresse Conlan ! » Il se retourna pour regarder le long du sentier qu'il venait d'emprunter. « Gaius ! Dépêche-toi ! J'ai eu une idée géniale, aujourd'hui, et je veux que tu sois ici pour en être témoin ! »

Gaius, qui avait l'air un peu plus fatigué qu'à l'habitude, arrivait par le même sentier, mais à un rythme bien plus tranquille. « Si c'est si génial, alors quelqu'un *doit* effectivement en être témoin, sinon personne ne croira que l'idée vient de toi. »

Treijan lui lança un petit « ha ha » à demi-moqueur, puis vint s'asseoir sur le banc à côté de Théona. « J'ai pensé à cela toute la journée. Nous retournerons tous bientôt chez nous – en empruntant cette porte-entrouverte qui nous conduira de nouveau dans notre monde –, et nous retournerons affronter tous les problèmes que nous avons laissés là-bas. »

« Je vous en prie, Votre Altesse, je… »

« Il faut me laisser terminer, mademoiselle Conlan, dit Treijan d'une voix presque haletante, ou je n'arriverai jamais à faire sortir cette idée de moi en totalité. J'ai pensé toute la journée à cette façon dont j'ai dissimulé ma… enfin, ma faiblesse pendant si longtemps en travaillant sur cette étrange porte. Gaius s'est trouvé à mes côtés pendant toutes ces années, mais les intrigues de la cour et les changements dans l'empire au cours de ces années ont aggravé les choses encore davantage. Si les autres clans venaient à découvrir ma faiblesse, ils auraient là l'excuse toute trouvée dont ils ont besoin pour faire chuter ma maison, et plusieurs autres par la même occasion. Le chaos régnerait ; les diverses maisons s'entredéchireraient pour tenter de diriger le conseil des Trente-Six. Gaius et moi devions passer de plus en plus de temps à bonne distance de Calsandria afin de ne pas risquer d'exposer ma faiblesse – et mon père a certainement organisé le mariage avec votre maison pour renforcer notre prétention à gouverner. »

« Votre Altesse, dit Théona en secouant tristement la tête, Valana comprend très bien que le mariage est de nature politique. Elle est liée par son devoir envers notre maison et est certainement disposée à… »

« Mais, je ne le suis pas ! » dit joyeusement Treijan.

« Vous… vous n'êtes pas quoi ? »

« Disposé à épouser ta sœur. »

« Ce qui, si je me souviens bien, était la raison même de notre disparition organisée », dit Gaius. « J'étais censé te kidnapper, et cette entente avec la maison de Conlan pouvait alors être balancée aux oubliettes. »

« Mais plus maintenant », dit Treijan avec un sourire résolu. Il se tourna vers Théona et prit soudainement sa main dans la sienne. « Je sais comment Valana a réagi lorsqu'elle m'a vu – enfin, lorsqu'elle m'a vu *ainsi*. Horrifiée, elle s'est enfuie – exactement comme je m'y étais toujours attendu, et comme je l'appréhendais. Mais *toi*, tu es restée, Théona. Lorsque Gaius a sombré dans l'inconscience à la suite du coup donné par Meklos, *tu* es restée à mes côtés, tu m'as aidé et tu m'as protégé. »

« Votre Altesse, je… »

« Théona, est-ce que tu voudrais m'épouser ? »

Théona cligna des yeux, et ses yeux s'adoucirent lorsqu'elle regarda dans les siens. Elle jeta un coup d'œil vers Gaius, dont le visage semblait abattu. Elle se tourna vers Treijan et secoua lentement la tête. « Non, je suis désolée. »

« Ridicule ! Mais bien sûr que tu m'épouseras ! »

« Mais, je ne vous aime pas, prince Treijan. »

Le sourire de Treijan faiblit quelque peu, et Théona savait qu'elle pouvait lire de la déception dans ses yeux. « Pas maintenant, je sais, mais je peux m'y faire. Peut-être que tu finiras par m'aimer avec le temps. Dans l'intervalle, notre union contribuerait à résoudre nos problèmes à tous les deux. Je ne pourrais me marier avec ta sœur; je ne pourrais jamais être certain qu'elle aurait mon bien-être à cœur. Toutefois, nos deux maisons ont besoin de cette alliance. Ne ressens-tu pas le même devoir envers ta maison que ta sœur? Ne le vois-tu pas? C'est seulement de cette façon que nous pourrons retourner chez nous.»

Elle vit *ses chemins et regarda dans ses yeux. Elle le vit sauvé de la mort, et elle le vit privé de sa vie... et elle vit où conduisaient ultimement les deux routes.*

«Oui», répondit-elle en baissant les yeux. «Je vois beaucoup de choses.»

«Théona», l'implora Treijan avec un sourire qui commandait une réponse, «dis-moi que tu m'épouseras. Nous retournerons tous dans notre monde – vers Rhai-Tuah et mon exil volontaire. *C'est* la seule façon qui me permettrait de rentrer et d'espérer avoir une vie.»

Théona prit une longue inspiration. «C'est uniquement de cette façon que vous retournerez à Calsandria?»

Treijan hocha la tête. «Oui, je suis catégorique. Je peux uniquement y retourner avec toi comme épouse. La cérémonie se tiendra ici – dans cet incroyable jardin – afin qu'aucun de ces courtisans ne puisse nous mettre des bâtons dans les roues. Alors, quelle est ta réponse?»

Théona leva les yeux vers Gaius, et leurs yeux se rencontrèrent. «Gaius, est-ce que tu as quelque chose à dire au sujet de la proposition du prince?»

Gaius lui rendit son regard pendant un moment et puis le détourna. Son visage était maintenant un masque. «Non, Théona. Le plan du prince semble être ce qu'il y a de plus avantageux, autant pour l'empire que pour vous deux.»

Théona se tourna alors tristement vers Treijan. «Alors, Votre Altesse, je me dois d'accepter.»

LE ROYAUME DES DIEUX

unid jeta un coup d'œil en bas de la colline, et prit une inspiration mêlée de frissons. De mémoire de gobelin, personne n'avait jamais rien vu de pareil, et elle avait du mal à contenir ses émotions.

Les collines vallonnées qui entouraient la cité d'Og, des montagnes du Levant, à l'est, jusqu'aux montagnes du Couchant, à l'ouest, étaient recouvertes par un campement d'une taille sans précédent. Le sol disparaissait à perte de vue sous les tentes et les appentis improvisés des diverses divisions de l'armée. D'innombrables colonnes de fumée s'élevaient en volutes au-dessus de la vaste vallée de la Maison des Ogres. Elles étaient présentes en si grand nombre qu'elles ressemblaient aux troncs des arbres d'une forêt fantastique. De nombreux bâtiments abritant fonderies et forges avaient été érigés à la hâte à l'est du ravin que surplombait Lunid, et, sous le soleil couchant, leurs toits métalliques ressemblaient exactement à des tranches de pain de meunier trop cuites.

Ce fut cependant la phalange de titans – regroupée ainsi en un seul endroit dans des proportions jamais vues par un gobelin –

qui émut le plus Lunid. Leur masse imposante faisait paraître tout petits les campements qui se trouvaient à leurs pieds. Le métal de leurs têtes brisées brillait encore d'un vif éclat, tandis que leurs étendards claquaient merveilleusement dans la lumière mourante du soir, bien après que la vallée eut été envahie par l'ombre des montagnes de l'ouest. Il y avait là des centaines d'antiques titans disposés en rangées, et tous faisaient face à ce qui les avait conviés en cet endroit – la porte-entrouverte de Lunid.

C'était le plus grand mécanisme jamais assemblé par des gobelins d'après leurs propres plans. Au moins quinze titans – une énorme dépense en soi – avaient été dépouillés pour créer la structure de base de l'anneau. Leurs bras et leurs jambes s'emboîtaient pour former l'anneau au pied de la porte-entrouverte, un cercle d'un diamètre de près de cent pieds posé à même le sol. Il y avait ensuite plusieurs centaines de livres disposés sur le cercle, nécessaires pour donner la vie à la création – une dépense stupéfiante qui poussa plusieurs ministres de la Richesse de Dong Mahaj Skramak à démissionner au moins dix-sept fois chacun en guise de protestation.

Nerveuse à force d'attendre, Lunid se tordait les mains en observant l'anneau du haut de la colline. Elle avait totalement perdu la maîtrise de la situation. Elle avait l'impression de descendre une pente douce à pied et de se rendre compte que la pente devenait de plus en plus raide, jusqu'à ce qu'elle soit entraînée irrésistiblement vers le ravin.

Elle devait admettre qu'elle appréciait cette glissade. Cela avait quelque chose d'enivrant, et, d'une certaine façon, cela la réconfortait de savoir qu'elle n'avait pas de pouvoir sur ce qui se passait autour d'elle. Puisque les événements lui échappaient complètement, elle n'avait plus réellement de responsabilité si quelque chose devait mal tourner.

« Eh bien, ma chère Lunid », dit une voix familière derrière elle. « Est-ce que tout est prêt ? »

Lunid se retourna et s'inclina si profondément devant Skramak qu'elle en perdit presque l'équilibre. «O-o-oui, Votre – Votre M-m-m…»

«Voilà qui est très bien», dit Skramak avec décontraction en se rapprochant d'elle, au sommet de la colline. Il était suivi de près par ses généraux, ses lieutenants et l'ensemble des tambours et trompettistes du corps des Crieurs. Une fois additionnés, c'était un groupe de plus de soixante gobelins qui empiétait soudainement sur son espace. «Est-ce que les technomanciens ont bien suivi tes instructions?»

Lunid hocha la tête. «O –oui, m-merci. N-nous avons v-vérifié l-l-les fixations d-du bus p-principal et des b-bus secondaires c-c-ce matin et avons fait un test d'i-i-imagerie cet après-midi.»

«Un test d'imagerie?» Le Grand Trésorier Thwick s'avança tout près derrière le Dong et se trouvait à présent dans une position inconfortable parmi le personnel des généraux. Lunid soupçonnait que le Grand Trésorier jouait gros sur ce projet – peut-être l'existence de l'académie elle-même. «Tu veux dire que tu l'as déjà utilisée?»

«O-oui, Grand Trésorier», répondit rapidement Lunid. «J'ai t-trouvé le l-l-livre, comme l'avait ordonné le Dong Mahaj Skramak. Il se trouvait dans un lieu ressemblant plutôt à notre Maison des livres, et il était étudié à cet endroit par les dieux – mais ces dieux-là n'avaient pas d'ailes. Est-ce que vous croyez que cela a une importance?»

«Des livres, tu as dit?» demanda Skramak avec jubilation.

«Oui, D-Dong…»

«Tu peux encore m'appeler Skramak, Lunid», répondit aimablement le guerrier borgne. «Je suis ton ami.»

Le Grand Trésorier jeta un regard d'avertissement à Lunid.

«O-o-oui, S-Skramak», répondit la bricoleuse émérite.

«Alors, tu es vraiment prête à ouvrir ta – comment l'as-tu appelée?»

« Porte-entrouverte, Skramak », répondit Lunid. « Oui, je crois qu'elle devrait bien fonctionner. »

« Excellent. » Skramak hocha la tête en affichant un large sourire aux dents acérées. « Général Piew ! »

« Oui, seigneur Skramak ! » On aurait dit qu'il attendait ce moment, et il se détacha du groupe en faisant quelques enjambées vers l'avant.

« Tu vas conduire les deux premiers groupes de six titans ici et les positionner de chaque côté de cette porte-machintruc, en bas », dit Skramak en désignant du doigt la porte-entrouverte. « Dispose ensuite quatre phalanges de nos guerriers – deux de chaque côté – et fais en sorte qu'ils soient prêts pour la défense. »

« La défense, seigneur ? » Le général eut l'air insulté.

« Notre distinguée bricoleuse émérite me dit que cette porte technomancienne nous permettra non seulement de pénétrer dans le royaume des dieux, mais aussi d'en revenir, n'est-ce pas, Lunid ? »

« Enfin, o-oui, Votre – Skramak. »

Skramak se retourna pour faire face au général derrière lui. « Conséquemment, général Piew, je veux m'assurer que les seules choses qui puissent franchir cette porte soient des titans et des gobelins. Si quelque chose *d'autre* devait tenter de s'y infiltrer, il faudrait l'arrêter et l'aplatir un bon coup. L'idée est d'envahir le royaume des dieux – et non de leur donner le moyen de nous envahir. Est-ce bien clair ? »

« Eh bien, euh, pas totalement, seigneur », répondit le général.

« Fais-le, Piew ! Et assure-toi que les nigauds qui sont responsables des escouades comprennent bien leurs signaux ! Je tordrai le cou de quiconque osera ne serait-ce que penser à mettre le bazar dans nos consignes – y compris toi, Piew ! »

Le général salua Skramak en frappant du poing contre son armure de poitrine et partit rejoindre le corps des Crieurs. Quelques instants plus tard, un des Crieurs se mit à frapper avec force contre son tambour, produisant un rythme étrange qui descendit la colline. Le son retentissant s'arrêta aussi abruptement qu'il avait commencé – et les campements au pied de la colline y répondirent aussitôt avec la même puissance. D'autres tambours prirent le relais tandis que le message se propageait sur le sol de la vallée, mais Skramak n'attendit pas que le tout cesse pour donner un nouvel ordre.

«Général Ekee!»

«Oui, seigneur!»

«Fais passer trois groupes de titans par la porte dès que celle-ci sera ouverte, et fais-les suivre par vingt groupes de guerriers. Assure-toi que les titans de tête sont liés par les livres à ton commandement. Lorsqu'ils seront de l'autre côté de la porte, fais passer les titans restants du premier cadre en rang par deux, flanqués par les guerriers restants du premier bataillon. Surveille-les bien pour t'assurer qu'ils feront ce qu'on leur dira de faire. Je ne veux pas que cette bataille soit toute désorganisée parce que ces conducteurs de titans ne suivent pas nos ordres!»

«Oui, seigneur!» Le général Ekee salua promptement Skramak en frappant lui aussi du poing contre son armure, puis se tourna vers son propre crieur – celui avec la trompette, qui fit entendre presque aussitôt une série complexe de notes. Skramak reprit la parole avant qu'il ait fini.

«Lieutenant Gonz!» aboya Skramak.

«Oui, seigneur Skramak!» Lunid pouvait voir que cet homme était un technomancien d'après l'étrange chapeau qu'il portait et le livre épais et lourd qu'il tenait dans ses mains. Il s'était avancé suivi de trois crieurs dotés chacun d'un cuivre, en prévision des ordres du seigneur de guerre.

«Tu vas entrer en contact avec les généraux de chacun des postes de commande», cria Skramak afin de se faire entendre malgré le vacarme des tambours et des trompettes. «Fais en sorte que chacun d'eux soit sur un pied d'alerte, et qu'ils soient prêts à se rassembler. Nous les convoquerons dans la porte selon le plan de bataille, et je ne veux pas que l'un d'eux se perde. Dis ensuite aux généraux...»

«Seigneur Skramak?» demanda timidement Lunid. Deux des crieurs à côté d'elle avaient déjà commencé à donner ces nouveaux ordres codés, et Lunid n'était pas certaine que Skramak pouvait réellement l'entendre.

«Un petit moment, Lunid», répondit Skramak. «Dis aux généraux de mener la charge avec les titans et de les faire suivre par les guerriers au sol en guise de soutien. Je veux que les troupes équipées d'armes avancées soient mélangées à celles qui sont armées de massues et de couteaux, et si je dois expliquer *cela* une fois de plus à ces idiots, je vais...»

«Je vous en prie, seigneur Skramak.» Lunid parla d'une voix forte tout en tirant sur la tunique du seigneur de guerre.

Skramak gronda férocement, puis se tourna soudainement vers Lunid et sortit son poignard de la gaine fixée à sa ceinture. Lunid poussa un cri, et se laissa instinctivement tomber sur le sol.

Skramak respirait bruyamment, et il y avait encore une étincelle de colère dans son œil valide, mais la lame demeura dans les airs. «Lunid... ne fais plus jamais cela», dit-il en respirant par à-coups. «Je suis très occupé en ce moment.»

«J-j-j...»

«Détends-toi, Lunid.» Skramak soupira en ramenant un sourire forcé sur son visage tout en glissant lentement son poignard dans sa gaine. Plusieurs trompettistes et tambours donnaient maintenant des ordres et recevaient des rapports pour les généraux des campements qui répondaient aux signaux. «Je te prie d'excuser le vieux guerrier que je suis – qu'est-ce qu'il y a?»

«V-votre p-p-lan de b-b-ataille...»

«Oui», répondit Skramak, en se contenant beaucoup malgré son ton cassant, «qu'est-ce qu'il a, ce plan?»

Lunid criait par-dessus les battements des tambours et les beuglements des trompettes. «J'ai préparé une c-ca-cage spéciale pour les dieux – une qui les contiendra tous, pas seulement les dieux ailés. J-j-je l'ai envoyée – je l'ai envoyée vers la porte afin que les – les nigauds puissent la faire passer en tout p-pr-premier lieu.»

«D'accord, d'accord. Maintenant, si tu veux bien m'excuser…»

Lunid agrippa la manche du seigneur de guerre. «Est-ce que toutes vos troupes savent ce qu'elles d-d-doivent rechercher?»

«Quoi?» Skramak secoua la tête, ne comprenant pas en raison du vacarme.

«Savent-ils à quoi ressemble Urk?» cria Lunid d'une voix rauque, en écarquillant ses yeux embués. «Vous savez, mon dieu ailé, celui que vous avez dit que vous retrouveriez pour moi – la raison pour laquelle nous avons construit cette porte-entrouverte!»

Skramak la regarda de nouveau avec son œil unique et retint son souffle un moment. «Ah! Oui, bien sûr, ils le savent! Tout le monde a été informé de ce à quoi ressemble ce – enfin, ce…»

«Urk», insista Lunid.

«Oui, ce à quoi ressemble ce Urk, et doit me prévenir dès que ce dieu sera trouvé», compléta Skramak, hurlant presque pour couvrir le vacarme des tambours et des trompettes de guerre. «Tu viens d'ouvrir la porte pour nous, Lunid. C'est tout ce que tu avais à faire. Skramak se charge du reste.»

«En êtes-vous bien certain?» demanda Lunid, pleine d'espoir.

«Crois-moi», répondit-il avec un grand sourire. «Je sais exactement ce que je fais.»

Des cors graves résonnèrent dans la plaine. Les titans se déplaçaient dans le ravin – les deux groupes de six titans du général Piew se tenaient de chaque côté du lit asséché de la rivière, et ressemblaient à une garde d'honneur de géants de métal squelettiques. Plusieurs centaines de guerriers gobelins bougeaient à leurs pieds, chacun d'eux sautant sur place en

protestant de ne pouvoir franchir la porte le premier. Néanmoins, leur discipline tint le coup, et les voilà qui se tenaient
face à la porte. Leurs tambours se mirent à battre à un rythme
plus constant, signe qu'ils étaient maintenant en place, et leurs
longs sabres brillaient à la lumière des titans, qui se trouvaient
à côté d'eux.

« Le moment est venu, Lunid », cria Skramak. « Ouvre-la !
Montre-nous le chemin du royaume des dieux ! »

Lunid hocha la tête, ferma les yeux et souleva son nouveau
livre de contrôle. Elle travaillait sur son livre depuis le début de
la construction, et savait que c'était la partie la plus importante
de la porte-entrouverte. La porte elle-même était davantage une
puissance brute que quelque chose d'élégant – c'était seulement
une version agrandie de quelque chose qu'elle avait déjà fait.
Elle savait que la partie la plus complexe n'était pas tant de
puiser dans le pouvoir des livres que de le maîtriser. Sa première
tentative avait simplement consisté à capturer et à déplacer
quelque chose, mais elle l'utiliserait désormais d'une nouvelle
façon – en maintenant l'espace ouvert comme un tube plutôt que
comme une sphère.

Elle pouvait le voir dans le royaume des dieux derrière ses
paupières closes. Elle sourit ; son Urk se tenait près de la porte.
Peut-être l'attendait-il...

Il y eut une soudaine explosion de sons se propageant sur
l'onde provoquée par un terrible coup de vent. Lunid ouvrit les
yeux.

Les titans près de la porte titubèrent vers l'arrière, et deux
d'entre eux tombèrent à la renverse. Les gobelins étaient à plat
sur le sol, comme s'ils étaient repoussés par la porte.

Un ovale se mit à tournoyer au-dessus du cercle. Lunid put
voir à travers lui les dieux sans ailes lever subitement les yeux
de son livre de contrôle perdu, qu'ils étaient en train d'examiner.
Un état de choc et de panique se lisait dans leur regard. Ils se
mirent à courir vers des portails qui les conduisaient hors de leur

Maison des livres, et leurs cris se répercutèrent sur les rayonnages alentour.

La première phalange de titans se mit en marche, à raison de trois titans en largeur et de sept titans en longueur. Leurs pas faisaient trembler le sol sous les pieds de Lunid. Ils baissèrent légèrement la tête en approchant de la porte-entrouverte afin que leur majestueuse taille puisse se glisser dans le cadre. Un instant plus tard, ils jaillirent de l'autre côté de la porte-entrouverte, frappant à coups de poing les grands murs de pierre d'un bâtiment. Un toit de pierre jusque-là invisible s'effondra soudainement sur eux, faisant s'écrouler trois titans au sol et les enterrant sous les débris. Les titans à leur suite remarquèrent à peine ce qui venait de se produire, et progressèrent sur les pierres tombées par-delà le mur à présent détruit.

Lunid pouvait voir à travers la porte et au-delà des titans que la nuit tombait sur une grande cité entourée de murs de pierre et où se trouvaient d'étranges structures pyramidales. Au moment où elle regardait la scène, elle pouvait entendre les cris des dieux passer d'un monde à l'autre jusqu'au sommet de la colline de Lunid.

Les derniers titans de la première phalange avaient presque franchi la porte lorsqu'une explosion fit éclater la tête d'un des titans dans une flamme verdâtre. La flamme descendit ensuite le long du corps de l'antique machine, transformant le métal en gaz partout où elle le touchait. Un second et un troisième titan explosèrent à leur tour, et ils furent projetés vers les forges de réparation dans le creux du ravin.

« Faites avancer les guerriers ! » cria Skramak, et les crieurs derrière lui firent de nouveau résonner leurs trompettes.

Les guerriers gobelins, qui suivaient les titans en rangs serrés, hésitèrent pendant un moment lorsqu'ils entendirent les trompettes, se demandant s'ils avaient bien entendu. Ils obéirent néanmoins, et chargèrent à travers la porte, s'ouvrant un passage entre les pieds des titans titubants et traversant ensuite les décombres du bâtiment jusqu'aux rues de l'ennemi.

Un autre titan fut repoussé dans la porte. Celui-là semblait envahi par une terrifiante créature à tentacules qui se tortillait à l'intérieur de la poitrine du titan et qui le déchiquetait de l'intérieur. Le titan tomba parmi les guerriers, qui sautèrent immédiatement dessus et qui donnèrent des coups de hache et d'épée sur les tentacules.

«Continuez d'avancer!» cria Skramak tandis que les trompettes derrière lui beuglaient ses ordres. «Continuez d'avancer! Nous devons prendre pied, ou nous mourrons!»

De l'autre côté de l'ouverture, la cité se mit à brûler.

Lunid se demanda comment Skramak parviendrait à trouver Urk au milieu d'un tel gâchis.

ACTES DÉSESPÉRÉS

wynwyn se tenait au centre du chaos, et les déchets de sa vie étaient éparpillés autour d'elle, comme rejetés par une mer déchaînée. Il y avait des caisses et des coffres, des sacs et des malles à la dérive parmi des piles de livres, de vêtements, de paperasses, de mannequins, de parchemins, d'escarpins, de capes et de couronnes. Des ombres de serviteurs – des esprits du Sharaj à la recherche de l'Illumination, mais qui n'avaient jamais vraiment repris une forme physique complète, à l'exception de l'essence des ombres – tournoyaient en bourrasques au-dessus des détritus, ramassant une lampe brillante ici, une tapisserie là, les rangeant ou les ressortant selon les caprices de la reine des morts.

Péléron l'observait en silence depuis l'entrée de ses appartements privés. Il n'était jamais auparavant entré sans sa permission expresse, même s'il savait qu'elle ne s'en serait pas formalisée. C'était un geste de courtoisie à son égard – une délicate touche de l'immense respect qu'il lui témoignait. Il en était venu à l'aimer véritablement au cours des années qu'ils avaient passées ensemble, et cet amour dominait aujourd'hui ses manières courtoises.

Il vit que ses appartements étaient dans un désordre plus extrême que jamais. Il savait que Dwynwyn avait toujours préféré la subtile anarchie de la vie de chercheuse à la façon de vivre infiniment plus ordonnée des autres castes de la féerie. On aurait dit que l'ordre la gênait dans sa recherche constante de nouvelles façons de voir les choses ou d'aborder un problème, un talent qui différenciait sa caste de toutes les autres. Péléron sentait toutefois qu'il s'agissait là d'un type différent de désordre – le chaos de Dwynwyn qui tentait de déterminer ce qui était assez important pour qu'elle l'emporte avec elle en exil, et ce qui ne l'était pas assez et qu'elle pouvait abandonner.

Il semblait à Péléron que l'échelle de valeurs avait des unités de mesure bien différentes lorsqu'on était confronté à l'extinction.

«Dwynwyn», dit doucement Péléron.

Elle leva les yeux. Il pouvait voir les rides sur la douce peau foncée de son visage, ainsi que le vague regard liquide dans ses yeux. Les ombres s'arrêtèrent en plein vol et se retirèrent du mieux qu'elles le purent dans les coins de la chambre.

«Péléron! Qu'y a-t-il?»

«Dwyn, je viens tout juste de recevoir des nouvelles de la porte de la cité.»

«Oui... et?»

«Et on m'avise que le flot de réfugiés s'est arrêté», dit-il en choisissant ses mots avec soin. «La porte d'Onyx est fermée et verrouillée.»

«Il y a autre chose, n'est-ce pas?»

«Oui, Dwyn, il y a autre chose», dit tristement Péléron. Il détourna son regard de sa reine bien-aimée pendant un moment, avant de la regarder droit dans les yeux. «Les réfugiés ont cessé d'affluer parce qu'il n'y en a plus. Le dékacien Skreekash et ses pillards nykira ont encerclé l'essentiel de nos forces au sud. Ils ont bloqué les routes du sud vers la côte – rien ne dit que les Argentei nous permettraient de passer si nous pouvions nous y rendre – et ils pillent les cités portuaires de Neceleros et Demeleos. Les combats en ces lieux étaient particulièrement acharnés, mais nos guerriers morts-vivants ont subi une trop forte usure. Ils ont été forcés d'abandonner les cités et de se retirer vers le nord pour protéger notre flanc. »

« Qu'en est-il des blessés dans la bataille ? » demanda Dwynwyn. « Le dékacien nous permettrait sûrement de… »

« Il n'y a pas de blessés », dit rapidement Péléron.

« Aucun ? C'est impossible. Il y a toujours… »

« Il n'y a *pas eu* de blessés. » La voix de Péléron se faisait plus forte. « Pas plus qu'il n'y a de prisonniers, ni de civils, ni de femmes ni d'enfants. Les Kyree-Nykira ont réservé le même sort à tout le monde. Chaque fée, peu importe sa caste ou son rang, a été massacrée en toute égalité. »

Dwynwyn détourna le regard.

Péléron parla doucement de nouveau. « Il n'y aura plus de réfugiés, Dwyn. »

La reine des morts sembla rapetisser un petit peu de par la cruauté du monde qui l'entourait. Ses yeux, qui ne cessaient de balayer la pièce du regard, se fixèrent finalement sur son diadème. Elle le prit dans ses mains, et glissa un doigt sur le treillis délicat et les bijoux incrustés.

« Tu sais, c'est lui que j'aimais le plus », dit-elle doucement tout en l'examinant. « Je préférais porter celui-ci quand je pouvais le faire. Il n'était pas aussi sophistiqué ou protocolaire que mes plus grandes couronnes, mais c'est justement pourquoi je le préférais. » Elle laissa tomber le diadème sur le sol. « Ce n'est plus qu'une babiole, à présent, et je le laisserai probablement ici afin de pouvoir faire de la place pour une autre miche de pain. »

« Tu trouveras que le pain est plus agréable à manger que le diadème », dit Péléron avec un petit sourire.

Dwynwyn hocha la tête. « Et moins j'ai de choses à porter, mieux c'est. Je soupçonne que les morts ne seront pas en mesure de traverser la porte menant à l'autre monde. Je ne suis pas du tout certaine que nous trouverons le même Sharaj dans ce nouveau monde – bien que cet *humain* Gaius semble croire qu'il s'y trouve aussi. De toute façon, il semble bien que je vais devoir me charger moi-même de mes malles. »

« Eh bien, tu pourrais songer à en alléger le contenu. »

Dwynwyn éclata de rire, et fit un geste dans la direction où le sol était visible sous les débris. « Quoi ? Tu trouves que ce n'est pas léger ? Je suppose que tes bagages sont déjà prêts ? »

« Tu oublies que je suis un vieux guerrier habitué des campagnes. Je voyage toujours léger. » Péléron entra complètement dans la pièce. « Dwyn, tes armées battent en retraite. La seule raison pour laquelle les Kyree ne montent pas à l'assaut des murs de Sharajentis en ce moment est parce qu'ils sont trop occupés à piller et à saccager les cités qui ont été abandonnées. Le fait de gaspiller du temps maintenant sur une cérémonie idiote… »

« Non, Pél », dit immédiatement Dwynwyn. « Je ne changerai pas d'idée. Tout sera prêt à temps. Arryk passera par cette voie magique avec les humains jusque sur leurs terres. Dès qu'il reviendra nous dire que c'est sûr pour nous, alors nous ferons passer tous les Oraclyn et les Sharajin vers ce… ce nouveau pays. »

« Et si ce *n'est pas* sûr ? » demanda ostensiblement Péléron. « Nous aurons besoin de temps pour… »

« Non, Pél », dit fermement Dwynwyn. « Si ce n'est pas sûr, alors quelques minutes dans une direction ou une autre ne feront pas de différence. »

« Mais, un mariage ? »

« C'est ce qu'ils voulaient », répondit Dwynwyn. « Et c'est ce que *je* veux, mon cher Péléron. »

Elle jeta un nouveau coup d'œil vers ces choses de sa vie qui rapidement perdaient de leur importance.

« Je veux que mon dernier acte soit une création – pas une destruction », dit-elle simplement. « Je veux que la dernière chose que je ferai dans notre monde soit un début plutôt qu'une fin. »

Rylmar Conlan était assis à sa longue table, le regard fixe, et n'observait rien de particulier. Il avait survécu à un nombre incalculable de désastres dans sa vie, croyant en ce vieil adage qui disait que ce qui ne nous tuait pas nous rendait plus fort. Il était à présent sous le choc, comprenant qu'aucun de ses plans ne se concrétiserait, et que la facture avait été payée avec le cœur brisé d'une de ses filles et le sang de l'autre. Rylmar ne trouvait donc plus de réconfort dans les platitudes et les proverbes. Tout ce qu'il connaissait maintenant était une perte accablante et un vague soupçon obsédant indiquant que son propre sentiment de culpabilité menaçait de le dévorer.

Le sang vibrait dans ses tympans, et son monde était réduit à un point tel qu'il n'englobait plus que la table à laquelle il était assis. Il n'entendit donc pas qu'on cognait à la porte principale, et il ne remarqua pas davantage que la servante Agretha lui adressait la parole.

« Maître Conlan ! » La voix de la femme replète tremblait, et ses mains tordaient un chiffon à poussière jusqu'à ce qu'un nœud s'y forme. « Je vous en prie, messire ! Il y a quelqu'un à la porte que je dois annoncer ! »

Rylmar leva ses yeux pleins de larmes et injectés de sang. « Je ne veux voir personne. Vous devez être vraiment stupide pour ne pas comprendre cette simple… »

« Mais, maître Conlan, c'est le seigneur Dirc Rennes-Arvad ! »

Rylmar cligna des yeux, et tenta de se concentrer sur sa servante. Il était certain de ne pas l'avoir entendu correctement. « Qu'est-ce que vous avez dit ? »

«Je demande à vous présenter le seigneur Dirc, de la maison de Rennes-Arvad, messire», bafouilla Agretha. «Il – il est à la porte!»

Rylmar se leva, son esprit s'imaginant toutes sortes de choses. «Dirc? Ici... à ma porte? Il est venu *me* voir?»

«Que dois-je *faire*, messire?»

«Par les dieux, femme, tonna Rylmar, faites-le entrer immédiatement!»

Agretha sembla glapir tout en se retournant, puis elle fila sous l'arche et passa en vitesse devant l'ancienne statue dans l'atrium.

Rylmar s'assit, stupéfait pour le moment, tandis que son esprit tentait de s'éveiller comme il ne l'avait pas encore fait depuis le retour de Valana à Calsandria, trois jours plus tôt. Elle était allée s'étendre dans son lit, et n'était pas sortie de sa chambre depuis ce temps. Elle n'avait parlé aux domestiques que lorsque cela avait été nécessaire, et seulement brièvement avec sa mère. Elle avait même refusé de voir Rylmar.

Les nouvelles concernant la mort du prince Treijan avaient presque coïncidé avec le retour de Valana. La maison de Rennes-Arvad avait apparemment gardé le silence sur le retour du jeton du prince pendant plusieurs jours, mais elle avait finalement décidé de l'annoncer elle-même pour éviter que la nouvelle ne soit utilisée contre elle par les espions qui gravitaient autour d'eux. Le retour de Valana avait été quelque peu éclipsé, mais n'était cependant pas passé inaperçu pour les chefs des autres familles, et certainement pas pour la maison de Rennes-Arvad. Rylmar avait présumé que ses arrangements avec la maison Arvad étaient morts avec le prince, et il s'attendait à ce que Dirc choisisse de l'ignorer, tout simplement, en laissant leur entente mourir en silence, ou qu'il soit au minimum convoqué au donjon Arvad afin de se faire expliquer en long et en large les avantages associés au fait de ne pas souffler mot de l'affaire. Toutefois, la visite en personne du puissant seigneur Dirc était quelque chose de différent, de dangereux et de potentiellement profitable.

«Maître Rylmar, de la maison de Conlan», dit Agretha en faisant la révérence. «Je demande la permission de vous présenter Dirc de la maison de Rennes-Arvad, seigneur de l'Empire et maître du Conseil des Trente-Six!»

Dirc Rennes-Arvad entra dans la pièce. Il était grand, avait des cheveux gris coupés court ainsi que des pommettes saillantes, tout comme son fils. Sous ses sourcils gris et broussailleux se trouvaient des yeux brillant d'une flamme bleue, et sa barbe était taillée comme celle des bardes. Il portait un pourpoint rose magnifiquement brodé sous une petite cape munie d'un galon brillant et doré, nouée sur son épaule gauche.

Rylmar se leva immédiatement à l'extrémité de la table. «Seigneur Dirc. Vous honorez ma maison.»

Dirc Rennes-Arvad poursuivit sa progression dans la grande salle, tendit la main en s'approchant d'un Rylmar sidéré et lui saisit le bras juste sous le coude selon la salutation traditionnelle. «Mon cher maître Conlan, je suis venu aussitôt que j'ai pu. J'espère que vous me pardonnerez ces quelques jours de retard. Vous me comprendrez sûrement, ma propre maison doit aussi vivre avec un deuil.»

«Certainement», répondit Rylmar. «La mort du prince… Oh, Agretha! Ce sera tout. Je suis persuadé que vous avez beaucoup de choses à faire dans la cuisine. Merci.»

La domestique s'inclina profondément et disparut dans l'atrium.

«Seigneur, puis-je vous offrir un siège?» dit aussitôt Rylmar, en désignant sa propre chaise de la main.

Le seigneur Dirc sourit, secoua la tête, retira adroitement sa cape et se tira une chaise dans le coin près de Rylmar. «Non, merci, celle-ci fera l'affaire. Je vous en prie, asseyez-vous. Vous êtes chez vous, après tout.» Le seigneur Rennes-Arvad appuya son dos contre la chaise et étira ses longues jambes bien droites sous la table en les croisant. « Ry, je suis désolé pour la mort de ta fille. »

« Je te remercie au nom de tous les gens de ma maison, Dirc. » Le nom s'accrocha presque dans la gorge de Rylmar – il était dans les affaires depuis assez longtemps pour savoir que familiarité rimait avec danger. « D'après ce que m'a dit Valana, Théona était avec le prince et son ami Gaius lorsqu'ils périrent tous les deux. »

Dirc hocha tristement la tête. « Je pleure alors avec toi. »

« Tout comme l'empire pleure la mort du prince », dit Rylmar. « Son avenir était notre avenir à tous. »

Dirc sourit en regardant Rylmar. « Son avenir était notre avenir, Ry ; l'avenir de nos deux maisons. »

« Beaucoup de choses ont été perdues, ce jour-là », acquiesça Rylmar.

« Mais, peut-être... »

Nous y voilà, pensa Rylmar.

« Peut-être, mon ami, que tout n'est pas perdu pour nous deux », annonça Dirc lentement en se penchant vers l'avant jusqu'à ce que son bras soit appuyé contre la table. « Peut-être qu'avec un petit effort de notre part, nous pourrions préserver une bonne partie de l'avenir qui a été perdu pour l'empire. »

« Je serais honoré, comme toujours, de servir l'empire », répondit prudemment Rylmar.

« Comme nous devrions tous l'être, acquiesça Dirc avec enthousiasme, mais, souvent, l'acte de servir offre de meilleurs résultats quand on se sert aussi. Le mariage entre nos deux maisons pourrait encore nous aider tous les deux ; toi pour le statut que tu recherches, et moi pour la sécurité de ma maison face à un Conseil de plus en plus incertain. »

« Tu ne proposes sans doute pas que ton plus jeune fils... »

« Non, pas du tout », dit Dirc rapidement. « Cela prendra encore un certain temps avant que le prince Clyntas soit assez vieux – et assez fort surtout – pour mener notre empire. On peut toutefois se demander quelle serait la stabilité de l'empire si on devait attendre jusque-là. Il y a des forces, Ry – de puissantes forces –, qui aimeraient bien voir nos deux maisons perdre des plumes avant que le jeune prince ait l'occasion de démontrer sa valeur. Imagine cependant – je te demande seulement d'envisager la possibilité pendant un instant – que ta Valana chérie *ait* épousé le prince Treijan... »

Rylmar observa le seigneur de Rennes-Arvad qui le regardait fixement. « Je ne vous suis pas, seigneur. »

« Imagine un instant, dit Dirc lentement, que ta fille ait retrouvé mon fils, le prince Treijan, qui avait été *kidnappé*, en le recherchant – comme elle l'a fait assurément –, et qu'ils se soient mariés pendant qu'ils étaient là-bas... »

« Mais, seigneur... »

« Ry, je t'en prie. »

« Mais, Dirc – elle ne l'a pas fait. »

« Oui, peut-être, mais imagine un instant qu'elle l'ait fait. »

« Eh bien, répondit Rylmar, alors elle aurait reçu l'empreinte du jeton de Treijan à la fin de la cérémonie. Le jeton ne te serait pas revenu. »

« Ah oui, c'est vrai, répondit aussitôt Dirc, mais imagine... »

« Imagine ? »

« Imagine que la cérémonie se soit tenue dans cet étrange endroit lointain et que l'empreinte sur le jeton ne se soit pas faite... »

« Si c'était le cas, répondit Rylmar, alors... »

« Ta chère Valana serait donc l'honorable veuve d'un prince martyr », dit doucement le seigneur Dirc. « Elle aurait droit à un rang privilégié et mériterait le plus profond respect de toute la maison de Rennes-Arvad ; dans les faits, le respect de tout l'empire. »

« Votre position au conseil serait inattaquable », suggéra Rylmar.

« Et le nom de ta maison serait assuré », compléta Dirc.

Rylmar demeura assis pendant un moment puis finit par se lever. « Dirc, le passé est perdu pour nous deux ; tout ce que nous pouvons faire, c'est d'agir pour l'avenir. »

Le seigneur Rennes-Arvad se leva. « Alors, qu'est-ce que tu en dis ? »

Rylmar tendit sa main le premier, cette fois. « Je dis ceci : veuillez transmettre les plus chaleureux remerciements de la maison de Conlan à tout l'empire au nom de Valana Rennes-Arvad – veuve du prince défunt. »

COMMENCEMENTS ET DÉNOUEMENTS

es trompettes de la féerie retentissaient dans toute la cité, un appel pour tous ceux qui étaient encore derrière ses murs. Les fées sortirent de toutes les portes de tous les bâtiments tordus de toutes les rues tortueuses. Les nobles et puissants chercheurs et chercheuses du Lycée, les magiciens du monde des fées, se rassemblèrent pour faire face à leur fin à l'intérieur des murs de la cité qui leur avait montré ce qu'ils savaient et qui leur avait donné une raison d'être. Ils se déversaient tels des affluents dans un grand fleuve, une masse de fées à la dérive, et leurs vêtements autrefois richement décorés étaient maintenant en lambeaux et tachés, conséquence de leur fuite effrénée de la mort.

Ils débouchèrent sur la grande place au pied de la tour de Dwynwyn et leur flot s'écoula de façon à entourer la porte. Chaque Oraclyn, chaque Sharajin prit sa place sur les pavés de l'espace encerclé de murs, car l'ordre était la force vitale de la féerie, même face à sa propre destruction.

Treijan se tenait sur la plateforme de la porte noire à côté d'Arryk, et ses yeux regardaient la foule ainsi rassemblée avec étonnement. Il prit la parole, sachant qu'Arryk était le seul fée qui pouvait comprendre ses mots. « Je m'étais toujours attendu à ce que de nombreuses personnes assistent à mon mariage, mais ne trouves-tu pas que cela est quelque peu exagéré ? »

« Ils ne sont pas ici pour ton mariage », répondit Arryk, d'une voix mélodieuse dont les mots prenaient un sens dans l'esprit de Treijan. « Ils sont venus pour faire face à la fin de leur existence, ou pour nous suivre dans la porte-entrouverte. »

Treijan eut un petit rire. « Les fées n'ont pas le sens de l'humour ? »

Arryk haussa les sourcils derrière ses longues mèches de cheveux. « Nous rions sans cesse lorsque la blague est drôle. »

« C'est cela ! » dit Treijan avec un sourire, avant de se retourner pour inspecter la porte. Sa surface noire brillait en dépit de la faible lumière qui émanait du ciel de plomb. Il pensa que la porte avait un aspect repoussant, comme si elle était une chose organique et tourmentée. Les créatures qui l'avaient construite – les morts de ce monde, pensa-t-il, étonné – avaient façonné la pierre d'onyx en lui donnant la forme de veines, d'os, d'organes, de crânes et de tendons étirés. Il pouvait ressentir la puissance, dans la porte : le lien entre le royaume des rêves mystiques et son propre monde. Il ne manquait plus qu'un élément, un dernier détail pour que le mécanisme soit complet. « Où est ton ami le centaure ? »

« Il est ici », répondit Arryk en faisant un geste derrière lui.

Treijan regarda la créature mi-homme mi-bête. « Est-ce qu'il sait quoi faire ? »

« Oui, répondit Arryk, il sait quoi faire. »

« Tu comprends bien qu'il s'agit là d'un point de non-retour ? » dit Treijan en regardant la porte une fois de plus.

« Oui, je le sais – tout comme la reine. »

« Très bien », dit Treijan en prenant une inspiration et en étirant sa tête d'un côté à l'autre pour détendre les muscles de son cou tendu. « Procédons au mariage, alors. »

Valana se tenait fermement au bras de son père en avançant dans l'allée et pleurait.

La salle de la Guilde avait été aménagée à la hâte en ce qui pouvait être considéré comme un temple, puisqu'il n'y avait aucun autre bâtiment dans tout Calsandria en mesure d'accueillir le très grand nombre de nobles, de seigneurs des diverses maisons et de conseillers qui était requis pour être témoins de l'occasion. Seul l'amphithéâtre pouvait contenir plus de gens, mais Dirc Rennes-Arvad était d'avis qu'il était indigne d'un tel événement.

Le vieil homme, pensa amèrement Valana, avait encore en lui un petit peu de bon sens, même si ce dernier semblait l'avoir abandonné dans tous les autres aspects de sa vie.

Les membres de l'assemblée se levèrent à son approche, et s'inclinèrent devant elle sur son passage, démontrant leur respectueuse et silencieuse tolérance face à cette mascarade. Valana savait, d'après leurs réactions, qu'ils avaient accepté le mensonge démentiel qui leur avait été raconté, chacun trouvant plus commode de croire cette histoire plutôt que la vérité.

Quelle était cette vérité ? La vérité était qu'elle n'avait pas le choix face à ce qui se passait. Où était Théona ? Elle avait toujours su quoi faire ; elle avait toujours été là pour montrer à Valana quelles décisions sensées il fallait prendre. Bien simplement, elle avait toujours été là, comme le plancher qui vous portait ou le toit qui vous abritait du soleil et de la pluie. On ne prête jamais attention au plancher, pensa Valana, jusqu'à ce qu'il se dérobe sous vos pieds et que vous vous retrouviez subitement en chute libre vers des ténèbres qui s'ouvrent brusquement pour vous avaler, et qu'il n'y a rien ni personne pour vous aider. Elle avait toujours aimé sa sœur, à sa façon et à ses conditions, et avait maintenu un certain espoir – un faible et lointain espoir – de s'être trompée, que Théona reviendrait à ses côtés dans quelques jours. Toutefois, lorsque Valana revint à Calsandria, les nouvelles qui l'attendaient annonçaient que

Treijan et Gaius avaient trouvé la mort – leurs jetons étaient revenus dans leurs familles – et elle savait que Théona était avec eux lorsque cela s'était produit. Le monde de Valana changeait complètement, son père lui répétant ce mensonge encore et encore dans les oreilles jusqu'à ce qu'elle ne puisse plus dire non. Son devoir, disait-il, était envers sa maison et sa famille ; son devoir était envers son empire. Son devoir était de vivre ce mensonge pour tout le monde.

Elle marchait donc dans l'allée sous les regards des sages et des puissants, dans une magnifique robe noire dotée d'une longue traîne noire et d'un voile noir, et elle pleurait sans retenue. Ceux qui la regardaient hochaient la tête avec compassion eu égard aux larmes qu'elle versait pour son défunt mari, mais elle savait que cela aussi, c'était un mensonge.

Je suis une veuve, pensa-t-elle, *et je ne me suis jamais mariée.*

La mariée portait du noir. Ses larmes étaient pour elle.

Théona sortit des portes principales de la tour de Dwynwyn, et ses mains tremblaient tellement qu'elle craignait que les fleurs n'en perdent leurs pétales. Elle baissa soudainement les yeux vers elles pour essayer de se calmer. Ses propres vêtements étaient tachés et décolorés. C'étaient les vêtements de voyage qu'elle avait enfilés à Khordsholm, il y a fort longtemps et si loin d'ici. Son petit bouquet, dont les fleurs avaient été cueillies par la reine dans son propre jardin, était la seule touche de couleur dans ce monde gris et noir.

Gaius se tenait près de la porte et lui offrait son bras en silence. Elle tendit le sien et le prit comme elle l'avait fait quelques jours auparavant, mais ce geste la remplit de regrets.

«Gaius?» dit-elle alors qu'ils se mettaient à descendre les grandes marches conduisant à la place gigantesque, qui semblait remplie jusqu'au pied des murs de milliers de fées aux visages exténués.

«Oui, Théona?» répondit-il, les yeux fixés vers l'avant.

«Est-ce que c'est bien?»

Gaius continua à marcher avec elle à son côté, mais ne répondit pas immédiatement. Finalement, il dit : «C'est bien pour Treijan. C'est bien pour l'empire.»

«C'est bien pour ma famille», dit-elle, en tentant de se convaincre et de convaincre Gaius avec ces mots. Elle baissa de nouveau les yeux vers son bouquet frémissant. «Dis-moi quelque chose : pourquoi n'as-tu rien dit? Pourquoi ne t'es-tu pas opposé?»

«Cela n'a pas d'importance.»

«Cela en a pour moi.»

Les mots de Gaius se figèrent dans sa gorge avant qu'il ne puisse se remettre à parler. «J'ai servi Treijan toute ma vie. *Cela a été ma vie.* Est-ce que tu peux comprendre cela?»

Théona réfléchit aux paroles qu'il venait de prononcer. Il lui semblait que Gaius ne savait plus quelles étaient les frontières entre sa propre vie et celle de Treijan. Il l'avait servi et s'était sacrifié pendant si longtemps qu'il ne savait plus où Treijan s'arrêtait et où Gaius commençait.

En quoi est-ce si différent de moi? pensa-t-elle. J'ai tant donné de moi-même à ma famille. Comment ai-je pu ne rien garder pour moi?

«Oui», répondit Théona, ses yeux s'emplissant de larmes. «Oui, je peux comprendre.»

Ils marchèrent en silence pendant un moment entre les longues rangées de fées qui se trouvaient de part et d'autre d'eux. Théona leva les yeux et vit Treijan qui se tenait au pied de l'affreuse porte. La reine Dwynwyn et le seigneur Péléron l'avaient rejoint là, tout comme le fée Arryk, qui était responsable de leur venue en ces lieux.

Treijan était rayonnant.

«Est-ce que tu penses qu'il aurait fini par m'aimer?»

Gaius fit une moue et détourna son regard. « Je le pense, oui, avec le temps. »

« Et est-ce que j'aurais fini par l'aimer ? »

« Je le pense, oui, avec le temps. Qu'est-ce cela veut dire, ce temps de verbe conditionnel dans ta question ? »

Théona sourit tristement. « Cher Gaius, je veux que tu te souviennes de ce que je vais te dire : tu pourrais penser qu'avec le temps, je pourrais aussi perdre ce sentiment que j'ai pour toi, mais tu aurais tort. Je ne t'oublierai jamais, pas plus que je n'oublierai ce que je ressens pour toi. Je te chérirai toujours dans mon cœur. Je fais ce que je dois faire par égard pour nous tous – par égard pour toi, aussi –, mais cela ne veut pas dire que je ne voudrais pas que les choses soient différentes si mes choix étaient plus simples. Est-ce que tu peux te souvenir de cela ? »

Gaius la regarda avec de la douleur et de la confusion dans les yeux. « Je n'ai pas la moindre idée de ce dont tu parles, mais je vais essayer de m'en souvenir, Théona. »

Elle hocha la tête, puis lâcha le bras de Gaius. Une larme unique coula sur sa joue tandis qu'elle grimpait sur la plate-forme en direction de la main tendue de Treijan.

Valana était assise dans la première rangée de sièges, sous le grand dôme de la rotonde. Sur l'estrade surélevée, il y avait une statue de Treijan, la main tendue vers la foule rassemblée comme pour l'enjoindre à le suivre. Le jeton du prince pendait au cou de la statue.

Elle détestait le voir ainsi. C'était le symbole de tout ce qui allait mal dans sa vie ; l'incarnation même du mensonge. Le marquage des jetons était le dernier acte de la cérémonie des mariages mystiques, et était perçu comme étant le moment qui liait les mariés dans le rituel – remplaçant l'échange de masques, qui était autrefois la coutume. C'était aussi la partie la plus flagrante du mensonge, car un mariage n'était pas jugé valide tant que les jetons n'étaient pas échangés. Elle se préparait néanmoins à participer à cette parodie de rituel, car Dirc lui-même ferait l'empreinte du jeton sur elle de façon à sceller un mariage qui n'avait jamais eu lieu. C'était une mascarade, pensa-t-elle, une infamie à laquelle elle serait forcée de se livrer devant l'empire tout entier.

Le seigneur Dirc arrivait à la conclusion de son éloge funèbre.

Valana leva les yeux vers le dôme de la rotonde. Cette même pièce avait été remplie de musique, de danse et de magie peu de temps auparavant. Elle avait survolé tout cela, se souvenait-elle.

Comment avait-elle pu en arriver là ?

Dwynwyn se tenait devant eux ; sa voix résonnait des harmonies de la pluie du printemps et des prés en fleurs. Gaius se tenait avec raideur à ses côtés, traduisant ce qu'elle disait.

« Le maître Syldaran marche devant vous, vos actes sur ce trajet vous liant ensemble dans votre connaissance de l'unité parfaite d'Aelar – que vos âmes n'en forment qu'une dans leurs intentions, que vous esprits n'en forment qu'un dans leurs pensées, que vos cœurs n'en forment qu'un dans leur passion et que vos trajets n'en forment qu'un vers l'Illumination. Par cette alliance, vous êtes liés dans toutes vos incarnations sur votre route vers la perfection. »

Dwynwyn tendit les mains, leur saisit tous les deux la main droite, les rapprocha l'une de l'autre, puis tira un long ruban de ses cheveux et le laissa tomber sur leurs mains enlacées. Treijan sourit lorsque le ruban s'enroula de lui-même autour de leurs poignets, les attachant ensemble.

« De votre tête à votre cœur à votre corps », proclama Dwynwyn à travers Gaius aux yeux tristes. « Vous êtes un. »

Treijan leva les yeux. « C'est tout ? Nous sommes mariés ? »

Gaius se tourna vers Dwynwyn. « Sont-ils mariés ? »

La magnifique fée les regarda et sourit.

Treijan se pencha vers Théona, mais cette dernière ne lui offrit que sa joue pour un baiser léger et bref.

«J-j'aurais aimé que tu ne perdes pas ton jeton», dit Théona en refoulant ses larmes. «J'ai rêvé de ce moment toute ma vie et maintenant – maintenant, je ne peux même pas vivre cela.»

Valana entendit son nom se répercuter sur les murs de la rotonde. Dirc venait de l'appeler pour qu'elle se joigne à lui sur l'estrade. *Un dernier acte*, pensa-t-elle. *Une dernière humiliation avant qu'ils me consacrent comme une noble mystique qui a épousé un prince défunt.*

Elle se leva et gravit les marches de l'estrade avec une mauvaise grâce qui aurait pu être perçue comme un deuil légitime. Elle se plaça finalement à côté de la statue de Treijan et fit face à la foule.

La tonalité grave d'un cor résonna au loin.

«Nous n'avons plus beaucoup de temps», souffla Gaius. «Félicitations, vous êtes mariés – pouvons-nous quitter cet endroit pendant que nous sommes encore vivants?»

Treijan hocha la tête, lâcha la main de Théona et se déplaça rapidement vers le côté droit du grand ovale noir. Il retira de sa bourse une pierre qui brillait avec éclat en dépit du ciel sombre.

«Est-ce que c'est la pierre de chant?» murmura Théona.

«Bien sûr», répondit Gaius. «Comment aurions-nous pu retrouver le chemin du retour sans elle?»

Treijan plaça la pierre de chant dans son réceptacle. La porte, finalement terminée, se mit à bourdonner avec un bruit de tonnerre qui fit trembler les pierres du sol, puis le centre de l'ovale jeta une brève lueur aveuglante qui prit ensuite une teinte ultraviolette difficile à regarder directement.

«Est-ce que c'est censé avoir cette apparence?» De l'incertitude perçait dans la voix de Théona.

« C'est ce que nous sommes sur le point de découvrir. »
Treijan sourit. « Arryk ! Dis à la reine que nous allons franchir
la porte les premiers, toi et moi. »

« Je viens avec toi », dit aussitôt Théona.

« Et si quelque chose tournait mal… »

« J'aimerais mieux être n'importe où que de rester ici »,
répondit Théona.

« Et je ne reste pas ici, moi non plus, alors tu peux tout aussi
bien nous inclure dans ta petite déclaration », ajouta Gaius.

« D'accord ! Arryk, dis à la reine que tu feras passer Gaius,
Théona et moi avec toi par la porte », dit Treijan. « Si tu reviens
par la porte, alors ils devraient suivre eux aussi. C'est bien
compris ? »

« Oui, répondit Arryk, mais le centaure insiste pour venir lui
aussi. »

« Tout ce que vous voulez ! Il faut seulement se mettre en
marche ! »

Arryk se tourna vers sa reine et parla avec des intonations
qui ne furent pas sans rappeler à Théona le chant des oiseaux
après le dégel de l'hiver.

Treijan tendit la main. « Êtes-vous prête, princesse Théona
Rennes-Arvad ? »

« Oui », dit Théona en prenant sa main. « Conduis-moi à la
maison. »

Dirc terminait l'étrange cérémonie pour la mariée qui se tenait
en robe noire devant l'empire.

« Et donc, par le pouvoir dont je suis investi en tant que
seigneur de la maison de Rennes-Arvad, j'invoque les noms de
Hrea, déesse des cieux, qu'elle bénisse cette union, et de Thelea,
déesse des récoltes… »

Quelqu'un toussota nerveusement. La bénédiction de
Thelea était une bénédiction en faveur de la fertilité.

«Je scelle ce mariage – enfin – en une union bénie.» Dirc se retourna solennellement et tendit la main, soulevant le jeton de Treijan du cou de la statue. Il se tourna de nouveau, le tenant bien haut pour que tous puissent le voir, et le leva au-dessus de la tête de Valana. Le grand jeton en pendentif se balança devant son regard de dédain.

«Au nom de Rhamania, dieu de…»

Il y eut un petit bruit juste en face du visage de Valana. Elle cligna des yeux instinctivement, et, lorsqu'elle les rouvrit, elle se demanda ce qui avait pu entraîner un tel tohu-bohu dans la foule rassemblée.

Dirc regardait ses mains vides.

Le jeton avait *disparu*.

FOLIO 9

LE JETON

CHASSEURS À L'AFFÛT

'air soudainement humide et chaud vint fouetter la peau de Théona, mais cela ne parvint pas à chasser les frissons de ses os.

Quand Théona émergea de la porte à pierre de chant, la main de Treijan était encore dans la sienne. Il la lui avait offerte en guise de soutien pour l'encourager à emprunter la porte, comme il l'avait fait en qualité de barde pour quantité d'autres personnes. Il croyait sans aucun doute que ce passage serait le même que toutes les nombreuses autres fois où il avait conduit des gens au centre de Calsandria.

Ils se trouvaient maintenant de l'autre côté de cette porte nouvellement créée entre les mondes, en compagnie de Gaius, du fée et du centaure, qui apparut derrière eux et les poussa vers l'avant. Ils se tenaient à environ dix pieds de l'entrée de la vaste caverne obscurcie par la végétation où Treijan avait caché cette extrémité du portail mystique. Théona jeta un coup d'œil, derrière elle, à la porte à pierre de chant. De ce côté, la porte était une arche formée par des pierres équarries, et elle se trouvait au centre de la caverne. Elle pouvait apercevoir à travers elle les images vibrantes de la reine Dwynwyn et des réfugiés, qui regardaient tous dans sa direction avec inquiétude. Tandis qu'elle regardait, d'autres pierres en provenance du sol autour d'eux roulèrent doucement en direction de la porte, grimpèrent sur les côtés et vinrent s'ajouter à l'arche, augmentant son diamètre à chaque instant. « Elle grandit », murmura Théona avec étonnement. « Elle grandit pour s'ajuster à la porte du côté des fées. Est-ce que c'est censé se produire ainsi ? »

Treijan ne répondit pas à sa question. Il tenait encore sa main, mais elle remarqua qu'il la serrait si fort que cela lui faisait mal et que sa main tremblait. Elle leva les yeux pour voir le visage de Treijan : un état de choc se lisait sur son visage, dont le sang semblait avoir reflué.

« J-je suis désolé, Votre Altesse », dit rapidement Théona en dégageant sa main d'un mouvement brusque et en examinant attentivement son visage. « J'ai oublié que vous aviez été… indisposé lors de notre premier passage dans le monde des fées. Nous aurions dû vous dire que ce passage était difficile. »

Treijan frissonna soudainement comme s'il se défaisait de morceaux de glace sur son corps. « C'était… »

« Un voyage horrible que nul ne devrait être obligé d'expérimenter ? » termina Gaius pour son vieil ami alors qu'il le contournait pour s'enfoncer dans le dense sous-bois de la jungle environnante.

« Jamais je n'aurais pu imaginer une telle sensation dans mes rêves – ou même dans mes cauchemars – les plus fous », dit Treijan, fortement impressionné. « C'était comme chuter ou voler et ne jamais savoir si l'on finirait par mettre un terme à cette existence. J'étais certain que j'allais me fracasser contre ma propre insignifiance et que… »

« Allez ! » insista Gaius en progressant dans la végétation de la jungle qui dissimulait l'entrée de la caverne. « Nous avons très peu de temps avant qu'une nation entière de fées ne commence à arriver par cette même porte. Nous devons retourner au village et trouver le roi Pe'akanu. Dis au fée et à son ami à sabots de nous suivre.»

Théona se souvint soudainement du fée qui voletait dans les airs derrière eux. Elle se retourna pour le regarder, voulant s'assurer qu'il était bien réel et qu'il n'était pas plutôt une de ces images étranges qu'elle avait fait apparaître dans son esprit. Elle l'avait vu dans ses rêves – ses visions – et, comme plusieurs autres choses dans son esprit, lui aussi était devenu réel. Elle *voyait*, et les choses qu'elle voyait se matérialisaient toutes comme elle les avait vues. Elle sentit une fois de plus le fardeau de la connaissance, et soupira distinctement sous son poids.

«Arryk, dit Treijan au jeune fée, nous devons parler avec le… le seigneur du village. Vous avez des guerriers, et ils ont aussi des guerriers. Nous souhaitons que tout se passe dans la paix. Il ne doit pas y avoir de malentendu entre nous : nous devons préparer le chef à la venue de ton peuple.»

Arryk hocha la tête et, en écho à son assentiment, résonna le son des montagnes majestueuses qui s'élevaient à travers les doux nuages éclairés par le soleil.

Treijan se tourna vers Théona. «Je te conduirai à la maison lorsque les fées seront installées. Imagine leur tête lorsque… Théona? Qu'est-ce qu'il y a?»

Théona prit une rapide inspiration. «Ton jeton.»

Treijan baissa les yeux, et son visage se fendit en un large et chaleureux sourire. Le jeton pendait de nouveau à la délicate chaîne qu'il portait au cou. «Eh bien, voyez-vous cela! Je crois bien que nous sommes de retour, après tout! Il a dû… oh, Théona, il a dû retourner à la maison lorsque nous sommes entrés dans le monde des fées! Ils ont alors dû penser… Nous devons rentrer dès que possible.»

«Non, Treijan», dit Théona en secouant la tête. «Je dois te parler. Je ne pense pas que tu rentreras. Je pense…»

«Bien sûr que nous rentrerons chez nous», dit Treijan en la tirant vers lui afin qu'elle le suive au-delà de l'entrée obscurcie jusque dans les épaisses fougères, dans la direction que Gaius venait de prendre. « Dès que les fées seront installées, nous rentrerons pour connaître le plus grand triomphe qu'un descendant de Galen ait connu à Calsandria ! »

« Non ! » dit Théona. « Tu ne comprends pas. Tu dois m'écouter ! »

Le fée voleta au-dessus des fougères et dépassa Gaius tandis que ses magnifiques ailes le transportaient en direction du temple, qui était tout juste visible par-dessus la cime des palmiers qui les entouraient. Tous deux fixaient les denses panaches de fumée qui s'élevaient en tourbillons tout autour du temple, obscurcissant le ciel, mais le prince ne les remarqua pas à ce moment-là.

« Je t'en prie, Théona », insista Treijan en la tirant en direction du village. « Je te promets que nous aurons une conversation dès que nous aurons parlé avec le roi. »

« Je ne comprends pas », dit doucement Treijan. « Que s'est-il passé ? »

Théona ne pouvait que secouer la tête en guise de réponse, hébétée par la vision accablante qui les entourait. « Je ne sais pas – nous ne sommes partis que quelques jours. »

Théona et Treijan marchaient avec difficulté en bordure d'une place située juste à l'extérieur des portes orientales de la cité. Le sol était noir et brûlé. Les bâtiments qui entouraient naguère la place n'étaient plus que ruines brisées et noircies, et il ne restait plus que quelques-uns des larges piliers carrés, debout en rangs décimés. Les grands visages sculptés dans la pierre étaient encore là, mais ils étaient défigurés par des taches qui glissaient le long de leurs visages comme des larmes chargées de suie. Les imposantes portes de la cité, à l'autre extrémité de la place, avaient complètement disparu ; seule une large déchirure en zigzag demeurait dans le mur d'enceinte. Au-delà du mur, on pouvait voir les rues obscurcies par des feux violents et de la fumée noire à l'aspect huileux qui tourbillonnait dans les airs. La brise en provenance du rivage agitait parfois les flammes et la fumée, révélant l'imposante masse pyramidale du temple dans le lointain centre de la cité ; au milieu de toute cette dévastation, sa structure était toujours debout. Le regard errant de Théona s'arrêtait de temps à autre sur une forme assombrie et familière reposant parmi les débris : une main ou un bras, un torse avec un dos arqué, une bouche carbonisée, grande ouverte, poussant un cri silencieux. Elle détournait alors rapidement les yeux, ne souhaitant pas fixer son regard sur ces images suffisamment longtemps pour que son esprit puisse en comprendre pleinement tout le sens. Elle fut obligée de regarder ailleurs fréquemment pendant qu'ils marchaient, l'air ahuri, en voyant la zone à vif où s'étaient tenus les combats. Arryk voletait mollement dans les airs tout près de là, tandis que le centaure lançait des regards noirs aux ruines – ils réagissaient tous deux à cette terrible scène de dévastation de même qu'au malaise de leurs hôtes humains.

Gaius émergea de l'arche carrée menant à la salle des cérémonies sur leur droite et descendit en douceur les marches concassées et parsemées de tessons. Il parla d'une voix feutrée, en proie à une perplexité certaine. « S'il y a encore des gens en vie, ils ne sont plus ici. Les morts sont partout ; soit les habitants de la cité tout entière ont été entièrement massacrés, soit ils l'ont totalement désertée, hommes, femmes et enfants. »

« Je n'y comprends rien. » Treijan parlait presque tout seul en jetant un coup d'œil aux ruines qui les entouraient tout autour de la place noircie par le feu. « Ils vivaient en paix. Les habitants de l'île étaient unis derrière le roi. Cette nation n'avait pas connu de guerre depuis plus de quatre cents ans. Ils *n'ont pas* d'ennemis. Qui aurait bien pu faire cela ? Il est impossible qu'ils aient tué tout le monde. »

« Pas seulement les gens », observa Gaius. « Écoute un peu ce silence ; il n'y a plus de dragons domestiques. »

Treijan se retourna vivement vers son ami. « Tu as raison. Le silence… c'est… c'est presque plus troublant que la destruction. »

« Troublant ou pas, la reine Dwynwyn attend notre réponse de l'autre côté de ce monstrueux portail que nous avons ouvert. » La voix de Gaius tremblait légèrement, alors que ses émotions étaient à l'état brut et près de la surface. « Ton ami Arryk doit faire son rapport sous peu, sans quoi, ils pourraient décider de traverser, que nous soyons prêts ou pas à les recevoir. Nous avons fait la promesse de sauver les fées de leur guerre – et voilà que nous les entraînerions dans une autre. »

Un son net éclata soudainement autour d'eux, les faisant tous s'accroupir instinctivement. Treijan leur fit signe de reculer pour se mettre à l'abri de l'autre côté du coin brisé des marches de la salle des cérémonies.

« Où ? » articula Treijan silencieusement à l'adresse de Gaius.

Son ami fit un geste de la main vers le côté gauche de la place, pointant les vestiges d'une boutique.

Treijan hocha la tête et s'apprêta à avancer en direction du son, mais une délicate main le retint. Treijan se retourna pour regarder le fée.

Arryk murmura quelque chose de semblable à une douce pluie venant rafraîchir une chaude soirée.

Treijan sourit et hocha la tête.

Les ailes du fée s'ouvrirent toutes grandes, et il s'éleva au-dessus du temple, disparaissant silencieusement à leurs regards.

Treijan se retourna de nouveau pour observer la place.

Ils ne virent ni n'entendirent rien pendant un moment. Le calme absolu de l'atmosphère devenait plus oppressant à mesure qu'ils attendaient. Gaius tenta de dire quelque chose, mais Treijan lui fit signe de garder le silence.

« Yayayaaaaa ! » Ce glapissement grave et soudain fut accompagné par un fracas métallique doublé de bruits de verre brisé. De lourds pieds s'écrasèrent sur le sol et soulevèrent de la suie noire du terrain carbonisé, puis un personnage particulièrement familier s'approcha d'eux en courant plus vite que ce qu'on croyait possible.

« Des démons, oh oui ! » ronchonna le nain avec force, tenant son chapeau fermement en place sur sa tête d'une main, et maintenant solidement contre sa poitrine un sac débordant de perles de l'autre. « Tu sauver ta peau, vieux Dregas ! Des démons, oh oui ! »

Treijan sortit avec décontraction de sa cachette et enferma le nain pressé dans une bulle flottante lumineuse d'un petit coup de poignet. Le nain fut soulevé du sol et poursuivit sa course dans la sphère translucide en faisant des cercles à l'intérieur de cette dernière.

« Ils m'ont eu, oh oui ! » cria le nain en proie à la plus totale des paniques. « Ces démons m'ont vraiment eu, oh oui ! »

« Et toi qui disais que tu n'étais pas doué pour la danse », dit Gaius nonchalamment tandis qu'il suivait Treijan avec Théona en direction la sphère qui flottait au-dessus du terrain couvert de débris.

« Ces talents mondains peuvent apparemment s'avérer utiles de temps à autre. C'est Arryk qui m'a enseigné ce truc-là. Il dit que cela fait fureur dans la Cité des morts. » Treijan sourit d'un air sombre et résolu, puis se tourna vers le nain qui flottait juste au-dessus d'eux. « Je me demande bien pourquoi *tu* es le seul survivant. »

« Treijan ! Gaius ! Un grand merci aux dieux des profondeurs ! » Au-dessus d'eux, le nain était presque en larmes. « Il y a encore un de ces démons dans la cité ! Je pensais bien qu'il vous avait mangés ! »

« Dregas Belas », dit Treijan d'un ton nonchalant. « Qu'est-ce qui a bien pu te faire revenir dans cette cité – moi qui pensais qu'il était clair que ta présence ici n'était pas souhaitée ? Et voilà que nous découvrons que tu es le *seul* à être ici. »

« Mais, il y a un démon juste derrière moi ! » brailla Dregas.

«Ce n'est pas un démon», dit Gaius. «C'est un fée, et il est avec nous.»

Le centaure s'avança de quelques pas et se mit à côté de Treijan. Il leva les yeux avec curiosité vers l'endroit où Dregas flottait.

Le nain cessa subitement de s'agiter dans les airs, mais son élan continua de le faire tourner dans la sphère tandis qu'il réfléchissait à ce qu'il venait d'entendre. «Ami avec le démon, c'est cela?»

«Oui, mais j'ai une meilleure question pour toi», dit Treijan au nain toujours en mouvement. «Comment se fait-il que tu sois un nain capable de *voir*?»

Le nain s'assit sur les marches brisées et farfouilla dans son sac tout en parlant. «Je vous pensais mort, oh oui, Treijan. Vous aussi, maître Gaius, ainsi que la dame. Vieux Pe'akanu a renvoyé votre sœur d'où elle venait. Vieux Dregas la reconduire en sécurité. Elle être maintenant chez elle avec ses semblables. Je suis ensuite revenu ici récupérer mon chapeau des mains de ce voleur de Pe'akanu et suis retourné dans ma cave, à Khordsholm. Assez parlé maintenant, oh oui! Être sage pour vous de partir maintenant, pendant que route est dégagée et que température est clémente.»

Théona écoutait en silence. Treijan et Gaius étaient debout sur les marches, de chaque côté du nain, se penchant vers lui d'une manière qui se voulait nonchalamment menaçante. Arryk était assis sur le rebord de l'étage du temple juste au-dessus d'eux, les ailes enroulées autour de son corps mince, la tête penchée d'un côté. Sous lui se trouvait le centaure, ses bras imposants croisés devant lui, un regard perplexe affiché sur son visage.

«Alors, dit Treijan avec de la tension dans la voix, qu'est-ce qui s'est passé, ici? Qu'est-ce que tu as vu?»

«Vu?» grogna Dregas. «Vieux Dregas être aveugle, oh oui. Ne rien voir dans la grande noirceur de mes yeux bandés. Tous les nains sont aveugles, au grand jour. Ne savez-vous donc pas?»

«Tous, on dirait bien, sauf celui-là», dit Treijan en se redressant et en croisant les bras sur sa poitrine. «Tu es un exclu – comme tous ceux de ta race qui vivent au-dessus du sol –, mais je vois que tu t'es approprié les façons de vivre des hommes mieux que la plupart de tes semblables. Tu t'habilles bien et, quoique ton obsession envers ton chapeau soit typique, je vois que tu en as choisi un qui est assorti à tes autres vêtements.»

«Je suis donc coupable d'avoir du goût?» dit Dregas d'un ton vexé.

«S'il devait y avoir un nain bien habillé, alors tu serais bien le premier», dit Gaius, légèrement sarcastique.

«C'est toutefois le fée qui a dévoilé ton jeu», dit Treijan. «Tu as dit à Pe'akanu que c'était un démon qui nous avait capturés – et tu viens tout juste de fuir devant le même démon.»

Dregas hocha la tête. «Oui, et lui être dangereux, oh oui!»

«Mais si tu es *aveugle*, demanda ostensiblement Treijan, comment as-tu fait pour savoir que c'était le même? Tu n'as jamais touché à un fée – ni lorsqu'il nous a capturés à côté du bassin, ni juste là quand tu l'as vu venir vers toi – et, malgré cela, tu en sais long à son sujet.»

«Non», dit Dregas tandis que la panique s'insinuait dans sa voix. «J'ai *entendu* ses ailes bouger, oh oui! J'ai *senti* son arrivée!»

«Et, il y a quelques instants, dit Treijan, lorsque je t'ai soulevé du sol et que je t'ai dit que le fée était avec nous, tu t'es alors détendu. Un nain est en mesure de s'orienter lorsque ses pieds sont en contact avec le sol. Il suffit de les soulever dans les airs et ils paniquent à chaque fois, mais pas toi, Dregas. Tu pouvais *voir* où tu étais.»

«J'essayais de me donner du courage», geignit le nain. «Ce n'est pas vrai! Dregas était aussi paniqué que n'importe quel nain.»

«Dis-moi, Gaius», demanda soudainement Treijan. «Que penses-tu qu'il y ait *vraiment* derrière le bandeau d'un nain?»

«Je ne sais pas, Treijan», répondit Gaius. «Je n'ai jamais entendu dire que quelqu'un en ait retiré un avant.»

«Eh bien, nous pourrions être les premiers.» Treijan tendit lentement la main, la laissant en suspension devant le visage du nain.

Dregas tendit aussitôt la sienne, et arrêta immédiatement la main de Treijan.

«Eh bien, Dregas?» Les mots de Gaius se firent plus insistants.

«Du verre noir», grogna Dregas en plaçant sa tête entre ses deux larges mains. «Aussi noir que la nuit à minuit. Je l'ai fait polir à Arazatha, sur la côte, après Khordsholm. Je le place derrière mon bandeau. C'est une bonne affaire oh oui; il y a beaucoup à voir pour un nain dans mon domaine d'affaires.»

«C'est facile à croire», dit Gaius en faisant la moue.

«C'est mon secret», chuchota Dregas d'une voix rauque. «Vous ne le direz pas, n'est-ce pas?»

«Je me fiche bien de savoir que tu vois ou pas», dit Treijan avec vigueur. «Toutefois, c'est ce que tu as vu qui m'intéresse, Dregas! Ce qui s'est passé ici.»

«Il vaudrait mieux partir d'abord», dit rapidement Dregas. «Vieux Dregas vous le dire volontiers lorsque nous serons à Khordsholm, oh oui!»

«Non», dit Treijan en s'éloignant du nain. «Tu nous le dis maintenant…»

«Non!» insista Dregas, avec une fois de plus une plainte pressante dans la voix. «Vous ouvrez la porte et nous être à Khordsholm très vite, oh oui! Et de plus, je paierai la bière!»

Treijan et Gaius se regardèrent tous les deux avec inquiétude.

«Qu'est-ce qu'il y a?» demanda Théona.

«C'est que les nains ne paient jamais de bière à personne!» dit Treijan. Au même moment, sa main plongea vers la poitrine du nain et son poing se referma sur le devant de sa chemise à volants. «Écoute-moi bien, espèce de petit rat de quai. Si tu désires tant repasser par la porte, alors tu me diras ce qui s'est passé ici, et peut-être alors – je dis bien *peut-être* – consentirai-je à ce que tu reviennes avec nous!»

«Non!» dit le nain en poussant un petit cri aigu. «Toi t'être servi de ta magie! *Ils* reviendront, oh oui!»

«Qui?» dit Gaius en rapprochant son visage de celui du nain. «Qui viendra?»

«Ils peuvent sentir la magie, oh oui!» Dregas se mit à se débattre, mais Treijan le tenait bien solidement. Il lui appuya le dos contre le mur brisé au sommet des escaliers. «Ils vous sentent comme des chiens de chasse! Fuyez maintenant – et peut-être que vous vivrez, vous aussi!»

Théona avait du mal à se concentrer sur la conversation. C'était comme si un rêve tentait de s'immiscer dans ses pensées éveillées, détournant son attention. *Des démons verts aux dents pointues marchaient dans les rues de la cité brisée en transportant d'étranges mécanismes de laiton et d'acier dans leurs mains. Ils suivaient un démon plus grand qui portait une toge et qui tenait un livre serré contre sa poitrine tandis que ses yeux brillaient d'un bleu incroyablement profond...*

Théona cligna des yeux, et tenta de se concentrer sur ce que disait Treijan en criant.

«Que s'est-il passé, ici?» demanda Treijan.

«Pas le temps maintenant!»

Treijan souleva le nain et le cogna contre le mur. «Dis-le-moi!»

«La guerre!» hurla le nain.

« La guerre de qui ? »

« La guerre des démons, tout ce que je sais », gémit Dregas, dont le corps devenait mou. « Cela avoir commencé dès que vous êtes partis, oh oui ! »

Théona retrouva sa vision en se concentrant ailleurs, comme si elle se souvenait d'un rêve. *Le démon qui portait la toge passa à côté d'elle ; ses yeux brillants à l'air absent fixaient une clairière dans les décombres. Les autres démons qui suivaient la créature à la toge faisaient claquer leurs dents ensemble en se réjouissant d'avance. Ils s'accroupirent et se déplacèrent prudemment parmi les ruines en silence, leurs armes étranges levées au bout de leurs bras.*

Théona prit une vive inspiration. « Treijan ? »

« Des démons ? » demanda Gaius avec inquiétude, trop absorbé par le nain pour tenir compte de Théona. « Quels démons ? D'où sont-ils venus ? De la mer ? »

« Pas de la mer », dit Dregas en secouant sa barbe. « Pas de nulle part, oh oui. Une armée est apparue à l'intérieur des murs de la cité aussi vite que la mort. Elle est sortie de la bibliothèque comme une inondation d'une mine. Elle est arrivée sans avertir, et ne s'est pas arrêtée. »

« Par les dieux », murmura Gaius. « C'est une porte ! Quelqu'un a placé une porte au centre de la cité et y a fait passer une armée ! »

« Mais quelle armée, et d'où venait-elle ? » se demanda Treijan. Le nain parle de démons – cela ne ressemble pas au Pir, et, qui plus est, aucune des sectes du Drakonis n'a jamais été en mesure de construire une porte ! Dregas ! Quelle armée ? Qui sont ces envahisseurs ? »

« Les autochtones les ont combattus, oh oui », dit Dregas en secouant la tête. « Eux aussi pensaient pouvoir vaincre ces diables – mais dès qu'une de ces bêtes tombait au combat, deux autres venaient prendre sa place, oh oui ! »

« Des bêtes ? » demanda Treijan. « Quelles bêtes ? »

« De grands hommes de métal, oh oui ! » dit Dregas, feutrant sa voix en signe de respect. « Plus grands que des arbres. De cuivre et de fer, de laiton et d'acier. De la magie en eux, c'est sûr, oh oui ! »

« Oh, voilà qu'il recommence à mentir. » Gaius cracha ces mots comme s'ils avaient un goût mauvais en bouche.

La vue de Théona devint de nouveau floue tandis que son attention était attirée avec force vers sa vision. Elle établit le contact tout en se stabilisant à l'aide des pierres du mur à côté d'elle. *Le démon à la toge sourit avec malice, exposant ses dents pointues. Théona suivit son regard vers les terres dégagées. À cet endroit se trouvaient quatre personnes, aux contours d'un bleu luminescent.*

Un bruit de verre qu'on raye fit grimacer Théona et Gaius. Lorsqu'ils ouvrirent ensuite leurs yeux par la suite, ils virent Treijan qui levait les yeux vers le fée.

« C'était quoi, *ça* ? » demanda Gaius

« Arryk », répondit Treijan d'une voix qui était soudainement devenue enrouée. « Il dit qu'il n'a pas créé la porte-entrouverte – il l'a volée à un petit démon vert qui l'avait enlevé et emmené dans un endroit totalement différent. »

« Un endroit différent ? » dit Gaius avec une crainte grandissante.

« Il semble que oui – Treijan avala sa salive avec difficulté – « nous ne sommes pas les seuls à voyager entre les mondes. »

Théona vit... les personnes aux contours lumineux. Elle ne parvenait pas à voir leurs traits à cette distance, mais l'un d'eux était un centaure.

« Nous devons partir d'ici ! » dit Théona plus fort qu'elle ne l'avait souhaité, la voix tremblante.

« Théona ? » demanda Gaius. « Qu'est-ce qu'il y a ? »

« Ils viennent pour toi ! » dit-elle, ses yeux bougeant vivement autour d'elle, regardant des formes qui n'étaient pas là, des images qu'ils ne pouvaient voir. « Ils peuvent te voir – ils peuvent tous vous voir! Ils chassent les mystiques – ils utilisent le rêve pour vous trouver!»

Gaius et Treijan se regardèrent vivement. Ils se redressèrent tous deux avec lenteur et se tinrent nonchalamment au sommet des escaliers brisés.

«Penses-tu qu'ils devraient courir vers la porte-entrouverte?» demanda doucement Gaius.

«Absolument», répondit Treijan avec une aisance travaillée. «Cours, Théona – cours tout de suite.»

«Quoi?» demanda-t-elle, incertaine.

«*Cours!*» cria Treijan. Gaius et lui se retournèrent, et des sorts se formèrent dans leurs mains au moment même où un groupe de vicieuses créatures verdâtres sautaient des tuiles du toit, leurs armes se déchargeant en même temps que retentissaient leurs cris.

VOIR SANS ÊTRE VU

rryk volait aussi vite que ses ailes lui permettaient de le faire ; de la sueur lui coulait sur le front. L'air humide et accablant pesait sur lui ; il écrasait sa poitrine et faisait pendre lourdement ses ailes sur leurs veines, de sorte qu'elles bougeaient mollement. D'étranges arbres défilaient trop lentement devant lui durant sa progression dans la dense végétation. Il avait pris soin de marquer son trajet sur les arbres de cette forêt lorsqu'ils étaient arrivés par la porte-entrouverte ; il aurait confié sa vie à Treijan, mais il connaissait également l'importance de pouvoir retrouver son chemin vers la porte si quelque chose devait mal tourner.

Et les choses avaient vraiment mal tourné.

Il pouvait entendre derrière lui la silhouette massive d'Hueburlyn se frayer un chemin en fonçant dans les sous-bois. Il pouvait aussi entendre les sons produits par Treijan et son compagnon Gaius, dont la magie ponctuait l'air de temps à autre avec un effet assourdissant. Il savait que la femme et cette étrange créature nommée nain étaient quelque part, mais il ne pouvait s'arrêter à penser à eux maintenant.

Il ne pouvait penser à rien d'autre qu'à lui-même.

La peur s'était finalement emparée de lui. Il n'y avait rien d'autre dans le monde que ce danger qui le chassait ; il n'y avait pas d'autre but plus important que la fuite. Son esprit capitula volontiers devant le monstre menaçant derrière ses pensées conscientes, et il fuyait devant toutes ses excuses ; sa supériorité hautaine et sa condescendance suffisante. Sa fierté s'évapora devant la terreur incandescente que lui inspiraient ces monstres qu'il sentait sur ses talons, prêts à le dévorer. Il pouvait sentir la chaleur de leur souffle sur l'arrière de ses jambes, devinait que leurs dents claquaient à quelques pouces de ses ailes battantes et chargées, et sentait leur puanteur se rapprocher encore plus de lui comme pour l'envelopper.

Les arbres cédèrent subitement la place à un pré. Dans un certain recoin de son esprit, Arryk savait qu'ils l'avaient traversé lors de leur marche vers la cité. Sa marque se trouvait sur l'arbre du côté opposé, et l'objectif qui consistait à atteindre cette marque remplissait son esprit au détriment de tout le reste.

Il venait de traverser la moitié du pré au milieu des hautes herbes lorsqu'un nouveau son le fit se retourner. C'était un grincement de fer et de laiton semblable aux cris de centaines de harpies des montagnes.

Hueburlyn traversait le pré au pas de charge directement vers lui, mais Arryk n'y prêta pas attention ; ses grands yeux fixaient le ciel.

Un imposant géant vêtu de métal les dominait de sa hauteur ; il était deux fois plus grand que les arbres. Il n'avait pas de visage – sa tête avait été recouverte de plaques de métal, ce qui le privait de bouche, de nez et d'yeux. Son bras gauche s'arrêtait au coude, et son crâne de laiton avait été déchiré par une force inimaginable. De ce crâne pendouillaient une chair de laiton et des tissus de fer déchiquetés. L'esprit d'Arryk put discerner deux autres formes sans traits dans la fumée au loin, derrière ce géant.

Arryk savait qu'ils concentraient tous leur énergie sur lui.

Le monstre s'arrêta et se pencha sur sa droite. C'est à ce moment précis que son visage sans traits se mit à briller, passant rapidement d'un orangé éteint à un blanc aveuglant. Le métal grinça et explosa, et la tête du monstre fut rejetée vers l'arrière.

Arryk accéléra la cadence, volant follement entre les troncs d'arbres, son être entier en proie à la plus grande panique.

Il volait bien trop vite. Aidé de son seul instinct, il parvint à se cacher la tête sous les bras et tenta de plonger hors de sa trajectoire au dernier instant. Il fit un écart, mais le tronc rugueux de l'arbre céda à peine le passage. Il fut projeté vers l'arrière après l'impact et tomba en piqué jusqu'au sol.

L'air fut expulsé de ses poumons, mais Arryk était encore sous l'emprise de sa peur insensée. Il griffa le sol, tenta de se relever, de déployer ses ailes, mais tout se passait trop lentement. Les fougères environnantes semblaient se tendre vers lui, enroulant leurs vrilles autour de ses bras.

Il cria, déchira les feuilles et se roula sur le sol, luttant comme un fou pour s'éloigner d'elles.

Tout à coup, quelque chose s'enroula autour d'Arryk et le souleva du sol en le tenant solidement.

« Arryk ! » dit la voix en colère, très loin dans l'esprit du fée. « Arryk ! Arrête ça ! »

Le fée devint mou et tremblant.

« Arryk ! » dit à nouveau la voix, cette fois plus insistante. « Quelle direction ? »

Arryk se concentra sur le large visage qui flottait devant lui. « Hueburlyn ? »

« Quelle direction ? » dit le centaure en le secouant. « Maintenant ! »

Le monde d'Arryk s'agrandit pendant qu'il fixait le visage du centaure. Des arbres, de la fumée, des cris, la mort et la douleur. Il y avait également un nouveau son, le son du métal qui frottait contre du métal, et le fracas puissant de pas qui devaient être ceux des dieux.

Tenu à bout de bras par Hueburlyn, Arryk jeta un coup d'œil autour de lui. Il était vaguement conscient de la présence de la femme et du nain à califourchon sur le dos du centaure.

«Là», dit Arryk en pointant du doigt. «Après ces arbres – dans cette direction.»

Le centaure fit un brusque mouvement vers l'avant, et les grandes enjambées de son galop les firent progresser rapidement dans les sous-bois. Quelque chose derrière eux avançait dans les arbres, faisant considérablement plus de bruit que le centaure. Le métal frotta contre le métal, et les troncs des arbres se brisèrent, leurs cimes s'abattant sur le sol. Il y eut ensuite un autre son : une violente explosion, qui fit trembler le sol sous le centaure et lui fit perdre momentanément pied. Hueburlyn récupéra de cette secousse et reprit la route, son équilibre rétabli, quoique le sol fut de nouveau secoué par une cacophonie de métal en train de s'écraser derrière le voile de fumée qui emplissait la jungle.

* * *

Arryk sentit le sol de la caverne sous ses pieds lorsque le centaure le déposa par terre. Il se tenait de façon hésitante devant la porte-entrouverte. Il ne pouvait les voir à travers la forte lueur ultraviolette de la porte-entrouverte, mais il savait que Dwynwyn et ce qu'il restait de sa nation attendaient qu'il revienne.

«J'ai causé cela», dit Arryk à voix haute. «Tout cela est de ma faute.»

Le centaure tendit les bras vers l'arrière, saisit la femme par la taille et la déposa tout doucement sur le sol. Il parla d'une voix remplie de colère. «Arryk être *maintenant* à blâmer ? Trop tard, à présent !»

« Je – qu'est-ce que je dois faire ? » bégaya Arryk. Ses cheveux retombèrent devant ses yeux. Il s'accroupit sur le sol de la caverne face à la porte-entrouverte, qui avait grossi de façon impressionnante durant leur courte absence. Arryk saisit ses jambes et dissimula son visage contre ses genoux. « Ils vont tous mourir, et je les ai tués. »

Le nain se remit à grommeler lorsque le centaure l'enleva de son dos et le laissa tomber sans cérémonie. Hueburlyn grogna : « Arryk toujours avoir plan. Quoi être plan d'Arryk maintenant ? »

« Je n'ai pas – je veux dire, je… »

Des bruits de sabots se firent entendre dans la caverne tandis que le centaure s'avançait vers la porte, une expression figée sur le visage. Il tendit le bras vers le côté droit de la porte, et son énorme main se referma sur la pierre de chant. D'un mouvement vif, il retira la pierre de la structure ovale.

L'étrange lueur s'évanouit avec un petit bruit sec. Les pierres de la porte s'entrechoquèrent avec force sur le sol de la caverne, et l'ovale de la porte s'effondra avec fracas.

Arryk leva les yeux, horrifié par ce qu'il voyait. Il se leva brusquement, bouillant de rage alors que le centaure repassait à ses côtés, la pierre de chant brillant dans sa main. « Mais, qu'est-ce que tu as *fait* ! »

« Ce qu'Arryk aurait dû faire ! » répondit le centaure en grognant. Il passa rapidement près de la femme-Théona. Elle le regarda d'un air incertain, mais le centaure se pencha seulement vers l'avant pour déposer la pierre de chant dans sa large paume ouverte.

La femme sans ailes tendit la main timidement et prit la pierre à la faible lueur.

« Tu dois rapporter cela ! » ordonna Arryk. « Est-ce que tu es devenu fou ? Nous *devons* passer par cette porte ! Au nom de Sharajentis, *j'exige* que tu replaces cela où tu l'as pris. »

Le centaure se retourna vers Arryk, le visage rempli de mépris. «Hueburlyn pas être au service de Sharajentis – Hueburlyn être au service du Sharaj.»

Arryk fulmina pendant un moment, puis marcha vers la femme sans ailes Théona. Elle vit son regard et recula de quelques pas.

Le bras d'Hueburlyn s'empara de celui d'Arryk et le tira afin qu'il fasse face au centaure. «Réfléchis, Arryk! Entends les mots d'Hueburlyn. La guerre est ici. Les géants métalliques sont à la recherche du Sharaj; ils suivent Arryk et Hueburlyn ici – *ici,* à la porte-entrouverte!»

Arryk cligna des yeux, regarda le visage du centaure, et entendit soudainement ses mots.

«Les géants métalliques veulent le Sharaj qui est dans Arryk et Hueburlyn», dit le centaure. «Si les géants métalliques trouvent la porte-entrouverte, ce n'est pas que Sharajentis qui meurent, pas que Kyree qui meurent, mais toutes les fées et tous les famadoriens qui meurent.»

La colère d'Arryk s'évanouit. «Hueburlyn, que faisons-nous maintenant?»

Le centaure désigna Théona du doigt. «Toi dire à Hueburlyn que cette femme-Théona n'a pas le Sharaj. Les géants métalliques et les démons ne voient pas Théona dans le rêve. Donner la pierre à cette femme-Théona, et démons ne pas trouver la porte.»

«Et qu'en est-il de nous?» demanda Arryk avec douceur.

«Nous faisons ce que les humains Treijan et Gaius font maintenant – nous faisons en sorte que les géants métalliques et les démons ne nous trouvent pas *ici*», dit Hueburlyn.

«La féerie…» Arryk trouvait difficile de prononcer les mots. «Mon peuple va mourir.»

«Mais tous les *autres* peuples vont vivre», répondit Hueburlyn.

«Nous ne pouvons prendre cette décision pour eux!» plaida Arryk.

«Non, Arryk!» dit Hueburlyn avec vigueur. «Nous être les seuls à pouvoir prendre cette décision. Pas joli. Pas facile. Pas juste. Nous partons maintenant, ou il sera trop tard.»

«Elle ne comprend pas nos mots», dit Arryk en secouant la tête tout en regardant la femme sans ailes. «Elle ne comprendra pas.»

«Peut-être qu'il n'est pas toujours important de comprendre», dit Hueburlyn. «Peut-être qu'il est parfois plus important d'agir.»

Arryk hocha la tête, puis soupira en suivant le centaure hors de la caverne.

«Où croient-ils aller, comme cela?» demanda Dregas avec stupéfaction. «Ici maintenant! Ils sont fous, oh oui!»

Théona jeta un coup d'œil à la pierre de chant pendant un moment puis la glissa dans la poche de son petit bouclier de voyage. «Non, Dregas. Je crois qu'ils sont plutôt sensés.»

«Sensés? Sensés, vous dites?» se moqua Dregas en pointant du doigt le tas de pierres éparpillées sur le sol de la caverne. «C'était une bonne porte, non? On avait chanté pour elle et elle était ouverte pour que nous puissions passer, oh oui. Ils ont retiré la pierre et nous être maintenant coincés dans une caverne, avec ces bêtes de fer forgé qui viennent pour nous et pas de porte pour se sauver, oh oui!»

Théona remonta vers l'entrée de la caverne et s'agenouilla, repoussant doucement les branchages qui recouvraient l'entrée. «Viens voir, Dregas.»

Le nain s'avança en grommelant, tout en ajustant son chapeau nerveusement sur sa tête. «Toi préférer que je *voie* ma mort venir, hein?»

«Regarde, tout simplement», dit doucement Théona.

Ils pouvaient discerner entre les arbres la masse imposante d'un géant métallique ainsi qu'un autre qui le suivait au loin.

Tandis qu'ils regardaient la scène, les deux créatures se retournèrent et prirent un virage vers la droite.

«Eh bien, que ma barbe soit brûlée», marmonna le nain sous l'effet de la surprise. «Quelle magie as-tu donc faite, jeune fille?»

«Aucune», répondit Théona, dont le visage laissait toujours voir de l'inquiétude. «C'est ce qui nous a sauvés.»

«Hein?»

«Les nains n'ont pas de magie du tout», dit Théona en s'asseyant juste à l'intérieur de la caverne, le dos appuyé contre le mur, elle ferma les yeux. «Et moi non plus. Ces créatures se servent de la Magie profonde pour trouver d'autres mystiques – d'autres créatures dotées de pouvoirs magiques. Ils peuvent les voir dans le royaume de la Magie profonde...»

«Donc, elles ne peuvent nous voir?» dit le nain sur un ton peu convaincu.

«Elles peuvent très bien nous voir, répondit Théona, sauf dans le rêve.»

«Alors, chance être bonne avec nous, oh oui!» Le nain fit un grand sourire, exposant ainsi ses dents largement espacées, et tapa ensuite des mains tout en les frottant ensemble joyeusement. «Théona, chérie, viens avec vieux Dregas jusqu'à *l'autre* porte, oh oui! Dregas connaît le chemin. Théona chante pour ouvrir la porte, et nous serons rendus à Khordsholm, oh oui!»

«Non», répondit Théona, les yeux encore fermés. «Nous avons besoin d'un barde pour ouvrir une porte avec un chant. Je ne peux le faire.»

«Eh bien, les *nains* ne peuvent chanter eux non plus!» ronchonna Dregas. Puis son visage s'illumina. «Mais ce vieux nain sait où se trouve quelqu'un qui *peut* ouvrir une porte en chantant!»

Théona ouvrit les yeux. «Qui?»

«Tu verras qui c'est, oh oui!» Le nain éclata de rire. «Ils ne sont pas tous morts, dans la cité autochtone – et tous n'ont pas été vus, oh oui!»

L'ENNEMI DE MON ENNEMI

e nain guida Théona hors de la caverne et dans l'épais feuillage de la jungle. Sa trajectoire le conduisit dans un fourré, puis elle tourna brusquement pour suivre les méandres d'un ruisseau encadré de parois quasi verticales. Le ruisseau déboucha sur un vaste bassin où le nain fit un nouveau virage, avant de suivre un sentier à peine perceptible à travers un océan de plantes à larges feuilles.

Le nain s'arrêta si subitement, exposant le plat de sa main en guise d'avertissement, que Théona le heurta presque. Il lui fit signe de se baisser tandis qu'il se plaçait lentement en position accroupie dans les feuilles.

Le nain pointa du doigt devant eux. Théona tenta de voir quelque chose à travers l'épais mur végétal. Elle discerna à grand-peine une clairière au-delà des grandes feuilles.

Elle s'assit en silence sur le sol, jetant de temps en temps des regards incertains vers le nain, mais Dregas demeura immobile. Elle commençait à penser que le nain lui faisait une plaisanterie pour initiés, lorsque ses yeux virent quelque chose bouger dans la clairière.

Un groupe de démons aux dents acérées – il y en avait au moins huit, peut-être plus, elle ne pouvait le dire – se déplaçait dans la clairière. Chaque démon était mené par un de ces porteurs de livres aux étranges yeux brillants.

Théona ne bougea pas. Quant au nain, il aurait aussi bien pu être fait de pierre.

Chacune des petites créatures portait un genre de gilet et transportait un dispositif à l'aspect étrange. Elles le tenaient nonchalamment devant elles comme un bûcheron aurait pu tenir sa hache. Une chose était cependant certaine : les lames circulaires qui étaient fixées à ces dispositifs firent penser à Théona que c'était là un genre d'arme, et elle n'avait certainement pas envie de voir ces dispositifs en action.

Un des guerriers démons qui passait tout près de l'endroit où ils étaient cachés s'arrêta et huma pensivement l'air ambiant avant de faire quelques pas dans leur direction. Fort heureusement, son maître à la toge et aux yeux luisants ordonna au soldat rétif de réintégrer les rangs en faisant entendre un cri strident.

Ils ne peuvent nous voir dans le rêve, se rappela Théona, dont le corps était secoué de frissons, avec le dos ainsi appuyé contre une paroi froide et humide. *Restons cachés, et ils ne nous trouveront pas.*

Le groupe se déplaça ensuite à la droite de Théona et progressa bruyamment dans le sous-bois. Pour sa part, le nain demeura totalement immobile pendant de nombreuses minutes bien après que le bruit des démons eut cessé d'être audible. Théona n'osa pas bouger ni faire de bruit pendant tout ce temps, se contentant de regarder Dregas et de ne pas oublier de respirer.

Le nain se tourna finalement vers elle. «Bonne jeune fille ! Vieux Dregas nous conduire en toute sécurité, oh oui.»

«Où allons-nous ?»

«Au sud, oh oui», dit le nain à voix basse. «Puis nous passer par la mer vers porte de côté. Ces démons n'aiment pas l'eau et ne s'attendent pas à une attaque venant de la mer. Longue route autour de la cité, mais nous passerons leurs armées et leurs guerriers. Nous nous glisserons par la porte des poissons et appellerons ensuite votre vieil ami, jeune fille!»

«Nous presque y être», chuchota le nain, le dos appuyé contre l'extérieur du mur occidental de la cité, tandis qu'ils s'accroupissaient derrière une importante couverture de fougères.

Théona pouvait à peine respirer. Le nain avait contre toute attente maintenu un rythme effréné. Elle avait bien entendu beaucoup de bruits émis par les gigantesques monstres métalliques tout au long de leur course tête baissée dans la jungle, mais le trajet qu'avait emprunté le nain les avaient tenus à l'écart des démons et des géants métalliques, de sorte qu'elle n'en avait pas vu un seul. Toutefois, elle remarqua que leur parcours devenait de plus en plus erratique et leur passage, plus changeant à mesure qu'ils s'approchaient du mur même de la cité.

Le dos au mur de la cité, elle pouvait maintenant voir les trois paires de portes fracassées qui conduisaient en son centre. Les grandes portes avaient été arrachées à leurs charnières et leurs débris reposaient sur le sol. Elle pouvait voir, au-delà de ces portes, la grande place couverte de débris qui s'étendait presque jusqu'au pied du plus grand des temples pyramidaux en gradins de Tua'a-Re, dont la masse était en grande partie cachée par la fumée noire qui s'élevait en tourbillons des feux brûlant sans surveillance dans plusieurs bâtiments autour de la place.

«Théona être prête?» grommela Dregas.

Théona était loin d'être prête, mais elle savait que le temps ne ferait rien à l'affaire. Elle hocha la tête, répondant ainsi par l'affirmative.

« Alors, nous y allons maintenant », acquiesça le nain en saisissant sa main pour la remettre debout.

Ils se mirent à courir vers la place ; Théona trébuchait sur les débris tandis qu'ils progressaient entre les bâtiments démolis. Des formes noircies repliées sur elles-mêmes étaient éparpillées ici et là dans le paysage, mais Théona ne pouvait se résoudre à les regarder ou à réfléchir trop longuement à leur identité ou à la vie qu'ils avaient pu mener. Elle concentra son attention sur la rangée d'arbres noircis à l'autre bout de la place, et sur le fait de rester debout en courant.

Puis, tout à coup, elle fut entourée de troncs d'arbres, et ses narines s'emplirent de l'odeur caractéristique du bois carbonisé. Le nain ne s'arrêta cependant pas, et la tira rapidement vers les énormes pierres taillées qui constituaient la base du temple menaçant qui les dominait.

« Plus beaucoup de temps. » Le nain cracha ces mots, et Théona décela un ton inhabituellement pressant. Il se mit ensuite à grimper le long de la surface rocheuse devant lui, faisant glisser ses mains sur sa surface. « Des patrouilles, oh oui. Ces démons ne peuvent peut-être pas sentir la magie sur nous, mais leur vue en plein jour est très perçante, oh oui ! »

Théona jeta un coup d'œil anxieux autour d'elle et demeura près du nain tandis qu'il descendait du mur. « Qu'est-ce que tu fais ? »

« Il y a nombreux différents nains » – Dregas lui offrit un sourire exposant de nouveau ses dents espacées pendant que ses mains continuaient de longer la pierre – « mais *tous* connaissent les pierres. Profondément sous la montagne – ou ici sous le ciel – nous connaissons toutes les pierres et nous possédons tous leurs manières. Ah, la voici ! »

« Voici *quoi* ? »

Le nain sourit en prenant son petit marteau et, d'un geste soudain, il frappa la pierre. Théona sursauta en entendant le son net, et elle fut étonnée de voir une ligne en forme d'arche apparaître dans ce qu'elle avait imaginé être de la roche solide, et ce, avant même d'avoir eu le temps de craindre que le son ait pu être entendu ailleurs. La portion de roche délimitée par l'arche se retira à l'intérieur du temple et coulissa sur le côté, révélant un étroit passage mesurant à peine trois pieds de largeur et moins de cinq pieds de hauteur. L'allée devenait d'un noir d'encre à mesure qu'elle filait vers le cœur de temple.

« Voici la porte arrière », dit Dregas en effectuant quelques pas de danse. « Les humains construisent avec des pierres, mais ne leur font jamais confiance comme les nains. Ils veulent toujours une autre sortie. »

Le nain s'engouffra dans cet espace propice à la claustrophobie, et fit signe à Théona de le suivre. « Venez vite ! Votre vieil ami vous attend et sera heureux de vous voir, oh oui ! »

Théona baissa la tête et entra prudemment dans l'étroit passage. Les murs semblaient se refermer sur elle, et elle pouvait à peine discerner les contours du nain qui avançait devant elle.

« Dregas ? »

Soudain, derrière elle, la pierre se replaça dans sa position habituelle en émettant un grincement sonore.

Une totale obscurité l'enveloppa. Théona était aveugle et impuissante. Elle frissonna, le souffle subitement court et rapide, et son esprit menaçait de la faire sombrer dans une panique sans fond.

Une main rugueuse s'empara des siennes.

« Ne vous en faites pas, jeune fille », dit Dregas dans l'obscurité. « Vous conduire dans mon monde, c'est ce que vieux Dregas va faire. »

Le nain donna une grande poussée et déplaça la pierre hors de leur chemin. Le passage étroit s'était finalement avéré plutôt sinueux et presque impraticable en plusieurs endroits, ou du moins c'est que Théona croyait dans les sombres fantaisies de son esprit. Le nain fut toutefois en mesure de lui faire franchir ces obstacles jusqu'à ce qu'ils atteignent la dernière pierre. Elle s'ouvrit à présent devant eux avec une bouffée d'air frais qui débarrassa Théona de cette lourde crainte qu'elle transportait jusque-là.

Le passage s'ouvrit sur un corridor qui était éclairé par plusieurs torches enflammées fixées aux parois au moyen d'appliques. Théona les examina avec curiosité : cela faisait près d'un siècle que les mystiques n'avaient pas utilisé de torches pour s'éclairer. Elles constituaient une source de lumière faible, inconstante, et généralement salissante et nauséabonde.

Le nain bifurqua vers la gauche et descendit le long d'un passage sinueux. Il y avait plusieurs arches de chaque côté de la salle menant à des pièces sombres et à des cellules, mais le nain semblait suivre un trajet connu. Théona le suivit et découvrit bientôt pourquoi il en était ainsi : une des pièces près de la fin du corridor était éclairée.

« Tiens, bonjour ! » cria le nain devant lui. « Des amis viennent en visite, oh oui ! Une proposition formidable nous avons, oh oui ! »

Théona le suivit et jeta un coup d'œil soupçonneux dans l'arche illuminée.

« Bonjour ! Bonjour ! » beugla le nain. « C'est l'vieux Dregas qui vient en visite avec maîtresse Théona ! Pas vouloir de mal, non ; venus discuter entre amis et en paix, oh oui ! Désolé c'est sûr des problèmes que nous avons causés. »

Théona ralentit sa cadence, inquiète du silence qui émanait de la pièce. « Dregas, je ne… »

Tout à coup, une ombre fondit sur elle depuis l'arche sombre à ses côtés. Des bras s'enroulèrent autour de sa gorge et la tirèrent vers l'arrière. Elle tendit la main instinctivement à sa gorge, griffant les bras. Elle ne pouvait pas se retourner, et ne pouvait voir qui l'empoignait ainsi.

Dregas pivota, marteau en main, mais le nain se détendit presque aussitôt. « Pas le temps pour cela maintenant ! Te l'ai dit, visite amicale et paisible. Laisse la jeune fille, elle n'est pas menace pour toi. »

Le bras la relâcha, et Théona chuta vers l'avant tout en se retournant pour faire face à son assaillant. La personne était courbée de douleur, et prenait de rapides inspirations.

« Meklos ? » dit Théona d'une voix rauque.

L'aboth Meklos Jefard se tenait devant eux le dos voûté, s'appuyant lourdement sur son bâton de dragon. Il prenait de courtes respirations saccadées, et les traits de sa douleur s'étiraient dans les coins de ses yeux. « Tu n'aurais pas dû – tu n'aurais pas dû venir comme cela. »

« Oui, et comment nous pouvoir venir autrement ? » demanda Dregas avec agacement. « Nous nous sommes annoncés avec plus de bruit que les hérauts d'un dragon en pleine vitesse, c'est ce que nous avoir fait ! Nain que je suis avoir vécu assez longtemps pour savoir ne pas s'approcher sans bruit d'un mage. Ne pas vouloir me faire changer en quelque chose de déplaisant, oh non ! »

« Oh, la ferme », dit hargneusement Meklos. Il se redressa lentement avec une grimace figée sur le visage. « Je ne t'ai pas demandé de venir, et je n'attendais certainement pas ta visite. »

« T'ai dit que je reviendrais, suis revenu », protesta Dregas. « Faire confiance au vieux Dregas ; aussi honnête qu'un nain peut l'être ! »

« Tu es un menteur et un voleur », répondit Meklos, qui passa devant eux en boitant et se dirigea vers la pièce illuminée. « Si l'honnêteté de ton peuple est à l'image de la tienne, alors gare à la nation des nains tout entière. Et tu as emmené maîtresse Théona avec toi – j'imagine que tu n'aurais pas l'obligeance de me dire ce que tu as bien pu faire pour que je me retrouve dans un tel état ? »

Théona le regarda attentivement tandis qu'il passait devant elle. Des bracelets d'os blanchis attirèrent son attention sous les poignets des manches de Meklos. «Tu es toujours privé de ta magie.»

«Cela n'a pas que des mauvais côtés», répondit Meklos avec une pointe de sarcasme. Il entra dans la pièce, leur tournant le dos. «Mes geôliers m'ont privé de mes pouvoirs, mais ces mêmes geôliers semblent tous morts ou disparus. J'ai la prison pour moi tout seul. De plus, l'absence même de mes pouvoirs semble empêcher ces monstrueux gobelins de localiser mon petit sanctuaire – comme vous le savez sans doute.»

Théona suivit Meklos dans la pièce. Le plafond était situé à près de vingt pieds au-dessus d'eux et était soutenu par des demi-piliers plaqués au mur. L'espace aurait pu paraître très vaste – peut-être trente pieds de côté – s'il n'avait pas été occupé par un bon nombre de grandes jarres ainsi que par des aliments et d'autres matériaux. Théona pensa que c'était un entrepôt, ce qui constituait un endroit parfait pour se cacher du monde.

«Des gobelins?» demanda Théona. «C'est ainsi qu'on les nomme?»

«C'est ainsi qu'ils se nomment eux-mêmes», répondit Meklos en s'asseyant lentement sur une chaise richement décorée.

«Est-ce vrai oh oui que tu comprends les paroles des démons?» demanda le nain tout étonné.

«Oui, "vrai oh oui", je peux les comprendre – du moins, je comprends ce que dit une de ces créatures», soupira Meklos. «Un type qui se nomme Skramak; il semble être responsable de cette… cette invasion. Il était de plus assez difficile de ne pas surprendre ses conversations, puisqu'il criait de toute la force de ses poumons à propos d'espions qui auraient été capturés par une paire de dieux.»

«Des dieux?» grogna Dregas de surprise.

Meklos hocha la tête. «Oui, des dieux. Une créature ailée et un genre de monstruosité à moitié homme. Ils les détiennent dans le palais du roi jusqu'à ce que le conquérant Skramak décide si c'est une bonne idée de tuer un dieu ou pas.»

Les yeux de Théona s'agrandirent. «Des espions? Deux hommes – avec une créature ailée et un homme à quatre pattes?»

Les yeux de Meklos se plissèrent. «Oui. Ils ont été capturés ce matin.»

«Ils sont en vie», murmura Théona en fermant les yeux pour signifier son soulagement.

«Qui?» demanda Meklos.

«Treijan – Treijan et Gaius.» Théona sourit, et une larme roula spontanément sur sa joue. Je… il y a de l'espoir, après tout.»

«Oh, oui, de l'espoir, en effet», dit Meklos en faisant la moue. «Les grands bardes de Calsandria à la rescousse une fois de plus. Eh bien, ces héros sont enfermés dans le palais et seront probablement exécutés dès que Skramak aura décidé si cela offense ou non "ses dieux". Ils sont là et je suis ici, et j'irai même jusqu'à parier avec un nain qu'à l'aube je serai vivant et qu'eux seront morts.»

«Nous devons les faire sortir de là!»

«Maîtresse Conlan, dit Meklos d'un ton plein de sous-entendus, je suis venu ici pour les *tuer*. Disons que le fait de les secourir serait, disons, contre-productif.»

«Je vous en prie», dit Théona en s'asseyant d'un air las sur une caisse, tout près. «Nous venons de revenir ici – et nous ignorons ce qui s'est passé.»

«Je ne sais *pas* ce qui s'est passé», répondit Meklos. «Enfin, je ne sais pas tout. Je doute fort que qui que ce soit le sache – quoique je serais fort intéressé de savoir d'où vous êtes revenus.»

«Ce serait… quelque peu difficile à expliquer», dit Théona en mordillant sa lèvre inférieure.

«Ah oui?» dit Meklos en riant, avant de grimacer et de fermer les yeux, luttant pour vaincre la douleur. Il rouvrit les yeux quelques instants plus tard et poursuivit. «Ces créatures, ces gobelins; même une roturière comme toi devrait savoir qu'ils proviennent de la Magie profonde du rêve – qu'ils sont des manifestations d'êtres qu'on ne voyait auparavant que dans les royaumes spirituels. »

« L'endroit où nous sommes allés, dit Théona avec des tons doux et hésitants, est un lieu où d'autres créatures du rêve existent – des êtres lestes avec des ailes comme des papillons. »

Meklos se pencha lentement en avant, les yeux soudainement brillants. « Et une cité – une cité noire avec des portes épouvantables flanquées de statues monstrueuses en verre noir. »

« J'ai marché dans ces rues », dit Théona. « Cette cité porte le nom de Sharajentis, pour ses habitants – une espèce ailée qui se nomme la féerie. »

« Et toi, roturière que tu es, tu as marché dans ces rues ? »

« J'ai senti les pavés sous mes pieds. J'ai vu l'armée des morts passer devant moi, en route vers une fin certaine. Je me suis tenue devant la reine des morts et j'ai pleuré en entendant sa voix. »

Meklos agrippa son bâton si fort que ses jointures devinrent blanches. « Et elle a parlé d'une catastrophe et de la fin de son monde. »

Théona hocha la tête. « Ce peuple est devant une porte, Meklos. En ce moment, ils nous attendent et comptent sur nous. Leur survie dépend de nous. »

Le regard de Dregas allait et venait entre Meklos et Théona. Sa voix était étouffée d'admiration et d'émerveillement. « Qu'est-ce qu'il y a, ici ? »

« Alors, c'est *bien* une porte que je t'ai vu prendre », dit Meklos. « Une porte très spéciale. »

« Oui », acquiesça tristement Théona. « Et, selon toute apparence, cela ne serait pas la seule. »

Dregas parla rapidement, et inséra ses mots dans une conversation qu'il avait du mal à suivre. « Quelqu'un a mentionné une porte ? Là, choses devenir intéressantes, car c'est exactement de cela que nous avoir besoin ! Meklos peut ouvrir une porte en chantant et hop, nous être partis, en sûreté et chez nous pour dîner, tout en laissant nos soucis ici!»

Meklos se redressa lentement et tapota son bâton des doigts tout en réfléchissant. «Treijan a donc pensé emmener ici toute la nation des féans…»

«Fées.»

«Quoi?»

«Des fées – c'est le nom qu'ils se donnent.»

Meklos hocha la tête et poursuivit. «Alors, Treijan a pensé emmener ici toute la nation de ces… fées… à travers cette porte spéciale jusque dans notre monde. Eh bien, on dirait que quelqu'un parmi les gobelins lui a fait le coup avant qu'il puisse le faire à son tour.»

«Qu'est-ce qui s'est passé, ici?» demanda Théona.

«Seulement ce que les mystiques craignaient depuis des années – sauf que les Hanu'ui n'étaient pas du tout préparés à cela», dit Meklos en fermant les yeux. «Cela s'est passé il y a trois jours. J'étais dans la grande salle du temple, au-dessus de nos têtes, me rétablissant des blessures que j'avais subies la dernière fois que quelqu'un avait apparemment ouvert une porte entre notre monde et un autre. C'était en fin de matinée, je crois, et il y a eu un bruit épouvantable – comme le tonnerre, mais cela ne cessait pas de gronder – quelque part dans la cité. Je me suis dépêché de mon mieux, mais comme vous pouvez le constater» – il fit un geste désignant son corps déformé – «je n'étais pas vraiment en mesure de courir. Le temple s'est rapidement vidé de ses guerriers et de ses chamans – et de tous les autres, en fait – me laissant seul à lutter pour atteindre l'entrée.»

Meklos ferma les yeux une nouvelle fois pendant quelques instants, rassemblant sa volonté tandis que son esprit retournait en arrière pour revivre ce moment. «Je pouvais déjà entendre les sons de la bataille – les cris des mourants et la rage des dragons domestiques, les chants des guerriers et les grincements du métal torturé – et je n'étais même pas encore sorti de la salle.

J'ai continué à me hisser vers la lumière – je me disais que c'était plus sûr à la lumière – et j'ai fini par émerger sur la plateforme au troisième étage de la pyramide. Cet endroit offre une très bonne vue de la ville, même si on n'est qu'au tiers de la hauteur totale du temple. On peut tout voir, du temple de Feu au sud jusqu'au temple de Ciel au nord – soit toute la longueur de l'avenue des Rois. C'est une belle vue. *C'était* une belle vue.»

Meklos s'arrêta un moment, puis rouvrit les yeux, le regard fixé sur Théona. «Tu sais, ils remarquaient à peine qui ils étaient en train de tuer. Des guerriers, des chamans, des femmes, des enfants, des dragons domestiques – cela n'avait aucune importance pour eux. Tout le monde était une cible ; tout le monde était un ennemi – tout le monde est mort. Et moi ? J'étais tout simplement là sur le porche du temple à regarder tout cela en train d'arriver – regardant des mères tentant de protéger leurs enfants du mal, mais c'était inutile, puisqu'ils mouraient tous de toute façon – tout cela à cause de *ces* bracelets, de ces *chaînes* qui m'entravaient et qui m'empêchaient de faire *quoi que ce soit*.»

Théona jeta un coup d'œil au nain. Dregas était maintenant silencieux, et ses yeux fixaient le sol.

«Tu as dit que cela s'est passé il y a trois jours ?» dit doucement Théona.

«Oui», répondit Meklos, la voix soudainement fatiguée. «Depuis ce temps, la bataille s'est déplacée vers le nord. Le roi Pe'akanu a apparemment pu rallier bon nombre de cités au nord pour lui venir en aide. Je pense que les gobelins ont pu prendre un endroit appelé Pe'i-Re, à environ quatre-vingts milles d'ici vers le nord. Les gobelins y vont plutôt fort, mais les guerriers locaux donnent autant de coups qu'ils en reçoivent, peut-être un peu plus. Ils ont une forme puissante de Magie profonde, ici, quoique cela ne ressemble en rien à ce que je connais. Ils sont même parvenus à abattre quelques-uns de ces géants métalliques que les gobelins utilisent dans la bataille lors de l'attaque initiale. Je suis remonté quelques fois pour jeter un coup d'œil, et toutes les fois que j'y suis allé, j'ai vu un flot de ces monstres de métal boiter jusqu'à la cité vers la bibliothèque, et il y avait toujours ce même flot impressionnant qui en ressortait de l'autre côté. »

« Alors, que font-ils – ils les *réparent*? »

« C'est ce que je suppose – et ils le font aussi rapidement qu'ils se font abattre. » Meklos bougea sur sa chaise, mal à l'aise. « Il est impossible de vaincre une armée qui ne peut mourir. Je crois qu'ils empruntent la porte qui leur a permis de venir ici, qu'ils se font réparer et qu'ils reviennent pour combattre de nouveau. »

« Alors, tout ce que nous aurions à faire serait de fermer cette porte? » demanda Théona.

« Attends un peu là, jeune fille », dit Dregas en s'insérant dans la conversation. « Nous devons passer *par* une porte, et non en fermer une. »

« Oui, cela aiderait beaucoup à les vaincre – à la longue », acquiesça Meklos en ignorant la remarque du nain. « Ferme la porte à leurs propres réserves et aux ressources qui effectuent les réparations, et ils finiront par perdre le combat à l'usure – si les guerriers ne succombent pas tous avant. Il y a cependant quelques petits problèmes avec ton plan. Premièrement, il faudrait te rendre assez près de la porte pour pouvoir la fermer. Tu ne l'as peut-être pas remarqué, étant donné les moyens que vous avez utilisés pour arriver jusqu'ici, mais il y a des tas de gobelins et de guerriers métalliques géants entre ici et la porte. Ils ont des technomanciens, peu importe ce qu'ils sont, constamment sur leurs gardes, à l'affût de *quiconque* manifeste sa présence dans le rêve. »

« Alors, nous sommes tous les trois parfaits pour cette tâche », répondit Théona. « Nous n'apparaissons pas dans le rêve – nous sommes invisibles, pour eux. »

« C'est vrai pour les technomanciens, dit Meklos comme s'il parlait à un enfant, mais il y a dans la cité littéralement des *milliers* de gobelins ordinaires avec de très bons yeux qui n'attendent qu'un prétexte pour séparer ta chair de tes os. Tu n'arriveras jamais assez près du but, mystique ou pas. »

« Alors – alors, il faut une diversion », dit Théona. « Si nous parvenions à libérer Treijan et les autres, nous pourrions envoyer Arryk et Hueburlyn… »

« Une petite minute », dit Meklos en levant la main dans les airs. « Qui ? »

« Le fée et le centaure – mi-homme mi-animal à quatre pattes – qui sont venus de l'autre monde », poursuivit Théona. « Ils pourraient faire passer la nation des fées par la porte-entrouverte en plein sous le nez des gobelins, comme eux l'ont fait ici. Cela devrait entraîner suffisamment de confusion pour que l'un d'entre nous atteigne la porte-entrouverte de l'ennemi pour la fermer. »

Meklos hocha la tête, et réfléchit pendant un moment. « Mes compliments, Théona ; tu aurais été une bonne tacticienne. Voilà un plan fort raisonnable. »

Théona prit une longue inspiration. « Alors quand commençons-nous ? »

« Ne nous le faisons pas. »

« Quoi ? »

« Je ne vous aiderai pas, maîtresse Conlan. Je choisis de laisser Treijan et tout son monde mourir. Lui et les siens ont détruit ma famille, m'ont obligé à m'exiler et ont gâché ma vie. Cela fait très longtemps que j'ai fait le vœu de prendre ma revanche et de rendre à ma famille son honneur perdu. Ce n'est peut-être pas la façon dont j'aurais souhaité le faire – j'aurais certainement préféré une confrontation plus grandiose –, mais puisque Treijan est resté assis à regarder ma famille dépérir, je suppose qu'il y a une certaine justice à ce que je m'asseye à mon tour pour regarder la sienne mourir de la même façon. »

« Ce n'est pas sérieux », dit Théona avec stupéfaction. « Peu importe ce que Treijan ou les bardes ont pu te faire dans le passé, la menace est *ici* – avec cette armée de conquête. N'as-tu aucun sentiment pour ces gens ? Ils ont tenté de t'aider ! »

« De m'aider ? » railla Meklos. « Ils ont fait de moi un infirme ! »

« Tu étais un infirme bien avant qu'ils ne te trouvent », répondit Théona sur le même ton. « La vengeance, c'est tout ce que tu vois. Tu vis dans le passé ; tu respires dans la haine, les erreurs et les préjugés du passé comme si c'était *cela* la source même de la vie. Les gens de cette île auraient bien pu te laisser mourir, mais ils ont vu quelque chose en toi qui avait encore besoin de vivre. Ils méritent que tu respectes leurs vies, comme ils ont respecté la tienne. »

« Je ne me soucie *pas* d'eux ! » cria Meklos.

« Nous devons *tous* nous soucier les uns des autres », cria Théona à son tour. « Je l'ai *vu*, Meklos ; cette armée ne se contentera pas de ce territoire. Ils découvriront les portes des bardes et feront irruption comme la peste sur tout le continent depuis Khordsholm. Personne ne sera épargné, parce que la conquête est leur seul désir. Personne – ni les mystiques ni le Pir – ne sera épargné, parce qu'ils ont une soif de guerre qui ne s'étanchera jamais. Toutefois, tu peux changer cela, *ici* et *maintenant*. Tu es à la croisée des chemins, Meklos, et l'avenir dépend de toi. Aide-nous à libérer les autres – aide-nous à refermer la porte –, même si la seule raison de le faire est de nous sauver les uns les autres de la destruction. »

« Alors, l'ennemi de mon ennemi est maintenant mon ami ? » dit Meklos en se levant calmement et en s'appuyant lourdement sur son bâton de dragon. « Non, Théona ; j'ai prêté serment pour ma famille contre les bardes de la maison d'Arvad. »

« Ne fais pas cela, Meklos », dit Théona en se levant pour faire face à l'aboth. « Il arrive quelquefois que nous ne choisissions pas notre destinée – quelquefois, c'est elle qui nous choisit.

Tu ne peux pas changer les torts du passé ; ils sont immuables, et toute notre volonté n'y peut rien, car ils sont figés dans le temps et la mort. Tu ne peux pas davantage changer l'avenir en le voyant en rêve. Tous nos choix, toute la force de notre volonté, est dans le *présent – maintenant*. Tu dois choisir maintenant la route sur laquelle la destinée nous conduira tous. »

Les traits déformés par la perplexité, Meklos regarda Théona.

« Quelle destinée choisis-tu ? » demanda-t-elle doucement. « Ici, maintenant. »

Meklos grimaça de douleur et se penchant un peu pour la soulager.

Le nain croisa ses gros bras sur sa poitrine, écoutant attentivement.

« Comme je te l'ai dit, tes amis sont détenus dans le palais du roi », dit enfin Meklos. « C'est le grand bâtiment au sud-est de cette pyramide. Les gobelins seront sûrement plus qu'heureux de te montrer le chemin – si tu peux te rendre jusqu'à eux pour leur poser la question. »

Théona soupira de dégoût. « Alors, tu préfères laisser ces gens mourir plutôt que de te libérer de ta propre haine. »

« C'est tout ce qu'il me reste », répondit Meklos.

LES CHOIX

e seigneur Skramak marchait à grands pas le long de la vaste avenue de la Cité des dieux, la mine renfrognée, pendant que son œil valide regardait à gauche et à droite. Il était le maître incontesté de tout ce qu'il contemplait, mais ce n'était pas assez – ce n'était jamais assez.

Des rangs de soldats se déplaçaient rapidement vers le nord de chaque côté de l'avenue en direction de la première ligne des combats, et nombre d'entre eux se frappèrent la poitrine du poing en passant devant lui. Il ne se donna pas la peine de répondre à leur salut, et il n'eut même pas un regard pour les titans de guerre qui avançaient d'un pas lourd par-dessus lui, et dont les pieds colossaux se soulevaient et s'abaissaient en faisant craquer les pavés soigneusement arrangés. Son œil était porté sur autre chose : un cortège terriblement bruyant revenant du front qu'il pouvait apercevoir juste au-dessus des faîtes brisés des bâtiments de la cité, à l'est de l'avenue. Il pouvait seulement avoir quelques visions fugitives du front entre les bâtiments, et parfois au-dessus d'eux, mais ce qu'il voyait lui faisait froncer encore davantage les sourcils sur son visage taillé à coups de serpe.

«Seigneur Skramak, je vous en prie, ralentissez un peu», glapit une voix inhabituellement fatiguée derrière lui. Le Grand Trésorier Thwick avait du mal à suivre la cadence du Dong Mahaj Skramak. Il mesurait bien une tête de plus que le Dong, mais sa toge entravait sa démarche. «Peu importe le problème, je suis sûr de pouvoir trouver quelqu'un sur qui rejeter la responsabilité.»

Thwick ne tenait certainement pas à être sur place. C'était déjà assez pénible d'avoir dû traverser lui-même la porte-entrouverte jusqu'au royaume des dieux à la demande du Dong, et voilà que le conquérant était revenu du champ de bataille pour parler personnellement avec le Grand Trésorier. Thwick n'avait pas osé refuser, et il avait été si stupéfait par l'ordre ainsi reçu qu'il fut incapable de trouver un moyen de s'y dérober, même si une telle convocation ne pouvait être autre chose que des mauvaises nouvelles.

«J'ai déjà suffisamment de gobelins à blâmer!» dit un Skramak furibond. «Et tu es le premier sur ma liste! Regarde-moi cela! Non, mais regarde-moi cela!»

Thwick regarda en suivant le geste emphatique de Skramak. Ils s'étaient arrêtés au centre d'une vaste place, sur l'avenue qui s'étendait vers l'est en direction d'un autre de ces édifices aux étranges formes pointues que ces dieux semblaient adorer construire. Sur sa droite se dressaient trois autres bâtiments similaires, dont l'un avait été pratiquement détruit jusqu'aux fondations. À cet endroit précis se trouvait maintenant un grand cercle de lumière par lequel passait la Grande Armée de la Conquête : les titans s'élevaient dans la lumière, tandis que les guerriers gobelins se hâtaient à leurs pieds pour reformer leurs rangs et suivre leurs indications vers l'avant.

Thwick pouvait cependant voir un deuxième flot bien plus déconcertant. En effet, un cortège ininterrompu de titans battait en retraite vers la porte, et plusieurs de ces titans abîmés tiraient d'autres titans derrière eux. Le bruit produit par leur métal sur les pierres résonnait dans toute la cité – et il y avait bien plus de titans qui revenaient vers la porte que de titans qui entraient dans la cité.

« Où sont mes titans ? » cria Skramak.

« Ils se font réparer aussi rapidement que possible, seigneur », répondit Thwick d'une voix qui paraissait moins rassurante qu'il ne l'aurait espéré. « Il n'y a pas que les dommages physiques infligés par les dieux aux titans – quoique *ces* dommages soient certainement assez importants –, mais les derniers titans qui sont repassés par la porte avaient un nouveau type de défaillance. »

« Quelque chose de nouveau ? » dit hargneusement Skramak. « Qui pourrait être la conséquence d'une nouvelle arme ? »

« Quelque chose comme cela », dit Thwick en faisant glisser ses longs doigts dans la voluptueuse mèche de cheveux qui surmontait sa tête. Il craignait qu'il ne soit impossible de la faire tenir correctement en l'air dans ce climat terriblement humide. « C'est comme si les dieux avaient trouvé un moyen de déjouer la technomancie qui maintient assemblés les morceaux des titans et qui leur donne vie. Nous tentons de les remonter, mais ces morceaux ne veulent pas tenir en place, pour je ne sais quelle raison. »

« Eh bien, tu ferais mieux de trouver une façon de les faire tenir, hurla Skramak, ou bien je vais devoir procéder moi-même au graissage des roues dentées avec le sang des académiciens. Est-ce que c'est assez clair pour toi ? »

Thwick hocha rapidement la tête. « Oui, seigneur. Extrêmement clair. Je vais y retourner immédiatement et m'en occuper personnellement – de l'autre côté de la porte-entrouverte. »

« Tu ne vas nulle part pour le moment ! » Skramak attrapa le Grand Trésorier par le bras et le guida vers un grand bâtiment faisant face au côté ouest de la place. Plusieurs rangs de gobelins se formaient devant les marches du bâtiment, mais ils s'écartèrent tous du chemin à la simple vue de Skramak. «J'ai de plus gros problèmes, et certains vont devenir *les tiens*.»

Skramak propulsa Thwick en haut des larges marches de la structure avec une poigne si ferme que ce dernier pensa qu'il en perdrait l'usage de son bras. Ils franchirent une colonnade fracassée et traversèrent imprudemment un bassin peu profond, où les grands pieds de Skramak éclaboussèrent d'eau les vêtements de Thwick. Thwick passa par une succession d'antichambres avant de se faire pousser vigoureusement vers l'avant sous une arche.

«Là!» grogna Skramak. «Voilà ton problème.»

Thwick regarda, stupéfait, une scène que ses yeux de gobelin ratatinés eurent peine à comprendre. La salle était énorme – c'était peut-être la salle du trône des dieux de ce pays – et comportait des colonnades. Il y avait aussi un grand siège sur une plateforme à l'autre bout de la salle.

Son attention fut cependant immédiatement attirée par la cage au centre de la salle. Thwick vit qu'elle avait été sommairement et rapidement construite par des gobelins, et qu'elle brillait également de cette aura caractéristique de la technomancie. En effet, quatre technomanciens portant la toge se tenaient aux coins de la cage, leur livre dans les mains et leur regard perçant fixé sur les captifs. Deux des prisonniers à l'intérieur de la cage ressemblaient aux dieux du pays : ils étaient grands et d'une pâleur écœurante, avec de petits pieds, de petites mains et des oreilles horriblement rondes. Les deux autres...

Thwick retint son souffle.

«Est-ce que tu vois quel est le problème, *à présent*?» vociféra Skramak.

«Mais, ce sont – ce sont les dieux de *Lunid*!» bredouilla Thwick complètement étonné. «Je reconnais ce dieu ailé! C'est celui qui a tant bouleversé Lunid quand elle l'a perdu. Je crois qu'elle l'appelait Urk.»

« Oui, Urk ! » Skramak cracha sur le sol. « De tous les dieux qu'on aurait pu rencontrer, il *a fallu* que ce soit celui-là. »

« Mais, enfin, c'est une bonne nouvelle, n'est-ce pas ? » dit Thwick en réfléchissant pendant un moment. « Lunid sera si contente d'apprendre que vous avez retrouvé son dieu… »

« Qu'elle fermera la porte », compléta Skramak avec de la colère dans la voix. « La seule raison pour laquelle elle a accepté d'ouvrir cette porte-entrouverte en tout premier lieu était de retrouver cette hideuse branche de céleri. Me voilà impliqué dans la plus grande guerre de conquête de toute l'histoire des gobelins – je suis en train d'assujettir les dieux eux-mêmes –, et toute cette glorieuse campagne se voit menacée par cette académicienne adolescente dont le cœur bat pour cette affreuse monstruosité ailée qui terroriserait tous les enfants gobelins sains d'esprit à un point tel qu'ils se cacheraient sous leurs lits de pierre. Je te le dis, c'est totalement indécent. »

« Mais, vous aviez promis à Lunid que vous… »

« Si je lui remets la créature ailée, elle fermera la porte », dit encore une fois Skramak en plantant ses longs doigts verts et osseux dans la poitrine de l'académicien. « Que crois-tu qu'il arrivera ensuite ? Dis-moi, ô grand érudit, avec toute cette sagesse de ton académie, qu'est-ce qui arrivera ensuite ? »

« Eh bien, je… »

« Je vais te dire exactement ce qui arrivera et *je* vais t'enseigner quelque chose, pour changer », dit Skramak. « Mon armée est payée avec les butins de guerre. Les guerriers ont vu les livres et la richesse qu'il y a ici. Si je les traîne tous par la porte maintenant, mon règne ne durera pas jusqu'au coucher de soleil. Ma propre armée utilisera ma peau en guise d'étendard pour quiconque me succédera à ce poste. »

« Eh bien, alors, la solution est simple », dit Thwick en frottant son menton pointu de ses longs doigts.

« Quelle est ta solution ? »

« Il faut les tuer. »

« Ne crois-tu pas que je n'ai pas déjà tenté le coup ? » dit Skramak, bouillant de colère. « Mais pour quel type d'idiot me prends-tu ? Les tuer aurait rendu la vie de tout le monde bien plus simple, mais les troupes qui patrouillaient dans la cité ne savaient pas cela. *Ces troupes* ont reçu l'ordre d'un de mes anciens généraux de *capturer* pour interrogatoire quiconque se trouverait dans le secteur – et on leur a remis des cages spécialement construites pour ce travail. »

« Spécialement construites ? Par qui ? »

Skramak soupira. « Par Lunid. »

« Lunid ? »

« Oui », répondit Skramak en faisant grincer ses dents pointues. « Apparemment, Lunid était préoccupée par la sécurité de quiconque se trouverait dans ses cages. Les prisonniers ne peuvent pas s'évader, et, tant que la cage est fermée, nous ne pouvons pas y entrer. Nos armes passent au travers sans toucher à personne à l'intérieur, et c'est la même chose avec notre technomancie. »

Thwick hocha la tête, puis réfléchit à la situation pendant quelques instants. « Je crois que j'ai une réponse à vous offrir. »

Skramak regarda l'académicien de son œil valide. « Eh bien ? »

Thwick regarda la cage, et haussa ses fins sourcils. « Eh bien, je suis d'avis qu'ils n'iront nulle part. Rien ne peut y entrer, et rien ne peut en sortir. »

« Et ? »

« Je dis qu'il faut les laisser mourir de faim », répondit Thwick en haussant les épaules. « Il ne faut pas les nourrir ni leur donner à boire, et je pense que votre problème se résoudra de lui-même d'ici une semaine. »

«Tu n'as pas l'air bien», dit doucement Gaius.

Treijan leva les yeux. Il était assis, les genoux rapprochés de sa poitrine et la tête penchée vers l'avant. «Ça va aller. Nous devons simplement trouver un moyen de sortir de cette cage.»

«Pourquoi pas une porte?» demanda Gaius. «Tu as sur toi d'autres pierres de chant menant à d'autres endroits. Nous pourrions…»

«J'ai essayé», répondit Treijan dans un murmure. «C'est cette satanée cage. Je ne peux faire ouvrir une porte en chantant ici. C'est comme s'ils savaient déjà comment faire pour nous arrêter – comme s'ils nous *connaissaient* déjà.»

Gaius remarqua, à l'extérieur de la cage, deux nouvelles personnes vêtues d'une toge qui venaient d'entrer dans la salle. Chaque personne tenait un grand livre lourd contre sa poitrine avec les deux mains.

«Eh bien, voilà que s'amène la relève», dit Gaius. On ne pourra donc pas attendre qu'ils soient fatigués. Je n'arrive pas à croire que ça se terminera comme ça – que c'est ce que Théona a vu.»

«Théona?» gloussa Treijan. «Alors, tu as fini par croire en ses visions après tout?»

Gaius regarda le démon trapu tirer sur la toge d'un des gardes qu'il relevait, avant de le pousser vers la porte. «J'ai vu beaucoup de choses ces derniers jours, Trei. Est-ce que c'est si incroyable que Théona puisse voir des choses que nous ne voyons pas?»

Treijan hocha la tête. «Tu as peut-être raison – quoique nous ne le saurons peut-être jamais. Les choses ne se sont pas vraiment déroulées de la façon dont je les avais planifiées le jour de mon mariage.»

«Qu'en est-il d'Arryk?» Gaius parlait à voix basse tout en se penchant plus près, bougeant les yeux de façon à garder un contact visuel sur les démons en toge qui remplaçaient leurs anciens gardiens à une extrémité de la cage. L'un d'eux marchait avec un étrange dandinement ; Gaius se dit qu'il parviendrait probablement à le distancer en courant sur un terrain plat. « Est-ce qu'il a des idées ? Et son ami le centaure ? »

Treijan prit une profonde inspiration. « Arryk est persuadé qu'il a condamné son peuple entier à l'extinction, et Hueburlyn est si dégoûté de notre ami fée qu'il ne parle plus à personne – du reste, je ne suis pas sûr que je parviendrais à le comprendre s'il changeait d'idée. Il semble cependant qu'ils aient tous deux réussi à s'échapper d'une cage similaire juste avant de nous entraîner dans leur monde. »

Gaius leva les yeux, rempli d'espoir. « Et ? »

« Et la personne qui a construit cette cage a apparemment appris de ses erreurs », conclut Treijan en replaçant son menton sur ses genoux, entourant de ses bras ses jambes repliées. « Nous sommes prisonniers de la version nouvelle et améliorée des donjons de la Magie profonde. »

« Peut-être lorsqu'ils nous nourriront », dit Gaius à haute voix, ne quittant pas des yeux ce démon qui continuait de se dandiner, le visage toujours dissimulé à son regard. Il remarqua que la créature s'efforçait de ne pas se faire voir – et il y avait une grande tache sombre à l'arrière du capuchon. « Ils doivent ouvrir la cage pour faire entrer la nourriture. Nous pourrions… »

Gaius s'immobilisa.

Le visage du gobelin se tourna vers lui. Il était encore dissimulé en grande partie par le capuchon profondément enfoncé, mais il vit distinctement un bout de peau lisse et bronzée entourant un œil brillant et magnifique.

Le garde se détourna de lui une fois de plus tandis qu'il se mettait à dandiner vers le garde de l'autre côté de la cage.

« Par les plaisanteries de Skurea », dit Gaius en manquant de s'étouffer.

Treijan leva subitement les yeux. « Qu'est-ce qu'il y a ? »

Gaius se leva. Le garde trapu qui venait d'arriver se dirigea lui aussi vers les gardes de l'autre côté de la cage.

« Dis donc, laideur extrême ! » cria Gaius, ses yeux fixés sur le garde qui continuait de le surveiller dans le coin. Gaius pointa directement du doigt vers le démon en toge et se mit à crier lorsque celui-ci s'approcha. « Oui, toi ! Je crois que tu es la créature la plus affreusement hideuse à n'avoir jamais été engendrée ! Je crois que toi et ta famille devriez être rejetés dans le tas d'asticots d'où vous sortez ! »

Treijan se leva sous l'effet de la surprise. « Gaius – ils ne comprennent pas un mot de ce que tu dis. »

« Ah oui, c'est vrai ! » cria Gaius avec colère. « Mais je parie qu'ils peuvent comprendre le ton de ma voix ! Et si tu sais ce qui est bon pour toi, tu feras dès maintenant la même chose que moi avec cette autre face de dégueulis à la peau gluante, dans l'autre coin ! »

Un regard interrogateur s'afficha sur le visage de Treijan, puis il se mit lui aussi à crier avec colère en direction du second garde dans l'autre coin. « Je suppose que tout cela fait partie d'un plan, n'est-ce pas, crapaud puant ? » hurla-t-il en présentant son poing au démon, qui recula d'un pas en levant son livre devant lui, les yeux fixés sur Treijan. « Oui, tu m'as entendu, peau de jardin ! Je te crie après, et tu ne sais pas plus que moi pourquoi je le fais ! J'aimerais bien que quelqu'un me dise *pourquoi je crie ainsi !* »

« Parce que nous avons des *visiteurs !* » aboya Gaius à l'intention du garde. Le garde qui se dandinait était presque derrière lui, à présent, devenant de plus en plus grand en s'avançant vers le petit démon, son livre pesant s'élevant encore plus haut au bout de ses deux bras minces et bronzés.

« Ah oui ? » cria Treijan, qui remarqua maintenant le personnage trapu qui se tenait derrière son propre garde. « Comme qui ? »

« Je *pense* – que c'est ta *femme !* »

Les deux livres s'abattirent simultanément.

Les gobelins en toge tombèrent sur le sol, inconscients.

Théona repoussa le capuchon de sa toge vers l'arrière, regarda le livre dans ses mains et le laissa tomber sur la silhouette immobile à ses pieds. «J'ai enfin trouvé une façon de me servir de la magie», dit-elle.

Le personnage trapu déchira sa toge, et l'on vit apparaître Dregas. «J'ai tenu ma promesse, oh oui! Une entente est une entente, jeune fille! Où est mon chapeau?»

«Théona!» dit Treijan en riant. «Que Hrea soit louée! Comment as-tu pu réussir un tel coup? La cité est envahie par les gobelins.»

«Oui», dit Théona en jetant un coup d'œil dans la pièce, à la recherche de quelque chose. «Cela fait des jours qu'ils entrent en masse par leur propre porte-entrouverte.»

«Quoi?» demanda Gaius.

«Tu avais raison, Treijan; ils sont venus eux aussi d'un tout autre monde», dit Théona en s'approchant du nain. «Donne-moi ton marteau.»

«Non, tu ne l'auras pas!» s'écria le nain, indigné.

«Ton chapeau est juste là où nous l'avons laissé», dit Théona sur un ton qui n'était plus celui d'une simple demande. «À présent, donne-moi ton marteau. Je te le redonne tout de suite après.»

Le nain resta bouche bée, mais tendit la main derrière son dos et en sortit un lourd maillet d'acier. Théona le souleva avec effort et se tourna vers la cage.

«Comment as-tu pu franchir cette – cette armée de gobelins?» demanda Treijan. «C'est tout de même incroyable que tu aies pu arriver jusqu'ici sans – enfin...»

«Sans *magie*», dit Théona tandis que ses yeux bruns émirent une lueur soudaine en regardant le prince. «Magiciens et mystiques – que Hrea nous sauve tous! Vous êtes tous si attachés à vos "pouvoirs" et à vos "symboles" – vos secrets insignifiants et votre snobisme de clan – que vous ne nous voyez pas, nous, les gens ordinaires. Vous avez si peur les uns des autres ainsi que des merveilleuses énergies brutes de votre Magie profonde que vous ne remarquez jamais le simple et discret pouvoir de tous ceux qui n'ont pas la magie et qui tentent de vivre leur vie de leur mieux. Eh bien, je possède une voix, prince de Rennes-Arvad, et un esprit qui choisira le chemin que je prendrai et l'avenir que je veux! Ce n'est pas le pouvoir que tu as, Treijan – c'est ce que tu *choisis* de faire avec lui qui détermine l'avenir!»

Les jambes écartées pour plus de stabilité, Théona leva le marteau bien haut.

«Théona, ne fais pas cela!» cria Gaius. «C'est de la magie!»

«J'en ai marre d'entendre cela!» Elle cria avec force pour expulser sa fureur et balança le marteau de tout son poids et de toutes ses forces au bout de ses bras et à l'horizontale. Le marteau percuta les rubans métalliques, et la cage tout entière résonna bruyamment sous l'impact. Le marteau rebondit, et son poids éloigna Théona de la cage. Elle s'avança une fois encore, entièrement concentrée sur le fait de libérer sa colère.

«J'en ai marre d'être une bonne à rien! Marre de la magie!» Elle leva le marteau une nouvelle fois, ses élans devenant à présent plus fréquents tandis que ses coups pleuvaient sur la cage de métal. «Je choisis mon avenir ici et maintenant! Je ne serai plus jamais l'esclave de personne!»

Les rubans, qui brillaient toujours, s'incurvaient légèrement vers l'intérieur à chaque coup.

«J'ai *vu* ce que l'avenir pouvait être! J'ai *vu* les routes sur lesquelles nos choix nous conduisent!» Théona pleurait maintenant à grosses larmes, clignant des yeux à travers elles tout en frappant le métal de manière incessante. «Je choisis! Je choisis! Je...»

Les bandes métalliques se plièrent vers l'intérieur et cédèrent.

L'aura bleue vacilla et disparut.

Théona laissa tomber le marteau sur le sol, soudainement fourbue.

Gaius leva les mains. La Magie profonde circulait de nouveau dans la cage, et il retrouva Dwynwyn dans le rêve. Le lien était rétabli, et le métal de la cage s'évapora autour d'eux. Arryk voleta jusqu'au plafond, s'étirant les ailes, tandis qu'Hueburlyn quittait nerveusement le cercle autour d'eux et regardait les sorties avec méfiance.

Gaius fit un pas vers Théona, mais Treijan la prenait déjà dans ses bras. Gaius détourna le regard et recula. « Que faisons-nous, maintenant, Votre Altesse ? »

« Il y a eu tellement de vacarme que je pense que nous devrions nous préparer à affronter d'autres gardes », répondit Treijan d'un ton léger.

« Je vais chercher mon chapeau, oh oui ! » dit Dregas.

« Meklos les surveille depuis le début », dit Théona, la voix teintée de tristesse. « Votre ami Pe'akanu est en train de perdre la bataille parce que les gobelins parviennent à réparer leurs guerriers géants – leurs titans, comme ils les appellent – plus rapidement que la magie des Hanu'ui ne parvient à les détruire. Ils traînent leurs titans endommagés à travers leur porte, les réparent sommairement et les font repasser par la porte. »

« Mais si nous parvenions à fermer la porte des gobelins… » commença Gaius.

« Alors, nous aurions une chance de vaincre leur armée », compléta Treijan en hochant la tête.

« Nous devons donc fermer la porte des gobelins », dit Théona. « Elle se trouve juste en contrebas sur la place, dans un bâtiment détruit, sur notre droite. »

« L'armée entière des gobelins se trouve toutefois entre nous et la porte », fit remarquer Gaius. « Même si leurs monstres porteurs de livres ne sont pas à notre recherche, ils vont assu-rément te voir si tu t'approches un tant soit peu de la porte »

« Nous sommes si près », grommela Treijan. « Nous devons créer une diversion – quelque chose qui pourrait distraire les gobelins assez longtemps pour que nous puissions atteindre la porte.»

Le son qui se fit entendre près de Gaius lui fit penser à du feu brûlant dans une plaine d'herbes sèches. Il leva les yeux vers Arryk, qui venait de prendre la parole, puis il se tourna vers son compagnon. «Qu'est-ce qu'il a dit?»

Treijan haussa les sourcils, perplexe et surpris. «Il dit qu'on a besoin d'une armée pour passer à travers une armée – et que Théona en a une dans sa poche. Théona?»

Ils fixèrent tous la femme pendant un moment.

«Il y a un chemin – Théona soupira –, mais ce n'est pas un chemin facile, et il ne nous revient pas de faire ce choix.» Elle fouilla dans sa poche et tendit la main.

Elle tenait la pierre de chant de Sharajentis.

VERS L'INCONNU

 wynwyn, reine des morts, était assise sur les marches au pied de la porte-entrouverte écroulée. Elle contemplait stoïquement la vaste cour pavée entre elle et les murs imposants de son palais terrifiant. Sa protection rapprochée – la garde de l'ombre – était déployée de chaque côté des escaliers, selon ses ordres. Péléron était assis à son côté afin qu'ils puissent voir ensemble les derniers Sharajin, assis maintenant sur les pierres de la cour dans l'attente de la dernière bataille.

Le jour avait commencé avec tellement d'espoir. Après une cérémonie de mariage qui avait paru bien trop précipitée aux yeux de Dwynwyn, Arryk et ses étranges compagnons avaient ouvert la fabuleuse porte qui unissait leurs deux mondes et, selon toute apparence, ils l'avaient franchie exactement comme ils le lui avaient décrit. Tous les gens restés à Sharajentis, y compris Dwynwyn elle-même, attendaient patiemment dans la cour, naturellement ordonnés par familles selon leur rang dans le Sharaj. Leurs richesses – le peu qu'ils avaient – étaient disposées dans une série de chariots derrière eux. Tous attendaient patiemment et en silence, faisant face à la grande surface scintillante à l'intérieur de l'immense cercle du portail magique.

Le silence se prolongea tout l'après-midi.

Les fées n'étaient pas reconnues pour leur patience, mais elles l'étaient pour leur détermination. Pour ce peuple, il n'y avait que deux choix : passer par la porte et vivre, ou rester sur place et mourir. Tous demeuraient donc là à regarder les images vibrantes de cette flaque de lumière au cœur de l'obscurité, et attendaient le retour d'Arryk.

Lorsque la porte s'effondra, le moral de Dwynwyn fit de même. Il n'y avait plus d'options, plus de choix à faire. Sa cité était encerclée par les Kyree-Nykira, et leur vengeance serait terrible. Son armée des morts s'était battue avec acharnement et courage, et ils étaient presque tous partis, à présent. Les derniers soldats de cette armée se tenaient maintenant à l'extérieur des murs de la cité, prêts à la défendre jusqu'à leur dernier sursaut de gloire. La fin était imminente ; ils ne pouvaient plus emprunter d'autres routes.

C'est ainsi qu'ils laissèrent le temps s'écouler inexorablement, tandis que les armées des Kyree-Nykira se refermaient sur eux avec leurs mortelles intentions.

« Ma reine ? »

Dwynwyn se tourna vers cette voix qui semblait venir à ses oreilles depuis une lointaine distance.

« Oui, Péléron. »

« Nous avons eu des nouvelles de la part des seigneurs des morts », dit doucement Péléron. « Les Kyree sont dans le bois de Margoth et s'approchent par la route principale depuis le sud. Les seigneurs des morts ont lancé des attaques exploratrices au nord-est, au sud-est et à l'est. Ils sont revenus en faisant état de lourdes pertes. Nous demeurons encerclés de toute part, et sans aucune retraite possible. »

Dwynwyn hocha la tête. « Comme prévu. »

«Néanmoins, il était digne de la part des seigneurs des morts d'effectuer cette tentative.»

«Et je ne doute pas que plusieurs des morts à notre service aient pu atteindre leur Illumination dans cette tentative vouée à l'échec», ajouta Dwynwyn. Ses seigneurs des morts étaient à la tête de ses armées et n'avaient jamais échoué auparavant. «Cela ne change rien pour nous. Les Kyree sont des artistes, quand il est question de guerre; ils ont si soigneusement construit leur piège qu'il aurait été honteux pour eux de nous permettre de nous échapper. Quelles sont les forces des Kyree au sud?»

«Les seigneurs des morts font état de trois ou peut-être quatre quintalons*», dit Péléron en détournant le regard. «Il y en a au moins un au complet, et les autres comprennent tous des unités mixtes de dékaciens. Un dékacien complet de machines de siège a également été observé derrière les forces principales.»

Dwynwyn frotta sa main avec force contre son front, comme si elle tentait d'expulser cette pensée de son esprit. «Cela doit bien représenter plus de quarante mille soldats. Dans combien de temps prévoit-on leur arrivée?»

«Deux heures – peut-être trois, s'ils prennent leur temps», répondit Péléron.

«Cela ne risque guère d'arriver», dit Dwynwyn d'un ton moqueur. «Ils sentent notre sang.»

«Je crois donc comprendre que tu penses qu'il est trop tard pour négocier?»

Dwynwyn éclata d'un rire sombre. «Péléron, tu as le sens de l'humour le plus surprenant qui soit.»

«J'ai épousé la reine des morts», dit Péléron en souriant avec mélancolie. «On m'avait dit qu'un tel sens de l'humour était une condition pour le poste. Quelles sont donc vos pensées en cette occasion plutôt prometteuse, ma chère reine?»

«Je pensais… je pensais à cette femme sans ailes qui était venue avec Arryk et les autres.»

«Théona?»

---

*«Quintalon» est un mot kyree qui désigne une de leurs plus grandes unités de guerre – une armée d'approximativement dix mille guerriers. C'est aussi le titre honorifique attribué au commandant d'une telle force.

«Oui, c'est son nom. Elle m'a transmis un message à travers Gaius – je trouve maintenant étrange de penser au fait que j'ai pu faire sa rencontre à l'extérieur du Sharaj…»

«Un message?» coupa Péléron.

Dwynwyn secoua la tête. «J'imagine que cela n'a plus d'importance à présent, mais je ne semble pas arriver à me sortir cette pensée de… la…»

Un murmure s'éleva dans la grande foule assemblée devant elle, se faisant de plus en plus fort à chaque instant. Une fée, puis cinq, puis des centaines de fées se mirent debout, déployèrent leurs ailes et les firent battre, se réjouissant d'avance. Dwynwyn se leva et remarqua qu'ils la désignaient tous du doigt. Leurs voix devinrent de plus en plus fortes jusqu'à ce que les cris d'étonnement emplissent l'immense cour.

«Par l'œil de Syldaran!» jura Péléron, stupéfait.

Dwynwyn se tourna. Sa bouche s'entrouvrit, mais elle ne put trouver de mots à dire.

Les pierres de la porte-entrouverte revenaient dans la cour, grimpaient en bondissant les marches de la plateforme et retombaient en place. Pierre par pierre, tesson par tesson, voilà que la porte se reformait d'elle-même autour de la pierre de chant à sa base, et les épouvantables membres, veines et tendons d'onyx faisaient de même, le tout recréant la porte comme elle était avant.

Dwynwyn recula prudemment d'un pas, cherchant à prendre appui sur le bras de Péléron. «Est-ce bien vrai?»

«C'est une vérité, Dwynwyn!» s'exclama Péléron. «C'est certainement une vérité!»

Les derniers tessons au sommet de l'ovale bondirent dans les airs et se positionnèrent à leur place. À ce moment, l'air à l'intérieur de l'ovale émit un éclat lumineux, puis la couleur s'atténua pour former l'étrange surface scintillant d'un bleu profond qu'ils avaient tous déjà vue.

L'air au centre du cercle émit une nouvelle lueur brillante – et devant elle, sur la plateforme, se trouvait le centaure…

… et Arryk.

Dwynwyn fonça aussitôt et entoura le jeune fée de ses bras pendant que des larmes coulaient sur ses joues.

Arryk cligna des yeux d'un air incertain, et ses mains comme ses bras embrassèrent également la reine dans une étrange étreinte. « Reine Dwynwyn – je suis… je suis tellement désolé – pour tout. Je… »

« Tout va bien, maintenant, mon enfant », dit Dwynwyn, son exubérance ne connaissant pas de limites. « Tu es revenu. J'étais certaine que tu reviendrais, mais lorsque la porte s'est effondrée… »

Arryk secoua la tête. « Ma reine – Dwynwyn –, nous n'avons pas beaucoup de temps. »

« Non, bien sûr que non », acquiesça Dwynwyn. « Nous devons faire passer notre peuple par la porte. Les Kyree seront ici dans quelques heures, et… »

« Je vous en prie, vous devez m'écouter. » La voix d'Arryk se fit plus forte.

« Il y aura amplement de temps pour cela lorsque notre peuple sera en sécurité », dit Dwynwyn en se retournant pour faire face à la foule.

« Non ! » cria Arryk.

Il agrippa Dwynwyn par le poignet, et la retourna face à lui.

Un son d'acier glissant sur de l'acier se fit brièvement entendre, accompagné de plusieurs taches lumineuses. Quelques instants plus tard, six pointes de lames étaient dirigées vers la gorge d'Arryk.

« Attendez ! »

Arryk tenait encore fermement le bras de Dwynwyn lorsque les gardes de l'ombre l'entourèrent, leurs yeux morts et froids posés sur lui.

Arryk choisit de parler en regardant Dwynwyn, évitant soigneusement de bouger d'un pouce.

« Il y a une guerre de l'autre côté de cette porte. » Les mots d'Arryk résonnèrent.

Dwynwyn le regarda attentivement pendant un moment. « Gardes, retirez-vous. »

Les lames disparurent aussi rapidement qu'elles étaient apparues, et les gardiens morts retournèrent à leurs places. Arryk lâcha le poignet de la reine.

« Qu'est-ce que tu veux dire ? » demanda Dwynwyn. « Il y a une guerre ici même ! »

« Et il y a une guerre là-bas », dit Arryk en baissant la tête, ce qui fit retomber plusieurs mèches de ses cheveux sur son visage. « J'ai – j'ai entraîné tout cela. Si seulement je n'avais pas laissé entrer Hueburlyn dans la cité en tout premier lieu – si je ne m'étais pas échappé en apportant la porte ici, je… »

« Non, mon fils », dit Dwynwyn en tendant la main vers lui pour relever son menton afin que ses yeux rencontrent les siens. « Regarde-moi, et écoute la vérité. Si cela n'avait pas été ce centaure, cela aurait été un autre famadorien. S'il n'y avait pas eu ta disparition, alors les Kyree auraient trouvé un autre prétexte faisant leur affaire. Nos problèmes ne sont pas la conséquence de la folie d'un homme, mais de la folie de plusieurs d'entre nous dans le temps. Tu ne peux pas porter le fardeau des erreurs de tous les autres – et, en y pensant bien, je ne peux le faire moi non plus. Nous ne pouvons choisir que pour nous-mêmes… » Dwynwyn fit une pause. *Deux chemins.* « Dis-moi pourquoi ils se battent. »

« Quoi ? »

« Dis-moi pourquoi les hommes sans ailes se battent de l'autre côté de cette porte. »

« Il – il y a une autre porte s'ouvrant sur le monde des démons », dit Arryk. « Les hommes sans ailes se battent pour leur vie et pour la paix. »

«Les démons, demanda Dwynwyn, que veulent-ils?»

«Ils veulent la mort – comme les Kyree.»

«Et qu'en est-il de Gaius et de ton ami Treijan? Que conseillent-ils?»

«Ils ont besoin de notre aide pour sauver leur monde – mais, en vérité, ma reine, je ne crois pas qu'aucun d'eux sache ce qui arrivera ou ait l'assurance que l'un d'entre nous survivra à leur guerre.»

Dwynwyn réfléchit pendant un moment.

Deux routes – et un moment où elle devra tout risquer sur l'inconnu.

«Dwynwyn?» demanda Péléron avec inquiétude.

Dwynwyn se concentra de nouveau et se tourna pour faire face à la foule immense, les mains levées pour obtenir le silence. Le silence tomba lentement sur la foule, et elle put enfin prendre la parole.

«Arryk est revenu d'une terre fort éloignée – un monde lointain où nos frères et nos sœurs du Sharaj doivent aussi combattre dans une guerre contre des gens qui veulent prendre leur vie et les priver de leur souffle, de leur âme et de leur avenir. Il semble que la guerre ne soit donc pas le domaine exclusif des Kyree ou, en effet, des fées.»

«Nous connaissons toutefois la vérité suivante : si nous demeurons ici sans rien faire, nous allons assurément mourir. Les Kyree ont soif de notre sang et n'ont rien à offrir en échange, ne voulant que notre anéantissement. Si nous restons, nos vies n'auront servi à rien.»

Dwynwyn se tourna vers Péléron et lui tendit la main. Il la prit et se tint à son côté tandis qu'elle faisait face une fois de plus à ce qu'il restait de sa nation.

«Chaque vie a de la valeur si nous savons l'utiliser. C'est notre choix de le faire, et l'heure de ce choix est arrivée. Ici, c'est la mort assurée et sans valeur ; là-bas – au-delà de cette porte –, se trouvent également la guerre et la mort, mais *là-bas*, aussi, se trouve un espoir pour un sens à notre vie, un espoir pour la vie. Nous avons demandé un nouveau territoire et un nouveau foyer dans un nouveau monde, mais il semble que nous devions payer de notre sang notre droit de passage vers un tel monde. Cela a toujours été le cas. On ne peut pas seulement nous donner un nouveau monde – nous devons le mériter. *Là-bas,* de l'autre côté de cette porte, se trouve un chemin incertain, mais c'est le chemin que je *choisis* de prendre ! »

Sur ces mots, la reine des morts tourna le dos à son palais et à sa cité. Elle tendit son bâton devant elle, fit apparaître un sort d'une puissance redoutable à son sommet, et chargea par la porte.

DEUX ROUTES

eklos avançait en se traînant douloureusement à l'aide de son bâton, progressa à travers les salles tarabiscotées du temple du Dragon, et se hissa par la suite, avec une lenteur atroce, en haut des marches abruptes et grossières qui menaient à la grande salle des cérémonies.

La vaste pièce était déserte ; les gobelins avaient déjà assassiné les chamans qui l'avaient défendue jusqu'à leur dernier souffle, et avaient dévalisé les lieux en prenant tous les livres et autres objets qui avaient de la valeur pour eux avant de récolter une meilleure moisson ailleurs. Néanmoins, Meklos se fit de plus en plus silencieux à l'approche du sommet des marches, écoutant attentivement jusqu'aux coins les plus reculés de la salle sombre, à l'affût d'un signe qui pourrait lui indiquer qu'il n'était pas seul.

La lumière vacillante émise par les incendies qui dévastaient la cité pénétrait encore par la grande ouverture en arche de la salle des cérémonies. Aucun son ne vint l'inquiéter, et rien ne semblait bouger, à l'exception des ombres produites par les flammes. Les corps des chamans se trouvaient encore là où ils étaient tombés. Meklos savait qu'il avait mieux à faire que d'honorer la mémoire de ces morts défigurés ; tout ce qu'il aurait pu faire n'aurait été d'aucun secours pour le repos de leur âme, et les déplacer aurait pu lui faire perdre son souffle. Moins il laissait de traces de son passage, plus il augmentait ses chances de survivre à tout cela, se dit Meklos. Quelqu'un d'autre devrait donc se charger de conduire ces pauvres âmes au repos éternel.

Il progressa donc jusqu'au porche du temple, parce que quelque chose à l'intérieur de lui voulait voir – voulait y participer, même de loin – ce qui se passait à l'extérieur. Il se maudit lui-même pour sa propre curiosité et maudit également Théona d'avoir perturbé le fil de sa rationalité et de l'avoir amené à se questionner sur ses agissements.

Ils mourront ici, pensa Meklos en parvenant enfin à l'arche qui conduisait de l'intérieur sombre du temple jusqu'au porche extérieur. *Même si Théona réussit à faire en sorte que ce menteur de nain en vienne à l'aider, il n'en demeure pas moins qu'ils ne sont que deux bardes contre une armée qui a déjà fait s'agenouiller une nation entière de chamans. Mais je connais Treijan ; il tentera tout de même sa chance, juste ici, en plein cœur de la cité.*

Il s'abaissa à l'aide de son bâton de dragon et s'assit derrière une statue, afin d'avoir une vue d'ensemble de la cité. Des marches abruptes descendaient depuis le porche le long des deux étages inférieurs de la pyramide jusqu'à la vaste place en contrebas. Les vents du large soufflaient la fumée tourbillonnante à l'intérieur des terres, ce qui lui donnait une vue dégagée de l'avenue des Rois, à l'extrémité est de la place ; au nord de l'avenue, il y avait le petit temple du Ciel, et au sud, le temple du Feu. Sur la place, devant lui, se tenaient trois titans dont la tête dépassait l'endroit où il se cachait, tandis que d'innombrables gobelins se pressaient sous les jambes gigantesques des titans. Leurs maîtres exhortaient les guerriers gobelins à reculer dans l'avenue afin qu'ils puissent se joindre à ce flot apparemment intarissable de guerriers progressant vers le nord. Meklos compta sept titans qui remontaient cette avenue, leurs bras et leurs jambes réparées avec des morceaux de ferraille soudés et dépareillés. Il ne pouvait plus voir le temple de la Mer, au sud, car il était dissimulé par un épais voile de fumée, mais il savait que l'armée provenait de cette direction. C'était sans aucun doute l'emplacement de cette "porte spéciale" dont parlait Théona.

Théona. Meklos fronça les sourcils en pensant à elle. Cette femme avait une façon singulièrement dérangeante de parler à un homme, pensa-t-il. « Eh bien, maîtresse Conlan, marmonnat-il, si je ne suis pas précisément à la croisée des chemins, disons que j'ai certainement une très bonne vue sur elle. Le monde entier mourra enfin – juste ici, devant mes yeux. »

Meklos jeta un coup d'œil à l'énorme masse du temple qui s'élevait derrière lui. De chaque côté de l'arche, les marches abruptes se prolongeaient d'un hall à l'autre le long de la pyramide en gradins. Au sommet il pouvait voir, illuminée par les flammes de la cité, l'entrée de la salle la plus haute. L'invasion des gobelins n'avait pas laissé au roi Pe'akanu le temps de gravir les mille marches menant au sommet afin d'y faire retentir la Voix de Rhai-Kuna, comme il l'appelait. Au moment où ils en auraient eu le plus besoin, tous leurs plans avaient fait échouer le roi et son peuple.

Tout comme j'ai moi-même échoué, pensa Meklos.

« Je dois retourner au front », cria Skramak. Sa voix était à peine audible, avec tout le bruit qui les entourait. « Tu sais quoi faire ? »

Le Grand Trésorier Thwick hocha la tête, même si, en vérité, il n'était pas du tout certain de ce que Skramak voulait. La clameur continuelle des troupes de gobelins qui trimaient dur, les claquements de fouet de leurs sergents et de leurs lieutenants, et les grognements comme les bruits métalliques des titans qui se pressaient tous dans la porte-entrouverte, derrière lui, étaient accablants. Il savait seulement qu'il ne valait mieux pas être en désaccord avec le Conquérant des dieux – ainsi que Skramak voulait être désormais nommé –, qu'on comprenne ou non ce qu'il voulait dire.

« C'est ton travail, de faire en sorte que ces titans continuent de déferler dans ce monde ! » cria Skramak. « Je me fiche bien de savoir qui tu dois menacer ou tuer pour que cela fonctionne, mais assure-toi que c'est le cas. C'est la plus glorieuse guerre jamais menée par des gobelins, et je ne veux pas la perdre parce qu'un poltron d'académicien aux oreilles rondes et au visage plat ne peut rassembler son courage. Fais en sorte que les titans ne cessent pas de revenir – que les technomanciens aient les ressources nécessaires et qu'ils travaillent sans relâche, et par-dessus tout, que cette porte demeure ouverte – et je ferai de toi le plus riche Grand Trésorier à avoir jamais possédé une académie, c'est bien compris ? »

Thwick comprit certainement cela, et il hocha la tête avec enthousiasme. Voilà un objectif qu'il pouvait comprendre : être au pouvoir pour toujours, regarder de haut les bricoleurs émérites moins évolués et approuver des acquisitions pour son usage personnel. Ce n'étaient pas tant les richesses qui avaient un attrait pour lui – il avait un sain mépris pour la richesse qui convenait bien à sa position –, mais plutôt l'idée de pouvoir dire précisément à tout le monde comment penser et à quoi penser, une idée si séduisante qu'il ne pouvait passer à côté. « Je le ferai, seigneur Skramak ! Vous pouvez vous fier à moi pour vous appuyer dans tous les moments de cette campagne ! »

Un personnage portant la toge courait vers eux, se frayant un chemin dans le flot des guerriers en criant : « Seigneur de guerre Skramak ! »

L'œil unique de Skramak se plissa, mais il prit tout de même la peine de hocher la tête en direction de Thwick. « Assure-toi de le faire. Je vais personnellement gérer la bataille au nord, et la dernière chose dont j'ai besoin serait de revenir jusqu'ici pour traiter avec – oh, qu'est-ce qu'il y a encore ? »

Skramak fit demi-tour, empoigna le jeune technomancien par la toge et le secoua avant de le rejeter sur le sol avec une telle force que ce dernier en laissa tomber son petit livre. Le capuchon du technomancien tomba en arrière, ce qui révéla un visage si jeune que la peau était à peine tachetée et que les oreilles étaient dépourvues de touffes de poil. Le Grand Trésorier supposa que cette créature était porteuse de mauvaises nouvelles ; les ingénieurs en chef qui commandaient les technomanciens envoyaient toujours le plus jeune porter les mauvaises nouvelles. Si ce jeune devait se faire tuer par Skramak, alors la perte du temps passé à le former serait minimale.

« Seigneur de guerre Skramak ! » glapit le technomancien. « Ce n'était pas ma faute ! C'est le technicien-acier Gudunk, c'est lui qui m'a envoyé ! »

« Quel est ton nom ? » dit Skramak d'un ton hargneux.

« Moi ? Je ne suis personne, maître – vraiment. Je ne suis qu'un de vos respectueux serviteurs. C'est ce type, Gudunk, dont vous devez vraiment vous souvenir. C'est lui qui est au courant de la chose. »

Ce technomancien est peut-être jeune, pensa Thwick, *mais il n'est pas bête.*

« Au courant de quoi ? » hurla Skramak.

« De la magie ! » gémit le technomancien. « Ils ont détecté de la *magie* dans ce grand bâtiment qui servait de palais, au bout de cette place. »

« Espèce d'idiot ! » cria Skramak, tout en saisissant de sa grosse main l'écheveau de cheveux au sommet de la tête du jeune messager et en le secouant de gauche à droite. Il baissa l'autre main et tira son long sabre de son fourreau. « Évidemment qu'ils ont détecté de la magie – nous détenons des prisonniers, là-dedans ! Les gobelins de Gudunk les surveillent, et... »

«Non, maître!» Le messager geignit. «*Beaucoup* de magie. Pas seulement un technomancien ou encore un nombre de technomanciens équivalent à deux pieds pleins d'orteils, mais – mais bien plus que tous les chiffres qu'il peut compter!»

Skramak leva brusquement les yeux. «Ici?»

«Il y en a de plus en plus qui arrivent à chaque instant, maître!»

Skramak relâcha les cheveux du messager, qui retomba aussitôt sur le sol.

Le Grand Trésorier était perplexe. «Qu'est-ce qu'il y a, seigneur de guerre Skramak?»

«Thwick, retournes-y et fais passer le reste de l'armée par la porte aussi vite que possible.» Skramak se retourna et chercha dans le flot de guerriers jusqu'à ce qu'il ait localisé sa proie sur le bord de la route. «Général Piew! Contacte les lieutenants de ces trois phalanges de titans et fais-leur faire demi-tour. Je veux qu'ils soient ensuite disposés en deux rangées autour de la porte – les premiers à environ trois enjambées de la porte, et la deuxième à dix enjambées.»

«Tout de suite, seigneur!» Le général Piew se retira en frappant de ses deux poings l'armure de sa poitrine.

«Et les guerriers au sol – fais-les reculer, eux aussi!» ajouta Skramak. «Fais en sorte qu'ils soient prêts à défendre la porte!»

«Et le général Ekee, sur le front?» demanda Piew, fort probablement pour éviter la responsabilité d'on ne savait quel désastre venant d'être annoncé à Skramak. «Est-ce qu'il devrait battre en retraite lui aussi pour nous apporter son soutien?»

«Pas encore. Pas tant que je ne serai pas certain.»

«Certain de quoi, seigneur?» demanda le Grand Trésorier Thwick, les yeux tout grands d'inquiétude.

«Par Malak, retourne franchir la porte et fais ce que je t'ai dit!» s'écria Skramak. Le visage prenant une teinte vert foncé, Skramak courait vers son titan, agenouillé près de l'énergie déchaînée de la porte, ses six grands étendards claquant bruyamment au vent. « Je sens un piège ! »

Dwynwyn fut la première à traverser la porte, et, bien que les traits de son visage foncé fussent tirés à cause de l'horreur du passage, ses yeux demeuraient brillants et déterminés.

Péléron et Arryk suivirent à ses côtés. La mâchoire du vieux fée était figée dans la résignation, tandis que le jeune puisait déjà dans la Magie profonde de l'autre monde et associait sa force à sa volonté.

Puis vinrent les Sharajin, tout d'abord en rang par deux ou par quatre, puis dix de front, marchant hors du portail scintillant dans un parfait synchronisme.

Dwynwyn s'approcha rapidement de Gaius et prit la parole. Ses mots sonnèrent comme les doux pleurs nocturnes de nuages attristés. « Nous vous offrons nos forces, afin que nous puissions acheter notre nouveau territoire avec notre sang. »

Les rangs de fées hommes et femmes remplissaient la salle, qui était sur le point d'éclater. « Combien êtes-vous, au total ? »

« Il y a mille deux cent quatorze Sharajin », répondit Dwynwyn. Je ne sais pas combien nous comptons d'hommes et de femmes prêts à combattre les armes à la main, mais il y en a peut-être un peu moins de trois mille. Il y a encore six cents autres personnes dans les familles et les enfants… »

« Des enfants ! » s'exclama Gaius. « Reine Dwynwyn, c'est la *guerre,* ici ! »

« C'est la guerre aussi de l'autre côté de la porte, comme vous le savez », répondit Dwynwyn d'un ton dur comme le fer. « Le résultat de *cette* guerre est prédestiné – la destruction complète de notre peuple –, mais *ici*, juste ici, notre destinée est incertaine. Rester *là-bas* était synonyme de mort, venir *ici* est synonyme d'espoir. Mon peuple traverse cette porte *en ce moment même* – et cette petite salle ne pourra pas tous les accueillir. »

«Qu'est-ce que vous êtes en train de dire?» demanda Gaius, les yeux écarquillés.

«Si la guerre est notre seul espoir», dit Dwynwyn tandis qu'une boule de force électrique grossissait progressivement dans sa main levée, «alors, laissez-nous entrer en guerre *maintenant*!»

Meklos était assis inconfortablement avec ses pensées, changeant de position de temps à autre pour soulager sa douleur.

Il regarda la ville à travers la brume du soir. Le peuple Hanu'ui adorait les lignes droites, pensa-t-il, en posant son regard au-dessus des toits des habitations et des cimes des arbres, depuis son perchoir sur le côté du temple. Des lignes droites et des angles droits quadrillaient la cité autour de deux places décalées reliées à une seule grande avenue. L'avenue des Rois s'étalait vers le nord depuis le temple du Feu, à l'extrémité sud de la cité, jusqu'au temple du Ciel, près du mur nord. La place du Dragon – un grand rectangle en contrebas de l'endroit où se tenait Meklos – s'étirait depuis le pied du temple du Dragon, où il se cachait, jusqu'à l'avenue. La place des Esprits était plus au sud, et joignait le côté est de l'avenue au pied du temple de la Mer. Chacun de ces temples était positionné le long de lignes parfaitement droites – ordonnées et sûres –, ce qui reflétait la manière dont les Hanu'ui percevaient le monde qui les entourait.

La vie n'était pas aussi clairement définie, pensa Meklos. Il savait, lui, que la vie était aussi tordue et déformée que lui.

Théona avait dit qu'il était un infirme bien avant qu'elle ne reparaisse dans la cité – que savait-elle de lui? Elle avait vécu sa vie avec des transporteurs de marchandises! Comment osait-elle *le* traiter d'infirme? Pour lui, il était évident qu'elle ne savait rien des ambitions, des intrigues ou des mensonges des bardes qui avaient détruit des générations de familles au nom de leurs idéaux soi-disant supérieurs!

Des idéaux supérieurs, pensa-t-il amèrement en levant les yeux vers la Voix de Rhai-Kuna. Tout cela n'était qu'un ramassis de belles paroles ; un symbole que les seigneurs du pouvoir vendaient comme du pain rassis aux foules, afin qu'elles se taisent sur les injustices dont elles étaient victimes.

Il aurait changé tout cela, pensa-t-il sombrement. Il leur *aurait fait voir* la vérité ! Il aurait placé leurs visages en plein devant ce qu'ils lui avaient fait, à lui et à sa famille, et il les aurait fait souffrir comme il avait souffert.

Pourquoi la femme Conlan ne pouvait-elle pas voir cela ? Il ne lui avait pas demandé son approbation, et il détestait son apparente pitié. D'ailleurs, il n'avait pas demandé ni voulu de l'aide du roi Pe'akanu, mais le vieux roi l'avait tout de même ramené de chez les morts.

« Nous devons tous nous soucier les uns des autres. » Les paroles de Théona flottaient dans son esprit.

Quelque chose était en train de changer dans la cité qui s'étalait à ses pieds. Meklos pouvait voir dans la brume le temple de la Mer, dans l'est de la ville. De l'autre côté des bâtiments et au pied de ce temple régnait la confusion la plus totale. Le flot continu de titans et de guerriers qui déferlait de la porte-entrouverte des gobelins semblait complètement désorganisé : la phalange de titans avait rompu les rangs, et les géants déambulaient dans la cité. Le plus grand titan, qu'il avait déjà vu – celui avec les étendards –, se leva et fit des gestes avec ses bras aux autres géants métalliques qui se trouvaient autour de lui. En bas, sur la place du Dragon, les troupes de gobelins s'agitaient, en proie à la panique. Plus intéressant encore, une des phalanges de titans, en route vers le nord à l'extrémité de l'avenue, hésita et fit demi-tour.

Puis tomba un silence épouvantable, comme si le son lui-même avait été retiré de l'air, et son énergie, aspirée par un centre d'attraction unique. Le monde semblait retenir son souffle, et

Meklos faisait de même, vacillant sur le bord d'un abysse invisible.

Une explosion de lumière se propagea telles des ondes en provenance du palais au sud, et les rues furent soudainement remplies par le son du métal torturé combiné avec les cris aigus des gobelins. Quelques instants plus tard, la première onde frappa Meklos, et l'humidité de l'air prit soudainement la forme du brouillard tandis que la température chutait d'une façon incroyablement rapide. Meklos s'emmitouflait dans sa toge pour se protéger lorsqu'une deuxième puis une troisième onde le frappèrent également. Le brouillard se cristallisa au-dessus de la cité, et tomba au sol comme de la glace.

L'air devint ensuite extrêmement clair, révélant une cité dont les incendies avaient en grande partie été éteints par l'explosion glaciale. Une épaisse couche de glace recouvrait la cité, et les gobelins qui se trouvaient sur la place en contrebas glissaient et tombaient sur le sol, à l'évidence totalement paniqués et terrifiés. Ils étaient peut-être habitués à un climat bien plus chaud, et n'avaient conséquemment aucune expérience de pareilles gelées, pensa Meklos. Pendant ce temps, les titans tentaient de libérer leurs carcasses de la glace qui s'y était accumulée, créant ainsi une douche de tessons glacés qui retombaient sur les infortunés gobelins, en tuant plusieurs du même coup.

C'est alors que le palais entra en éruption comme une ruche qu'on aurait fait tomber au sol. Meklos en resta bouche bée.

Des fées. Des milliers de ces lestes créatures ailées qu'il avait pu voir dans ses rêves de Magie profonde sortaient en grand nombre du palais et se retrouvaient tout à coup dans les airs comme une vague meurtrière. Les gobelins, sur le parvis, tentèrent de fuir, mais la glace sous leurs pieds ne leur permit pas de trouver prise. Des éclairs crépitèrent à travers la place, balayant sa surface et semant la mort sur leur passage. En l'air, l'essaim de fées effectua un virage en bloc et continua sa route en direction du temple de la Mer, de l'autre côté de la cité. Ces fées se dirigeaient tout droit vers la porte-entrouverte des gobelins.

Les titans regagnaient leur porte, au loin, à la demande expresse du grand titan, dont les étendards avaient été raidis par le froid. Les titans progressaient rapidement, mais les fées se pressaient toujours vers leur objectif.

Les titans tendirent les bras vers le sol et enfoncèrent leurs énormes mains métalliques dans le pavage, le démolissant avant de soulever de gigantesques amas de pierres fracassées à leur portée. Leurs grands bras se mirent ensuite à lancer des poignées de pavés à une vitesse incroyablement rapide, projetant du même coup des tonnes de gravats.

Les débris provoquèrent une déchirure dans l'essaim de fées, qui fut démantelé en plein vol en un motif mortel. D'énormes trouées étaient apparues partout où les pierres et la terre étaient passées. Les fées continuèrent tout de même leur charge tête première, tentant de surmonter l'attaque, mais elles finirent par se séparer afin de ne plus offrir une cible aussi dense à l'ennemi.

Les fées rejoignirent les six titans à la porte et les enveloppèrent aussitôt. Un des titans implosa dans l'instant : son enveloppe métallique s'affaissa sur elle-même, au point qu'il eut ensuite l'air ridiculement mince. Le monstre bascula et tomba contre le côté du temple de la Mer, et ne bougea plus du tout. La tête d'un second titan explosa, tout comme celle d'une troisième bête métallique, laissant le titan principal et les deux qui l'accompagnaient seuls sur la place.

Pas pour longtemps, constata Meklos. Quatre titans qui avaient fait demi-tour sur l'avenue des Rois s'approchaient de la zone de combat. Un autre groupe de six titans émergea de la porte-entrouverte des gobelins et fit son entrée sur la place des Esprits.

Meklos vit les gobelins se regrouper à ses pieds. Ils levèrent leurs étranges armes mécaniques, visèrent au-dessus de leurs têtes et projetèrent des lames dans le ciel.

Les fées ne parviendront pas à atteindre la porte-entrouverte en forçant le passage par la place, nota Meklos en observant la scène. *Elles ont besoin d'une réelle concentration de pouvoir. Elles ont besoin de –*

Meklos jeta un nouveau coup d'œil derrière lui.

La Voix de Rhai-Kuna.

« Non », grommela-t-il.

« L'ennemi de mon ennemi est maintenant mon ami ? » furent les mots qui lui vinrent spontanément à l'esprit.

« Tu peux changer cela ici et maintenant ! »

Meklos se remit debout à l'aide du bâton de dragon, avança d'un pas chancelant sur la plateforme de pierre, et se laissa aller contre les escaliers menant au sommet de la pyramide. C'était un homme qui aspirait à une vie pour lui-même. Personne ne le savait – personne ne le comprenait. Sa famille avait été puissante et fière au sein des rois marins de la côte du Croissant. Ils avaient autrefois formé un grand clan, mais la grandeur qu'ils avaient ensuite perdue s'était muée en un rocher qu'à présent ils transportaient sur leur dos chaque jour. Il désirait toutefois un foyer et la chaleur réconfortante d'une amoureuse qui lui tiendrait compagnie, la vie que tous les hommes ordinaires espéraient avoir un jour – mais ce n'était pas pour pas *lui* ; jamais pour *lui*.

Il tendit la main et agrippa la marche avec ses doigts, tout en prenant appui sur son bâton. La douleur le submergea presque totalement lorsqu'il souleva sa jambe vers l'escalier pour se propulser sur la marche suivante.

Ses ancêtres refusaient de consentir à son bonheur. Combien de fois son père lui avait-il raconté – lui avait même inculqué – l'histoire de la résistance de son grand-père face au dragon ? Il pouvait voir une image de son père, affalé contre un mur dans ce taudis que sa mère appelait une maison, incapable d'articuler à cause de l'alcool, à tel point que Meklos ne parvenait plus à le comprendre. Meklos se devait toutefois de le comprendre, faute de quoi il serait roué de coups; plus tard, quand il fut en mesure de parer les attaques de l'ivrogne enragé, c'était sa mère qui risquait de recevoir la raclée à sa place. Le vieil homme avait porté le fardeau de l'honneur de sa famille sur son dos pendant tant d'années que cela l'avait brisé et achevé.

Meklos se trouvait maintenant à la hauteur du troisième étage sur les marches du temple. La bataille se poursuivait, en bas, mais les sons lui paraissaient lointains; Meklos entendait d'autres voix.

« Tu vis dans le passé ; tu respires dans la haine, les erreurs et les préjugés du passé comme si c'était la source même de la vie. »

«Menteuse!» s'écria Meklos. Le mot était devenu un cri de douleur. Il tendit ses mains tremblantes vers une autre marche.

Il avait fait ce qu'il avait à faire, pensa-t-il. Il avait fait sien l'honneur de sa famille et savait qu'il serait celui qui parviendrait à le reconquérir. Il réussirait là où son vieux père avait échoué. C'est alors que Meklos avait découvert ce talent en lui pour la Magie profonde, et il l'avait détesté, puisque cela le liait aux bardes de Calsandria – ceux-là mêmes qui avaient répandu des rumeurs mensongères au sujet de sa famille et de son passé ! Il y avait toutefois d'autres voies pour cette magie – d'autres disciplines au sein du Pir. Il avait travaillé avec la volonté d'un zélote, était devenu un parleur de dragon, et était retourné, le moment venu, vers son Khordsholm bien-aimé. Meklos savait que, cette fois – *cette* fois –, un Jefard se tiendrait debout sur les ruines de la cité et soumettrait le dragon Ulruk !

Il traqua Ulruk, et, près de dix ans plus tôt, affronta le vieux monstre dans les collines au nord de Khordsholm. Il présenta son bâton, invoqua ses pouvoirs, et ordonna au dragon de trembler devant lui.

Il échoua.

« Tu es faible, Meklos ! » C'était maintenant la voix de son père qu'il entendait. *« Il ne faut jamais revenir sur une position,*

une fois celle-ci adoptée! Tu es un Jefard! Agis comme un Jefard!»

« Sois maudit! » cria Meklos en tendant la main vers la marche suivante, au prix d'un effort atrocement douloureux. « Tu n'as pas toujours eu raison! Je n'ai plus besoin de toi, maintenant! Tu as toujours voulu que quelqu'un d'autre s'occupe de tes problèmes – toujours voulu quelqu'un d'autre à blâmer! C'est terminé, à présent! »

Détache-toi de tes démons. Défais-toi de ta peur. Lâche prise sur ton passé.

« J'ai une vie! » dit doucement Meklos, complètement épuisé. « Je... je veux choisir. »

« Il arrive quelquefois que nous ne choisissions pas notre destinée. Quelquefois, c'est elle qui nous choisit. »

Meklos était tout essoufflé, et c'est seulement là qu'il comprit qu'il avait atteint le sommet des escaliers. Sa douleur s'estompait, alors il se leva, s'étira et se retourna.

L'étage supérieur de la pyramide consistait en une plate-forme recouverte d'un toit de pierre soutenu aux quatre coins par des piliers. Suspendu au plafond se trouvait un grand instrument richement orné d'une forme curieuse. Le cor était courbé et se terminait par une embouchure.

Meklos s'approcha du cor et l'examina pendant un moment. Les voies des dieux sont bien étranges, pensa-t-il, pour le conduire ainsi à explorer le monde connu et à venir trouver le salut dans un tel endroit.

Il regarda son bâton de dragon. Les parleurs de dragon du Pir avaient fait s'agenouiller les dragons devant eux en se servant de son pouvoir. C'est de cet outil qu'il aurait besoin pour obliger Rhai-Kuna à agir selon sa volonté, une fois qu'il l'aurait appelé.

Il le saisit à deux mains et le brisa sur son genou d'un coup, rejetant les morceaux brisés sur le côté de la pyramide.

C'était terminé. Il n'obligerait plus qui que ce soit à faire quoi que ce soit.

Ensuite, il se pencha en avant et souffla dans le cor.

LE PARLEUR DE DRAGON

héona courait sur le grand portique du palais de Pe'akanu lorsque des pierres lancées par des titans depuis l'autre extrémité de la place des Esprits se mirent à pleuvoir sur le bâtiment. Elle chuta lourdement derrière un pilier au moment même où la traverse qui soutenait le toit s'effondra. Elle se couvrit donc la tête avec les bras tandis que des pierres venaient s'écraser tout près d'elle. Elle cria, mais son cri fut dilué dans le vacarme de la bataille. Elle trembla en voyant toute cette violence autour d'elle, puis s'étouffa en aspirant de la poussière qui alla se loger dans ses poumons.

Elle avait vu tout cela dans ses visions, mais le vivre était complètement différent. Ses rêves ne pouvaient rendre l'odeur de la mort, les cris des mourants ni les sons accablants de panique et de désespoir. Pire encore, au beau milieu de toute cette terreur qui montait autour d'elle comme la marée, elle fut soudainement confrontée à l'idée qu'elle avait eu tort, qu'elle n'avait non seulement prévu cette catastrophe, mais qu'elle l'avait d'une certaine façon provoquée. Peut-être que Hrea ne s'était pas du tout manifestée. Peut-être que les visions étaient simplement l'écho de ses propres désirs, libérés en elle par une folie aussi épouvantable que celle qui touchait les pensionnaires de l'asile.

Les fées continuaient à jaillir en grand nombre du palais, en train de s'effondrer et à présent au centre de toutes les attentions de l'armée des gobelins. Les grandes machines qu'étaient les titans lançaient sans discontinuer des pierres ainsi que des sorts en direction du bâtiment contre lequel elle était recroquevillée. Le plafond s'était écroulé en certains endroits, et les murs commençaient à changer de place. Les fées ripostèrent avec leur propre magie : de la glace, du vent, de la grêle et des éclairs. Les plantes et les arbres qui bordaient les extrémités de la place des Esprits devinrent leurs alliés, se mettant à s'enrouler et à s'entortiller de façon insolite et à une vitesse terrifiante. Les gobelins furent brusquement entraînés dans le sol par ces plantes, où leurs cris perçants finissaient étouffés. Deux palmiers cogneurs entravèrent un titan en le saisissant par les pieds, puis le soulevèrent dans les airs et le frappèrent contre le sol à plusieurs reprises. Ces palmiers se mirent ensuite à écraser les gobelins sur le sol comme s'ils étaient des insectes nuisibles à exterminer. Les petits démons verts réagirent avec de la magie et de la force brute ; les arbres furent attaqués par la maladie et flétrirent sous la rouille, tandis que les plus petites plantes étaient simplement arrachées du sol.

Théona tourna les épaules et jeta un coup d'œil de l'autre côté du pilier qui lui servait de bouclier. Elle se recroquevilla au sommet des marches du palais, d'où elle bénéficiait d'une vue dégagée sur toute la longueur de la place des Esprits jusqu'au temple de la Mer. À moins du tiers de leur progression vers le temple, les fées furent stoppées par des titans blessés qui arrivaient du nord en nombre croissant de même que par des guerriers gobelins qui sortaient en masse de la porte située près du temple. Le destin de ces gobelins était vraiment épouvantable, car leurs commandants les poussaient constamment à charger contre les lignes inébranlables des fées. Le nombre de cadavres de gobelins augmentait à un rythme tel que Théona pouvait littéralement voir des piles de corps s'élever au centre de la grande place. Ils ne cessaient toutefois de traverser la porte, ce qui épuisait les pouvoirs des fées qui luttaient pour continuer d'avancer.

Le destin des fées qui ne parvenaient pas à trouver un moyen d'avancer à l'est vers la porte des gobelins ou à percer les flancs des gobelins au nord ou au sud était tout aussi pitoyable. Dwynwyn en personne menait les fées sur le flanc nord, et Péléron se chargeait des fées sur le flanc sud, mais cela ne changeait rien au fait que leur progression avait été stoppée des deux côtés. L'assaut initial avait été cassé de justesse par les titans qui défendaient la porte. Les fées devaient maintenant engager leurs renforts dans la bataille, de façon à pouvoir continuer à avancer vers la porte-entrouverte, à l'est, tout en protégeant leurs flancs des autres forces des gobelins qui gagnaient du terrain, aux deux extrémités de l'avenue des Rois. Les fées possédaient l'avantage du vol, mais les gobelins parvenaient fréquemment à les faire s'écraser avec leurs armes épouvantables qui projetaient des lames dans les airs avec une précision meurtrière.

De brèves lueurs de lumière vive apparaissaient à répétition sur le flanc est, où se déroulait une escarmouche. Théona se rendit compte que Gaius et Treijan faisaient tout ce qu'ils pouvaient pour atteindre la porte et la refermer afin de stopper le flot de guerriers gobelins qui saignait leurs forces goutte après goutte.

Elle ferma les yeux. *Je vous en prie, Hrea, montrez-nous la voie.*

C'est alors qu'elle entendit le grondement grave et bruyant d'un grand cor.

Meklos recula de quelques pas, fortement impressionné. Les profondes vibrations émises par le cor ébranlaient les pierres sous ses pieds. Le temple tout entier semblait résonner, l'amplifiant le son et y ajoutant son grain de sel mystique dans un geste de solidarité. Meklos avait relâché l'instrument depuis un moment, mais le son ne cessait de s'élever, et il devenait de plus en plus fort.

L'île elle-même se mit à trembler.

Le roi Pe'akanu, dont le visage était barbouillé de suie en guise de peinture de guerre, regardait avec colère la rangée de titans qui s'approchait d'eux à grandes enjambées. Ses yeux étaient rougis par l'absence de sommeil. Il avait lancé un appel aux guerriers de toute l'île afin que tous la défendent contre les démons. Plusieurs arrivaient en provenance des cités les plus lointaines de son royaume, mais les routes étaient longues. Il avait déjà donné ses totems – les symboles de ses fonctions et de son pouvoir – à un messager, afin que son frère à Omanahue-Re puisse continuer le combat lorsque Pe'akanu aura rejoint la maison de son père dans les étoiles. Il quitterait l'île avec honneur, car cela faisait maintenant trois jours qu'il combattait avec les guerriers de son frère, ayant tué des centaines de démons avec ses armes, et parfois même, de ses propres mains. Il se tenait à présent au sommet d'une crête qui donnait sur une vaste prairie, et ses guerriers étaient disposés à ses côtés sur toute sa longueur. Chaque guerrier balançait sa massue en l'air avec décontraction, un dragon domestique perché sur l'épaule. Ils n'attendaient plus que les démons et leurs géants métalliques maudits atteignent le bas de la crête pour fondre sur eux.

Le monstre de fer en tête de file s'arrêta dans un grincement métallique devant un ruisseau qui traversait le champ, attendant que ses quatre semblables le rattrapent. Le déplacement des démons verts faisait bouger les herbes de la prairie.

Pe'akanu leva sa main gauche, tandis que sa main droite balançait sa masse de guerre de plus en plus vite.

C'est alors qu'il entendit le son.

Les monstres au creux du ravin s'arrêtèrent et tournèrent la tête pour faire face au son qui déboulait sur eux depuis le lointain.

«La voix de Rhai-Kuna!» murmura le roi, tout étonné. «On a fait sonner la voix!»

L'homme métallique se tourna immédiatement et se mit à courir à très grandes enjambées et à une vitesse si grande que des pièces se détachaient de ses épaules. Un bras entier tomba sur le sol, mais la créature ne ralentit pas son allure, poursuivant sa retraite à toute vitesse.

Les quatre autres géants se tournèrent également avec leur chef, et se mirent à sa poursuite de façon incertaine.

«La Voix a sonné!» cria Pe'akanu avec toute la fureur contenue dans sa voix. «Levez-vous, guerriers de Rhai-Tuah! La voix a sonné!»

Les guerriers poussèrent un grand cri de gloire, et leur magie accumulée déferla devant eux alors qu'ils chargeaient vers le bas de la pente. Les esprits de leurs ancêtres prirent forme et chargèrent avec eux.

Les démons verts rompirent soudainement les rangs et s'enfuirent en poussant des cris aigus à la suite de leurs géants métalliques, qui les avaient abandonnés.

«La Voix a sonné!» cria Pe'akanu de toute la force de ses poumons.

Le son d'un grand cor fit trembler la place.

«Qu'est-ce que c'était que cela?» cria Gaius en retirant une des étranges armes de la main inerte d'un gobelin. Un autre gobelin sauta par-dessus les pavés que Gaius avait par magie fait s'élever en barricade, et retomba sur le barde avant que celui-ci puisse lever l'arme. La créature entoura de ses mains incroyablement fortes la gorge de Gaius. Le barde eut une vision confuse de la créature qui le regardait en souriant de ses dents acérées, puis la tête disparut et la prise se relâcha.

Treijan se tenait au-dessus de lui, une hache ensanglantée entre les mains. «Je n'en ai aucune idée», dit Treijan en levant de nouveau sa hache tandis que deux autres ennemis se préparaient à sauter sur lui. Toutefois, trois fées descendirent du ciel en piqué et les entraînèrent dans les airs, avant de les laisser chuter au sol d'une hauteur de trente pieds.

Gaius se démena pour se remettre debout tandis que son esprit cherchait un nouveau lien dans le royaume du rêve. Les liens étaient de plus en plus ténus et difficiles à établir. «Peu importe ce que c'était, j'espère seulement que c'était un bon signe – je ne sais pas pendant combien de temps encore je pourrai tenir.»

«*Je* vais très bien.» Treijan sourit et jeta un coup d'œil à Arryk qui se tenait à côté de lui. Le fée écarta les doigts devant lui et projeta de la lumière brûlante sur le mur de gobelins qui s'approchait d'eux; tous ceux qui furent touchés s'effondrèrent. «Il faut que ça change. Si nous ne parvenons pas à avancer et à fermer cette porte, nous serons morts.»

Gaius entendit un cri abominable au-dessus de sa tête. Il leva les yeux et trembla. «Nous serons peut-être morts de toute façon!»

Meklos s'avança au bord du sommet de la pyramide et retint son souffle.

Un dragon plus grand encore que tout ce qu'il avait pu voir, et même que tout ce dont il avait entendu parler, planait au-dessus de la place des Esprits. Ses grandes ailes étaient presque deux fois plus larges que la place elle-même, et sa masse se déplaçait avec une grâce que ne laissait pas supposer sa taille. Les membranes entre les veines de ses ailes étaient tachetées et usées, tandis que les cornes de son imposante tête étaient longues et érodées, et se repliaient tels deux grands crochets de chaque côté de ses yeux. Les écailles multicolores de son corps avaient perdu leur luminescence, mais ses hanches étaient encore manifestement puissantes, et ses yeux semblaient infiniment profonds.

Des yeux qui regardaient l'aboth.

Meklos attendait le dragon sans bouger. Une partie de son esprit lui criait bien fort d'agir, de faire ce qu'il avait appris et de mater le dragon avec le pouvoir de sa magie, ou de trouver une arme avec laquelle il pourrait vaincre son ennemi.

« Je ne peux l'obliger à agir selon ma volonté », dit-il au vent qui l'entourait.

Meklos ouvrit les bras tandis que le dragon planait au-dessus du palais en ruines et hurlait à en faire vibrer le mortier entre les pierres des bâtiments de la cité encore debout. Ses serres, tachées et tranchantes comme des rasoirs, étaient étirées depuis ses griffes avant et se tendaient vers lui.

Meklos attendit.

Le dragon se posa sur le côté de la pyramide en gradins, secouant la structure et faisant presque perdre pied à Meklos. L'imposante tête du dragon se tendit vers l'avant, les lèvres retroussées sur de vieilles dents jaunies, et les yeux insondables s'ouvrirent tout grands.

Meklos était un parleur de dragon – alors il parla.

« Un dragon ! Par les dieux ! » jura Treijan. « Ce monstre est énorme ! Qu'est-ce qu'on fait, maintenant ? »

« Les gobelins », dit Gaius d'une voix haletante. « Ils fuient. Je ne crois pas qu'ils apprécient le dragon plus que nous. »

Le fée parla d'une voix pareille à un vent d'hiver par une journée grisâtre.

« Arryk veut savoir ce que c'est », dit Treijan, étonné. « Apparemment, il n'y a pas de dragons au royaume des fées. Qu'est-ce qui se passe ? »

Rhai-Kuna était un vieux dragon, comparé aux autres de sa race, et sa compréhension du parleur de dragon n'était pas aussi bonne que celle d'autres dragons qui avaient plus d'expérience en la matière. Les voies des dragons étaient étranges, et leurs pensées n'étaient pas celles des hommes, quoique Rhai-Kuna avait développé des sentiments envers les gens de son île qui s'apparentaient à de la tendresse, puisqu'ils avaient toujours été vraiment gentils avec lui. Par-dessus tout, il s'opposait à l'invasion de sa paix par des gens qui feraient du mal à lui ou à son île. Il réfléchit donc aux mots de la créature qui avait fait sonner la Voix pour le sortir de sa quiétude. Bien qu'il ne parvînt pas à comprendre tout ce que l'homme lui disait et qu'il ne fût pas vraiment ému par ce qu'il comprenait, Rhai-Kuna savait que la paix de son île était menacée et que son bien-être serait diminué jusqu'à ce que cette menace cesse.

Il ne comprenait pas les voies des humains, alors il ne comprit pas ce qui devait être fait. Cependant, une pensée lui vint à l'esprit comme une voix lointaine, et ce fut la seule chose qu'il comprit clairement.

Cette petite créature insignifiante et inoffensive savait quoi faire, même si lui, le grand Rhai-Kuna, ne le savait pas.

Le dragon inclina donc la tête et incita Meklos, à sa grande surprise, à grimper entre ses grandes cornes courbées.

Cachée derrière son pilier, Théona regarda le dragon s'envoler du temple et tournoyer dans le ciel. Il contourna l'arrière de la pyramide avant de réapparaître au-dessus du palais. Ses ailes battaient l'air avec une force telle que de la glace et des pierres volaient dans son sillage.

Tous ont choisi leur route, pensa Théona. *Et je dois maintenant emprunter la mienne.*

Les gobelins fuyaient déjà le monstre qui se ruait sur eux, s'entassant par-dessus leurs propres morts ainsi que les cadavres de fées, et bousculant leurs propres troupes, derrière eux. Les titans, à l'extrémité de la place, maintenant au nombre de six, se balançaient sur leurs pieds de manière hésitante. Le plus grand d'entre eux, dont les bannières étaient tout enchevêtrées, fit un geste énergique de ses bras dépareillés, leur indiquant de demeurer sur place.

En proie à la panique, les fées dans les airs s'élancèrent comme des flèches et plongèrent à la recherche d'un abri alors que l'énorme créature fonçait vers eux, la bouche grande ouverte pour aspirer une effroyable bouffée d'air dans ses poumons.

Le souffle du dragon jaillit de sa gueule ouverte, un brasier tel que la flamme était bleue sur plus de cent pieds. Les gobelins qui se trouvaient dans la trajectoire de la flamme explosèrent, leurs organes se mirent à bouillir puis se carbonisèrent en un instant, et leurs chairs furent réduites en cendres. Le dragon fit osciller sa tête de gauche à droite, et son souffle recouvrit la place d'une flamme meurtrière.

Les gobelins qui se trouvaient au nord et au sud de l'avenue se fondirent en une foule qui fuyait le centre de la cité. Voyant cela, les fées, jusque-là encerclées, se réjouirent et se rassemblèrent depuis leurs barricades et s'élevèrent dans les airs, puis lancèrent la charge sur la place couverte de cendres en suivant le trajet dégagé par le dragon qui volait devant eux.

Le dragon colossal cracha ses flammes en direction des titans à l'extrémité de la place.

Théona prit une grande inspiration.

L'heure était venue.

Elle bondit depuis l'arrière du pilier, descendit les marches à la volée, puis traversa la place en courant à perdre haleine.

PETITS SACRIFICES

 eklos, fermement accroché aux cornes rugueuses du vieux dragon, clignait furieusement des yeux sous la morsure du vent. Il avait demandé l'aide de Rhai-Kuna, et, lorsque le dragon avait répondu à sa demande, son cœur d'aboth en avait presque été brisé de joie. Maintenant qu'il chevauchait sur le dos du vieux dragon, dont la tête s'agitait entre ses jambes pliées tandis qu'ils fonçaient tous les deux au cœur de la bataille, il commençait à se demander s'il n'avait pas commis une erreur.

Il garda toutefois cette pensée pour lui. Rhai-Kuna ne le comprenait pas suffisamment, alors il était important de veiller à ce qu'aucun doute humain ne puisse filtrer entre ses mots. Meklos parla au dragon en plein vol avec des termes simples, émettant maladroitement des cliquetis et des sifflements dans la langue des dragons. Il espérait arriver à se faire comprendre malgré ce vent rugissant et en dépit de ce qui était probablement un atroce accent humain. Il lui était néanmoins agréable d'entendre sa propre voix, ce qui confirmait que le sang coulait encore dans ses veines. *« Seigneur Rhai-Kuna ! Géant fer forgé frapper*

plusieurs de plein fouet ! Géant voleur de vies ! Faire brûler à mort ! »

Les flammes montèrent devant lui lorsque le dragon passa tête baissée au-dessus de la place.

Une rangée de titans était alignée à l'extrémité de la place, juste au pied du temple de la Mer. En se rapprochant d'eux avec Rhai-Kuna, Meklos remarqua qu'un des géants de métal portait plusieurs grandes bannières au niveau de l'épaule. Il était plus grand, et semblait se positionner derrière les quatre autres.

Rhai-Kuna redressa son souffle de feu et le projeta avec force contre la poitrine du titan le plus proche. Le métal, chauffé à blanc, devint lumineux puis fondit comme du beurre par une chaude journée. Un instant plus tard, la créature s'effondra. Ses bras et ses jambes explosèrent en se détachant du torse fondu et percutèrent le sol. Les jambes de la créature chancelèrent pendant un moment, avant de s'écrouler à leur tour sur le sol pavé de la place.

Les yeux de Meklos s'agrandirent. Les titans tendaient les bras en l'air pour saisir le dragon et de le faire descendre du ciel, alors l'aboth hurla au dragon d'effectuer un virage. L'imposante tête du dragon se souleva sous lui tandis qu'ils s'élevaient tous les deux dans le ciel, propulsés par cet élan.

Le dos appuyé contre la porte changeante et scintillante, Dregas regardait par-dessous son bandage, d'un œil craintif, la procession de fées Sharajin qui en sortaient et qui s'élançaient droit devant. Le sol bougeait sous ses pieds, et du sable ainsi que de la poussière lui tombaient dessus depuis le plafond. De temps à autre, de grands pans du toit s'écrasaient sur le sol avec force.

Il n'avait aucune intention de suivre qui que ce soit dans la bataille, et, bien qu'il n'eût que la plus vague des notions de l'endroit où menait cette porte, il savait qu'il voulait être n'importe où, sauf ici.

Alors, il attendit, essayant de se faire discret, pendant que les créatures ailées à l'air grave défilaient devant lui à travers la salle sur le point de s'écrouler, en route vers leur destin. Les familles commencèrent enfin à arriver, des enfants apeurés dont s'occupaient leurs mères en enroulant leurs ailes autour d'eux d'une manière protectrice. Ces groupes remplirent la salle jusqu'à ce qu'elle déborde, cherchant à s'abriter du mieux qu'ils purent, ce qui força plusieurs autres créatures maintenant dans les secteurs les plus exposés à trouver d'autres refuges dans le bâtiment, malgré les secousses et l'effritement des murs.

Dregas décida qu'il en avait assez. Une porte menant *n'importe où* valait mieux que de rester ici.

C'est ainsi que Dregas, profitant d'un temps mort entre deux arrivées de familles, se glissa furtivement de l'autre côté de la porte.

Des larmes coulèrent des yeux de Meklos tandis qu'il clignait furieusement des yeux contre le vent. Il serra la corne gauche dans ses bras et glissa la tête derrière elle, espérant ainsi pouvoir soustraire son visage au contact direct du vent. Lorsqu'il regarda la bataille, à mille pieds d'altitude, les rues de la cité s'étalèrent sous ses yeux. C'était merveilleux à voir ! Il avait devant lui un point de vue dont peu de généraux avant lui avaient pu bénéficier. Il lui semblait qu'il regardait un champ de bataille en modèle réduit. Il pouvait voir les gobelins sur l'avenue des Rois tenter de se regrouper et de se cacher au moment où les fées les repoussaient vers le nord. D'autres fées continuaient de sortir en masse du palais, mais il lui était possible de voir, de là-haut, que leurs effectifs n'étaient plus aussi nombreux.

C'est derrière la rangée de titans, au coin sud-ouest du temple de la Mer, que Meklos vit la porte pour la première fois. La porte-entrouverte des gobelins ! Une fois encore, d'autres guerriers gobelins en sortirent au pas de charge, déferlant vers le nord en direction des titans. Ce flot de gobelins qui semblait intarissable fonçait directement vers la place, où Treijan, Gaius ainsi que les fées chargeaient, par-delà les débris et les barricades, vers les titans. Meklos pouvait voir qu'un accrochage avec les renforts gobelins était imminent.

Treijan doit fermer la porte, pensa Meklos, *ou les victoires seront de courte durée*. Le dragon pouvait s'occuper des titans un par un, mais Treijan et les fées seraient alors perdus.

Meklos cria une fois de plus en utilisant les cliquetis de la langue des dragons. Rhai-Kuna répondit, tourna sur sa gauche et plongea vers la place en effectuant une grande courbe majestueuse.

Treijan et Gaius fonçaient à toute vitesse le long de la place, Arryk volant à leurs côtés. Sur leurs talons se trouvaient toutes les autres fées, dont les cris ressemblaient à un ouragan.

Le dragon s'éleva au-dessus des titans restants, et Gaius vit alors que deux des géants de métal manquaient à l'appel. L'un d'eux reposait aux pieds de ses frères, ses morceaux éparpillés encore fumants, tandis que l'autre titubait vers l'arrière, car le bras du titan explosé lui avait traversé le milieu du corps. Gaius le regarda tourner vers le sud, chancelant maladroitement vers…

La porte-entrouverte des gobelins ! Gaius pouvait maintenant la voir, en arrière du titan en fuite : un ovale de lumière changeante installé au centre des ruines de la bibliothèque. C'était extraordinaire ; il n'était pas question ici d'une surface sombre ondulée comme celle des portes des bardes, mais bien d'une fenêtre ouverte sur un autre monde. Le panorama offert à ses yeux le choqua. Il pouvait voir une immense armée, sur une vaste plaine au pied d'une lointaine chaîne de montagnes, prête à être lâchée sur son monde.

Ils me voient, eux aussi, comprit-il, au moment précis où un flot de gobelins traversa la porte au pas de charge et en criant sauvagement. Les quatre monstres métalliques restants se tenaient entre eux et la porte, les bras levés, prêts pour la bataille.

« Treijan ! » cria Gaius. « Que faisons-nous ? »

« N'arrête pas de courir ! » lui répondit Treijan en criant lui aussi.

« *Vers* les géants ? » glapit Gaius.

« C'est notre seule chance », dit Treijan, le regard tourné vers la porte.

Des éclairs jaillirent des bras des titans et ratissèrent les fées. Des dizaines de fées tombèrent mollement du ciel, écrasant d'autres fées au passage, et percutèrent le sol avec un bruit sourd.

« N'arrête pas de courir ! » cria Treijan.

« Cela ne fonctionnera pas ! » cria Gaius tout en courant. « On nous attaque sur le flanc depuis la porte ! »

Avant même de voir quoi que ce soit, il entendit le grondement du dragon qui approchait derrière lui. Les fées s'éparpillèrent une fois de plus autour de lui, mais Gaius n'osa pas se retourner pour voir.

Meklos prit une grande inspiration, surpris de son propre calme. Le dragon volait bien plus rapidement que lors de leur premier passage au-dessus de la place. Il pouvait infliger énormément de dommages aux guerriers, songea l'aboth, alors il en profita pour attirer l'attention de Rhai-Kuna sur les gobelins qui franchissaient en grand nombre la porte-entrouverte. Cela signifiait qu'ils devraient voler en plein devant les géants restants, qui tenteraient certainement de les décrocher du ciel. Que les monstres y parviennent ou pas, Meklos n'était certain que d'une chose : il n'en sortirait probablement pas vivant.

Les dragons font cependant des choses pour des raisons qui leur sont propres, et ce qui se passa ensuite choqua et étonna Meklos, en dépit des années qu'il avait passées à étudier ces créatures et à apprendre leurs façons de faire.

À la dernière minute, le dragon leva ses puissantes griffes avant et agrippa Meklos pour l'ôter de sa tête et le placer dans son immense poing. Le dragon, dont les membranes qui lui servaient d'ailes tremblaient à cette vitesse vertigineuse, rentra la tête dans les épaules et s'élança de tout son poids sur les titans restants.

Arryk leva les yeux au moment précis où le dragon percutait de plein fouet les titans. La collision fit imploser les deux premiers, ce qui ne sembla pas influer sur l'élan de la massive créature. Puis tous les titans de même que le dragon disparurent dans une explosion de gravats et furent projetés au beau milieu des pierres du temple. Ce dernier s'effondra sous l'impact, et ses pierres s'abattirent sur les titans comme sur le dragon.

« Les gobelins ! Ils sortent de cette porte ! » cria Arryk aux fées stupéfaites qui l'entouraient. « Chargez ! Nous devons fermer la porte ! »

Il s'élança avec Treijan et Gaius, mais plusieurs des fées volèrent devant eux en piquant vers la rangée des gobelins. Cela n'empêcha pas les gobelins d'avancer comme s'ils étaient animés d'un zèle aveugle. Arryk puisa à l'intérieur de lui-même au moment où les gobelins chargeaient, à la recherche de la magie – à la recherche de Treijan dans la Cité des rêves.

Skramak se hissa hors de la tête éclatée de son titan et se dressa, chancelant, au sommet des décombres qui l'entouraient. Il était étourdi par le choc, mais, comme il était d'abord un guerrier, il baissa les yeux pour examiner ce qui se transformait rapidement en une mauvaise situation.

Sa rangée de titans avait été écrasée par une énorme bête volante, et les dieux ailés s'étaient finalement frayé un chemin en combattant jusqu'à sa porte.

Son esprit était dans tous ses états, mais il parvint à saisir au vol une pensée claire : il devait protéger la porte.

Il se mit à avancer lentement sur le côté du temple détruit, mais il pressa rapidement le pas, motivé par cette seule pensée. Il parvint aux fondations du bâtiment en ruines, et là, dans le poing raidi d'un guerrier gobelin mort, se trouvait un propulseur de lames.

Skramak tendit la main vers le sol et libéra l'arme de la poigne du gobelin mort. Le pauvre idiot n'était même pas parvenu à tirer, observa Skramak avant de se retourner en direction de la porte.

Trois des dieux se trouvaient derrière la ligne de combat et dirigeaient les autres devant eux. Les *chefs*. Skramak hocha la tête, ayant reconnu un visage par trop familier.

Il leva son arme et s'avança sans bruit derrière eux.

Debout sur une butte proche de la porte, Lunid se tordait les mains. La quête pour retrouver Urk ne se passait pas du tout comme elle l'avait envisagé. Les titans, dont un flux incessant revenait se faire réparer deux jours après avoir franchi la porte, explosaient maintenant juste sous ses yeux de l'autre côté.

Elle était épuisée d'avoir passé des journées angoissantes près de la porte-entrouverte, mais elle n'osait pas partir – Urk pouvait être retrouvé à tout moment. Elle voulait être là pour lui expliquer pourquoi il ne devrait jamais plus la quitter.

Ce fut après que le monstre volant eut percuté les titans, les envoyant brutalement contre le bâtiment, qu'elle remarqua à travers la porte une armée de dieux en approche. Des créatures ailées, tout comme Urk ! Peut-être qu'un des dieux saurait où le trouver.

Elle jeta un coup d'œil autour d'elle. Les généraux se faisaient réprimander par Thwick, qui tentait de les enjoindre à

envoyer plus de guerriers par la porte. Personne ne la remarque-
rait, pensa-t-elle. Personne ne la remarquait jamais.

Lunid descendit en courant la pente qui menait vers la porte
entourée de monde.

Treijan jeta un coup d'œil derrière lui au moment précis où le
gobelin borgne projetait sa première lame. Le barde leva la main
d'instinct et congela un arc d'air entre lui et la lame, faisant
dévier le projectile. Trois autres lames se succédèrent rapidement, mais Treijan tendit le bras et, d'un claquement de doigts,
souleva le gobelin borgne dans une bulle magique.

La malveillante petite créature saignait d'une blessure à la
tête et émettait des cris incohérents. Treijan éclata de rire intérieurement. « Eh bien, mon petit, tu sembles plutôt en colère
d'être ici tout seul ! » Il fit un pas vers le gobelin qui flottait à
l'envers dans la bulle et qui tentait encore d'essayer son arme
sur le prince. « Hé ! Gaius ! Regarde un peu ce que… »

Le visage de Treijan se figea.

« Gaius ? »

Treijan s'écroula dans un soubresaut, son corps se tortillant
de manière insensée sur le sol.

La bulle qui maintenait le gobelin borgne prisonnier avait
disparu.

Tout à coup, la magie déferla dans le corps d'Arryk avec une
force qu'il n'avait encore jamais ressentie. Il comprima l'air
autour de lui et le fit exploser en une vague brumeuse, la faisant
progresser jusqu'à la ligne des escarmouches. Les gobelins
devant lui s'envolèrent, soufflés du pavé comme des feuilles
mortes par une violente rafale d'automne. Le départ des démons
laissa la voie libre jusqu'à la porte.

« Treijan ! Un chemin est dégagé ! » cria Arryk, peinant à
maîtriser le pouvoir de la magie qui coulait en lui. « Nous avons

réussi ! Ils ne peuvent plus nous arrêter, à présent ! Ferme la porte, Treijan ! Treijan ? »

Les guerriers gobelins se pressèrent autour de Gaius, tentant de le repousser, lui et un groupe de fées, contre la rangée de bâtiments détruits.

Gaius répliqua, tentant d'élever un mur autour de lui à partir duquel il pourrait se défendre et attaquer, mais les gobelins se déplaçaient trop rapidement. Bientôt, il se retrouva encerclé par ces créatures, mais continua de les fouetter avec des éclairs de lumière meurtrière.

« Treijan ! » cria-t-il. « Où es-tu ? »

Lunid s'était aplatie contre le côté de la porte, et regardait avec étonnement l'armée des gobelins battre en retraite ; ils refusaient de franchir la porte pour aller se battre. Des dizaines d'autres gobelins revenaient du combat un peu moins en ordre : catapultés à travers la porte, ils retombaient sur leurs propres troupes.

Elle se tourna et jeta un coup d'œil, et découvrit soudainement la raison de ces catapultages. Urk ! Son dieu ailé adoré était là, dans la rue, et repoussait l'armée. Les larmes montèrent aux yeux de Lunid. *Il tente de revenir vers moi,* pensa-t-elle. *Il avance dans ma direction et il tente de revenir vers moi !*

La porte était dégagée, à présent, et l'armée reculait de manière incertaine.

Lunid ne pouvait plus attendre.

Elle franchit la porte.

Théona traversa la place en courant. Elle ne pensa pas aux corps sur lesquels elle trébuchait ni à la cendre qui la suffoquait. Elle pouvait seulement voir Treijan, allongé et impuissant sur le sol du temple en ruines, et le gobelin borgne qui se tenait à côté de lui, l'arme levée.

Elle l'avait vu dans sa vision des chemins de Treijan – et c'était la chose la plus odieuse qu'elle avait pu voir. Elle courait en sachant ce qui allait se produire – en redoutant ce qui allait se produire.

L'arme était maintenant positionnée à moins d'un pied du corps frémissant de Treijan, et le gobelin borgne pressa la détente.

Arryk rejeta la tête en arrière, et il tomba à genoux. La magie qui coulait en lui avec une force déchaînée venait soudainement et scandaleusement de s'arrêter. Le pouvoir de la magie rebondit dans son âme.

Lunid vit Urk s'écrouler au sol et courut vers lui avec encore plus de détermination, ignorant la bataille qui faisait rage autour d'elle entre les dieux et les guerriers de Skramak. Urk avait besoin d'elle. Urk était revenu pour elle, et c'était maintenant le moment où elle pouvait tout remettre en place. Elle prendrait soin de lui, et ils seraient toujours ensemble, car elle ne laisserait plus jamais rien lui arriver.

Elle avait presque rejoint son dieu ailé adoré lorsqu'elle vit Skramak debout au-dessus d'une des créatures sans ailes du rêve. Une expression abominable sur le visage, il fit tourner son lance-lames et visa Urk.

«Non!» cria Lunid, mais ses mots furent étouffés par les bruits de la bataille. Elle se propulsa vers l'avant. «C'est lui! C'est lui que vous recherchez!»

Skramak ne sembla pas la voir, et il pressa de nouveau la détente.

Les six lames projetées de l'arme fendirent l'air en sifflant.

Lunid sauta entre Skramak et Urk.

Skramak fut saisi d'horreur lorsque les lames s'enfoncèrent dans la jeune gobeline.

Avec un intense grondement, la porte-entrouverte des gobelins s'effondra.

Les gobelins paniquèrent lorsque la porte s'effondra. Ils prirent la fuite dans les allées de la cité, disparaissant de la place. Gaius fut soudainement libéré, et c'est là seulement qu'il vit Treijan, immobile sur le sol. Un gobelin se tenait au-dessus de son cousin, brandissant une arme.

Arryk était agenouillé tout près de là, sur la place, et regardait, horrifié, la petite gobeline qui était morte à ses pieds. Il leva les yeux et vit le démon borgne, qui souriait avec mépris derrière son arme. Les fées resserrèrent les rangs autour du gobelin, mais furent découragées à la vue de l'arme qu'il avait tenté d'utiliser sur Arryk.

Gaius courut rapidement vers Treijan, mais lui aussi s'arrêta lorsqu'il vit le gobelin déplacer son arme et le regarder droit dans les yeux. Théona s'approcha elle aussi du prince, mais fut arrêtée par le gobelin, qui la mit en joue à son tour.

Un calme étrange tomba sur la scène ; ils n'entendaient plis rien d'autre que les pierres du temple détruit, qui cessaient petit à petit de tomber.

« Kree-an tagakh ! » hurla la créature derrière son arme.

Gaius leva les mains, paumes en avant, et déglutit avec difficulté. « Je ne te comprends pas, espèce de petit monstre épouvantablement ignoble. »

« Ne le provoque pas », dit rapidement Théona.

« Kree-an tagakh echuk ! » dit énergiquement le vieux gobelin, en désignant de son arme l'endroit où la porte se dressait.

Arryk parla lentement, mais calmement. « Je ne peux pas te comprendre. »

Treijan se mit soudainement à crier, en proie à des douleurs atroces.

L'œil du gobelin se plissa tandis qu'il montrait les dents.

À cet instant, le gobelin rejeta la tête en arrière et laissa tomber son arme. Il poussa un grognement puis tomba face contre terre. Son dos était criblé de lames.

La silhouette couverte de poussière de Meklos émergea derrière le corps inanimé du gobelin. Il avait entre les mains un lance-lames gobelin.

Théona s'élança pour retomber près de Treijan. Elle se mit aussitôt à lui parler. « Tout va bien, seigneur. C'est fait. »

Gaius était aux aguets, surveillant la progression de son vieil ennemi.

« Le gobelin disait qu'il voulait que vous ouvriez de nouveau la porte », dit Meklos.

« Tu arrivais à le comprendre ? » dit Gaius avec méfiance.

Meklos soupira. « C'était mon lien dans le rêve. Je devrai maintenant en trouver un autre, j'imagine – mais j'en suis arrivé à croire que plusieurs choses dans ma vie avaient besoin d'être reconsidérées. »

L'aboth s'agenouilla près de Treijan, et les bracelets qu'il avait aux poignets tombèrent aussitôt. Gaius s'avança pour rejoindre Théona et Meklos, qui s'occupaient tous deux de son ami.

Treijan leva les yeux et tenta d'ajuster son regard. « Hé, Meklos ! Où est ton... ton dragon ? »

« Juste là. » Meklos, les yeux remplis d'inquiétude, pointa du pouce le temple détruit. « Ne bouge pas de là. Je te le montrerai plus tard, si tu le souhaites. »

« Je pense – je pense que je vais devoir me fier à ta parole pour cela », dit Treijan en grimaçant. Il tourna la tête, sa vision rendue floue. « Théona ? Est-ce que tu es là ? »

« Oui, seigneur », répondit-elle.

« Est-ce que j'ai fait le bon choix ? » demanda-t-il. « Est-ce que c'était la bonne voie à suivre ? »

« Oui, seigneur. » Les larmes de Théona coulèrent sur ses joues. « Tout ira bien, maintenant. »

«Donne-moi ta main», dit Treijan, qui respirait de plus en plus vite.

«Treijan, je…»

«Vite!»

Elle prit sa main ensanglantée. Il l'agrippa et la tira vers sa poitrine, la faisant reposer sur son jeton.

«Cela ne se termine pas ici», lui dit-il. «Tu ne peux pas laisser cela se terminer ici. Va jusqu'au bout pour moi – va jusqu'au bout pour nous tous.»

Le dos de Treijan s'arqua brusquement, et sa main glissa de celle de son épouse.

Théona ferma les yeux et s'effondra vers l'avant.

Lorsqu'elle releva enfin la tête, Gaius prit une brusque inspiration.

Le jeton de Treijan était maintenant autour du cou de Théona.

LA PIERRE DE CHANT

e Grand Trésorier Thwick fixait la porte brisée, incapable d'en détourner le regard. Lunid, sa bricoleuse émérite la plus rentable, se trouvait de l'autre côté – quelque part – tout comme son plus grand protecteur, Dong Mahaj Skramak. La porte était en ruines, et il ne savait pas comment la rouvrir.

Lunid pourrait la réparer, pensa-t-il. Elle était juste de l'autre côté, et elle s'occuperait de tout. Tout ce qu'il devait faire était d'attendre un moment.

La Grande Armée de la Conquête, privée de son Dong unificateur, se divisa rapidement en factions sous le commandement de chacun des généraux survivants. Le lendemain matin, ils s'attaquaient déjà les uns les autres. Plusieurs d'entre eux décidèrent d'attaquer la cité ogre d'Og – foyer de l'académie du Grand Trésorier – sur un simple coup de tête. Les ogres répondirent volontiers à cette attaque, eux qui attendaient impatiemment un prétexte pour repartir en guerre.

Thwick ignorait tous ces développements, occupé qu'il était à observer la porte en pièces détachées. Lunid s'en occuperait. Lunid rouvrirait la porte, et tout redeviendrait comme avant. Thwick attendit pendant très longtemps.

* * *

Hueburlyn était debout au milieu des ruines de la grande salle du palais. L'espace était vide ; les fées avaient toutes quitté le bâtiment, et personne n'était revenu. Le plancher ne tremblait plus, et les murs avaient cessé de bouger. Tout ce qu'il restait était un profond silence, les ondulations de la porte-entrouverte, et le centaure qui montait la garde.

Hueburlyn décida de croire que les fées avaient gagné leur bataille, parce que personne n'était revenu. Il jugea que ce silence était un bon signe.

Il savait à présent que c'était à son tour d'accomplir son devoir – peut-être le devoir le plus important d'entre tous. Il croyait que les dieux l'avaient introduit dans le monde pour cette raison, et il n'échouerait pas maintenant.

« La fin de l'un est le commencement de l'autre », se dit-il.

Le centaure se tourna et repassa par la porte-entrouverte.

Dregas n'en revenait pas de sa chance.

Il ne savait pas ce qu'était cet endroit, mais ces démons ailés devaient être les créatures les plus idiotes qui soient. Elles semblaient avoir abandonné tout ce qui avait de la valeur dans leur hâte d'aller vers leur propre mort. La richesse d'une nation entière, déposée juste ici de l'autre côté de la porte, et ils l'ont abandonnée comme s'il s'agissait de pierres ou de poussière.

Il fallait en convenir, le passage par cette porte particulière était réellement épouvantable. Peut-être l'était-ce suffisamment pour dissuader indéfiniment la plupart des gens de voyager de nouveau par une des portes. En arrivant de l'autre côté, le nain sentit toutefois l'odeur de l'or, des pierres précieuses et de suffisamment de parures pour parvenir à satisfaire ses désirs apparemment sans limites.

Il pouvait voir des formes lumineuses à travers l'opacité du verre noir qu'il avait devant les yeux, mais ses sens de l'odorat, du goût et du toucher lui étaient plus utiles pour évaluer ce qui se trouvait autour de lui. Dans les premiers instants suivant son arrivée, il avait pu entendre le son des fées qui cheminaient encore par la porte, mais le calme régnait depuis un certain temps, maintenant, et le seul bruit qu'il entendait à présent était celui de ses propres pas traînant d'un magnifique tas à l'autre. C'était la plus grande trouvaille de toute sa vie ; peut-être même qu'aucun nain n'en avait jamais fait de semblable. Il se mit à penser que tout cela serait suffisant pour se faire respecter dans le monde des nains et faire en sorte que son passé – de même que tous ses faux pas à venir – soit oublié.

Il se déplaçait entre les tas avec aisance et décontraction, demeurant bien caché aux yeux des fées qui poursuivaient leur avancée déterminée, tout en ramassant leurs plus belles richesses et en les fourrant presque machinalement dans les sacs attachés à sa ceinture. Il était si décidé à inventorier les sculptures dorées et si richement ornées – et à recalculer leur valeur en se basant sur leur poids brut une fois fondues – qu'il fut surpris lorsqu'il entendit un épouvantable fracas se répercuter sur les murs de la cité noire. Il fut encore plus surpris en entendant les bruits de pas lourds qui suivirent.

« Bonjour ? » dit doucement Dregas.

Les bruits de pas s'éloignèrent, avant d'être remplacés par le son d'une lointaine trompette.

« Bonjour ? » dit-il un peu plus hardiment.

Aucun son, à l'exception de celui du vent dans ses oreilles.

Dregas s'avança lentement en direction de la porte, ralenti par le poids de ses poches pleines à craquer. « Peut-être que vieux Dregas repartir, maintenant», se dit-il. «Voir si tout le monde va bien, oh oui.»

Il gravit les marches conduisant à la porte en se dandinant et la traversa.

Il ne se passa rien.

La lumière faiblissante conspirait avec le verre noir pour l'empêcher de voir quoi que ce soit. Il tâta vers sa droite pour trouver le rebord de la porte et, l'ayant trouvé, fit courir sa main sur la surface lisse.

«Aïe!» Dregas porta rapidement son doigt à sa bouche, et sentit le goût du fer de son sang.

La pierre se terminait par des tessons d'onyx fort pointus.

La porte n'était plus là.

Dregas recula, et la terreur s'accumula à l'intérieur de lui. Il était venu par la porte, et cette porte était maintenant disparue. Il ne savait pas où il était, et il ne pouvait compter sur personne pour le lui dire.

Il s'assit sur les marches et sanglota dans ses larges mains. Il ne remarqua pas que les sons de cor s'intensifiaient et se rapprochaient.

Lorsque le premier dékacien de guerriers kyree pénétra dans la cité, les soldats étaient méfiants et terrifiés. Les guerriers morts de Sharajentis avaient combattu jusqu'au dernier, et lorsqu'ils furent enfin vaincus, sur la douve herbeuse, qui entourait la cité, les portes s'ouvrirent toutes seules. Les guerriers kyree voletaient nerveusement dans les méandres des rues de la Cité des morts, pour n'y être accueillis que par le silence. Ils soupçonnaient un piège : les Sharajin livreraient certainement une dernière bataille féroce avant leur défaite totale et leur mise en captivité. La peur des guerriers grandissait à chaque fenêtre sombre qu'ils dépassaient. Les habitants de cette cité, tous versés dans la magie, devaient assurément avoir préparé quelque chose d'incroyablement abominable. Il n'y avait toutefois personne dans les environs.

Le dékacien Skahk fut le premier commandant à prendre pied sur la place centrale de la cité. Le silence les rendaient nerveux, lui et ses troupes.

«Maître de guerre Khithish!»

Un jeune guerrier kyree s'avança et fit aussitôt le salut militaire.

«À vos ordres, dékacien!»

«Il n'y a *personne* dans la cité?»

«Nous avons un prisonnier, monsieur!»

«Un?» se moqua Skahk. «Dans toute la cité?»

«Oui, dékacien.» Khithish était inquiet. «Nous l'avons trouvé au centre de la cité – un famadorien trapu d'une race que nous n'avons encore jamais vue. Ses sacs étaient remplis d'objets pillés, monsieur.»

«Eh bien, assurez-vous qu'il soit enchaîné pour le retour», dit hargneusement Skahk. «Il nous faut absolument *quelque chose* que l'empereur puisse regarder de haut lors de la parade de la victoire.»

«Je soupçonne qu'il sera heureux de regarder *ceci* de haut», répondit Khithish en désignant de la main les tas d'objets de valeur qui recouvraient de la vaste cour intérieure.

Skahk hocha la tête en réfléchissant à la situation. «La richesse d'un royaume sans avoir eu à le soumettre, hein? Je préfère faire la guerre aux fées.»

«Mais, où pensez-vous qu'ils soient allés, monsieur?» demanda Khithish en vitesse. «Je veux dire, monsieur, pour qu'une nation tout entière *disparaisse...*»

«Laisse les politiciens se charger de ce problème», répondit Skahk avec irritation. «Ce qui importe, c'est que les Sharajentei soient disparus, et toute leur magie vicieuse avec eux. Les autres fées se ficheront bien de savoir où ils sont allés – pourvu qu'ils soient partis!»

* * *

Hueburlyn, perché sur la colline au nord de Sharajentis, regardait tristement la cité.

«Avons-nous échoué?» demanda le satyre qui se trouvait à sa droite.

«Pas échoué», répondit Hueburlyn d'une voix chargée d'émotion. «Nous avons réussi d'une manière inattendue.»

«Les Sharajin ont quitté notre monde, maître Hueburlyn», observa le Mantacorien qui se tenait à la gauche du centaure. «Quel espoir y a-t-il pour nous?»

«Nous aurons notre propre espoir», répondit Hueburlyn. Il mit la main dans le sac qui pendait à son épaule, et en retira quelque chose qu'il tint ensuite dans sa main.

«Qu'est-ce que c'est?» demanda le satyre.

«C'est une pierre de chant», répondit Hueburlyn. «C'est une clef que nous devons garder et protéger du monde jusqu'à ce que le moment soit venu pour les Sharajin de revenir.»

«Et si ce moment ne vient jamais?» demanda le Mantacorien.

«Alors, nous devons porter ce fardeau pour nous-mêmes et nos enfants.»

Sur ces mots, Hueburlyn replaça la pierre de chant avec précaution dans son sac, puis les trois voyageurs se tournèrent se fondirent dans le bois de Margoth.

Rylmar Conlan debout et mal à l'aise sous le soleil matinal, se pencha vers son agent. «Zolan! Est-ce que tu es bien certain que ce message... qu'il provenait bel et bien de ma fille?»

«Oh oui, mon maître!» répondit l'homme, dont les bajoues vert olive tremblèrent lorsqu'il hocha la tête avec vigueur. «Elle est venue me voir la nuit dernière, et, bien qu'elle avait l'air fatiguée, elle n'en était pas moins séduisante, Votre Grandeur, car vos deux filles sont, sans aucun doute, des beautés qui plairaient à quiconque...»

Rylmar se souvint pourquoi il avait envoyé Zolan à Khordsholm et le rappelait si peu souvent.

« Maître Conlan ! »

Rylmar se raidit en entendant le bruit derrière lui, déglutit avec difficulté et se retourna en affichant un visage gracieux. « Seigneur Rennes-Arvad, quel plaisir inattendu. »

« Je doute sérieusement que ma visite puisse être qualifiée "d'inattendue" ou de "plaisir" », répondit Dirc Rennes-Arvad d'une voix basse d'où suintait l'impatience. « Je ne sais pas quel est ce jeu que tu crois jouer, mais si tu t'avisais de jouer contre moi, je peux t'assurer que toi et ton entière et infâme maison serez anéantis ! »

« Seigneur, si c'est votre plaisir, libre à vous d'essayer, mais nous, les Conlan, ne sommes pas reconnus pour disparaître en silence », répondit Rylmar avec des intonations douces et claires. « Toutefois, la vérité est que je n'ai aucune idée de ce dont vous voulez parler. »

« Alors, pourquoi êtes-vous ici, Conlan ? »

Conlan parla encore plus bas. « Un message de ma fille ; Théona rentre à la maison. Et vous, que faites-vous ici ? »

Dirc Rennes-Arvad cligna des yeux.

« Eh bien ? »

« Un message de Gaius », ronchonna le seigneur de l'Empire. « Il dit qu'il ramène Treijan. »

Rylmar prit une rapide inspiration, puis se mit à parler avec vivacité. « Nous avons dit que Valana avait épousé votre fils. L'empire tout entier est au courant ! »

« Tout le monde le sait, *sauf* mon fils », acquiesça Dirc.

« Nous ne devons pas ébruiter la chose, marmonna Rylmar, nous devons garder cela au frais jusqu'à ce que nous puissions trouver quelque chose. »

« Souris, Conlan, dit Dirc, et jette un bon coup d'œil autour de toi. »

Rylmar grimaça un sourire et regarda autour de lui après avoir légèrement hoché la tête. Consterné, il réalisa que la cour de la Citadelle était remplie, tout à fait par hasard, de tous les chefs des familles de haut rang de la cité. Ils étaient rassemblés près de la quarante et unième porte et parlaient de façon amicale, en n'accordant que la plus brève des attentions au chef de la maison de Conlan. Rylmar sourit à chacun d'entre eux à tour de rôle, mais les regarda tous d'un air soupçonneux, de la même façon qu'un mourant pourrait regarder des vautours.

Il était maintenant debout à côté de la porte numéro quarante et un sur la foi d'un message reçu de sa fille, et ce n'était manifestement pas le seul message qui avait été envoyé.

Rylmar se pencha vers le servile Zolan. «Et tu m'as dit qu'ils reviendraient à cette heure-ci?»

«C'est ce qu'elle m'a dit, maître, quoiqu'elle n'offrait que de très vagues réponses à mes questions, tout en insistant particulièrement sur le fait que je devais prendre des arrangements spéciaux pour les portes menant à la cité, ce que j'ai bien sûr fait en son nom, comme je crois que vous auriez voulu que je le fasse, comme si ses mots avaient été entièrement prononcés par vous-même – quoique, si mon maître le souhaite, je pourrais modifier les arrangements, même aussi tard que…»

La porte à pierre de chant résonna d'accords qui se répercutaient entre les pierres. Elle émit une lueur, et une noirceur scintillante et familière s'installa ensuite à l'intérieur.

Rylmar entendit un murmure se répandre dans la foule des grands et des puissants de Calsandria.

La porte émit une nouvelle lueur – et Théona Conlan apparut à la porte.

Ses vêtements étaient dans un état désastreux, barbouillés de cendre et tachés de sang, mais ses cheveux étaient tirés avec soin vers l'arrière, et ses yeux, rougis et baissés avec tristesse, étaient brillants.

«Théona!» s'écria Rylmar en courant vers elle.

Elle le prit chaleureusement dans ses bras, ferma les yeux pendant un moment et laissa une larme couler sur sa joue sale. Elle se recula et regarda le visage de son père avec nostalgie.

« Qu'est-ce qu'il y a, mon enfant ? » demanda doucement Rylmar.

« C'est seulement que – que je vais m'ennuyer de la façon dont les choses étaient avant », dit-elle avec un sourire triste. « Tout ira bien, maintenant, père. Ce sera seulement différent. »

Rylmar la regarda sans comprendre.

« Maîtresse Conlan, dit Dirc en s'avançant vers elle, où est mon fils ? »

Théona se tourna vers le maître de la maison de Rennes-Arvad et le regarda dans les yeux. « Seigneur Dirc... Gaius Petros me suit dans la porte et... et je suis désolée d'avoir à vous transmettre de telles nouvelles. »

« Quelles nouvelles, chère enfant ? »

Théona glissa la main dans sa tunique et retira doucement le jeton de Treijan qui était suspendu à son cou. « Il nous a quittés, Votre Majesté. »

Rylmar s'avança soudainement, en état de choc. « Théona ! Qu'est-ce que tu as fait ! »

Dirc Rennes-Arvad regarda fixement le jeton, les empreintes compliquées de sa maison et les empreintes personnelles de son fils. Il demeura bouche bée pendant un moment. « Non ! Non, cela *ne peut* être vrai ! »

« Je suis désolée, Votre Majesté », dit doucement Théona.

La porte à pierre de chant émit une nouvelle lueur, et un sarcophage de cristal lumineux émergea dans la lumière de la cour, flottant au-dessus du piédestal de la porte. Gaius Petros apparut enfin, les mains sur la surface du cercueil transparent tandis que ce dernier descendait les marches de la plateforme avant de s'arrêter devant un Dirc abasourdi.

Le drapeau de la maison d'Arvad qui était posé sur le sarcophage était replié.

À l'intérieur se trouvait le corps de Treijan Rennes-Arvad, embaumé afin que tous puissent le voir.

Dans la cour, l'assemblée eut le souffle coupé.

Gaius s'avança vers un Dirc ébranlé. «Il est mort courageu-sement, Votre Majesté», dit-il d'un ton lourd. «Il est mort en défendant Calsandria – et l'honneur de votre maison.»

«Mon fils… mon fils…» murmura Dirc. Il déplia le drapeau et le tira doucement de façon à recouvrir le visage du prince.

Rylmar s'avança près de Dirc en se mordant la lèvre, puis il plaça son bras autour de l'homme affligé. Ses mots furent prononcés à voix basse afin de ne pas porter au loin. «Seigneur – Dirc! Les yeux de l'empire sont sur vous en ce moment même. Retirons-nous dans votre donjon, seigneur. Transportons nos chagrins derrière vos murs, et occupons-nous de nos problèmes en privé.»

«Non, père.»

Rylmar se retourna. «Théona?»

«Il n'y aura plus d'ententes privées, d'ententes secrètes et de traitements de faveur», dit Théona d'une voix claire, audible dans toute la cour.

«Théona!» dit Rylmar d'un ton pressant. «Baisse le ton!»

«Je suis désolée, père, mais je porte le jeton de Treijan et je dois être entendue. C'est pourquoi j'ai invité tous ces gens à être présents ici aujourd'hui.»

«Tu les as *invités*!»

Théona hocha la tête. «Afin que tous puissent savoir.»

Gaius s'avança. «Les choses ont changé, maître Conlan.»

Les yeux de Dirc se fixèrent soudainement sur Théona. «Comment se fait-il que tu portes le jeton de mon fils?»

Théona n'hésita pas. «Je suis sa femme.»

Le murmure dans la foule s'intensifia. Les yeux de Rylmar devinrent ronds comme des soucoupes.

«Elle est la femme de Treijan, prince de Rennes-Arvad», dit Gaius d'un ton ferme, reculant pour se tenir à côté d'elle. «J'ai été témoin de ce mariage et le jure devant cette assemblée.»

«*Tu* le jures?» hurla Dirc. «Toi qui as pris mon fils – qui l'a *kidnappé* pour tes propres objectifs égoïstes?»

«Mon cher oncle, c'était *votre* plan, pas le mien!» cria Gaius. «Vous nous avez envoyés au loin, et j'ai toléré vos mensonges à mon égard, mais je ne vous appartiens plus. J'ai payé ma dette envers mon cousin – et lui la sienne envers moi.» Gaius jeta un coup d'œil au sarcophage, puis de nouveau vers Dirc. «Elle est mariée dans la lignée de Rennes-Arvad», affirma Gaius. «Le jeton de Treijan est à elle – vous ne pouvez le nier!»

«Tu crois que je ne le peux pas?» s'insurgea Dirc. «Est-ce que tu penses que je ne devine pas ton plan, Gaius de la maison de Petros? Sa lignée et celle de Rennes-Arvad la conduiraient devant le Conseil, et toi avec elle, sans aucun doute! C'est *toi* qui as tué mon fils – toi qui as élaboré cette mystification afin de pouvoir placer cette *roturière* sur mon trône!»

«Ce n'est pas une roturière», cria Gaius. «Elle possède un talent inconnu de nous tous – *c'est pourquoi* nous ne l'avons jamais vu, c'est pourquoi elle ne l'a pas découvert avant que ces épouvantables événements le mettent au jour.»

«Quel talent?» demanda Rylmar d'un ton sérieux.

«C'est une prophétesse», répondit Gaius.

Dirc parla avec une furieuse conviction. «Un tel pouvoir n'existe pas dans toute la Magie profonde!»

Théona parla tranquillement et simplement. «Je vois les chemins de l'avenir, et j'entends les paroles des dieux.»

«Blasphème!» s'écria quelqu'un dans la foule. Le murmure s'imprégna de colère.

«Croyez-le ou non, cria Gaius en retour, mais un fait demeure : elle *est* la femme de notre Treijan disparu et elle mérite sa place au Conseil.»

«Et nous devons faire confiance à ta parole pour cela!» cracha Dirc.

«Non, pas seulement à ma parole», dit Gaius. «Zolan?»

«O-oui, maître Gaius?» répondit l'homme au teint foncé.

« Est-ce que vous pourriez traverser la porte et demander à nos – nos "témoins" de venir ? »

Zolan jeta un coup d'œil vers Rylmar, qui donna sa permission d'un signe de tête. Le domestique fila comme un éclair par la porte encore ouverte.

Le temps passa.

« Je me demande ce qui peut le retenir ainsi ? » dit Gaius à Théona.

« Nous aurions peut-être dû le prévenir », répondit Théona.

Dirc, dont la main était encore posée sur le sarcophage de son fils, jeta un regard vers Gaius. « Tu vas périr pour cette trahison. »

La porte émit une lueur, et deux personnes élancées d'une incroyable beauté apparurent. L'une des deux était une femme, l'autre était un homme, un peu plus grand que sa compagne. Leurs vêtements étaient tachés et déchirés, mais l'élégance qu'ils dégageaient malgré tout surpassait tout ce que les maisons les plus réputées de Calsandria avaient pu produire.

Tous deux avaient également d'énormes et magnifiques ailes.

L'assemblée des mystiques prit une inspiration collective et puis afficha un silence ébahi. Tous les mystiques de la Magie profonde connaissaient ces créatures, mais aucun d'entre eux ne soupçonnait qu'ils existaient en dehors de leurs rêves.

Zolan retrouva sa voix tremblante. « J-je demande la permission de vous présenter la reine Dwynwyn et le prince Péléron, maîtres de Sharajentei – un royaume de fées en exil. »

Dwynwyn passa devant Théona avec un sourire et descendit d'un pas léger les marches de la porte pour se retrouver de l'autre côté du sarcophage face à un Dirc ébahi. Ses grands yeux foncés fixèrent ceux de Dirc, fouillant son âme.

La porte émit une nouvelle lueur, et un autre fée apparut sur la plateforme de la porte. Celui-là était plus mince encore, et sa peau avait la couleur de la nuit. Il glissa les doigts vers le haut et repoussa les mèches de cheveux qui lui tombaient sur le visage.

«Je demande la permission de vous présenter Arryk, prince de Sharajentei et témoin du mariage de Théona et Treijan dans leur royaume, sous l'autorité de la reine Dwynwyn.»

Arryk descendit rapidement les marches et vint se placer à côté de Dwynwyn. Il parla au seigneur Dirc, même si le regard de l'humain demeurait fixé sur la reine des fées. Le ton d'Arryk apportait la chaleur des pousses au printemps et de la floraison, mais les mots, prononcés avec un fort accent et répétés à l'évidence de nombreuses fois, étaient tout à fait rhamassiens.

«Reine – partage votre peine», dit Arryk à Dirc.

Dwynwyn déposa sa main délicate sur le sarcophage de Treijan, ses yeux exprimant une tristesse infinie.

Dirc prit une inspiration doublée d'un sanglot.

Dwynwyn se retourna puis remonta sur la plateforme où se trouvait encore Théona. Péléron descendit quelques marches pour la rejoindre et prit sa main dans la sienne.

Ils s'inclinèrent tous les deux devant Théona.

Arryk s'agenouilla, puis parla avec force, ses mots résonnant comme des trompettes et des cloches dans toute la cour. «Sharajentei s'incline devant Théona, la prophétesse des mystiques, femme du héros Treijan! Nous demandons asile, comme Treijan nous l'avait promis!»

La porte émit de nouvelles lueurs, et des fées se mirent à marcher dans la cour en une procession silencieuse. Toutes les fées étaient meurtries – plusieurs pouvaient à peine bouger –, mais elles venaient tout de même, emplissant rapidement la cour de la Citadelle.

Théona leva les yeux, et vit les gardiens de la Citadelle se déplacer sur le sommet des murs et des tours, leurs arcs prêts à tirer.

Les fées entrèrent néanmoins une par une dans la cour, et s'inclinèrent à tour de rôle devant Théona.

Gaius descendit près de Dirc Rennes-Arvad et lui parla à voix basse. « Pendant combien de temps la maison de Rennes-Arvad – ou l'empire tout entier – pourrait tenir sans la collaboration volontaire de ces gens-là, nos partenaires dans le rêve ? »

Gaius se retourna et s'inclina.

Le seigneur Dirc Rennes-Arvad prit une profonde inspiration et s'inclina devant Théona.

Un par un, les autres maîtres des maisons de l'Empire mystique s'inclinèrent également devant elle. Et, bien que les fées aient eu besoin d'une heure entière pour traverser la porte en totalité, la question avait été réglée depuis longtemps.

Théona, prophétesse de Calsandria, régnerait sur le Conseil des Trente-Six.

LA VOYANTE

 l portait le nom de Pilier du ciel bien avant que les mystiques viennent à Calsandria et le revendiquent comme étant le leur. Le grand dôme dans les hauteurs était ouvert sur le ciel d'un côté, étant tombé plus de huit décennies auparavant lors du combat légendaire de Caelith Arvad contre Satinka. Les débris avaient été retirés du sol de l'immense rotonde, mais la grande entaille dans le dôme demeurait, ce qui permettait à la lumière du soleil de s'y infiltrer en une colonne qui illuminait l'estrade centrale. À cet endroit se trouvait un globe de bronze de fabrication étrange qui était posé sur un court pilier, transpercé par un fuseau unique. Devant lui étaient agenouillées deux personnes.

Face à elles sur le périmètre de la salle se trouvaient les rangs habituels de mystiques de toutes les guildes et de tous les clans de Calsandria. Ils se chamaillaient et rivalisaient encore entre eux pour de meilleures positions, mais il y avait maintenant plusieurs roturiers parmi eux, qui avaient soudainement trouvé une voix et une place à Calsandria, quelque chose qu'ils n'avaient encore jamais vécu avant. Les vieilles coutumes ayant la vie dure, les roturiers se tenaient quelque peu à l'écart des "meilleurs" dans la salle. Cependant, le fait qu'ils aient été invités – et, mieux encore, qu'ils soient venus – signifiait à quel point les choses avaient changé en si peu de temps.

Plus étrange encore était le contingent de fées – ces créatures qui étaient passées du monde des rêves à celui de la réalité. Elles se tenaient ensemble dans toute leur élégance royale à l'extrémité est de la salle, leurs peaux foncées formant un contrepoint attrayant à leurs élégantes robes de cérémonie, qui éclipsaient les plus beaux efforts des clans humains.

Les deux personnes sur l'estrade se levèrent lentement. Leur cérémonie de mariage était presque terminée. Le marié portait une veste spéciale rose et un long manteau blanc. La mariée portait une magnifique robe rouge avec une longue traîne. De telles cérémonies se déroulaient souvent dans la citadelle de Calsandria, mais ce mariage peu ordinaire nécessitait un lieu grandiose. Le marié prit la mariée par la main, et ils marchèrent autour de l'autel devant l'assemblée, s'arrêtant pour s'incliner tous les deux devant les trois énormes statues dans la salle – des statues qui avaient en ce jour une nouvelle et merveilleuse signification. Une fois l'hommage rendu, le marié prit la main de la mariée et la pressa sur son jeton tandis qu'elle faisait de même avec sa main en la pressant sur le sien. Une lumière flamboya merveilleusement autour d'eux pendant un moment, et ils étaient dès lors mari et femme.

La mariée, Valana Rhami-Conlan, leva les yeux vers la foule tandis que son nouveau mari, Jesth Rhami-Conlan, souriait stupidement.

La foule se mit soudainement à acclamer et à applaudir, alors que les fées se joignirent tardivement au groupe, quelque peu étonnées par cette pratique.

Théona, impératrice de Calsandria, Première Voyante des clans et maîtresse du Conseil des Trente-Six, était resplendissante dans sa robe bleu foncé à bordure argentée. Elle souriait à sa sœur, et laissa couler quelques larmes de joie lorsqu'elle se mit elle aussi à applaudir. À son côté, Gaius de la maison de Petros applaudissait lui aussi, son visage étroit se fendant en un sourire chaleureux.

Valana se mit à courir vers sa sœur, les bras ouverts pour l'étreindre.

Théona la serra fort contre elle. «Oh, Valana! Je suis si heureuse pour toi!»

«C'est un bon parti, n'est-ce pas?» s'extasia Valana. «Sa lignée est un contrepoint parfait pour la nôtre. Nous couvrons presque tous les clans à nous deux!»

Théona éclata de rire. «Oui, Valana – tu as bien fait pour nous tous, quoique je soupçonne que son frère jumeau n'est pas aussi ravi du résultat.»

«Danth?» Le sourcil de Valana se haussa de façon désinvolte. «Enfin, ils sont si beaux tous les deux; j'espère seulement pouvoir trouver un moyen de les différencier.»

Faussement indignée, Théona éclata de nouveau de rire.

Sa sœur s'était cependant déjà retournée vers la foule pressée, son mari la tenant maintenant aussi près de lui que possible.

Théona fixa sa sœur pendant un moment, regardant la robe rouge éclatante tournoyer en s'éloignant. Il y avait eu quelques difficultés entre elles lors de son retour, mais c'était finalement Théona qui avait proposé ce parti à Valana – lui offrant un moyen socialement acceptable de s'extirper de la fâcheuse position consistant à être toutes les deux la veuve du même prince. Théona parvint également à apprécier la force et la détermination de sa sœur dans cette situation.

«Impératrice?»

Théona leva les yeux vers le grand homme plus âgé, dont les longs cheveux gris étaient tirés vers l'arrière depuis un front haut. Son visage s'adoucit immédiatement. «Meklos! Je suis heureuse de voir que vous avez pu venir.»

«Comment aurais-je pu vous le refuser?» sourit Meklos. «De plus, je trouve les voyages bien moins pesants qu'auparavant. Je prends beaucoup de plaisir à admirer la beauté – c'est un monde que je n'avais encore jamais vu.»

«Le monde n'a pas changé», dit Théona avec un soupir de tristesse.

«Non, mais la façon dont je le vois n'est plus la même», répondit Meklos. «Il est bien surprenant pour moi, même à mon âge, de constater que le monde peut avoir un aspect si différent lorsque je le regarde sans... le passé qui lui faisait de l'ombre.»

Théona hocha à peine de la tête, bien que le commentaire de Meklos lui donnât beaucoup à penser. Néanmoins, elle décida qu'il était temps de changer de sujet. «Est-ce que vous vous joindrez à nous pour le festin de ce soir? Je vous en prie, dites oui.»

«Je ne peux malheureusement pas», répondit Meklos. «Le roi Pe'akanu et son peuple souffrent encore, et il y a encore beaucoup à faire. Les gobelins ont presque tous été mis en déroute, mais il y en a encore qui tiennent bon dans les montagnes de l'île. La destruction de Tua'a-Re fut un désastre; l'aide de Calsandria a été très appréciée.»

«Ce n'était pas leur guerre», dit tristement Théona.

«Non, c'était la nôtre, mais ils se sont battus pour nous et en paient encore le prix.» Meklos tendit la main et agrippa l'avant-bras de Théona lorsqu'elle le lui offrit. «Le roi Pe'akanu vous fait parvenir sa bénédiction et celle de tout son peuple. Il espère que vous honorerez son île de votre présence avant que trop de saisons ne s'écoulent.»

Théona sourit. «Dites-lui que c'est exactement ce que je vais faire.»

Meklos relâcha son bras, s'inclina et quitta la salle.

«Est-ce que c'est seulement une impression, ou bien est-ce qu'il marche d'un pas plus léger?» commenta Gaius en suivant nonchalamment Théona.

«C'est un nouvel homme», dit Théona. «Il voit le monde avec des yeux différents. Où étais-tu passé?»

«Je parlais avec la reine Dwynwyn», dit Gaius, les mains derrière le dos. «Elle a été surprise par les statues dans la salle.»

Théona leva les yeux. Les trois statues gargantuesques étaient disposées de façon à soutenir ce qu'il restait du dôme à trois endroits également espacés dans la salle. L'une d'elles était une femme magnifique, Hrea, qui tenait trois globes dans ses mains jointes. L'autre représentait ce qu'elle connaissait maintenant comme étant un gobelin – un démon à grandes oreilles qui tenait deux globes en équilibre dans ses mains tandis qu'un troisième flottait dans les airs. La troisième statue était sans nul doute un fée, un homme exquis avec des ailes stupéfiantes qui méditait en regardant les trois globes dans sa main gauche.

«Nous le sommes tous.» Théona hocha la tête alors qu'un frisson lui parcourait l'échine. «Est-ce que la reine a décidé de l'endroit où elle souhaitait s'établir?»

«Elle a pensé à Vestadia, mais ne fait pas confiance aux nains qui habitent au nord», répondit Gaius. «Je crois qu'elle souhaite que son peuple s'installe à Meadowland, sur la frontière entre nos Provinces et les marches de l'Est.»

«Je suis tout à fait d'accord avec elle», dit Théona en riant. «Je saurais apprécier une zone tampon entre les Provinces et les visées du Pir en provenance du nord.»

Gaius hocha la tête, et haussa les sourcils. «C'est exactement ce qu'elle a dit, elle aussi. Je parlerai avec le seigneur Dirc pour qu'il en soit ainsi.»

«Il se tire bien d'affaire comme chancelier, ne trouves-tu pas?»

«Oui… mais après tout ce qu'il a fait…»

«Nous avons besoin que la maison d'Arvad demeure forte pour équilibrer les autres maisons», dit tranquillement Théona. «De plus, il est plus facile de le tenir à l'œil quand il est tout près de nous.»

«Plus facile, peut-être, répondit Gaius, mais pas aussi satisfaisant que de le traduire en justice pour ce qu'il a fait.»

Théona ne quittait pas les statues des yeux. «Meklos dit que le monde lui apparaît différemment quand il le regarde sans crainte ni douleur.»

«En effet», dit Gaius avec un sourire. «Alors, dis-moi, Théona, qu'est-ce que tu vois, à présent?»

Je suis à la bifurcation du chemin, et je prends une des deux voies qui se présentent à moi.

Il me conduit au sommet de la plus haute tour de la citadelle de Calsandria. Je vois toute la cité en contrebas. Je regarde les tours, les murs et les toits blancs pousser à une vitesse prodigieuse sur un riche terreau ensemencé depuis une éternité. Le soleil brille sur ma cité; Calsandria mûrit, et resplendit de sa propre lumière sur toute la face du monde.

Au sommet d'une colline, à l'ouest, un homme se tient dans l'ombre. Il arrive de la Désolation, et propage avec lui une maladie qui flotte sur le paysage dans ma direction. Les arbres du verger flétrissent sous ses doigts, l'eau devient saumâtre quand il y entre, et l'air devient fétide sous son souffle.

Je lance un appel vers la cité en contrebas, mais ils ne m'entendent pas, trop occupés qu'ils sont à se chamailler. Ils ne voient pas le danger, car ils sont incapables de le discerner. La peste atteint la cité, desséchant les racines et empoisonnant la pierre. Les murs d'albâtre se couvrent de taches et sont rongés, pourrissant de l'intérieur, ce qui empuantit la cité. La Citadelle s'effondre à mes pieds, s'écroulant sur le côté.

Les dragons tournoient dans le ciel et plongent dans la cité mourante. Ils se régalent comme si c'était de la charogne.

Je recule de quelques pas ; des larmes coulent sur mes joues. Tout se meurt autour de moi tandis que les trois mondes s'entredéchirent dans l'Engagement, chacun dévorant l'autre, et la cité que j'ai fait grandir et que j'ai entretenue comme refuge est morte, et avec elle l'espoir pour notre monde.
Je suis à la bifurcation du chemin...

Journal de Théona Conlan, Volume 4, pages 10-11

« Dis-moi, Théona. »

Théona prit une inspiration et se tourna vers Gaius.

Il la regarda, le visage perplexe.

Théona jeta un coup d'œil à la statue de Hrea. Il lui sembla, lorsque les mots de la déesse lui parvinrent à l'esprit, que celle-ci lui rendait son regard. *« Il te revient de savoir et de voir. La façon dont tu utiliseras cette vision dépend de ta propre sagesse – car le meilleur chemin à suivre n'est jamais le plus facile, et bien peu de gens l'emprunteraient s'ils savaient le prix à payer. »*

Théona sourit à Gaius, tendit les bras et lui enveloppa les mains avec les siennes. « Je vois... que nous pourrions tous les deux être très heureux en marchant ensemble sur nos routes. »

Il était une, deux, trois fois…
L'Engagement entre les Mondes
Les dieux eux-mêmes ne savaient pas
… quel monde régnerait…
… quel monde se soumettrait…
… ni quel monde mourrait.

Chanson des Mondes
Cantiques du Bronze, Tome 1, Folio 1, Feuillet 6

Fin du Livre 3

ANNEXE A
GÉNÉALOGIE

La généalogie prit une importance capitale pour les mystiques lorsque les Privilèges de la lignée furent établis en l'an 547 de l'ère des Rois-dragons. On pensait à l'époque que les aptitudes mystiques étaient héréditaires ; les relations familiales devinrent donc une préoccupation constante des politiciens et des gens influents dans les premières décennies de l'Empire mystique. Cela fut compliqué encore davantage par la croyance sans fondement (et injustifiée) que les lignées patriarcales étaient supérieures aux lignées matriarcales.

N.d.T. pour les pages 516 et 517

Après avoir lu l'histoire, vous verrez que la majorité des noms ne sont jamais mentionnés dans le texte. Quelques noms ont été modifiés (ou « francisés » par l'ajout d'un accent aigu).

Arbre généalogique de la famille Arvard

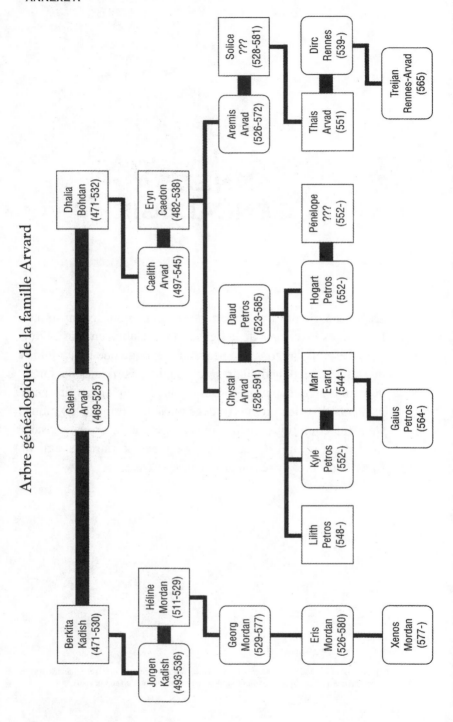

Arbres généalogiques des familles Conlan, Myyrdin et Harn

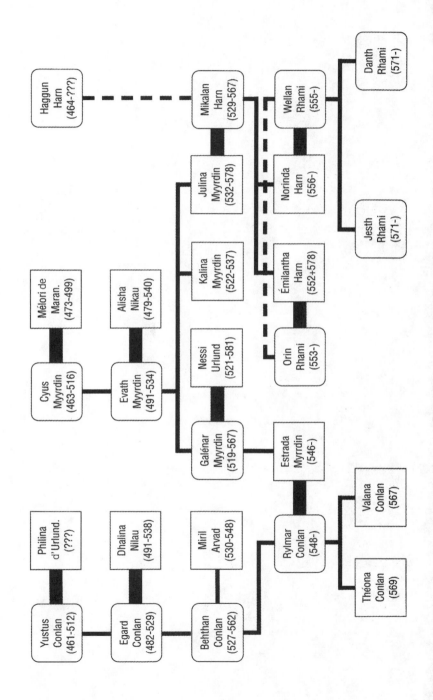

ANNEXE B
LES DISCIPLINES

En l'an 547 de l'ère des Rois-dragons, les mystiques arvadiens avaient terminé l'officialisation de leurs différents systèmes magiques selon leurs deux lignées de clans, systèmes symbolisés par les six anciens dieux de Rhamas. Il en fut décidé ainsi en partie en l'honneur de la rencontre de Caelith Arvad avec les dieux au Pilier du ciel. Les divisions des deux maisons et de leurs guildes magiques étaient basées sur les lignes directrices qui suivent.

Système rhamassique
(Magie du firmament, clan Mistal)

Cette magie est dans le domaine du physique. Elle est divisée en sous-disciplines, ou guildes, dont les suivantes :

Transformation
- Sculpteurs sur bois
- Sculpteurs sur pierre
- Gardiens des nuages
- Mouleurs d'argile

- Armuriers, ferronniers
- Alchimistes

Enchantement
- Enchanteurs
- Catalyseurs

Système hréatique
(Magie des rêves, clan Arvad)

Cette magie s'intéresse principalement au domaine situé entre l'intelligence et l'esprit – la création pure. Les sous-disciplines, ou guildes, sont notamment les suivantes :

Évocation
- Hommes de main
- Guerriers

Illusion
- Sculpteurs d'eau
- Manipulateurs de fumée
- Enchanteurs
- Muses
- Bardes

Système mnéméatique
(Magie du jour, clan Nikau)

Cette magie s'intéresse principalement au domaine des idées et de l'information. Les sous-disciplines, ou guildes, comprennent les suivantes :

Divination
- Radiesthésistes
- Parleurs d'objets artisanaux
- Parleurs de forêts
- Parleurs de créatures
- Maîtres des traditions
- Sourciers

Système ektéiatique
(Magie de la nuit, clan Myyrdin)

Cette magie s'intéresse à la force et au pouvoir. Les sous-disciplines, ou guildes, comprennent les suivantes :

Abjuration
- Gardiens

Prestidigitation
- Prestidigitateurs

Système théléique
(Magie vivante, clan Caedon)

Cette magie s'intéresse au domaine de la guérison et de la vie, du mouvement et de l'animation. Les sous-disciplines, ou guildes, comprennent les suivantes, mais n'y sont pas limitées :

Flore
- Guérisseurs de forêts
- Guérisseurs de récoltes
- Guérisseurs de rivières et de mers

Faune
- Empathiques
- Guérisseurs de torusks
- Guérisseurs de pâturages
- Guérisseurs de poissons

Anthropomorphisme
- Animateurs
- Imprégnateurs

Guérison, conjuration
- Guérisseurs

Skuréatique
(Magie immobile, clan Harn)

Cette magie s'intéresse au domaine de la mort et de la douleur. Au tout début de son histoire, cette discipline était perçue comme une simple force permettant d'équilibrer les choses – ce n'était qu'une autre partie du tout complet qui formait la somme totale de la Magie profonde. Cette perception devait changer en une seule génération.

Nécromancie
- Réanimateurs
- Magie de mort
- Transmuteurs

À propos des auteurs

Tracy et Laura Hickman, les créatrices de la série *Lancedragon*ᴹᴰ, publient des jeux de rôles et des histoires conjointement depuis plus de vingt-cinq ans. Tracy Hickman est la coauteure de succès de librairie internationaux tels que la trilogie des *Chroniques de Lancedragon*, la trilogie de *La légende de l'épée noire*, la trilogie de la *Rose du prophète* et la série des *Portes de la mort*, en sept volumes. Tracy et Laura Hickman vivent aux États-Unis, dans l'Utah.

Livre 1 des Cantiques du Bronze

Le guerrier mystique

Livre 1 des
Cantiques du Bronze

Des auteurs à succès du *New York Times*

Tracy et Laura

Hickman

Édition révisée

Livre 2 des Cantiques du Bronze

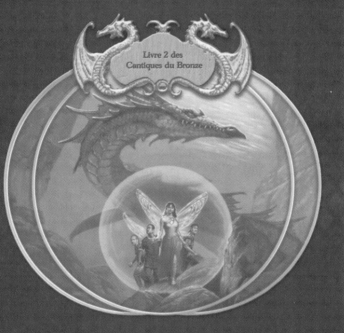

La quête mystique

Livre 2 des
Cantiques du Bronze

Des auteurs à succès du *New York Times*

Tracy et Laura

Hickman